Biblioteca

BERNARDO ATXAGA

El hijo del acordeonista

D1508741

DEBOLS!LLO

Título original: *Soinujolearen semea*
Primera edición en Debolsillo: octubre, 2016
Primera reimpresión: febrero de 2018

© 2003, Bernardo Atxaga
© 2016, Penguin Random House Grupo Editorial, S. A. U.
Travessera de Gràcia, 47-49. 08021 Barcelona
© Asun Garikano y Bernardo Atxaga, por la traducción

Penguin Random House Grupo Editorial apoya la protección del *copyright*.
El *copyright* estimula la creatividad, defiende la diversidad en el ámbito de las ideas
y el conocimiento, promueve la libre expresión y favorece una cultura viva.
Gracias por comprar una edición autorizada de este libro y por respetar las leyes del *copyright*
al no reproducir, escanear ni distribuir ninguna parte de esta obra por ningún medio sin permiso.
Al hacerlo está respaldando a los autores y permitiendo que PRHGE continúe publicando libros
para todos los lectores. Diríjase a CEDRO (Centro Español de Derechos Reprográficos,
http://www.cedro.org) si necesita fotocopiar o escanear algún fragmento de esta obra.

Printed in Spain – Impreso en España

ISBN: 978-84-663-3237-8 (vol. 1133/4)
Depósito legal: B-15.360-2016

Impreso en Novoprint,
QP Print (Barcelona)

P 3 3 2 3 7 8

Penguin
Random House
Grupo Editorial

El hijo del acordeonista

Bernardo Atxaga (Asteasu, Gipuzkoa, 1951) es el seudónimo por el que es conocido José Irazu Garmendia, uno de los creadores de mayor hondura y originalidad en el panorama literario contemporáneo. Licenciado en Ciencias Económicas, desempeñó varios oficios hasta que, a comienzos de los ochenta, consagró su quehacer a la literatura. La brillantez de su tarea fue justamente reconocida cuando su libro *Obabakoak* (1989) recibió el Premio Euskadi, el Premio de la Crítica, el Premio Millepages y el Premio Nacional de Narrativa. La novela ha sido llevada al cine con el título *Obaba*. A *Obabakoak* le siguieron novelas como *El hombre solo* (1994), que obtuvo el Premio Nacional de la Crítica de narrativa en euskera, *Dos hermanos* (1995), *Esos cielos* (1996), *El hijo del acordeonista* (2004, Premio Grinzane Cavour, Premio Mondello, Premio de Traducción Literaria del Times y Premio de la Crítica 2003 en su edición en euskera), *Siete casas en Francia* (2009, finalista en el Premio Independiente de Ficción Extranjera 2012, finalista en el Premio de Traducción Oxford Weidenfeld 2012) y *Días de Nevada* (2013). También es autor de libros de poesía como *Poemas & Híbridos*, cuya versión italiana obtuvo el Premio Cesare Pavese en 2003. Su obra ha sido traducida a treinta y dos lenguas. Es miembro de la Academia de la Lengua Vasca.

www.atxaga.org

MUERTE Y VIDA DE LAS PALABRAS

Así mueren
las palabras antiguas:
como copos de nieve
que tras dudar en el aire
caen al suelo
sin un lamento.
Debería decir: callando.

¿Dónde están ahora las cien
maneras de decir mariposa?
En la costa de Biarritz recogió
Nabokov uno de aquellos
nombres: *miresicoletea*.
Mira, está ahora bajo la arena,
como la astilla de una concha.

Y los labios que se movieron
y dijeron justamente
miresicoletea
los de aquellos niños
que fueron los padres
de nuestros padres,
aquellos labios duermen.

Dices: un día de lluvia
mientras caminaba
por una calzada de Grecia,
vi que los guías de un templo
llevaban chubasqueros amarillos
con un gran dibujo de Mickey Mouse.
También los viejos dioses duermen.

Las nuevas palabras, añades
están hechas con materiales vulgares.
Y hablas del plástico, del poliuretano,
del caucho sintético, y afirmas
que acabarán todas muy pronto
en el contenedor de las basuras.
Pareces un poco triste.

Pero mira a las niñas
que chillan y juegan
frente a la puerta de la casa,
escucha atentamente lo que dicen:
El caballo se fue a Garatare.
¿Qué es Garatare? les pregunto.
Una palabra nueva, responden.

Ya ves, las palabras no siempre surgen
en solitarias áreas industriales;
no son necesariamente producto
de las oficinas de propaganda.
Surgen a veces entre risas,
y parecen vilanos en el aire.
Mira cómo marchan hacia el cielo,
cómo está nevando hacia arriba.

El comienzo

Era el primer día de curso en la escuela de Obaba. La nueva maestra andaba de pupitre en pupitre con la lista de los alumnos en la mano. «¿Y tú? ¿Cómo te llamas?», preguntó al llegar junto a mí. «José —respondí—, pero todo el mundo me llama Joseba». «Muy bien.» La maestra se dirigió a mi compañero de pupitre, el último que le quedaba por preguntar: «¿Y tú? ¿Qué nombre tienes?». El muchacho respondió imitando mi manera de hablar: «Yo soy David, pero todo el mundo me llama el hijo del acordeonista». Nuestros compañeros, niños y niñas de ocho o nueve años de edad, acogieron la respuesta con risitas. «¿Y eso? ¿Tu padre es acordeonista?» David asintió. «A mí me encanta la música —dijo la maestra—. Un día traeremos a tu padre a la escuela para que nos dé un pequeño concierto». Parecía muy contenta, como si acabara de recibir una noticia maravillosa. «También David sabe tocar el acordeón. Es un artista», dije yo. La maestra puso cara de asombro: «¿De verdad?». David me dio un codazo. «Sí, es verdad —afirmé—. Además tiene el acordeón ahí mismo, en la entrada. Después de la escuela suele ir a ensayar con su padre». Me costó terminar, porque David quiso taparme la boca. «¡Sería precioso escuchar un poco de música! —exclamó la maestra—. ¿Por qué no nos ofreces una pieza? Te lo pido por favor».

David se fue a por el acordeón con cara de disgusto, como si la petición le produjera un gran pesar. Mientras, la maestra colocó una silla sobre la mesa principal del aula. «Mejor aquí arriba, para que podamos verte todos», dijo. Instantes después, David estaba, efectivamente, allí arriba, sentado en la silla y con el acordeón entre sus brazos. Todos comenzamos a aplaudir. «¿Qué vas a interpretar?», preguntó la maestra. «*Padam Padam*», dije yo, anticipándome a su respuesta. Era la canción que mi compañero mejor conocía, la que más veces había ensayado por ser tema de ejecución obligada en el concurso provincial de acordeonistas. David no pudo contener la sonrisa. Le gustaba lo de ser el campeón de la escuela, sobre todo ante las niñas. «Atención todos —dijo la maestra con el estilo de una presentadora—. Vamos a terminar nuestra primera clase con música. Quiero deciros que me habéis parecido unos niños muy aplicados y agradables. Estoy segura de que vamos a llevarnos muy bien y de que vais a aprender mucho». Hizo un gesto a David, y las notas de la canción —*Padam Padam…*— llenaron el aula. Al lado de la pizarra, la hoja del calendario señalaba que estábamos en septiembre de 1957.

Cuarenta y dos años más tarde, en septiembre de 1999, David había muerto y yo estaba ante su tumba en compañía de Mary Ann, su mujer, en el cementerio del rancho Stoneham, en Three Rivers, California. Frente a nosotros, un hombre esculpía en tres lenguas distintas, inglés, vasco y español, el epitafio que debía llevar la lápida: «Nunca estuvo más cerca del paraíso que cuando vivió en este rancho». Era el comienzo de la plegaria fúnebre que el propio David había escrito antes de morir y que, completa, decía:

«Nunca estuvo más cerca del paraíso que cuando vivió en este rancho, hasta el extremo de que al difunto le costaba creer que en el cielo pudiera estarse mejor. Fue difícil para él separarse de su mujer, Mary Ann, y de sus dos hijas, Liz y

Sara, pero no le faltó, al partir, la pizca de esperanza necesaria para rogar a Dios que lo subiera al cielo y lo pusiera junto a su tío Juan y a su madre Carmen, y junto a los amigos que en otro tiempo tuvo en Obaba».

«*Can we help you?*» —«¿Podemos ayudarle en algo?»—, preguntó Mary Ann al hombre que estaba esculpiendo el epitafio, pasando del español que hablábamos entre nosotros al inglés. El hombre hizo un gesto con la mano, y le pidió que esperara. «*Hold on*» —«Un momento»—, dijo.

En el cementerio había otras dos tumbas. En la primera estaba enterrado Juan Imaz, el tío de David —«Juan Imaz. Obaba 1916-Stoneham Ranch 1992. Necesitaba dos vidas, sólo he tenido una»—; en la segunda Henry Johnson, el primer dueño del rancho —Henry Johnson, 1890-1965—. Había luego, en un rincón, tres tumbas más, diminutas, como de juguete. Correspondían, según me había dicho el propio David en uno de nuestros paseos, a Tommy, Jimmy y Ronnie, tres hámsters que habían pertenecido a sus hijas.

«Fue idea de David —explicó Mary Ann—. Les dijo a las niñas que bajo esta tierra blanda sus mascotas dormirían dulcemente, y ellas lo aceptaron con alegría, se sintieron muy consoladas. Pero, al poco tiempo, se estropeó el exprimidor, y Liz, que entonces tendría seis años, se empeñó en que había que darle sepultura. Luego fue el turno de un pato de plástico que se quemó al caerse sobre la barbacoa. Y más tarde le tocó a una cajita de música que había dejado de funcionar. Tardamos en darnos cuenta de que las niñas rompían los juguetes a propósito. Sobre todo la pequeña, Sara. Fue entonces cuando David inventó lo de las palabras. No sé si te habló de ello». «No recuerdo», dije. «Empezaron a enterrar vuestras palabras.» «¿A qué palabras te refieres?» «A las de vuestra lengua. ¿De verdad que no te lo contó?» Insistí en que no. «Yo creía que en vuestros paseos habíais hablado de todo», sonrió Mary Ann. «Hablábamos de las cosas de nuestra juventud —dije—. Aunque también de vosotros dos y de vuestro idilio en San Francisco».

Llevaba cerca de un mes en Stoneham, y mis conversaciones con David habrían llenado muchas cintas. Pero no había grabaciones. No había ningún documento. Sólo quedaban rastros, las palabras que mi memoria había podido retener.

Los ojos de Mary Ann miraban hacia la parte baja del rancho. En la orilla del Kaweah, el río que lo atravesaba, había cinco o seis caballos. Pacían entre las rocas de granito, en prados de hierba verde. «Lo del idilio en San Francisco es verdad —dijo—. Nos conocimos allí, mientras hacíamos turismo». Vestía una camisa vaquera, y un sombrero de paja la protegía del sol. Seguía siendo una mujer joven. «Sé cómo os conocisteis —dije—. Me enseñasteis las fotos». «Es verdad. Lo había olvidado.» No me miraba a mí. Miraba al río, a los caballos.

Nunca estuvo más cerca del paraíso que cuando vivió en este rancho. El hombre que esculpía la lápida se acercó a nosotros con la hoja de papel donde habíamos copiado el epitafio en las tres lenguas. *«What a strange language! But it's beautiful!»* —«¡Es rara esta lengua, pero hermosa!»—, dijo, señalando las líneas que estaban en vasco. Puso su dedo bajo una de las palabras: no le gustaba, quería saber si podía sustituirse por alguna mejor. *«¿Se refiere a* rantxo*?»* El hombre se llevó un dedo al oído. *«It sounds bad»* —«Suena mal»—, dijo. Miré a Mary Ann. «Si se te ocurre otra, adelante. A David no le hubiera importado.» Busqué en la memoria. «No sé, quizá ésta...» Escribí *abeletxe* en el papel, un término que en los diccionarios se traduce como «redil, casa de ganado, aparte del caserío». El hombre masculló algo que no pude entender. «Le parece demasiado larga —aclaró Mary Ann—. Dice que tiene dos letras más que *rantxo*, y que en la lápida no le sobra ni una pulgada». «Yo lo dejaría como estaba», dije. «*Rantxo*, entonces», decidió Mary Ann. El hombre se encogió de hombros y regresó a su trabajo.

El camino que unía las caballerizas con las viviendas del rancho pasaba junto al cementerio. Estaban primero las casas de los criadores mexicanos; luego la que había pertenecido a Juan, el tío de David, donde yo me había instalado; al final, más arriba, en la cima de una pequeña colina, la casa donde mi amigo había vivido con Mary Ann durante quince años; la casa donde habían nacido Liz y Sara.

Mary Ann salió al camino. «Es hora de cenar y no quiero dejar sola a Rosario —dijo—. Se necesita más de una persona para hacer que las niñas apaguen la televisión y se sienten a la mesa». Rosario era, junto con su marido Efraín, el capataz del rancho, la persona con la que Mary Ann contaba para casi todo. «Puedes quedarte un rato, si quieres —añadió al ver que me disponía a acompañarla—. ¿Por qué no desentierras alguna de las palabras del cementerio? Están detrás de los hámsters, en cajas de cerillas». «No sé si debo —dudé—. Como te he dicho, David nunca me habló de esto». «Por miedo a parecer ridículo, probablemente —dijo ella—. Pero sin mayor razón. Inventó ese juego para que Liz y Sara aprendieran algo de vuestra lengua». «En ese caso, lo haré. Aunque me sienta como un intruso.» «Yo no me preocuparía. Solía decir que tú eras el único amigo que le quedaba al otro lado del mundo.» «Fuimos como hermanos», dije. «No merecía morir con cincuenta años», dijo ella. «Ha sido una mala faena.» «Sí. Muy mala.» El hombre que esculpía la lápida levantó la vista. «¿Ya se marchan?», preguntó en voz alta. «Yo no», respondí. Volví a entrar en el cementerio.

Encontré la primera caja de cerillas tras la tumba de Ronnie. Estaba bastante estropeada, pero su contenido, un minúsculo rollo de papel, se conservaba limpio. Leí la palabra que con tinta negra había escrito David: *mitxirrika*. Era el nombre que se empleaba en Obaba para decir «mariposa». Abrí otra caja. El rollo de papel ocultaba una oración completa: *Elurra mara-mara ari du*. Se decía en Obaba cuando nevaba mansamente.

Liz y Sara habían terminado de cenar, Mary Ann y yo estábamos sentados en el porche. La vista era muy bella: las casas de Three Rivers descansaban al abrigo de árboles enormes, la carretera de Sequoia Park corría paralela al río. En la zona llana, los viñedos sucedían a los viñedos, los limoneros a los limoneros. El sol descendía poco a poco, demorándose sobre las colinas que rodeaban el lago Kaweah.

Lo veía todo con gran nitidez, como cuando el viento purifica la atmósfera y resalta la silueta de las cosas. Pero no había viento, nada tenía que ver mi percepción con la realidad. Era únicamente por David, por su recuerdo, porque estaba pensando en él, en mi amigo. David no volvería a ver aquel paisaje: las colinas, los campos, las casas. Tampoco llegaría a sus oídos el canto de los pájaros del rancho. No volverían sus manos a sentir la tibieza de las tablas de madera del porche tras un día de sol. Por un instante, me vi en su lugar, como si fuera yo el que acababa de morir, y lo terrible de la pérdida se me hizo aún más evidente. Si a lo largo del valle de Three Rivers se hubiese abierto repentinamente una grieta, destrozando campos y casas y amenazando al propio rancho, no me habría afectado más. Comprendí entonces, con un sentido diferente, lo que afirman los conocidos versos: «La vida es lo más grande, quien la pierda lo ha perdido todo».

Oímos unos silbidos. Uno de los criadores mexicanos —vestía un sombrero de cowboy— intentaba separar los caballos de la orilla del río. Inmediatamente, todo volvió a quedar en silencio. Los pájaros permanecían callados. Abajo, en la carretera de Sequoia Park, los coches marchaban con las luces encendidas y llenaban el paisaje de manchas y líneas de color rojo. El día tocaba a su fin, el valle estaba tranquilo. Mi amigo David dormía para siempre. Le acompañaban, también dormidos, su tío Juan y Henry Johnson, el primer propietario del rancho.

Mary Ann encendió un cigarrillo. *«Mom, don't smoke!»* —«¡Mamá, no fumes!»—, gritó Liz asomada a la ventana. «Es uno de los últimos. Por favor, no te preocupes. Cumpliré mi promesa», contestó Mary Ann. *«What is the word for butterfly in basque?»* —«¿Cómo se dice *butterfly* en lengua vasca?»—, pregunté a la niña. Desde dentro de la casa surgió la voz de Sara, su hermana menor: *«Mitxirrika»*. Liz volvió a gritar: *«Hush up, silly!»* —«¡Cállate, boba!»—. Mary Ann suspiró: «A ella le ha afectado mucho la muerte de su padre. Sara lo lleva mejor. No es tan consciente». Se oyó un relincho y, de nuevo, el silbido del cuidador mexicano con sombrero de cowboy.

Mary Ann apagó el cigarrillo y se puso a mirar en el cajón de una mesita que había en el porche. «¿Te enseñó esto?», preguntó. Tenía en su mano un libro de tamaño folio, unas doscientas páginas perfectamente encuadernadas. «Es la edición que prepararon los amigos del Book Club de Three Rivers —dijo con una media sonrisa—. Una edición de tres ejemplares. Uno para Liz y Sara, otro para la biblioteca de Obaba, y el tercero para los amigos del club que le ayudaron a publicarlo». No pude evitar un gesto de sorpresa. Tampoco sabía nada de aquello. Mary Ann hojeó las páginas. «David decía en broma que tres ejemplares es mucho y que se sentía como un fanfarrón. Que debía haber tomado ejemplo de Virgilio y pedir a sus amigos que quemaran el original.»

La cubierta del libro era de color azul oscuro. Las letras eran doradas. En la parte superior figuraba su nombre —con el apellido materno: David Imaz— y en el centro el título en lengua vasca: *Soinujolearen semea* —«El hijo del acordeonista»—. El lomo era de tela negra, sin referencias.

Mary Ann señaló las letras. «Por supuesto que lo del color dorado no fue idea suya. Cuando lo vio, se echó las manos a la cabeza y volvió a citar a Virgilio y a repetir que era un fanfarrón.» «No sé qué decir. Estoy sorprendido», dije, examinando el libro. «Le pedí más de una vez que te lo enseñara —explicó ella—. Al fin y al cabo, eras su amigo de Obaba, quien debía llevar el ejemplar a la biblioteca de su pueblo natal. Él me decía que sí, que lo haría, pero más tarde, el día que tuvieras que coger el avión de vuelta. No quería que te sintieras obligado a darle una opinión —Mary Ann hizo una pausa antes de continuar—: Y puede que fuera ésa la razón por la que lo escribió en una lengua que yo no puedo entender. Para no comprometerme». La media sonrisa volvía a estar en sus labios. Pero esta vez era más triste. Me levanté y di unos pasos por el porche. Me costaba seguir sentado; me costaba encontrar las palabras. «Llevaré el ejemplar a la biblioteca de Obaba —dije al fin—. Pero, antes de eso, lo leeré y te escribiré una carta con mis impresiones».

Ahora eran tres los criadores que atendían a los caballos de la orilla del río. Parecían de buen humor. Reían sonoramente y se peleaban en broma, golpeándose con los sombreros. Dentro de la casa alguien encendió la televisión.

«Llevaba tiempo con la idea de escribir un libro —dijo Mary Ann—. Probablemente, desde que llegó a América, porque recuerdo que me habló de ello ya en San Francisco, la primera vez que salimos juntos. Pero no hizo nada hasta el día que fuimos a visitar los *carvings* de los pastores vascos en Humboldt County. Sabes lo que son los *carvings*, ¿verdad?

Me refiero a las figuras grabadas a cuchillo en la corteza de los árboles». Efectivamente, los conocía. Los había visto en un reportaje que la televisión vasca había emitido sobre los *amerikanoak*, los vascos de América. «Al principio —siguió ella—, David anduvo muy contento, no hacía más que hablar de lo que significaban las inscripciones, de la necesidad que tiene todo ser humano de dejar una huella, de decir "yo estuve aquí". Pero de pronto cambió de humor. Acababa de ver en uno de los árboles algo que le resultaba extremadamente desagradable. Eran dos figuras. Me dijo que se trataba de dos boxeadores, y que uno de ellos era vasco, y que él lo odiaba. Ahora mismo no recuerdo su nombre». Mary Ann cerró los ojos y buscó en su memoria. «Espera un momento —dijo, poniéndose de pie—. He estado ordenando sus cosas, y creo que ya sé dónde está la foto que le hicimos a aquel árbol. Ahora mismo la traigo».

Se estaba haciendo de noche, pero aún había algo de luz en el cielo; aún quedaban allí nubes iluminadas por el sol, sobre todo de color rosa, redondas, pequeñas, como bolitas de algodón para taponar los oídos. En la parte baja del rancho, los árboles y las rocas de granito se difuminaban hasta parecer iguales, sombras de una misma materia; sombras que, sobre todo, dominaban la orilla del río, donde ya no había ni caballos ni criadores con sombrero de cowboy. Entre los sonidos, destacaba ahora la voz de un presentador de televisión que hablaba de un incendio —*a terrible fire*— en las cercanías de Stockton.

Mary Ann encendió la luz del porche y me entregó la fotografía con el detalle del árbol. Mostraba dos figuras en actitud de lucha, con los puños en alto. El dibujo era tosco, y el tiempo había deformado tanto las líneas que podía pensarse que se trataba de dos osos, pero el pastor había grabado con su cuchillo, junto a las figuras, los nombres, la fecha y la ciudad en que tuvo lugar el combate: «Paulino Uzcudun-Max Baer. 4-VII-1931. Reno».

«Es normal que David se llevara un disgusto —dije—. Paulino Uzcudun siempre estuvo al servicio del fascismo español. Era de los que afirmaban que Guernica había sido destruida por los propios vascos». Mary Ann me observó en silencio. Luego me hizo partícipe de su recuerdo: «Cuando volvimos de Humboldt County, David me enseñó una fotografía antigua donde aparecía su padre con ese boxeador y otras personas. Me dijo que la habían hecho el día de la inauguración del campo de deportes de Obaba. "¿Qué gente es ésta?", le pregunté. "Algunos eran asesinos", me respondió. Me quedé sorprendida. Era la primera vez que me hablaba de ello. "¿Y los demás, qué eran? ¿Ladrones?", le dije un poco en broma. "Probablemente", me respondió. Al día siguiente, cuando volví del college, lo encontré en el estudio, poniendo sobre su mesa las carpetas que había traído a América. "He decidido hacer mi propio *carving*", dijo. Hablaba del libro».

La luz de la bombilla del porche realzaba las letras doradas del libro. Lo abrí y comencé a hojearlo. La letra era pequeña, las páginas estaban muy aprovechadas. «¿En qué año ocurrió todo eso? Me refiero a la excursión para ver los *carvings* y lo de ponerse a escribir.» «Yo estaba embarazada de Liz. Así que hace unos quince años.» «¿Tardó mucho en terminarlo?» «Pues, no lo sé exactamente —dijo Mary Ann. Volvió a sonreír, como si la respuesta le hiciera gracia—. La única vez que le ayudé fue cuando le publicaron el cuento que escuchaste el otro día».

El cuento que escuchaste el otro día. Mary Ann tenía en mente *El primer americano de Obaba*, un texto que ella había traducido al inglés a fin de publicarlo en la antología *Writers from Tulare County*, «Escritores del condado de Tulare». Lo habíamos leído en el rancho, en presencia del propio David, apenas dos semanas antes. Ahora, él ya no estaba. Nunca volvería a estar. En ningún sitio. Ni en el porche, ni en la biblioteca, ni en su estudio, sentado ante el ordenador de color blanco que le había regalado Mary Ann y que utilizó hasta horas antes de ingresar en el hospital. Así era la muerte, ésa era su forma de actuar. Sin pamplinas, sin contemplaciones. Llegaba a una casa y daba una voz: «¡Se acabó!». Después se marchaba a otra casa.

«Ahora que recuerdo, hice más cosas para él —dijo Mary Ann—. Le ayudé a traducir dos cuentos que escribió sobre dos de sus amigos de Obaba. Uno de ellos se titulaba *Teresa*. Y el otro…». Mary Ann no conseguía recordar el título del segundo cuento. Sólo que también era un nombre de pila. «¿Lubis?» Negó con la cabeza. «¿Martín?» Volvió a negar. «¿Adrián?» «Sí. Eso es. Adrián.» «Adrián formaba parte de nuestro grupo —expliqué—. Fuimos amigos durante casi quince años. Desde la escuela primaria hasta la época de la universidad». Mary Ann suspiró: «Un compañero mío del college quería publicárselos en una revista de Visalia. Habló incluso de presentarlos a una editorial de San Francisco. Pero David se echó atrás. No podía soportar que se publicaran directamente en inglés. Le parecía una traición hacia la vieja lengua».

La vieja lengua. Por primera vez desde mi llegada a Stoneham, advertí amargura en Mary Ann. Ella hablaba perfectamente español, con el acento mexicano de los trabajadores del rancho. Podía imaginarme lo que le habría dicho a David en más de una ocasión: «Si no puedes escribir en inglés, ¿por qué no lo intentas en español? Al fin y al cabo, el español es una de tus lenguas familiares. A mí me resultaría mucho más fácil ayudarte». David se habría mostrado de acuerdo, pero posponiendo la decisión una y otra vez. Hasta resultar irritante, quizás.

Rosario apareció en el porche. «Me voy a mi casa. Ya sabe que Efraín es incapaz de hacerse un sándwich. Si no se lo preparo yo, se queda sin cenar.» «Naturalmente, Rosario. Nos hemos entretenido hablando», respondió Mary Ann levantándose de la silla. Yo la imité, y los dos nos despedimos de la mujer. «Lo dejaré en la biblioteca de Obaba», dije luego, señalando el libro. Mary Ann asintió: «Allí al menos podrá leerlo alguien». «En la vieja lengua», dije. Ella sonrió ante mi ironía, y yo me marché colina abajo, hacia la casa de Juan. Iba a dejar América al día siguiente, y tenía que hacer el equipaje.

Mary Ann volvió a sacar el tema de la *vieja lengua* a la mañana siguiente, mientras esperábamos en el aeropuerto de Visalia. «Supongo que ayer te parecí antipática, la típica reaccionaria que siente fobia hacia lo minoritario. Pero no me juzgues mal. Cuando David y Juan conversaban entre ellos, lo hacían siempre en vasco, y para mí era un placer escuchar aquella música.» «Quizás ayer tuvieras razón —dije—. A David le habría beneficiado escribir en otra lengua. Al fin y al cabo, él no pensaba regresar a su país natal». Mary Ann desoyó mi comentario. «Me encantaba oírles hablar —insistió—. Recuerdo que una vez, recién llegada a Stoneham, le comenté a David lo rara que me resultaba aquella música, con tanta *k* y tanta erre. Él me respondió si no me había dado cuenta, que Juan y él eran en realidad grillos, dos grillos perdidos en tierra americana, y que el sonido que yo oía lo producían al batir sus alas. "Empezamos a mover las alas en cuanto nos quedamos solos", me dijo. Ése era su humor».

También yo tenía mis recuerdos. La *vieja lengua* había sido, para David y para mí, un tema importante. Muchas de las cartas que nos habíamos escrito desde su viaje a América contenían referencias a ella: ¿se cumpliría la predicción de

Schuchardt? ¿Desaparecería nuestra lengua? ¿Éramos, él y yo y todos nuestros paisanos, el equivalente al último mohicano? «Escribir en español o en inglés se le haría duro a David —dije—. Somos muy poca gente. Menos de un millón de personas. Cuando uno solo de nosotros abandona la lengua, da la impresión de que contribuye a su extinción. En vuestro caso es distinto. Vosotros sois millones de personas. Nunca se dará el caso de que un inglés o un español diga: "Las palabras que estuvieron en boca de mis padres me resultan extrañas"». Mary Ann se encogió de hombros. «De todos modos, ya no tiene remedio —dijo—. Pero me hubiera gustado leer su libro». Reaccionó enseguida y añadió: «Pocas veces se dará el caso de que una americana tenga que decir: "Las palabras que estuvieron en boca de mi marido me resultan extrañas"». «Bien pensado, Mary Ann», dije. Ella hizo un juego de palabras: «Bien *quejado*, querrás decir». Su acento americano era de pronto muy fuerte.

Empezaron a avisar para el embarque, no había tiempo para seguir hablando. Mary Ann me dio el beso de despedida. «Te escribiré en cuanto lea el libro», prometí. «Te agradezco que hayas estado con nosotros», dijo ella. «Ha sido una experiencia dura —dije—, pero he aprendido mucho. David tuvo mucha entereza». Volvimos a besarnos y me puse en la fila para embarcar.

Las nubes de color rosa que la víspera había visto desde Stoneham seguían en el cielo. Desde la ventanilla del avión parecían más planas, platillos volantes en un cielo azul. Saqué el libro de David de mi maleta de mano. Venían primero las dedicatorias: dos páginas para Liz y Sara, cinco para su tío Juan, otras tantas para Lubis, su amigo de la infancia y juventud, dos para su madre… y luego el grueso del relato, que él definía como «memorial». Guardé de nuevo el libro. Lo leería durante el vuelo de Los Ángeles a Londres, en la etérea región que surcan los grandes aviones y en la que nada hay, ni siquiera nubes.

Una semana más tarde escribí a Mary Ann para informarle de que el libro de David se encontraba ya en la biblioteca de Obaba. Le dije también que había hecho una fotocopia para uso personal, porque los sucesos narrados me resultaban familiares y yo figuraba como protagonista en alguno de ellos. «Espero que hacer una cuarta copia y aumentar la edición no te parezca mal.» El texto era importante para mí. Quería tenerlo a mano.

Le expliqué luego cómo veía yo la forma de actuar de David. A mi entender, él había tenido más de una razón para escribir sus memorias en lengua vasca aparte de la que le había apuntado en el aeropuerto de Visalia, referida a la defensa de una lengua minoritaria. En pocas palabras, David se había resistido a que su vida primera y su vida segunda, la «americana», se mezclaran; no había querido implicarla a ella, principal responsable de que en Stoneham se sintiera «más cerca que nunca del paraíso», en asuntos que le eran ajenos. Al fin, entre las posibles alternativas —la de Virgilio, por ejemplo: quemar el original— había elegido la más humana: ceder al impulso de difundir su escrito, pero a través de una lengua hermética para la mayoría, aunque no para la gente de Obaba ni para sus hijas, si éstas seguían su deseo y decidían aumentar su léxico e ir más allá de *mitxirrika* y de las otras palabras enterradas en el cementerio de Stoneham.

«Él consideraba que el caso de la gente de Obaba y el de tus hijas era distinto —argumenté—. Los primeros tenían derecho a saber lo que se decía de ellos. En cuanto a Liz y Sara, el libro podría ayudarles a conocerse mejor, porque hablaba de su progenitor, un cierto David que, inevitablemente, seguiría viviendo dentro de ellas e influyendo, sin saberse en qué medida, en su humor, en sus gustos, en sus decisiones».

Copié, al final de la carta, las palabras que David había utilizado como colofón de su trabajo: «He pensado en mis hijas al redactar todas y cada una de estas páginas, y de esa *presencia* he sacado el ánimo necesario para terminar el libro. Creo que es lógico. No hay que olvidar que incluso Benjamin Franklin, que fue un padre bastante desafecto, incluye "la necesidad de dejar memoria para los hijos" en su lista de razones válidas para escribir una autobiografía».

Mary Ann contestó con una postal de la oficina de correos de Three Rivers. Me expresaba su agradecimiento por la carta y por haber hecho realidad el deseo de David. Me formulaba, además, una pregunta. Quería saber qué opinión me merecía el libro. «Muy interesante, muy denso», le respondí. Ella me envió una segunda postal: «Entiendo. Los hechos han quedado muy apretados, como anchoas en un tarro de cristal». La descripción era bastante exacta. David pretendía contarlo todo, sin dejar vacíos; pero algunos hechos, que yo conocía de primera mano y me parecían importantes, quedaban sin el relieve necesario.

Unos meses después, faltando ya poco para que finalizara el siglo, puse a Mary Ann al corriente del proyecto que había empezado a madurar a mi regreso de los Estados Unidos: deseaba escribir un libro basado en el texto de David, reescribir y ampliar sus memorias. No como aquel que derriba una casa y levanta en su lugar una nueva, sino con el espíritu del que encuentra en un árbol el *carving* de un pastor ya desaparecido y decide marcar de nuevo las líneas para dar un mejor acabado al dibujo, a las figuras. «Si lo hago de esa manera —expliqué a Mary Ann—, la diferencia entre las incisiones antiguas y las nuevas se borrará con el tiempo y sólo quedará,

sobre la corteza, una única inscripción, un libro con un mensaje principal: Aquí estuvieron dos amigos, dos hermanos».
¿Me daba ella su beneplácito? Me proponía empezar cuanto antes.

Como siempre, Mary Ann me respondió a vuelta de correo. Decía alegrarse con la noticia, y me informaba del envío de los papeles y de las fotografías que podían resultarme útiles. Aseguraba, además, que actuaba empujada por su propio interés, «porque si tú escribes el libro, y luego se traduce a una lengua comprensible para mí, no me será difícil identificar qué líneas corresponden a la vida que tuvo David antes de que nos conociéramos en San Francisco. Quizás cicatricen bien tus correcciones y tus añadidos, volviéndose irreconocibles para el extraño; pero yo compartí con él más de quince años de mi vida, y sabré distinguir el trabajo de las dos manos». Ya en la posdata, Mary Ann sugería un nuevo título, *El libro de mi hermano*, y la conveniencia de no olvidar a Liz y a Sara, «pues, como tú decías hace unos meses, pueden convertirse en lectoras del libro, y no me gustaría que ello les acarreara ningún sufrimiento inútil».

Volví a escribir a Stoneham, y la tranquilicé con respecto a sus hijas. Pensaría en ellas en cada una de las páginas, también para mí serían una *presencia*. Deseaba que mi libro las ayudara un día a vivir, a estar mejor en el mundo. Naturalmente, no todos mis deseos eran tan nobles. También me movía el interés. No renunciaba a mi propia marca, desechando la otra opción, la de convertirme en un mero editor de la obra de David. «Habrá gente que no comprenderá mi forma de actuar y que me acusará de arrancar la corteza del árbol, de robar el dibujo de David —expliqué a Mary Ann—. Dirán que soy un autor acabado, incapaz de escribir un libro por mí mismo, y que por eso recurro a la obra ajena; sin embargo, la verdad última es otra. La verdad es que, conforme pasa el tiempo y los hechos se alejan, sus protagonistas empiezan a parecerse: las figuras se empastan. Así ocurre, según creo, con David y conmigo. Y también, quizás en otra medida, con nuestros compañeros de Obaba. Las líneas que yo añada al dibujo de David no pueden ser bastardas».

Han transcurrido tres años desde aquella carta, y el libro es ya una realidad. Sigue teniendo el título que tuvo desde el principio, y no el sugerido por Mary Ann. Pero, por lo demás, sus deseos y los míos están cumplidos: no hay en él nada que pueda hacer daño a Liz y Sara; tampoco falta nada de lo que, en nuestro tiempo y en el de nuestros padres, ocurrió en Obaba. El libro contiene las palabras que dejó escritas el hijo del acordeonista, y también las mías.

Nombres

Liz, la mayor de nuestras hijas, tenía dos años y medio; Sara, la pequeña, apenas uno. Liz estaba conmigo, en casa; Sara en el hospital de Visalia, con Mary Ann. Llevaba allí unas veinte horas, tomando inhalaciones de salbutamol y conectada intermitentemente al tubo de oxígeno. El problema era que las mucosidades le obstruían los bronquios hasta el punto de impedirle respirar, y que su pequeño cuerpo de ocho o nueve kilos de peso no tenía la fuerza necesaria para expulsarlas. Su tos era terrible.

Igual que otras tardes, propuse a Liz dar un paseo. Lo hice además con cierto entusiasmo, aparentando el humor que no tenía. Pensaba que no se había dado cuenta del jaleo que la noche anterior habíamos tenido en casa, con el llanto y los gritos de Rosario —«¡Ay, Dios mío, la niñita se ahoga!»—, y que seguía ajena a lo que ocurría. «¿Qué dice Liz? ¿No nos ha echado en falta?», me preguntó Mary Ann cuando telefoneó desde el hospital. Le respondí que no. Estaba tranquila, y había comido bien.

Liz no está especialmente interesada en los paisajes amplios. Antes que hacia la sierra o hacia el valle, prefiere mirar al suelo. Se agacha una y otra vez, y observa con atención las piedrecillas, ramillas y demás insignificancias próximas a sus pies, colillas incluidas. Si durante la observación aparece una hormiga o algún otro insecto, mejor. Acoge la novedad con alegría, riéndose.

También aquel día anduvimos así, con parsimonia, parándonos cada pocos metros. Nos llevó media hora llegar hasta el columpio que hay cerca del río. Luego, cuando se aburrió de jugar allí, nos acercamos hasta el cercado de los potrillos recién nacidos, y, más tarde, al jardín donde «vive» el gnomo de piedra, al lado de la casa de Rosario y Efraín. Es otra de las costumbres de Liz: se acerca donde el gnomo, conversa con él durante unos minutos, lo besa y regresa al camino. «¿Qué tal está tu amigo?», le pregunté. «Bien», me respondió. «¿Y qué te ha dicho?» «Que Sara se curará muy pronto.»

Sentí una gran emoción. Por lo inesperado de la respuesta, y porque sus palabras —palabras de una niña de dos años y medio— me parecieron de una belleza que yo desconocía. «Claro que sí, enseguida estará en casa», le susurré al oído, estrechándola entre mis brazos. Por mi mente pasaron multitud de pensamientos, como si tuviera muchas almas con voz propia, o una sola alma pero con muchas lenguas, y no volví a sentirme tranquilo hasta que me hice una promesa: ella y Sara recibirían de mí algo más que el rancho y sus sesenta o setenta caballos de paseo. Volvería a coger la pluma, y me esforzaría en terminar el memorial sobre el que vengo meditando desde mi llegada a Estados Unidos.

JUAN

En los últimos meses de su vida, el estado de salud del tío Juan empeoró de forma tan manifiesta que Liz y Sara no cesaban de preguntar por él: «¿Qué le pasa? Ya no nos cuenta nada». Un día Mary Ann les confesó la verdad. Tenía el corazón extremadamente débil y cualquier esfuerzo, por pequeño que fuera, le producía fatiga. «Es mejor que lo dejéis tranquilo —les dijo—. No vayáis a jugar a su casa». Liz y Sara se lo tomaron muy en serio. Harían lo que su madre les pedía. «Yo ya sabía que Juan estaba enfermo. Me lo dijo Nakika —explicó Liz—. Me dijo "ay-ay-ay Juan ya no juega al golf ay-ay-ay mala señal. Y tampoco sale a ver cómo corren los caballos ay-ay-ay"». Nakika era el nombre de su muñeca favorita.

Tenía razón. Juan había abandonado sus dos aficiones meses antes, cuando aún gozaba de buena salud. Primero el golf, y luego los caballos. Además, contra su costumbre, empezó a frecuentar nuestra casa. Aparentemente, era el mismo de siempre: un hombre preocupado por cuestiones de actualidad, por la política, por la economía; un interlocutor atento, con ideas propias. Pero se cansaba mucho, y al cabo de un rato se sentaba frente a la televisión o llamaba a Efraín para que viniera con el Land Rover a buscarle.

En el mes de junio sufrió un empeoramiento. Venía a casa por la tarde, pedía un café a Mary Ann y se sentaba en el porche para mirar a los caballos —«Antes me sabía todos sus nombres»— o para contemplar el valle. Sus comentarios empezaron a ser, en palabras de Efraín, *bizarros*. Decía por ejemplo: «Seguro que aquellos jinetes que vienen por la orilla del río son indios. Querrán que les invite a una taza de café. El café les vuelve locos». Su voz se fue debilitando, hasta convertirse —así lo expresó Mary Ann— en algo tan inconsistente como el papel de fumar. A finales de junio, unos días antes de morir, me pidió que trajera el acordeón. «Quiero escuchar una pieza», dijo. «¿Cuál?», le pregunté. «La que tocaste el otro día, la del café.» Al principio no le entendí. Llevaba años sin coger el instrumento. «No sé a qué te refieres, tío», dije. Tomó aire y se puso a cantar: «Yo te daré, te daré, niña hermosa, te daré una cosa, una cosa que yo sólo sé: ¡café!».

Recordé, al fin: había tocado aquella canción poco después de mi llegada al rancho Stoneham, el día de la boda de Efraín y Rosario. En la sobremesa, Juan nos había contado su encuentro con los indios del desierto de Nevada, cómo se asustó al darse cuenta de que un grupo numeroso de ellos le seguía. «Lo peor fue cuando se hizo de noche y empecé a ver sombras cerca del campamento. Mi caballo se puso muy nervioso, y yo también. Tanto que le quité el seguro a mi rifle. Pero los *red skin* no querían atacarme. Lo único que querían era café. Se pusieron a chillar de alegría cuando cogí el puchero y empecé a prepararlo.» A la narración de la anécdota le había seguido la canción —*yo te daré...*—, que Juan cantó con voz potente, muy distinta a aquella de sus últimos días. Traje el acordeón y repetí como pude la interpretación del día de la boda. Él pareció muy complacido.

La víspera de su muerte estuvo sentado en el porche, muy callado, y no quiso probar nada. «¿Quieres que vaya a por el acordeón?», le propuse. Hizo un gesto de indiferencia. No tenía ganas de escuchar música. Miraba a lo lejos, por encima de los viñedos y los campos de limoneros, hacia las colinas que rodean el lago Kaweah. El sol acababa de desaparecer tras ellas.

«¡Qué poca cabeza!», dijo de pronto. Fue un suspiro. «Mary Ann, ¿tú has oído hablar de la guerra civil española?», preguntó a continuación. Sentí pena por él. El padre de Mary Ann había pertenecido a las Brigadas Internacionales, y nuestras conversaciones sobre el tema —*on the Spanish Civil War*— eran bastante frecuentes. «Tío, deberías hablarnos de los potros que has estado viendo esta mañana —sugerí—. Me ha dicho Efraín que les habéis hecho una visita». Pero él no hizo caso de mi comentario. «Cuando los fascistas entraron en Obaba, muchos jóvenes se escaparon al monte para ver si podían unirse a las tropas del ejército vasco —dijo. Su voz era ahora más fuerte—. Pero yo seguí en el pueblo, porque el partido me pidió que me quedara, y por eso pude ver aquella cosa tan triste. Llegó un capitán, Degrela se llamaba, y se puso a dar una arenga en los soportales del ayuntamiento, en el mismo lugar donde horas antes había ordenado fusilar a siete hombres, entre ellos a mi amigo Humberto, un hombre bueno que jamás había hecho daño a nadie. Dijo que necesitaba jóvenes que estuvieran dispuestos a dar su vida por la religión y por España. "Necesito vuestra roja sangre. No os prometo la vida, os prometo la gloria." Y todos se pusieron como locos, se empujaban unos a otros para llegar antes a la mesa donde debían apuntarse. Parecía que no tenían otro deseo que el de morir por los fascistas españoles».

Paró de hablar, como si se hubiese encontrado con un obstáculo que su voz no podía superar. Continuó luego, haciendo gestos con la mano: «Uno de aquellos jóvenes de Obaba me dijo muy excitado que me fuera con ellos. "No puedo —le respondí—. Ya ves que estoy cojo. No puedo ir al frente con muletas". Porque, efectivamente, así era como andaba, con muletas. Según un certificado que llevaba en el bolsillo, que era completamente falso pero que tenía la firma de un médico de verdad, sufría lesión grave de menisco. Por eso me libré. El resto se marchó al frente. No sé cuántos serían, quizás unos cien. Antes de un año, la mitad de ellos estaban bajo tierra».

Efraín vino a buscarle en su Land Rover. «Las niñas ya están dormiditas», dijo acercándose. Dadas las circunstancias, Liz y Sara pasaban la noche en su casa, al cuidado de Rosario. «¿Qué tal, patrón? ¿Ya se pone bueno?», preguntó. «Hay mucho inocente en el mundo», dijo Juan. Efraín pensó que se refería a un preso del Estado de Texas, cuya imagen veíamos con frecuencia en televisión por estar a punto de ser ajusticiado en la cámara de gas. «Y también mucho culpable, patrón», le respondió, ayudándole a levantarse.

«Morirá pronto, ¿verdad?», dije a Mary Ann cuando nos fuimos a dormir. Ella asintió. «Yo creo que sí. Pero no quisiera que la conversación de hoy fuera la última.» Estuve de acuerdo. La historia de los jóvenes que habían marchado a la guerra como a una fiesta —aquel *carving* oscuro, aquella inscripción siniestra— no era propia de Juan. Siempre había sido un hombre de buen ánimo.

Al día siguiente, 24 de junio, vimos cumplido nuestro deseo; como si hubiésemos estado bajo la tutela de algún genio bondadoso, o bajo la del mismísimo Dios. Horas antes de morir, Juan experimentó una mejoría. Supimos, nada más verle en el porche, que estaba de buen humor. Pidió champán. «Me parece maravilloso —le dijo Mary Ann, exagerando el gesto—. ¿Qué vamos a celebrar?». «A los americanos se os olvidan las fechas —dijo él—. Por si no lo sabes, hoy es San Juan. ¡El día de mi santo! ¡Un día muy especial en el País Vasco!». «Es verdad. A mí también se me ha pasado. Me estoy volviendo muy americano», dije. «¡Felicidades, Juan!», exclamó Mary Ann. «Felicidades», repetí yo. Luego, mientras se enfriaba el champán, nos sentamos en el porche y nos entretuvimos mirando a los mexicanos que en ese momento estaban adiestrando a los caballos. Había en los cercados del otro lado del río diez hombres, todos con su sombrero de cowboy, todos con su cuerda. Los caballos trotaban haciendo la rueda.

«¿Cuántos tenemos en este momento?», preguntó Juan señalando hacia los caballos. «Contando los potros, exactamente cincuenta y cuatro», respondí. «Estupendo —dijo Juan—. Ésa era mi idea cuando vine a América. Tener caballos, y no ovejas como los otros vascos. ¡Andar de pastor por la sierra con dos mil ovejas no es vida! ¡Es mejor criar caballos bonitos y venderlos a diez mil dólares la cabeza!». Sacamos la botella de champán de la nevera y nos servimos tres copas. Miré hacia el valle: los viñedos estaban sombríos; el cielo tenía un color rosáceo; el sol acababa de ocultarse tras las colinas.

«¿Cómo se llamaba aquella artista de Hollywood que tenía una casa junto al lago Tahoe? —preguntó Juan, después de beber un trago—. Era una mujer impresionante. Una sex-symbol completa». Sabíamos a quién se refería, pero justo entonces se presentó Efraín en busca de unos pijamas para Liz y Sara, y fue él quien respondió a la pregunta: «¡Cómo no se acuerda! ¡Era Raquel Welch!». Juan dudó un instante: «Hablo de la actriz que tanto le gustaba a Sansón, aquel pastor un poco bruto». «Raquel Welch», repitió Efraín. Juan asintió riendo. Efectivamente, se trataba de ella.

Empezó a contar la historia: Sansón había llegado a Estados Unidos desde una aldea vasca, empleándose como ayudante de un propietario de rebaños al que llamaban Guernica por ser de ese lugar de Vizcaya. Al poco de llegar, estando los dos con las ovejas en las cercanías del lago Tahoe, vieron algo extraño. Un caballo sin jinete que corría desbocado en dirección a ellos. Sansón logró detenerlo, y ambos se quedaron a la espera de que apareciera alguien. Y quien apareció fue Raquel Welch. Ella era la dueña del caballo. Llegó caminando, sola, sin más prenda que un bikini negro. «El bikini más pequeño de los Estados Unidos», según Guernica. Sansón se había quedado pasmado, como una estatua. «Paralítico», en palabras del propio Guernica.

Juan se echó a reír, como siempre que llegaba a este punto de la narración. Luego, imitando la forma de hablar de aquel pastor vizcaíno, repitió lo que Guernica contó a la vuelta. «Como Sansón quieto estaba, fui donde la artista, y lo primero que se me ocurrió le dije: *"He is epileptic, very epileptic"* —"Es epiléptico, muy epiléptico"—. *"Oh!"*, dijo ella, y con la mano le hizo así en la mejilla, como a los niños, como diciendo *guapito guapito*, y luego se marchó rápido con el caballo. Yo le agarré del brazo a Sansón y le dije: "Hay que seguir con las ovejas". Él me miró con cara de bobo: "¿Ovejas? ¿Qué ovejas? ¿No estábamos cuidando cerdos?"». Juan se moría de risa. «¡A quién se le ocurre! ¡Confundir cerdos con ovejas!»

Volvimos a servirnos champán, y nos quedamos en el porche durante media hora más.

«¿Recuerdas la vez que, viajando por España, vimos las ruinas de un castillo?», me dijo Mary Ann a la mañana siguiente, mientras desayunábamos. Le respondí que no estaba seguro. «Era un lugar extremadamente solitario —siguió ella—, un verdadero páramo. Las piedras daban la impresión de ser muy pesadas. De pronto, apareció una cigüeña y empezó a dar pasitos sobre una de las torres. Bastó aquel pequeñísimo movimiento para que todas las piedras se animaran y cobraran vida». «¿Por qué lo cuentas?», dije. «Porque así ocurrió ayer con Juan. La alegría que le proporcionaba la historia de Raquel Welch lo transfiguró. Pareció lleno de vida.» «Lo que intentas decir es que ésa debería ser su última historia.» Ella asintió.

Mary Ann sería una buena sibila. Sus palabras, elegíacas, fueron pronunciadas en el momento justo. Aún estábamos desayunando cuando llegó Efraín y empezó a gritarnos desde el porche: «¡Vengan rápido! ¡El patrón tiene las luces encendidas, pero no responde!». Bajamos hasta su casa sin esperanza de encontrarle con vida.

Durante el funeral relaté la historia de la cigüeña y del castillo en ruinas, y hablé de la vida de Juan, «tan llena de ánimo y de esperanza que habría merecido una segunda vida aún más larga». Luego cogí el acordeón, y toqué en su memoria el himno de San Juan.

MARY ANN

I

Llovía suavemente sobre San Francisco. Una mujer joven de aspecto sueco o islandés permanecía inmóvil en una esquina de la calle sujetando en sus manos una cámara fotográfica. La cámara era una polaroid; el barrio de la ciudad, Haight-Ashbury; las calles que se cruzaban, Ashbury y Frederick; la mujer joven, Mary Ann.

Al pasar a su lado me ofreció la cámara. «¿Puede usted, por favor, hacernos una fotografía?», dijo en un español correcto pero con fuerte acento americano. Descarté la idea de que se tratara de una ciudadana sueca o islandesa. «¿Cómo ha sabido que hablo español?», le dije. «Soy una turista muy observadora», respondió ella sonriente. Sus cabellos eran rubios, igual que sus cejas y sus pestañas; sus ojos, de un azul intenso, como suelen serlo no ya los de islandeses y suecos, sino, más aún, los de los habitantes de North Cape.

Se puso al lado de una mujer que no debía de tener más de cuarenta o cuarenta y cinco años, pero que parecía muy consumida. Encuadré a ambas en el visor de la polaroid. Cuando se tomaron del brazo, las dos mujeres conformaron una suerte de emblema. Eran la alegría y la tristeza unidas.

Mary Ann frotaba la espalda de la mujer como si deseara hacerla entrar en calor. Vestía un chubasquero transparente. Debajo, una falda de tela vaquera que no le llegaba hasta las rodillas y una blusa blanca bordada que hacía juego con sus botines, también blancos.

«¿Eres argentino?», me preguntó después de que les sacara la fotografía. «*Basque*», respondí. Necesitó varios segundos para asociar aquella palabra con algo. «*Shepherds*», —«¡Pastores!»—, exclamó finalmente con el ademán de quien ha adivinado el número premiado. «Guardo mis ovejas en ese parque —dije, señalando hacia Buena Vista—. Si queréis verlas, no tenéis más que acompañarme». Hice la invitación en tono jovial, como si nada de aquello me importara; pero estaba nervioso. Oía en mi interior la *voz sabia*, aquella que, según Virgilio, transmite los presentimientos. «Permanece al lado de esta mujer», decía la voz.

«¿Por qué no? —dijo Mary Ann—. No nos vendría mal una foto con ovejas, ¿verdad, Helen? Además, en esta que nos ha sacado nuestro pastor hemos salido bastante feas». Volvió a frotar la espalda de su amiga. Me dio la impresión de que su dinamismo no tenía más propósito que el de infundir ánimo a su amiga. «¿Qué dices, Helen?», volvió a preguntar. «Como quieras, Mary Ann», contestó la mujer. Era la primera vez que oía su nombre. *Mary Ann*. Me pareció muy bonito. «De todas formas, preferiría bajar a un café de Castro —dijo Helen—. Siento necesidades que difícilmente pueden satisfacerse en un parque americano». Mary Ann asintió, y yo también.

Hicimos las presentaciones mientras caminábamos colina abajo. Me dijeron que ambas eran profesoras en un college de New Hampshire. Helen enseñaba literatura latinoamericana; Mary Ann, traducción literaria. Se encontraban en la ciudad por unos días. «Y, para ser sinceras, estamos muy enfadadas a causa del tiempo tan desapacible que nos ha tocado», añadió Mary Ann acercándose a mí y resguardándose bajo mi paraguas. La lluvia no cesaba. «No os preocupéis. A

35

partir de mañana el tiempo va a mejorar», dije. «¿Seguro?» «Los pastores vascos nunca nos equivocamos en estas cosas». «¿Y cómo lo adivináis? ¿Estudiando la dirección del viento?» «Estudiar la dirección del viento ayuda. Pero lo fundamental es escuchar los informativos de la radio y observar los mapas meteorológicos de la televisión.» Se rió. Su chubasquero olía a prenda recién comprada.

«Las dos sois profesoras, las dos de New Hampshire. Pero tú eres alegre y ella todo lo contrario», dije a Mary Ann mientras Helen se alejaba hacia el baño. Ella se puso seria. «Su padre se encuentra gravemente enfermo. Por eso estamos en San Francisco.» Me dominó la aprensión. Me estaba precipitando en mi empeño por lograr su complicidad, y el comentario había sido una torpeza. Si no lo remediaba, ella se marcharía decepcionada nada más terminar su café, sin dejar teléfono ni dirección. A fin de reparar mi error —las personas que se consideran sensibles suelen recurrir a temas *profundos* cuando quieren causar buena impresión— comencé a hablar de la muerte.

No puedo repetir lo que le conté. Ya no lo recuerdo. Dudo incluso de que ese momento llegara jamás a mi memoria. Lo único que sé con certeza es que tuve miedo de que se desvaneciera la afinidad surgida entre nosotros en el cruce de las calles Ashbury y Frederick, y que durante todo el tiempo vigilé las evoluciones de sus ojos North Cape tratando de captar hasta el menor detalle de sus movimientos. Mi incertidumbre duró hasta el momento en que le mencioné el célebre poema de Dylan Thomas —«padre, no te hundas mansamente en la noche silenciosa»—, o, mejor dicho, hasta que se lo recité, a medias, no muy bien. Advertí entonces, allí, en la zona North Cape, un cambio. «Puede que al padre de Helen le guste escucharlo», dijo. «Podemos comprar el libro de poemas en cualquier parte —propuse—. Me parece que Dylan

Thomas es más conocido aquí que en Europa». Buscaba su aprobación. «Vamos a ver qué opina Helen. Pero a mí me parece una buena idea», dijo ella. De nuevo, había armonía entre nosotros.

«¿Qué piensas tú, Helen?», preguntó Mary Ann cuando la mujer estuvo de vuelta. «Tal vez mi padre haga caso de lo que dice el poema —dijo ella—. Al fin y al cabo, nació en Gales, igual que Dylan Thomas, y los galeses suelen ser muy patriotas. Lo que no hacen es seguir el consejo de sus hijas». Terminó la frase con un suspiro. Luego me explicó que el principal problema de su padre era la falta de voluntad. No luchaba contra la enfermedad. Había perdido las ganas de vivir.

Helen pasaba la mayor parte del tiempo en el hospital, y Mary Ann y yo nos reuníamos a eso de las nueve en el hotel de la avenida Lombard donde ella se alojaba. Consultábamos la guía turística durante el desayuno, y emprendíamos, casi siempre a pie, el recorrido elegido para aquel día.

Nuestro acuerdo era tácito. Yo no sabía, a ciencia cierta, por qué aceptaba salir conmigo, pero me figuraba que la perspectiva de caminar en solitario por una ciudad desconocida debía de resultarle poco alentadora, y que apreciaba la posibilidad de hablar con alguien. Uno de los primeros días, estando los dos tomando chocolate en la terraza de Ghirardelli, el camarero se dirigió a nosotros como a un matrimonio. «*I'm afraid your wife prefers to come inside*» —«Me temo que su esposa prefiere entrar dentro»—. Mary Ann rió abiertamente, y yo tuve la esperanza de que los motivos de nuestras salidas fueran más profundos. Solíamos despedirnos hacia las siete de la tarde: ella partía al encuentro de Helen, y yo cenaba algo en el barrio chino o en la misma Marina y me retiraba a descansar.

El hotel que el tío Juan había elegido para mí estaba en un lugar privilegiado. Las ventanas de la habitación daban a la bahía, y permitían ver las luces de la isla de Alcatraz a un lado, y las del puente Golden Gate al otro. Mientras las contemplaba —las de Alcatraz eran más tenues— repasaba mentalmente los acontecimientos de la jornada, analizándolos en todos sus detalles, rumiando las frases que había escuchado, preguntándome una y otra vez sobre los sentimientos de la mujer a la que había conocido en el cruce de las calles Ashbury y Frederick. Hacía también algo que ha sido parodiado y ridiculizado mil veces: cogía uno de los folios con el membrete del hotel y escribía allí su nombre. A veces lo escribía completo: Mary Ann Linder. Otras, sencillamente, Mary Ann. Traté también de hacer un poema, pero sin éxito. Lo único que me parecía aceptable en los borradores era la forma de nombrar sus ojos y sus labios: *North Cape Eyes*, *Thule Lips*. Ojos *North Cape*, labios *Thule*. Dudaba incluso de esta segunda imagen, porque asociaba el nombre de Thule al color azul, y no al rojo, que es el que corresponde a los labios en casi todos los poemas del mundo.

Recorríamos la ciudad de un extremo a otro, y le hacía muchas fotografías. Al principio —«Soy tu fotógrafo oficial»—, instantáneas en las que ella aparecía en lugares como City Lights o Mission Dolores; luego otras más personales, con primeros planos y actitudes espontáneas —«Disculpa, soy uno de esos paparazzi. De alguna manera tengo que ganarme la vida»—. Una tarde, en la terraza de un café —el tiempo había empezado a mejorar a partir del segundo día— la cámara polaroid se nos cayó al suelo. «Veamos si se ha estropeado», dijo Mary Ann después de recogerla, enfocándome. «Suena bien», añadió a continuación, cuando la cámara expulsó la placa. Esperamos a que se revelara la imagen. «Creo que el golpe la ha mejorado. Mira qué interesante estás.» Tenía razón. Había salido favorecido. «Te propongo un trato —dije—. Te doy esta foto mía a cambio de cualquiera de las tuyas». Hubo un alegre movimiento entre Thule y North Cape. «No la necesito.» Abrió el capazo que solía llevar y sacó un sobre lleno de fotografías. Yo aparecía en muchas de ellas. «Discúlpame, también soy una de esas paparazzi. De alguna manera tengo que ganarme la vida —dijo. Y añadió riendo—: Como tengo muchas, no hay trato». «No vale —respondí—. Yo no me guardo las tuyas. Te las entrego puntualmente». Hubo más movimientos entre Thule y North Cape. Burlones, esta vez. «Cada cual tiene su estilo», dijo. «Entonces, ¿qué solución me queda? No voy a tener otro remedio que convertirme en un paparazzi ladrón.» «No creo que eso vaya a ser posible —respondió ella—. A partir de ahora la cámara estará siempre en mi capazo». «En ese caso, ¿qué puedo hacer para conseguir una fotografía tuya?» De su boca surgió una sola palabra: *Merits* —«méritos».

Empecé a tomar conciencia del tiempo. Juan me había dicho que le parecía bien que después de mi primer año en el rancho cogiera vacaciones y me fuera a San Francisco, pero que debía regresar a Three Rivers para la fiesta que denominaban Community Recognition. Quería presentarme en sociedad y que hiciera amigos entre los vecinos del pueblo, muchos de ellos artesanos e incluso artistas. De esa manera, decía él, dejaría de malgastar las horas de descanso jugando al póker con los criadores mexicanos. Su recomendación limitaba mi estancia en la ciudad a un máximo de diez días. Y de esos diez, seis ya habían pasado. Se acercaba la hora de regresar al rancho, a Stoneham. Y lo mismo le ocurría a Mary Ann: le esperaban sus clases en el college de New Hampshire. Entre ambos lugares había cinco mil kilómetros de distancia.

«Cuando salen a relucir los números, malo —me había dicho una vez Joseba, a propósito de un poema que estaba escribiendo—. Cuando estamos a punto de perder algo que nos parece bueno, o que queremos mucho, empezamos a contar: faltan tantos días para que esto acabe, decimos. Y lo mismo cuando nos encontramos ante una situación desagradable: empezamos a calcular lo que falta para el final. En cualquier caso, la aparición de los números es una mala señal».

En la primavera de 1983, cuando, finalizado mi sexto día de vacaciones, me retiré al hotel, los números empezaron a dar vueltas en mi cabeza con más fuerza que nunca. Era cierto que me quedaban cuatro días de vacaciones; era cierto que New Hampshire estaba a cinco mil kilómetros de Stoneham. Por otro lado, me hallaba ante la tercera relación sentimental de mi vida y, caso de confirmarse lo que había prevalecido hasta entonces —ninguna de las relaciones podía juzgarse como satisfactoria—, mis posibilidades de éxito eran muy reducidas, del orden del veinte por ciento, más o menos. Podían ser incluso menores, porque intervenía un factor negativo: procedíamos de lugares muy distantes, ella de Hot Springs, Arkansas, y yo de Obaba, en el País Vasco. Una circunstancia que, por contraste, me obligaba a recordar la máxima brutal que figura al comienzo de una de las novelas de Cesare Pavese: «El caballo y la mujer, de la tierra han de ser». Además, como intuí en nuestro primer encuentro, ella pertenecía a una familia que había emigrado desde Suecia a Canadá, y desde Canadá a Estados Unidos; su verdadero apellido —«que un abuelo pragmático decidió abreviar»— era Lindegren. Los pensamientos y los cálculos se mezclaban con lo que veían mis ojos: la oscuridad de las aguas de la bahía, las débiles luces de Alcatraz.

Me alejé de la ventana y encendí el aparato de televisión. Quería distraerme, concentrarme en lo que fuera y poner freno a mis pensamientos. Me conocía bien, sabía lo que me ocurría en circunstancias como aquélla: algo empezaba a dar vueltas en mi cabeza y se empeñaba en mostrarme una y otra vez las mismas situaciones, los mismos rostros; como si se tratara de lo que Liz y Sara llaman un *merry-go-round*, un tiovivo, un artefacto de feria.

En la pantalla del televisor apareció la figura de un hombre que caminaba por la ribera desierta de un río. Comenzó a cantar: *Mary, queen of Arkansas...* El paisaje de la pantalla, la melodía, la letra de la canción, todo expresaba melancolía. Recordé, esta vez, lo que solía decir un compañero de clase en la Escuela de Ciencias Económicas de Bilbao: «Es vergonzoso, cada vez que me enamoro mi caso aparece en los *Top Ten*». Pensé que debía resignarme a aceptar el lado ridículo de la situación.

Apagué la televisión y permanecí tumbado en la cama, a oscuras, esperando el sueño. La rueda de mi cabeza continuaba girando, pero ya no hablaba de números, sino de nombres: Teresa, Virginia, Mary Ann. Para decirlo al modo de una canción de los *Top Ten*, eran los nombres de las tres mujeres que «se habían cruzado en mi vida». El primero de ellos se desvaneció pronto, y sólo Virginia —*the queen of Obaba*— y Mary Ann —*the queen of Arkansas*— siguieron girando. Ambas eran mujeres físicamente fuertes, de rostro limpio. La diferencia era que los ojos y el pelo de Virginia eran oscuros, y los de Mary Ann, claros. Me quedé dormido tratando de apurar aquella comparación.

El séptimo día de vacaciones Mary Ann me pidió que la acompañara al hospital para recoger a Helen e irnos juntos a cenar. «Está muy triste y le vendrá bien charlar contigo. Sabes animar a la gente. Mejor que yo.» Era su primer elogio desde nuestro encuentro en Haight-Ashbury, y a partir de ese momento no hice otra cosa que cavilar sobre la mejor manera de cumplir la tarea que me encomendaba. Pero no se me ocurría nada, o mejor dicho, sólo me venían a la mente temas de conversación *profundos*, y en especial el más inadecuado para la ocasión, el de la muerte. Animar a Helen me parecía de pronto muy difícil.

Fuimos paseando desde el hospital hasta un restaurante italiano de la zona de Mission. Nada más entrar, oímos música, una tarantela. Un hombre vestido con un chaleco rojo tocaba el acordeón en uno de los ángulos del establecimiento. La rueda que ahora giraba en mi cabeza —como un caleidoscopio, podría decir; aunque carecía de brillo— se transformó de inmediato. Los argumentos, ideas, citas que hasta ese momento había barajado para animar a Helen se esfumaron al instante. «Mi padre también es acordeonista», dije. Estábamos sentados a pocos pasos del hombre que interpretaba la tarantela. «¡Qué bien!», exclamó Helen. «Pues no tan bien —respondí—. Nuestra relación nunca ha sido buena».

Seguí hablando de mi padre. «Cuando yo era niño, tenía la costumbre de hacer listas», dije. Me arrepentí antes de acabar la frase: allí, en un restaurante italiano de Mission, a los sones de una tarantela, la confesión sonaba extemporánea. Pero la palabra dicha —como el agua vertida, como la piedra lanzada— es difícil de recoger. Mary Ann y Helen me miraban con atención, esperando que continuara.

«Mi madre las llamaba listas sentimentales —dije, sin poder evitarlo—. Las confeccionaba con los nombres de las personas que me eran queridas: primero la que más quería; luego la que quería mucho pero algo menos que la que iba en primer lugar, y así sucesivamente. Pues bien, mi padre no tardó en desaparecer de las listas». Mary Ann miró a Helen: «Ya te lo dije. Es un muchacho de lo más normal» —«*He is an absolutely normal guy*»—. Subrayó, alargando, la palabra *absolutely*. Helen sonrió.

Haciendo pie —*metiendo el pie*, podría decir, ensayando un mal chiste— en las listas sentimentales, hice una segunda confesión: tenía el propósito de escribir un libro sobre la vida que había llevado en mi país natal antes de marcharme a América. Lo dije porque era verdad, y porque quería impresionar a Mary Ann. Era tiempo de empezar a reunir los *merits* necesarios para conseguir su fotografía, su atención, su amor. La idea de escribir un libro no podía resultarle indiferente a una persona como ella.

Mary Ann se volvió hacia Helen. «No me fío de este hombre. No sé si dice la verdad. ¿Te parece a ti escritor?» Me apresuré a contestar: «Yo no he dicho que sea escritor. Ya os lo conté: trabajo como administrador en el rancho de mi tío... —me callé. Había otro pensamiento en mi cabeza—. Pero la verdad es que soy acordeonista, igual que mi padre».

Como decía una canción caribeña del *Top Ten*: «Te impresioné distinto». «¿Es eso verdad?», preguntó Mary Ann abriendo mucho sus ojos North Cape. «¡Te contradices! —exclamó Helen—. Si no te fías de él, ¿por qué se lo preguntas?». Se la veía más animada que cuando la recogimos en el hospital.

Mary Ann se había puesto de pie. «Si quieres echarte atrás, aún estás a tiempo», dijo. Se dirigía hacia el hombre del chaleco rojo. «No deberías dudar de mí», respondí. Para cuando quise darme cuenta ya estaba sentado en el taburete de Luigi —pronunció ese nombre al estrecharme la mano— con el acordeón, un Guerrini viejo pero muy bien cuidado, en las rodillas. «Conozco bien este instrumento. Yo tuve uno prácticamente igual», le dije a Luigi, después de hacer una prueba. Repasé mentalmente las piezas que solía tocar en los bailes de Obaba y al final elegí la titulada *Padam Padam*.

Nada más terminar yo la pieza, Mary Ann y Helen prorrumpieron en aplausos, lo mismo que la gente que se sentaba en las otras mesas, y Luigi me volvió a estrechar la mano efusivamente. Sin embargo, yo me sentí mal. Estaba furioso, me odiaba a mí mismo por haber roto la promesa que me había hecho en Stoneham de no volver a tocar el acordeón; de no tocar, sobre todo, aquella pieza: *Padam Padam*. Me vi de pronto fuera del restaurante italiano, fuera de San Francisco y Estados Unidos. Me vi de nuevo en Obaba, con mi amigo Lubis.

Mary Ann advirtió mi cambio de humor. «No te preocupes. No has tocado tan mal», bromeó. «Tenía que haber elegido otra canción», dije. «¿Por qué?», preguntó ella. Vino el camarero con los platos que habíamos pedido, y aproveché la interrupción para pensar mi respuesta. No era el momento de contar la historia de Lubis, no quería volver al pasado y decir: «Esa canción, *Padam Padam*, le gustaba mucho a un amigo mío que ahora está muerto». «¿Por qué ha sido una mala elección?», insistió Mary Ann. «Lo contaré todo en el libro.» Logré que la afirmación sonara jovial.

Me dirigí a Helen. «Tu padre debería estar contento —le dije—. Estás aquí, has venido a San Francisco para estar con él. Han pasado años y él aún conserva tu amor. ¿Quién podría decir otro tanto? ¿Un cinco por ciento de la gente? ¿Un diez por ciento?». Mary Ann me escuchaba con el vaso a la altura de la nariz.

«Desearía que fuera cierto, pero no estoy muy segura —dijo Helen. Se enjugó los labios con la servilleta—. Cuando era niña mi padre y yo estábamos muy unidos. Recuerdo que una vez fui con mi mamá a esperarlo a la estación de ferrocarril, y que cuando llegamos allí él no estaba. Nos habíamos confundido de hora y andábamos tarde. Los andenes estaban desiertos, no se veía a nadie, y pensé, porque aquella soledad me asustó mucho, que nunca más volvería a verlo. Y de pronto surgió en el andén y comenzó a llamarme. Fui corriendo hacia él y le abracé con todas mis fuerzas. Fue un momento maravilloso. Uno de los más maravillosos de mi vida». Helen hizo un silencio. Luigi tocaba ahora una canción clásica de los acordeonistas: *Barcarola*. «Pero luego nos distanciamos —continuó Helen—. Siempre acabamos distanciándonos de las personas queridas. No sé por qué, pero así ocurre. Es una de las lecciones que nos da la vida». Me callé, no tenía sentido discutírselo.

Durante el resto de la cena sólo hablamos de cosas banales. De las clases en el college, del funcionamiento de un rancho dedicado a la cría de caballos de paseo.

Decidimos volver los tres en el mismo taxi, porque nuestros hoteles quedaban en la misma zona. «Dejad que yo vaya delante —dijo Helen sentándose junto al conductor—. Vosotros tenéis que hacer planes para mañana». Mary Ann y yo nos acomodamos en el asiento trasero. «Lombard 1080», dijo Helen. Nos pusimos en marcha a bastante velocidad. Quise decir algo, hablar precisamente de aquellos planes, pero no sabía cómo plantearlo. «¿Cuántos días de vacaciones te quedan?», me preguntó Mary Ann cuando descendíamos por un *crescent*. También en su cabeza danzaban los números. «Me voy pasado mañana», dije. «Igual que yo. Helen se quedará más tiempo, pero yo tengo que reanudar mis clases.» Enfilamos la avenida Lombard. Su hotel estaba en el otro extremo.

«¿Qué hacemos? ¿Salimos mañana?», le pregunté. Las vacaciones estaban tocando a su fin, y las decisiones empezaban a ser difíciles. Ya no valía decir: «Somos turistas, visitemos juntos San Francisco». Se trataba ahora de la vida corriente, la de todos los días. «Yo lo dejaría. Tengo que comprar regalos», dijo ella. Su mente estaba ya en New Hampshire. El destinatario de alguno de aquellos regalos sería, probablemente, su *boy friend*, su pareja.

Tienen razón las canciones del *Top Ten*: cuando la mujer de la que te has enamorado te rechaza, tu corazón se parte en dos. «De todas formas, si cambias de opinión llámame al hotel y saldremos juntos a cenar», dije. Yo mismo me sorprendí por haber sido capaz de improvisar la frase. Sentía que algo —una espina, una astilla— me atravesaba la garganta.

El taxi estaba parado, Helen acababa de pagar al conductor. Mary Ann y yo bajamos del coche. «Ya lo sabes —le dije—. Si te apetece ir a cenar, llámame. Y si antes quieres dar un paseo, lo mismo». Ella evitaba mirarme a los ojos. «¿Es que los pastores vascos no acostumbran a comprar regalos?», preguntó. «¡Jamás! —exclamé—. Nos hemos ganado a pulso la fama que tenemos. Somos almas solitarias. Vagamos por inhóspitas montañas y áridos desiertos sin más compañía que la de nuestros fieles perros». «También los campus pueden ser inhóspitos», dijo ella, hurgando en su capazo. «Por si no volvemos a vernos, aquí tienes lo que te pertenece», añadió, entregándome el sobre lleno de fotografías. «Así que finalmente no eres una verdadera paparazzi», dije. Quise preguntarle si no pensaba darme alguna fotografía suya, pero se volvió hacia Helen, y no me atreví. La despedida —muy en línea con las canciones del *Top Ten*— fue triste.

El teléfono de mi habitación sonó por primera vez a las cinco de la tarde. «¿Qué tal las vacaciones?», oí por el auricular. Tardé un momento en reconocer la voz. Era Juan, que me llamaba desde el rancho. «Muy bien», dije. Yo sabía que llevaba nueve días fuera de Stoneham, y no nueve años; pero me costaba creerlo. Era como si las cifras se hubieran salido de su marco, de su dimensión normal. «Y vosotros, ¿qué tal por ahí?», le pregunté. Juan me respondió con una de sus frases hechas: «Nosotros bien, y los caballos, mejor». «Me alegro.» «¿Sabes por qué te llamo?», dijo él cambiando de tono. No le gustaba alargarse en las conversaciones telefónicas. «Para recordarme que las vacaciones se han acabado y que la contabilidad me espera», dije. «Hay que ver el mal concepto que tienes de tu tío. Te pedí que volvieras pronto por lo de la fiesta de la *Recognition*. A ver si conoces a una chica y te casas de una vez.» Estaba de buen humor.

Comenzó a hablar de un amigo suyo, Guernica. «Sabes a quién me refiero, ¿verdad?... El pastor que iba con Sansón y se encontró con Raquel Welch. Recuerdas la historia, ¿no?» «Me la contaste el día de Navidad, tío.» «Pues me he acordado esta mañana de que abrió un restaurante por ahí cerca. Al otro lado del puente, en Sausalito. Ve a cenar y dale recuerdos.» «A ver si puedo ir. Pero ¿cómo se llama el restaurante?» «Adivínalo.» «¿Guernica?» «Premio.» «Si voy le saludaré de tu parte.» «De acuerdo. Sé prudente en la carretera.» Colgó.

Hacía un tiempo lluvioso, igual que el día de mi primer encuentro con Mary Ann. La imaginé vestida con su chubasquero transparente, buscando regalos por las tiendas de Hayes o de Union Square, estudiando los escaparates con la mente puesta en su amigo de New Hampshire. ¿Le quedarían bien las camisas amplias como las que se veían en Castro? ¿Le gustaría el último disco de la orquesta sinfónica de la ciudad?

El despertador del hotel marcaba las cinco y catorce minutos de la tarde. Encendí un cigarrillo y me senté frente al ventanal de la habitación. Si Mary Ann no llamaba en el plazo de una hora, o quizás antes, si no llamaba para las seis, ya no lo haría nunca.

Los barcos que surcaban la bahía dejaban a su paso estelas rectas, líneas blanquecinas sobre la superficie gris. Por mi memoria pasó, dejando una estela aún más liviana que la de los barcos de la bahía, una imagen: me vi paseando por una ciudad, tropezándome en una esquina con Steve McQueen y Ali McGraw, que iban cogidos de la mano, indiferentes a la llovizna. Vi a Joseba que se volvía para verles alejarse y que comentaba: «Me gustaría ser tan feliz como ellos». Creí recordar la gabardina que llevaba Ali McGraw ese día. No era transparente como la de Mary Ann, sino blanca, de color nata.

Llamé a la recepción del hotel para que me reservaran una mesa en el restaurante que me había recomendado Juan. Deletreé el nombre del restaurante según la antigua ortografía —G-u-e-r-n-i-c-a— pero advertí que quizás estuviera escrito de otro modo, sin la *u* y con *k*. «¿Para cuántas personas desea hacer la reserva?», me preguntó el recepcionista. Parecía muy profesional. «Para dos personas.» «¿A qué hora?» «A las ocho.» «Le llamaré para confirmarle la reserva.» El recepcionista colgó el teléfono.

De mi memoria surgió un segundo recuerdo. Un hombre que casi no cabía en su asiento se dirigía a mí en el compartimento de un tren. «¿Sabe por qué soy tan gordo? —preguntaba—. Pues resulta que un día invité a una chica a comer, pero ella me dejó plantado. Sentí tal despecho que pedí dos primeros platos, dos segundos, dos postres, igual que si ella hubiese acudido a la cita. Ahí empezó mi carrera hacia los ciento cincuenta kilos». «O sea, que es usted gordo por amor.» «Efectivamente.» El recuerdo se hundió en mi memoria como una moneda en el agua.

El teléfono volvió a sonar. La voz de Mary Ann atravesó limpiamente el hilo telefónico: «¿Qué tal andáis los pastores vascos? ¿Habéis puesto vuestras ovejas al abrigo?». Lejos, al otro lado de la bahía, un ferry avanzaba bajo un cielo casi negro. «A los pastores vascos la lluvia no nos asusta —dije—.

Nuestras ovejas pacen tranquilamente en los parques de San Francisco».

La gente que paseaba por la orilla de la bahía empezó a correr. Llovía de pronto con mucha fuerza. «Si los pastores vascos de hoy fueran tan sabios como los de antaño, habrían adivinado que se avecina una tormenta. Hay ruido de truenos, y el viento sopla fuerte», dijo Mary Ann. La imaginé tumbada en la cama de su habitación, descalza. «¿Qué tal ha ido el día?», pregunté. «Los he tenido mejores. He descubierto que los pastores vascos no son tan mala compañía.» «Se lo diré a mis amigos de Nevada y de Idaho. Se alegrarán de saberlo.»

El ferry cruzaba la bahía con mucha rapidez. «¿Qué te parece si vamos a cenar a Sausalito?» «Me encantaría.» «Tengo el coche en el parking del hotel. Pero también podemos coger un taxi.» «Nunca he montado en el coche de un pastor vasco. Me gustaría tener esa experiencia.» «Tampoco yo he practicado nunca la traducción simultánea, pero voy a atreverme —dije—. Si prefieres montar en mi coche significa que estás dispuesta a pasar al plano de la vida cotidiana. A partir de ahora ya no seremos dos turistas». «Me parece una traducción arriesgada. El salto interpretativo ha sido muy grande.» Se echó a reír. «¿A qué hora quedamos?», le pregunté. «Necesito treinta y siete minutos para prepararme.» Eran, según el despertador de la habitación, los minutos que faltaban para las seis de la tarde. «De acuerdo. A las seis en la puerta de tu hotel.» «¿Tienes paraguas?» No lo tenía. «En ese caso, se lo pediré a Helen. Va a pasar la noche en el hospital.» Al otro lado de la ventana, las luces de Alcatraz empezaban a encenderse. «Así que su padre no mejora.» «Todo lo contrario.» «El restaurante al que vamos a ir se llama Guernica», dije. No quería hablar de cosas tristes. «Me suena ese nombre», dijo ella. Su humor cada vez me gustaba más.

El ferry desapareció en una de las barras de la bahía. Las calles y los paseos estaban desiertos. El teléfono sonó por tercera vez. «Su reserva está confirmada. Restaurante Guernica. Sausalito. A las ocho», dijo el recepcionista. «Grafía antigua, supongo.» «Efectivamente, señor. Como en el cuadro de Picasso.» No cabía duda de que era un buen profesional.

II

Tengo delante la fotografía que nos hicieron a Mary Ann y a mí en Sausalito, la primera que tenemos como pareja. Yo llevo una indumentaria bastante *formal*, el traje oscuro que solía ponerme para hacer gestiones en Three Rivers y en Visalia, y un polo blanco en lugar de camisa. Miro a la cámara con cara bastante inexpresiva, aunque, al tener las manos metidas en los bolsillos, doy la impresión de estar relajado y con buen ánimo. Mary Ann lleva un vestido ajustado de color azul claro, chaqueta de lino y zapatos blancos de tacón. Tiene los brazos cruzados y el cuerpo inclinado y apoyado sobre mí. Nuestras cabezas están muy cerca.

La mesa que nos habían reservado en el restaurante estaba junto a un ventanal, y permitía ver los barcos que cruzaban la bahía, y más allá, elevándose hacia el cielo, las luces nacaradas de la ciudad. Pero yo no quería saber del paisaje; quería únicamente mirarla a ella, con franqueza, directamente. Me deleitaba —es una palabra anticuada, pero no encuentro otra— en detalles que resultaban imperceptibles en la fotografía: en sus ojos azules —North Cape—, en sus pendientes —dos sencillas perlas—, en sus labios. Sobre todo en sus labios, porque los tenía pintados de azul, tal como yo los había imaginado al hacer el borrador del poema y escribir *Thule lips*. «Las profesoras de los college somos más fantasiosas de lo que la gente cree», había dicho ella cuando le mencioné el detalle. La coincidencia entre lo imaginado y lo real me parecía un buen augurio. «Esos labios azules me darán un beso», me dije. «Esta misma noche», añadí.

La cena transcurrió apaciblemente. Habíamos rebasado un límite, y ambos sentíamos que nuestro tiempo, que a punto estuvo de detenerse, se ponía de nuevo en movimiento. Con todo, no fui capaz de mantenerme alegre: habría querido contarle a Mary Ann, precisamente allí, en el restaurante Guernica, el incidente del pastor que se había quedado alelado al toparse con Raquel Welch; pero no acababa de encontrar el momento. Habíamos hablado, en las callejuelas de Sausalito, del agravamiento del padre de Helen —«Le han dicho que lo tenga todo dispuesto»—, y me resultaba difícil, una vez más, evitar los temas *profundos*. Y lo mismo le pasaba a Mary Ann. Al cabo, cuando aquellos temas se mezclaron con el nombre del restaurante, nuestra conversación derivó hacia la guerra civil española. «También nosotros tenemos un *Guernica* en casa —dijo ella señalándome una reproducción del cuadro de Picasso que colgaba de la pared—. Lo hizo mi padre tallándolo en madera. Hoy no es más que un médico jubilado que no quiere salir de Arkansas, ni siquiera para conocer el college donde trabaja su hija. Pero cuando tenía veinticinco años fue a España con las Brigadas Internacionales».

Temí que me preguntara por mi padre, sobre su actuación en aquella *Spanish Civil War*, y traté de eludir el tema. «Un amigo mío de Obaba también trabajaba la madera —dije—. Ahora dirige la serrería de su padre y creo que lo ha abandonado. Pero era un artista. Hacía unas tallas preciosas». «No es el caso de mi padre —dijo Mary Ann riéndose—. Hizo la copia del cuadro durante la Segunda Guerra Mundial porque pasaba mucho tiempo en el cuartel y se aburría». No había modo de evitar el tema. De la Segunda Guerra Mundial pasamos a la Primera —«¿Has leído las memorias de Robert Graves? Dice que fue la guerra más cruel de toda la historia»—; más tarde, a la de Vietnam y, de nuevo, a la española. Afortunadamente, ella no me hizo ninguna pregunta directa. No tuve que confesarle que mi padre había hecho la guerra con los fascistas.

Encargamos el postre. Mary Ann me preguntó entonces por el significado exacto de la palabra *gudari*, que yo había utilizado durante la conversación. Le expliqué que se había hecho popular precisamente en la guerra civil española, y añadí algunos detalles filológicos. *«So it means basque soldier»* —«Así pues, significa soldado vasco»—. «Leonard Cohen escribió un poema en su honor —dije—. Le mostraron una fotografía en la que se veía cómo los fascistas fusilaban a varios de ellos, y de ahí surgió la idea». Mary Ann se sorprendió. «No lo sabía», dijo. «Si quieres te lo envío. Lo tengo en una de mis carpetas, en Stoneham.» «Lo leería con mucho gusto.»

Se rompió por fin el fatigoso tono solemne que hasta entonces había lastrado nuestro encuentro. Dejamos el tema de la guerra y hablamos sobre la posibilidad de escribirnos. «¿Dices en serio que te gustaría recibir una carta mía?», le pregunté. «Sí.» Sus ojos —North Cape— sostuvieron mi mirada. «Tienes que darme tu dirección.» «Y tú la tuya.» «Será mejor que lo hagamos antes de que lleguen los postres.» Veía al camarero junto a una vitrina. Acababa de sacar de ella una tarta de frambuesa y otra de chocolate.

Yo tenía tarjetas en las que figuraban todos mis datos personales y mi condición de manager del rancho Stoneham, pero no me pareció propio para la ocasión y empecé a buscar algún papel en los bolsillos de mi chaqueta. «Escribe aquí», dijo Mary Ann doblando una postal publicitaria del restaurante y rasgándola en dos. El corte rebasó la línea de pliegue, y el resultado fueron dos trozos de tamaño diferente. Me entregó el más grande. «Si alguna vez volvemos a concertar una cita —dijo—, cada uno llevará su parte, y así sabremos que efectivamente somos nosotros. Si coinciden, quiero decir». Parecía contenta. «¿Tanto tiempo va a pasar hasta que nos volvamos a ver? —dije—. ¿No nos reconoceremos a simple vista?». «En cualquier caso, estaremos más seguros con la postal.» Estaba escribiendo su dirección, y tenía la cabeza inclinada. También su pelo era North Cape. Muy liso, muy rubio.

«Disculpe», dije al camarero, que permanecía a un lado esperando que acabáramos de escribir. «¿Tarta de frambuesa?», preguntó él con una sonrisa. Le indiqué que se la sirviera a Mary Ann. «La tarta de chocolate para usted», dijo a continuación, poniendo el plato sobre la mesa. Le pregunté si era vasco. No sólo por el lugar donde estábamos, también por su aspecto y por su acento. «Me lo han preguntado muchas veces, pero soy griego.» Luego me informó de que el dueño sí lo era, pero que estaba ausente. Se había marchado a su caserío familiar —to the family cottage— para ver cómo crecían la hierba y las flores en su país. Realizaba aquel viaje todas las primaveras. Mary Ann tomó una frambuesa de la tarta y se la metió en la boca. «No tengo nada contra la hierba y las flores —dijo, mirándonos a los dos—, pero prefiero los frutos. Sobre todo las frambuesas».

Abonamos la cuenta, y el camarero nos animó a probar un licor griego. Deseaba saber, siguiendo con la broma de Mary Ann, si nos gustaba aquel otro fruto de su tierra. «Muy fuerte y muy bueno», le dije después de tomar un sorbo. El camarero volvió a llenarme el vasito y nos dejó solos. «¿Quieres fumar?», dijo Mary Ann, y ambos encendimos un cigarrillo. Fuera había oscurecido. No muy lejos, las luces del puente iluminaban la cresta espumosa de las olas. En la bahía, los barcos llevaban fanales rojos.

Mary Ann fumaba con caladas cortas. Parecía un poco inquieta. Y lo mismo me ocurría a mí. El tiempo pasaba. El reloj del restaurante —grande, de pared, traído probablemente del País Vasco— marcaba las once y veinte. El balanceo de su péndulo resultaba violento, más poderoso y conminatorio que el delicado flujo de la arena o del agua. El momento de separarnos estaba cada vez más cerca.

De una pared del restaurante colgaba un calendario con la imagen del árbol de Guernica. El mensaje que yo leía en él mitigaba el del reloj: pasarían los segundos y los minutos, pasarían las horas, se terminaría aquel día; pero vendrían otros días, vendrían abril y mayo, junio y julio, el verano y el otoño. Había tiempo. Lo único que necesitaba era tener un hilo, una forma de mantener el contacto con ella. Del college de New Hampshire al rancho de Stoneham había más de cinco mil kilómetros, pero las cartas viajaban por el aire, a toda velocidad.

Mary Ann apagó el cigarrillo en el cenicero. La boquilla tenía una mancha azul, muy tenue. «¿Y tú? ¿No sientes la necesidad de ver cómo crecen la hierba y las flores de tu país?» Enlazó las manos y las recogió bajo el mentón, sin apoyarse en ellas. Su cuello era fuerte. Y su espalda también. Pensé que, cien años atrás, los Lindegren habrían sido campesinos.

No respondí directamente a su pregunta. Encendí un segundo cigarrillo y comencé a hablar de la gente que abandona su tierra natal. Dije que los emigrantes siempre llevan consigo una idea infantil —«Aquí la gente es mala, allá donde voy será honesta; aquí vivo miserablemente, allí lo haré con holgura»—, y que de esa fantasía surgía una primera idea del paraíso. Pero que luego, al cabo de los años, un tanto desengañados del nuevo país, conscientes de lo difícil que resulta empezar de nuevo, se producía el movimiento contrario, como el del péndulo del reloj que teníamos delante, y entonces era el país natal el que empezaba a adquirir rasgos paradisíacos.

Había terminado de fumar mi cigarrillo. «Ahora quiero hacerte una pregunta, Mary Ann —dije—. ¿Por qué estoy hablando de esto?». Ella alzó el dedo como lo haría un alumno en clase. «¿Porque no me quieres decir la verdad? ¿Podría ser por eso?» «No, no lo creo. Lo que pasa es que he perdido el hilo. No sé, a lo mejor estoy borracho. Este licor griego es bastante fuerte.» «Yo también me siento un poco mareada», dijo ella, riéndose. Mi discurso sobre los «dos paraísos» no le había aburrido. Al fin y al cabo, también a ella le resultaba difícil abordar la verdadera cuestión, aquella que nos había llevado hasta el restaurante Guernica de Sausalito. Disertar sobre la emigración era fácil. Hacer alguna pregunta concreta antes de que ella regresara a New Hampshire y yo a Stoneham, no tanto.

El peso de las preguntas que no llegaban hizo difícil el camino de regreso al hotel. Veíamos frente a nosotros las luces de la ciudad, que, a aquella hora de la noche, por la lluvia, parecían tristes, y que convertían el interior del automóvil en un lugar adecuado para la conversación, para decir algo sobre nuestros sentimientos; pero ninguno de los dos se animaba a dar el primer paso.

Llegamos al otro lado de la bahía y empezamos a atravesar el parque. La avenida Lombard terminaba allí mismo, estábamos a punto de llegar a su hotel. «Veamos qué clase de música escucha nuestro acordeonista en el coche», dijo Mary Ann con cierto nerviosismo.

La cinta que tenía puesta en el radiocasete la había elegido unas horas antes en el parking del hotel. Era una antigua grabación de Ben Webster. El empleado de la tienda de música de Visalia me la había recomendado diciendo: «*So you can dream about your girl*» —«Para que sueñes con tu chica»—. Todos los temas de la cinta eran preciosos, y cada vez que la escuchaba lamentaba no haber conocido discos como aquel cuando vivía en Obaba y tocaba piezas de baile del estilo de *Casatschok*.

Las agujas del reloj del coche seguían girando. Y girando seguía también la cinta en el radiocasete. La primera canción finalizó cuando enfilamos la avenida Lombard. «Es una canción muy bonita —dijo ella—. ¿Cuál es su título?». Era *The Touch of Your Lips* —«El roce de tus labios»—. «Es una canción de amor», dije. No me sentía capaz de pronunciar aquellas palabras: *the touch of your lips*.

Aparqué el coche a unos veinte metros de la entrada de su hotel. Había poco movimiento en la zona, sólo el de los taxis que pasaban de vez en cuando sobre los charcos de la calzada. Empezó a llover más fuerte, y el repiqueteo de las gotas se sumó al sonido de la música. Paré el motor y reduje las luces.

La nueva canción era de ritmo muy suave. Facilitaba la conversación. «Aún no has respondido a la pregunta del restaurante. ¿Qué planes tienes? —preguntó Mary Ann—. ¿Piensas quedarte en los Estados Unidos?». Estaba sentada un poco de través. Tenía su chaqueta de lino doblada en el regazo, y las dos manos posadas encima. «¿De verdad te interesa?» «Si no me interesara de verdad no te lo habría preguntado dos veces.» Me entraron ganas de fumar un cigarrillo, pero decidí no moverme. La cajetilla estaba al lado de la palanca de cambios, a unos diez centímetros de sus rodillas. «Me siento bien aquí. Stoneham Ranch es un buen lugar. Y

Three Rivers, Visalia, toda esa región también lo es.» Era verdad. Aunque no toda la verdad. Pero no podía decirle: «La situación que tenía en mi país era muy mala. Vivir allí me resultaba imposible». No era el momento para ello.

«¿Tu madre aún vive?», me preguntó Mary Ann. «No. Murió antes de venir yo a América. Unos tres años antes.» Olvidé mi decisión de no encender un cigarrillo, y alargué la mano hacia la cajetilla. «¿Cómo se baja este cristal? —preguntó ella después de aceptar el cigarrillo que yo le había ofrecido y encenderlo—. Si no abrimos la ventanilla, el coche se va a llenar de humo». «Permíteme.» Al mover la manilla presioné involuntariamente su vientre con mi brazo. Fue una presión leve, pero suficiente para sentir su blandura.

«Me he acordado de tu madre por lo que nos contaste a Helen y a mí en el restaurante italiano —dijo en tono de excusa, como si temiera haberme molestado con la pregunta—. ¿Te acuerdas? Justo antes de que te obligara a tocar el acordeón estabas hablando sobre tu padre. Mencionabas las listas que solías hacer con los nombres de las personas queridas, y lo mal que te llevabas con él. No sé, muchas veces cambiamos de lugar simplemente para alejarnos de nuestra familia».

La cinta seguía girando en el radiocasete, igual que las agujas del reloj del coche. Eran las doce y media, muy tarde para ella. Su avión salía muy temprano. Pero no parecía tener prisa. «Aunque, bien mirado, es una tontería —dijo—. Nunca hay un único motivo. Lo que ocurre es que estos días, probablemente por las circunstancias de Helen, hemos mencionado a menudo a nuestros padres. Por eso se me ha ocurrido la pregunta». Volvía a estar sentada de través. De vez en cuando, sacaba su cigarrillo por la rendija de la ventanilla y sacudía la ceniza. «Tienes razón, siempre hay más de un motivo —dije—. Por eso quiero escribir un libro. Para preguntarme sobre ellos».

Un coche patrulla pasó a toda velocidad, con las luces de emergencia encendidas. Resultaba raro pensarlo, pero me encontraba en América, en San Francisco, en compañía de una mujer con los labios pintados de azul. Mary Ann. Mary Ann Linder, de Hot Springs, Arkansas. De la familia de los Lindegren, oriunda de Suecia. Una mujer que, paradójicamente, me resultaba muy cercana. Pensé: «El trozo de postal del restaurante que guarda en su bolso encaja con la mitad que yo tengo en el bolsillo de la chaqueta». No debía olvidarlo, debía aferrarme a aquel símbolo.

«Lo malo es que no encuentro el momento de comenzar a escribir —dije—. Lo más probable es que sea por lo que dijiste en el restaurante italiano, porque no soy un verdadero escritor...». Interrumpí la frase y le cogí la mano. La había extendido hacia mí para protestar y pedir que me callara. «Seguramente es por eso —continué—. Pero el aislamiento también influye. En Stoneham no tengo amigos. Con mi tío Juan puedo hablar de muchas cosas, pero no del libro. Además, francamente —*to be honest*—, ¿a quién puede interesarle lo que yo escriba? Un buen amigo, Joseba, escribe libros y tiene muchos lectores. Pero no es mi caso. Ni mucho menos». Concluí la frase, la mano de Mary Ann seguía sin soltarse de la mía. «Yo podría ser tu primera lectora», dijo.

Se había terminado la primera cara de la cinta, y sólo oíamos el sonido que hacía la lluvia al golpear los cristales y el techo del automóvil. Mary Ann arrojó la colilla de su cigarrillo por la ventanilla. Cogió mi mano entre las suyas.

«Han sido unos días luminosos», dijo. «También lo han sido para mí. Pero ¿qué sucederá a partir de ahora?», pregunté. Se giró en su asiento. Su cabeza quedó apoyada en mi hombro; sus rodillas tocaban la puerta. «En este momento no puedo tomar ninguna decisión», dijo. El volumen de su voz apenas sobrepasó el de la lluvia y casi no pude oír lo que decía. Sus manos estrecharon la mía. «Si comprendo bien, no me va a quedar otro remedio que hacer méritos», dije. Su cabeza siguió apoyada en mi hombro; junto a la puerta del coche, sus rodillas parecían ahora dos pequeñas cimas. *West Cape? East Cape?* Pero no, eran blancas, suaves; no evocaban la dureza de los *cape*, de los cabos de mar. No respondió. Se quedó callada, como dormida. No pude oír sus pensamientos.

Faltaban diez minutos para la una. Se incorporó en su asiento; yo liberé mi mano y abrí la puerta del automóvil. «¿Sabes cómo se conocieron mis padres? —dijo, sacudiendo la cabeza y despabilándose—. Pues ocurrió durante la guerra de España. Cuando él se fue con las Brigadas Internacionales le pidieron a mamá que fuera su madrina y comenzaron a cartearse. Mi padre dice que le bastaron siete cartas para conquistarla». Se quedó mirando a la lluvia. Las perlas de sus pendientes recogieron un destello de la avenida Lombard. «Creo que estoy un poco nerviosa. Estoy diciendo tonterías», se excusó. No sabía cómo despedirse.

Pronuncié entonces la frase más concreta y práctica de aquella noche: «Tú y yo nos hemos enamorado, ¿no es así?». Me esforcé en emplear un tono neutro. «Es posible» —*Maybe*—, dijo ella. «Y como suele ocurrir en estos casos —añadí—, existen complicaciones, sobre todo por el lado de New Hampshire. Pero si seguimos haciendo méritos es posible que los problemas acaben resolviéndose». «¿Qué vas a hacer?», me preguntó. «Lo mismo que tu padre. Te escribiré cartas larguísimas», respondí, en tono menos serio. «No está mal» —*Not bad*—, dijo ella.

Nos detuvimos bajo la marquesina de la entrada del hotel. Cerré el paraguas y se lo entregué. «¿Qué méritos debo hacer yo?», me preguntó. Estuve a punto de ceder, de confesarle que ella era para mí la «rama dorada» del poema y que, por lo tanto, no necesitaba hacer ningún mérito. Pero no dije nada. «Me gustaría mucho enviarte mis traducciones —continuó ella—, pero probablemente sólo serán una carga para ti». «Al contrario —le dije—. Pero envíame también alguna fotografía. Con tantas como nos hemos hecho, al final sólo me llevo a Stoneham la que nos han sacado hoy en Sausalito». «Acepto el trato», dijo ella acercándose al mostrador del hotel. El recepcionista le entregó la llave de la habitación y un mensaje. Ella lo leyó con rapidez y suspiró. «Helen regresará mañana conmigo. Su padre no ha podido resistir.» «Dile que lo siento mucho.» Nos dimos un beso y salí a la calle.

Durante el regreso a Three Rivers no dejé de pensar en Mary Ann ni un solo instante. Recordé que me había llamado «pastor vasco», y cómo aquella pequeña broma había alimentado las primeras horas que pasamos juntos. Y que más tarde, como un juego, nos habíamos fotografiado mientras visitábamos los lugares más turísticos de la ciudad. Cuando volví a ver los árboles de la colina de Stoneham y las rocas de granito del río Kaweah, en mi mente sólo cabía un pensamiento: de qué le hablaría en la primera carta.

LUBIS Y LOS DEMÁS AMIGOS

Había en Obaba un hombre que se ganaba la vida vendiendo pólizas de seguros contra incendios. Yo lo vi por primera vez un día de verano en que jugaba con mis amigos en el hotel Alaska, en una sala llena de sillas vacías, enfrascado en los preparativos de la charla que debía dar. Tendría entonces unos setenta años. Vestía traje negro y camisa blanca.

Extrajo de su cartera de piel unos papeles y un cordón de casi un metro de longitud. Semejante a un rosario, el cordón tenía ensartados varios objetos pequeños, entre los que destacaba una serie de figuras —de cartón, de plástico, de madera, de hierro— con forma de mariposa. A todos nos pareció raro.

«¿Para qué necesita esa cuerda?», preguntó Teresa. Ella y su hermano Martín habían nacido en el hotel. Estaban en su casa, en su ambiente. «No es una cuerda, sino un cordón. ¿No os han explicado en la escuela la diferencia que hay entre las dos cosas?» El hombre hablaba despacio, como si estuviera cansado. Sus ojos eran azules, muy pálidos. También en ellos se percibía cansancio.

«Cordón o cuerda, lo que quiero saber es para qué sirve», contestó Teresa. En aquella época debía de tener once o doce años. Era una niña extraordinariamente curiosa, la que más preguntas hacía en la escuela. «Acercaos aquí», dijo el hombre señalando la primera fila de asientos, y todos nos sentamos frente a él: Teresa, Martín, Lubis, Joseba y yo. Faltaba Adrián, un compañero de escuela que estaba entonces en un hospital de Barcelona a causa de una malformación en la espalda cuyo nombre —escoliosis— se había hecho popular entre nosotros.

El hombre cogió el cordón por una de sus puntas y lo mantuvo suspendido en el aire. «¿Qué creéis que es esto?», dijo, señalando una de las *cuentas*. «Un pedazo de carbón», respondió Lubis, un poco cohibido por tener que responder a algo tan obvio. Él era mayor que nosotros, y a la salida de la escuela iba a cuidar los caballos que mi tío Juan, «el americano», tenía en Iruain, su casa natal. «Efectivamente, así es —asintió el hombre—. ¿Y esto otro? ¿Qué diríais que es?». «¡Qué va a ser! ¡Otro pedazo de carbón! ¡No va a ser una mariposa!», respondió Martín. «Pues te equivocas. Es una astilla de madera completamente abrasada.» Martín arrebató al hombre el cordón, y se puso a examinarlo. «¡Qué collar tan feo!», exclamó con gesto de asco. Teresa, su hermana, perdió la paciencia y le gritó: «¡Por qué dices que es un collar si sabes que no lo es! ¿Por qué dices tantas tonterías?». Tenía el genio muy vivo.

«Voy a daros la explicación —dijo el hombre recuperando el cordón—. Esto que tenéis delante es una herramienta para recordar cosas». «¿Una herramienta? ¿Como un martillo? —Martín nos miró a Joseba y a mí buscando nuestra complicidad—. Este tío está loco». El hombre continuó imperturbable: «Dentro de poco empezaré a hablar ante el público, y mis dedos se toparán con este trozo de carbón. Entonces pensaré: el carbón es bueno, tan bueno como el fuego que nace de él. Sirve para preparar la comida, para calentar el hogar. De no haber existido esta clase de fuego el mundo no habría podido progresar. Pensaré eso y lo contaré a mis oyentes. Luego…». «El fuego de carbón también sirve para que se queme el culo —volvió a interrumpirle Martín—. Es lo que le pasó a la maestra el pasado invierno. Se sentó encima de la estufa y se le quemó el culo». «¡Eso es mentira, Martín! ¡No fue así!», le gritó Joseba. Era un alumno muy aplicado, y adoraba a la maestra.

El hombre pasó por alto el comentario de Martín y prosiguió su exposición: «Después del pedazo de carbón, mis dedos encontrarán esta astilla negra, y me acordaré de lo malo que puede ser el fuego. De hecho, esta astilla pertenece a una casa que se quemó hace unos años. Sus dueños se quedaron en la miseria, y tuvieron que emigrar. ¿Y sabéis por qué?». «¿Por qué?», preguntó Lubis con los ojos muy abiertos. Los incendios le impresionaban mucho. «Porque no tenían la cobertura de un buen seguro. Por eso.» El hombre sonrió débilmente. Cualquiera que fuera su gesto, lo que traslucía era cansancio.

En el siguiente tramo del cordón había dos monedas, una grande y otra pequeña. «¿Hace falta mucho dinero para hacerse un seguro?», pregunté. «Muy bien, muchacho. Lo has comprendido perfectamente —me dijo—. ¿Y las mariposas? ¿Por qué crees que están aquí?». Sostuvo el cordón a la altura de mis ojos. «¿Por las diferentes clases de seguros que hay?», aventuré. Podía ver entre sus papeles algunos folletos publicitarios en los que figuraba la imagen del insecto. «Bien, muy bien», me felicitó el hombre poniendo su mano sobre mi cabeza. Los ojos se le humedecieron, como si mi respuesta le hubiese conmovido. Martín torció la boca: «¡Di la verdad, David! ¡Has acertado por casualidad!». No me dio tiempo a responderle. Se abrieron las puertas de la sala y la gente que venía a escuchar la charla empezó a ocupar las sillas. El vendedor de seguros se puso en pie. Sus manos, enlazadas en la espalda, ocultaban el cordón, su herramienta para recordar.

Nos quedamos en la puerta aguardando a que comenzase. La sala se llenó enseguida. «El fuego es bueno y necesario, señoras y señores —dijo entonces el vendedor—. Sin fuego, el mundo no existiría…».

Al final de aquella tarde tuve una sorpresa. Estaba jugando con mis amigos en el mirador del hotel cuando el hombre de los seguros contra incendios me llamó a su lado. Caminaba hacia el aparcamiento del hotel, donde le esperaba un taxi. «Guarda el cordón —me dijo, ofreciéndomelo—. Algún día te será útil». «Muchas gracias», respondí. Estaba indeciso, no me atrevía a coger el regalo. «Ha sido mi última charla. Ya no lo necesitaré más», explicó él. «¿Por qué?» «Las cosas se me olvidan. Ni siquiera con el cordón me arreglo bien», dijo. Esperé un poco; me pareció que quería seguir hablando. «¿Sabes cuántos años tengo? Setenta y cuatro.» Quise decirle algo, pero no se me ocurrió nada. Se nos acercó el conductor del taxi. «¿Adónde le llevo?», le preguntó ayudándole a entrar en el vehículo. «A casa», respondió él.

El taxi se alejó cuesta abajo por la estrecha carretera que llevaba al centro de Obaba. No sabía qué pensar. Intuía con mi lógica de niño que el vendedor de seguros había querido distinguirme; pero me desazonaba la tristeza con la que había hablado —«Ya no lo necesitaré más»— y el hecho de haber sido elegido heredero de su herramienta.

«Ha hecho bien en dártela a ti —me dijo Lubis de camino a Iruain. Aquel verano me estaba enseñando a montar—. ¿Para qué la querría yo? ¿Para recordar cuándo debo alimentar o cepillar a los caballos? Tú, sin embargo, quién sabe…, a lo mejor un día te colocas en una agencia de seguros y puedes sacarle provecho». Me reí. Los razonamientos de Lubis siempre me resultaban gratos.

Podría afirmar ahora, con esa rotundidad con la que se escribe a veces: «A partir de aquel día guardé siempre conmigo el cordón. Fue el primer objeto que metí en la maleta cuando decidí marcharme a Estados Unidos». Pero, tal como ocurre siempre —los hechos nunca están a la altura de las ideas o de las promesas confidenciales—, la verdad resultó más prosaica. Guardé el cordón en mi mesilla de noche, y allí permaneció durante años. Luego lo llevé de casa de mis padres a la de Iruain, para enseñárselo a unos amigos de Lubis, y no volví a tenerlo presente hasta que, ya en América, empecé a escribir mi libro y decidí aplicar aquel modo de recordar: iría de un tema a otro igual que los dedos del agente de seguros habían ido del trozo de carbón a la astilla abrasada o a las mariposas. «Guarda el cordón. Algún día te será útil», me dijo aquel hombre. Su profecía iba a cumplirse.

Dedicatoria interior

Quién me iba a decir, Mary Ann, que nuestro cuento habría de ser el germen de mi libro, y que se cumpliría, una vez más, lo que los poetas antiguos dejaron escrito: «Sin metrópoli no hay provincia; sin fundador no hay ley; sin musa no hay canto». Quién me iba a decir que rememoraría mi primera patria, Obaba, y a los amigos que dejé allí, especialmente a Lubis, desde la distancia de este rancho de Stoneham, y que gracias a esa distancia lograría vencer otra mayor y más temible: la que separa la vida de la muerte.

Trozo de carbón

I

Mi primera patria, la patria de mi infancia y de mi juventud, fue un lugar llamado Obaba. Las pocas veces que me alejé de allí por un tiempo, como el verano que fui enviado por mis padres a un colegio de Biarritz, o el invierno siguiente, cuando viajé con ellos a Madrid, no me sentí mejor que aquellas víctimas de la *relegatio* que eran desterradas al mar Negro, y ni una sola noche dejé de preguntarme cuándo podría regresar.

Recuerdo que por aquella época, o tal vez algo más tarde, cuando tenía ya trece años, contrataron un psicólogo en nuestro colegio de La Salle, y que yo fui enviado a su despacho por el prefecto; no porque fuera un alumno poco estudioso o rebelde, sino por el escaso interés que mostraba por relacionarme con mis compañeros; por mi *misantropía*, para decirlo con la palabra que utilizó el prefecto y que entonces me resultó nueva. Después de entrevistarme durante cuarenta minutos, el psicólogo atribuyó mi poca sociabilidad al apego que sentía por el mundo rural, e hizo constar en su informe que los viejos valores aparecían en mi mente confundidos con los modernos.

Aquel lenguaje era nuevo para mis padres, pero no así el problema. Ellos eran conscientes, y estaban preocupados. «Ya has vuelto a estar en un caserío, David. No lo entiendo», me dijo mi padre unas semanas después del informe del psicólogo, viendo que tenía briznas de paja pegadas a la ropa. Luego añadió lo que me decía siempre, su cantinela favorita: «Hace tiempo que dejaste de ser un niño, pero aún no sabes a qué ambiente perteneces».

Quería decir que yo era de buena familia. Y era cierto. Aparte de acordeonista profesional, él era un hombre con responsabilidades políticas, con influencia tanto en Obaba como en la provincia. Mi madre, por su parte, tenía un taller de costura que ocupaba unos cincuenta metros cuadrados de la casa donde vivíamos, Villa Lecuona. Pero, a mis trece o catorce años, yo era indiferente a los beneficios de la posición social, y así se lo expresaba a mi padre cada vez que me recriminaba. Él se irritaba conmigo, y me amenazaba con no dejarme salir de casa o con meterme interno en el colegio, hasta que intervenía mi madre y zanjaba la discusión: «Déjale, Ángel. Acuérdate de lo que dice mi hermano. Cualquiera puede llevar un caballo al río, pero veinte hombres no pueden obligarle a beber contra su voluntad».

Mis padres intentaban que *el caballo* por fin bebiera, y me siguieron mandando a la capital de la provincia —tenía y tiene un bonito nombre: San Sebastián— para que estudiara en el colegio de La Salle, aun cuando el viaje de ida y vuelta me llevara más de dos horas, y existiera la posibilidad de acudir a colegios más cercanos. Además invitaban a casa a Martín y Teresa, del hotel Alaska, o al hijo del dueño de la serrería Maderas de Obaba, Adrián. Pero, sin negarme a beber de aquel agua, sin dejar de relacionarme con aquellos amigos de idéntica posición social, yo prefería, como apreció el psicólogo, el otro mundo, el rural. Lo ignoraba todo acerca del pastoreo; no sabía cómo preparar el biberón de leche para un ternero o la forma en que había que ayudar a una yegua para tener un potrillo; pero sentía nostalgia de aquellas labores sencillas, como si alguna vez, en una vida anterior, hubiese sido uno de aquellos «campesinos demasiado felices» que elogió Virgilio.

Las listas que confeccionaba con los nombres de las personas que me eran más queridas —mis listas sentimentales— eran otra prueba de lo mismo. En la que copié en mi diario a la edad de catorce años, el primer lugar lo ocupaba mi amigo Lubis, que ya para entonces se encargaba de los caballos de Juan. El segundo era su hermano José Francisco, *Pancho*, que trabajaba en la serrería Maderas de Obaba y no tenía otro cometido que el de llevar el almuerzo a los leñadores que talaban árboles en el bosque. Y era un leñador, precisamente, el que seguía a Lubis y a Pancho: un muchacho de 1,90 de altura y cien kilos de peso al que todos llamaban Ubanbe, por haber nacido en la casa del mismo nombre. Así pues, mi lista sentimental la encabezaban tres campesinos. Los otros amigos —Martín, Teresa, Adrián, Joseba— venían a continuación.

Leí en la revista de los pastores vascos de Norteamérica un artículo, firmado por un religioso, donde se afirmaba que el enorme cambio sufrido por el mundo no ha sido gradual, y que pueblos rurales como Obaba se transformaron menos desde el nacimiento de Jesús hasta la aparición de la televisión —en veinte siglos— que en los treinta años siguientes; que por esa razón había conocido él, en su infancia, los mismos juegos infantiles representados en los frescos de Pompeya.

A mí no me parecen exageradas las palabras del religioso. En 1960, e incluso en 1970, los campesinos de Obaba tenían ese *aire* antiguo que les hacía parecer, en sentido estricto, de otra patria. Se cumplía en ellos la definición de L. P. Hartley: «El pasado es un país extranjero donde se habla diferente». Ejemplo de ello eran Lubis, Pancho, Ubanbe y otros muchos de Obaba. Miraban los sacos llenos de manzanas y decían, distinguiendo cada clase: «Ésta, *espuru*», «ésta, *domentxa*», «ésta, *gezeta*». Miraban a las mariposas que se movían de aquí para allá, y no dudaban: «Ésta, *mitxirrika*», «aquélla, *txoleta*», «aquella otra, *inguma*». Nombres carentes de sentido para quienes, aun viviendo en Obaba, habían asimilado «los valores modernos», como era el caso de mis compañeros de colegio. Y también el mío, hasta cierto punto.

Pero no era únicamente lo que hablaban, su léxico antiguo; era también lo que callaban. Muchas palabras que hoy son de uso frecuente jamás salían de sus bocas. Sencillamente, no las conocían. Compruebo ahora, cuando voy a Visalia a comprar algo en el *mall* o en la tienda de música, que verbos como *depress* o adjetivos como *obsessive*, *paranoic* o *neurotic* están en boca de todo el mundo, y que son inevitables en cualquier conversación, sea o no personal. Pues bien: yo nunca los oí de labios de Lubis, Pancho o Ubanbe. Ellos resolvían el asunto mediante dos sencillas frases: «Estoy contento» o «no estoy muy contento». Jamás pasaban de ahí, jamás se explayaban contando sus sentimientos íntimos. Eran de otra patria, eran antiguos, de una época anterior a la proliferación de los diarios íntimos. Aunque yo me inclinaba por lo contrario —desde que empecé en La Salle llevaba un diario titulado *Pasan los días*—, admiraba su reserva.

Cierto día —era verano y apretaba el calor— los dos hermanos que encabezaban mi lista sentimental, Lubis y Pancho, me pidieron que les acompañara al monte porque querían enseñarme algo. Así lo hice, y después de caminar durante casi una hora nos encontramos los tres frente a un peñasco. «¿Vas a subir ahí arriba?», pregunté a Pancho. Le gustaba la altura. Muchas veces lo veía encaramado en un árbol. «No mires hacia arriba, David. Mira hacia abajo», me dijo Lubis. Hablaba pausadamente, con seriedad, como una persona madura. Decían en Obaba que, tras la muerte de su padre, él había asumido la responsabilidad de cuidar de su hermano y de su madre, y que a ello se debía su forma de ser, poco acorde con su edad.

Pancho se tumbó de espaldas en el suelo y comenzó a deslizarse por un hueco de la roca. Un instante después, sólo se le veía la cabeza. Tenía la cara ancha, desproporcionada: los ojos eran demasiado pequeños, dos rendijas; la boca y la mandíbula, demasiado grandes. «Ahora me ves, David. ¡Pero pronto no me verás!», exclamó, desapareciendo bajo la roca.

«Haz como Pancho. Yo te ayudaré», me indicó Lubis. «¿Tú crees que cabré?», dije. «El hueco es más grande de lo que parece. Espera, entraré yo primero.» Repitió los movimientos de Pancho, y se quedó mirándome desde el suelo. «Es una cueva. Verás qué sitio tan fresco», me explicó riéndose. No se parecía a Pancho. Su cabeza era bonita, y en su cara sólo los ojos se apartaban de las proporciones que regían su nariz —pequeña— y su boca —igualmente pequeña—. Eran unos ojos muy grandes. Y muy tranquilos. De haber sido azules, como los de Mary Ann, y no de color castaño, le hubiesen robado toda la cara.

Me introduje al fin en la cueva. Sentí frescor, y un ruido como el del chorro de una fuente. A unos diez metros del suelo, el techo tenía la forma de una bóveda, con una *linterna* natural que daba paso a la luz y creaba una suave penumbra. Vi entonces que junto a una de las paredes había, efectivamente, una fuente, cuyas aguas iban a dar a un pozo —*putzua*, en el lenguaje de Lubis— que cubría a Pancho hasta el cuello.

Lubis se desnudó y bajó donde su hermano. Los dos empezaron a empujarse y a reír. Contagiado por su alegría —el eco de la cueva no producía allí respuestas sombrías—, me animé a desnudarme y a meterme en el pozo. «Mira esto, David», me dijo Lubis. Golpeó el agua con la palma de la mano. Por efecto de la luz que entraba a través de la linterna, las salpicaduras relucieron como si fueran de cristal. «¡Qué maravilla!», exclamé.

Sentí a los dos hermanos más cerca que nunca. Me dije que en adelante buscaría sólo su compañía en lugar de perder el tiempo con Martín y los demás chicos y chicas de mi ambiente. Además, no tenía ganas de volver al colegio de La Salle, y cuando acabara el verano me pondría a cuidar los caballos del tío Juan junto con Lubis, o si no pediría trabajo en la serrería para estar con Pancho, Ubanbe y todos los que se ganaban la vida talando árboles en el bosque.

Sabía, sin embargo, que mis planes eran irreales. Llegado octubre, tendría que tomar de nuevo el camino de La Salle, en bicicleta, en tren, a pie; con Martín, con Adrián, con Joseba. Con todos los que estudiaban en San Sebastián. Para colmo, mi padre ya me había anunciado que a la salida del colegio tendría que asistir a clases de acordeón, y que los sábados y los domingos —los únicos días en que hubiese podido reunirme con mis amigos campesinos— tendría que tocar con él en los bailes del hotel Alaska. No tenía más que catorce años, no era dueño de mí mismo. Sentí ganas de llorar. Pegué un manotazo al agua. Las gotas relucientes saltaron hasta las paredes de la cueva.

Cuando en 1964, ya con quince años, elaboré mi siguiente lista sentimental, Lubis, Pancho y Ubanbe se mantuvieron en los tres primeros lugares. Pero, para entonces, había algo que me preocupaba: no estaba seguro de que ellos me aceptaran a mí. Lubis trabajaba para el tío Juan, y tanto su hermano Pancho como el mismo Ubanbe y otros leñadores aprovechaban cualquier momento libre para ir a visitar sus caballos —nunca se habían visto animales tan hermosos en Obaba—, por lo que su actitud amistosa podía deberse a mi condición, como si se dijeran: «Es el sobrino del propietario. Habrá que aguantarle». A mí me parecía que me apreciaban por mí mismo, y que con Adrián se portaban de otra manera, por mucho que fuera hijo del dueño de la serrería; pero no estaba convencido. Llegó entonces el Domingo de Ramos, y mis dudas quedaron disipadas.

La fiesta que conmemoraba la entrada de Jesús en Jerusalén se celebraba en Obaba el último domingo de Cuaresma. Al no tener palmas, como habría sido de rigor, la mayoría acudíamos a la iglesia con ramas de laurel en flor, que el sacerdote bendecía en la *missa solemnis* y luego llevábamos a casa para que nos protegieran de las tormentas y otros peligros. Era una ceremonia muy bella. La gente lucía sus mejores ropas; el sacerdote se adornaba con una casulla de color rojo; el coro y el órgano llenaban de cantos la iglesia iluminada.

Frente a tanta solemnidad, los jóvenes campesinos de Obaba disfrutaban dando a la ceremonia un carácter distinto, no muy cristiano. En primer lugar, competían por llevar la rama de laurel más grande y florida; después, finalizada la misa, la competición degeneraba en lucha, y unos diez o quince muchachos se enfrentaban entre sí blandiendo las ramas de laurel como si fueran lanzas o espadas.

Generalmente la lucha tenía lugar a unos cien metros de la iglesia, en un lugar discreto. Pero aquel año de 1964 hubo mucha impaciencia, y empezaron a pelear nada más salir de misa, en el mismo pórtico de la iglesia. Miré a Ubanbe: sostenía con las dos manos una rama de laurel de no menos de cinco metros, al tiempo que vigilaba a uno de sus compañeros de la serrería apodado Opin. La rama de laurel de Opin no era tan larga como la de Ubanbe, pero sí más gruesa. Además, para cogerla mejor, tenía su parte inferior rebajada.

Los contrincantes se dispusieron en dos filas: los del barrio de Iruain y alrededores —entre los que estaban Ubanbe y Pancho— a un lado, y en el otro, con Opin a la cabeza, los de los caseríos próximos a la iglesia. La gente que acababa de salir de la ceremonia y permanecía en el pórtico miraba hacia ellos sin entender bien lo que pasaba. «¿Por qué pones esa cara, Opin? ¿Tienes miedo?», le retó Ubanbe. Algunas chicas —además de fuerte, Ubanbe era un muchacho bien parecido— se echaron a reír. «¡A mí los fanfarrones no me asustan!», exclamó Opin, cortando el aire con su rama de laurel y dando comienzo a la lucha.

El suelo del pórtico se vio pronto cubierto de hojas y flores; el olor dulzón del laurel impregnó el aire. Los golpes, que al principio parecían suaves, comenzaron a sonar secos, porque las ramas se iban desnudando y la madera no encontraba sino madera. Todos callábamos, nadie quería perder detalle. Se oía perfectamente la respiración de los que luchaban.

Un golpe de Opin fue a parar muy abajo, y le hizo daño a Ubanbe en la mano. «¡Ha sido queriendo!», gritó éste, dejando caer la rama de laurel y amenazándole con el puño. «Perdona», dijo Opin, abriendo los brazos. Ubanbe se retiró a una esquina, con la mano dolorida bajo la axila del otro brazo. Se volvió hacia mí, y dijo de repente: «¡David! ¡Tú también eres de Iruain! ¡Ocupa mi puesto!».

El barrio de Iruain estaba situado a unos tres kilómetros del centro urbano de Obaba, y tanto mi madre como mi tío Juan habían nacido allí, en la casa que recibía el mismo nombre que el barrio. El tío Juan mantenía, además, una estrecha relación con el barrio y la casa, gracias a los caballos que le cuidaba Lubis y a la visita que hacía todos los veranos. Pero no era mi barrio, no era mi casa: yo pertenecía a Villa Lecuona. Y aun así Ubanbe quería que ocupara su lugar. Me sentí orgulloso, uno de los elegidos.

Vacilé un momento. Era costumbre que la Corporación Municipal presidiera la ceremonia del Domingo de Ramos, y temí que mi padre, una de las «autoridades», anduviera cerca. Si me veía allí, peleándome en el pórtico de la iglesia, se pondría furioso. Él ni siquiera me permitía hacer deporte. Como decía y repetía, «los acordeonistas deben cuidarse mucho, porque cualquier golpe tonto puede echar a perder su carrera». Era capaz de empezar a gritarme delante de todo el mundo.

Lubis se acercó a nosotros. «No atosigues a David —le dijo a Ubanbe—, él no es un campesino bruto como nosotros». El término que utilizó para «bruto» fue *salastrajo*, un calificativo que ni siquiera aparece en los diccionarios que recogen las voces del pasado. «¿Tú qué dices?», preguntó Ubanbe a la chica que se encontraba a mi lado. Era Teresa, la hermana de Martín, del hotel Alaska.

Ya para entonces Teresa tenía la costumbre de mandarme papelitos de color pastel con mensajes deliberadamente misteriosos: «¿Qué leías ayer en el banco de piedra del jardín del hotel?». «¿En qué piensan las chicas como yo cuando están solas en su habitación?» Al referirse a ella, Ubanbe y sus compañeros solían decir que era *pantasi aundiko neska*, «una chica de mucha fantasía». Y tenían razón. Hasta en su ropa lo manifestaba. Aquel día vestía un traje de chaqueta y pantalón de color blanco: un conjunto bastante raro para aquella Obaba de 1964. Además, a diferencia del resto ella llevaba una palma de color amarillo adornada con un lazo rojo.

«Adelante, David —me dijo Teresa, alzando la palma—. Si vences, te entregaré este trofeo». Le hice una reverencia —Lubis y Ubanbe se rieron— y pasé a ocupar el puesto de Ubanbe en el grupo de Iruain.

Los golpes de Opin eran muy fuertes, yo casi no podía sostener la rama. Aunque era más alto que él, mis músculos no estaban tan endurecidos como los suyos o los de Ubanbe: yo no cargaba camiones en el bosque, no cortaba troncos con el hacha. Bastaron cinco o seis golpes para que me empezara a doler la muñeca y para ponerme nervioso. Imaginé la bronca de mi padre: «¿Cómo puedes ser tan imbécil? ¿Cómo vas a tocar ahora, con la muñeca lesionada?». Afortunadamente, no tuve que soportar la humillación de arrojar la rama de laurel. La lucha concluyó sin darme tiempo a rendirme. Vi de pronto que Opin estaba quieto, cabizbajo, con la mirada clavada en las hojas y en las flores esparcidas por el suelo.

Don Hipólito, el párroco de Obaba, nos observaba desde la escalinata de la puerta principal de la iglesia. «¿Qué habéis hecho con el laurel bendito?» No habló muy alto, pero todos pudimos oírle. Don Hipólito era una de las autoridades de Obaba, con tanto poder como mi padre o cualquier otro político. «Esta tarde os quiero ver en la iglesia. Que no falte ninguno de los que han tomado parte en semejante despropósito.» Sus palabras sonaron con claridad en el pórtico. Estábamos todos callados, hasta Ubanbe parecía compungido. «Debería mandarlos a la iglesia inmediatamente, señor párroco. Que se queden sin comer», propuso uno de los presentes. «Son demasiado jóvenes para ayunar», replicó don Hipólito. Era un hombre prudente, no le gustaban los excesos.

«Rezad para que Dios os perdone», nos dijo don Hipólito por la tarde, antes de dejarnos solos en la iglesia. Éramos unos quince chicos, todos arrodillados ante el altar. Desde el retablo, apoyados en sendas columnas pintadas con purpurina, San Juan y San Pedro nos miraban con ternura. Y lo mismo la Virgen desde su urna de cristal. En el centro del altar, sobre el ara, había una pequeña rama de laurel repleta de flores blancas. No era un ambiente especialmente opresivo, y, transcurrido poco tiempo, mis compañeros de castigo empezaron a gastarse bromas. Cualquier cosa les hacía reír.

«Yo ya he rezado bastante», decidió Ubanbe después de un cuarto de hora, sentándose en el banco. Los demás no tardamos en imitarle. «Dime la verdad, David —me dijo, rodeándome el hombro con el brazo—. Si no llega a aparecer el párroco, ¿cuánto tiempo habrías aguantado con la rama de laurel?». «No mucho», admití. «No me extraña. Opin no es lo que se dice un rival fácil. Cuando no puede de otra manera, *golpe bajo*.» Nos mostró la mano, la tenía bastante hinchada. «El único *bajo* que hay aquí es Lubis», terció Opin. A pesar de no haber participado en la batalla del pórtico, Lubis había querido acompañar a su hermano Pancho a la iglesia. Miró a Opin con sus ojos grandes y tranquilos, pero no dijo nada.

Golpe bajo. Se acababa de disputar en el Madison Square Garden de Nueva York el combate de boxeo entre Cassius Clay y Sonny Liston, y el revuelo producido por aquel hecho lejano todavía era patente. Como hubiera dicho un *freaky* de San Francisco, «todos, y sobre todo los campesinos, seguían colocados». Junto con sus palabras antiguas, Ubanbe y Opin utilizaban ahora otras que habían aprendido durante la retransmisión del combate: *golpe bajo, clinch, gancho de izquierda, directo, Cassius Clay, Sonny Liston.*

«¡Cassius Clay! ¡No se oye otra cosa, Carmen! —le había dicho don Hipólito a mi madre en un ensayo del coro, a los pocos días del combate—. ¿Quién es ese individuo? ¿El nuevo Mesías?». Afortunadamente, el párroco no se presentó en la iglesia a las seis de la tarde de aquel Domingo de Ramos, y se ahorró así el disgusto de ver a Ubanbe —*Cassius Clay*— y Opin —*Sonny Liston*— amagando golpes de boxeo justo delante del altar. Entre los castigados había algunos que no habían visto el combate por televisión, y querían conocer los detalles.

La vidriera mayor de la iglesia, de color blanquecino, se iba oscureciendo. La llama del cirio encendido en el altar parecía haber cobrado fuerza. «¿Te atreverías con esto, David?», me preguntó Lubis. Se encontraba debajo de la escalera del púlpito, al lado del armonio.

Ubanbe se puso a gritar como lo hubiera hecho en un lugar apartado o en medio del bosque: «¿Qué estás diciendo, Lubis? ¿Cómo quieres que toque semejante trasto? ¡A éste le basta con el acordeón!». La charla sobre el boxeo le había excitado, y tenía ganas de armar bulla. «Por si no lo sabes, suelo tocar un *trasto* como éste en la capilla del colegio. Lo conozco muy bien», repliqué.

Había una canción, *Angelitos negros*, que se había hecho popular en toda España en la voz de un artista cubano llamado Antonio Machín. Pensé que era bastante apropiada para la iglesia. Me senté delante del armonio y me puse a tocar.

Sucedió entonces algo imprevisto. Se hizo el silencio en la iglesia, un silencio profundo en el que la melodía de *Angelitos negros* fluía sin obstáculos. Levanté la cabeza: don Hipólito me miraba fijamente. Estaba justo delante de mí, con los brazos cruzados. Ubanbe, Pancho, Opin y los otros campesinos habían vuelto a su banco. Arrodillados, inclinados hacia delante, parecían rezar con devoción.

Aparté las manos del teclado y me puse en pie. «No, David, no te levantes. Es una melodía muy bonita», me dijo don Hipólito amablemente. También él sabía música. Había estudiado en Comillas, en la Universidad de la Compañía de

Jesús. Obedecí, y seguí tocando. «Comentó algo tu madre, pero no creía que lo hicieras tan bien —me dijo luego, al terminar—. ¿Por qué no vienes a la misa de los domingos por la mañana? Podrías tocar esta melodía en el momento de la comunión».

Era un hombre alto, de pelo blanco y rizado. Se volvió hacia el coro. «¿Qué tal te arreglas con el órgano?» «Mal», respondí. Él se encogió de hombros. «En cualquier caso, ahora no lo podrías tocar. Se ha roto. Después de todo un siglo.» «A ver si no tenía derecho a romperse, después de un siglo de trabajo», comentó Ubanbe. Había dejado a todos los demás arrodillados en el banco y se había acercado hasta nosotros. El párroco le dio unas palmaditas en la mejilla, como a un niño. «Haremos que lo arreglen cuando reunamos el dinero necesario. Y entonces le enseñaré a tocar a David. Puede llegar a ser un buen organista. ¿Qué me dices, David? —añadió, dirigiéndose a mí—. ¿Vendrás a la iglesia a tocar el armonio?». Le respondí que sí.

II

He hablado de la cueva que albergaba un pozo en su interior, y de lo que ocurrió el Domingo de Ramos en la iglesia de Obaba; pero las ocasiones en que podía disfrutar de la compañía de mis amigos campesinos eran más bien escasas. Alentados por el consejo del psicólogo del colegio, mis padres se empeñaban en buscarme otras compañías: un día me mandaban a la serrería a enseñarle a andar en bicicleta a Adrián —«Hay que ayudar a los que lo necesitan»—; otro día, a una reunión de jóvenes acordeonistas, o a las clases particulares de francés que Geneviève, la madre de Martín y Teresa, había organizado en el hotel. Sin embargo, yo buscaba con insistencia la manera de estar más tiempo con Lubis, Pancho o Ubanbe.

Cuando se aproximaron los exámenes del quinto curso de Bachillerato, acudí a mi madre y le pedí permiso para ir a estudiar a la casa de Iruain. «Allí me concentraré mejor. Los únicos que pueden distraerme son los caballos, y, la verdad, no creo que lo hagan.» Me miró por encima de las gafas. «¿Y dónde vas a comer?» Estaba sentada junto a una de las ventanas del taller, y tenía sobre las rodillas un vestido de novia adornado con bordados. «Hablaré con Adela», dije. Adela era la mujer del pastor y, al igual que Lubis, Pancho y Ubanbe, vivía en aquel barrio rural. Era ella quien preparaba la comida para el tío Juan cuando éste venía de América. «¿Me das permiso?», le pregunté de nuevo. Mi madre estaba indecisa. «Voy a necesitar muchas horas para estudiar bien la Física. Este año es muy difícil», insistí.

Estudiar era una palabra sagrada para mi madre. Ella atribuía su notoriedad como modista al hecho de estar diplomada en Corte y Confección, y había colgado en una pared del taller un pequeño cartel con una máxima destinada a las aprendizas: «El saber no ocupa lugar». Por otro lado, el que yo mostrara inclinación por su casa natal le halagaba. Me dio su consentimiento.

Al principio sólo fueron algunas tardes sueltas; luego, días enteros; más adelante, cuando a finales de junio llegó el tío Juan, estancias de tres o cuatro días. Y las visitas no se interrumpieron al terminar los exámenes. A lo largo del verano, recorrí una y otra vez el camino de Iruain.

Ángel —prefiero referirme a él por su nombre de pila antes que llamarle «padre»— se enfadó conmigo: «Ya estás otra vez en el caserío. Y el acordeón en una silla, muerto de risa». Él llamaba «caserío» a Iruain, aunque allí sólo hubiera caballos. Mi madre no cedió: «Ya conoces mi opinión, Ángel.

La música está bien, pero no es lo más importante del mundo. Ya has visto con qué buenas notas ha sacado el curso. Y el otro día llamé a Monsieur Nestor y me dijo que está aprendiendo mucho». Monsieur Nestor era el profesor que nos enseñaba francés en el hotel. Era la única condición que me había puesto mi madre: estuviera en Villa Lecuona o en Iruain, no podía faltar a sus clases.

Ángel se calló. Él disponía de total libertad para dedicar su tiempo a la música o a la política; pero no tenía mano en mi educación. Si por algún motivo necesitaba hablar con alguien, mi madre acudía a la iglesia, a pedir consejo a don Hipólito, o si no llamaba al tío Juan a California. Mejor dicho, en ciertas ocasiones hablaba con el párroco, pero con su hermano siempre. Ambos se querían mucho. Más de lo que es usual entre hermanos. Ángel se burlaba a veces de ello: «Os lleváis bien porque él vive en California, y tú, Carmen, vives aquí. A diez mil kilómetros de distancia las relaciones son más fáciles». Mi madre lo negaba rotundamente, y siempre con el mismo argumento: «Él tenía nueve años y yo siete cuando perdimos a nuestros padres y nos quedamos solos en un sitio tan apartado como Iruain. Desde entonces somos uña y carne».

Un sitio tan apartado como Iruain. Era un pequeño valle verde, bucólico, que parecía destinado a acoger a los «campesinos felices» de Virgilio. Para llegar hasta allí había que tomar la carretera que iba de Obaba a San Sebastián, y torcer luego, a los dos kilómetros, por un camino que ni siquiera figuraba en los mapas de la comarca. Enseguida, justo después de atravesar un bosque de castaños, aparecía el barrio, una fila de caseríos dispuestos a ambos lados de un riachuelo y rodeados de prados y maizales. La casa de mi madre y del tío Juan era la última de todas. Ante su puerta, después de cruzar un puente, terminaba el camino. A partir de allí, todo volvía a ser monte y bosque —bosque de hayas *largas*, esta vez, y no de castaños.

Cada vez que cogía la bicicleta e iba a aquella casa, sentía que cruzaba una frontera, que me adentraba en un territorio donde reinaba el pasado. No sólo por los amigos que vivían allí —Lubis, Pancho, Ubanbe—, sino por todos los vecinos del barrio. Todos eran antiguos. En la cocina de Adela, la mujer del pastor que me preparaba la comida, las historias de lobos eran frecuentes; en la primera casa, un molino llamado Beko Errota, molían maíz; muchos de los que se acercaban a ver los caballos del tío Juan no conocían otra lengua que el vasco, y si se encontraban conmigo y no con Lubis, como esperaban, se llevaban el dedo índice al ojo para explicarme el motivo de su visita: «Ver caballo, ver caballo». Se figuraban, por mi aspecto, que yo era de la ciudad; no de su misma tierra.

Durante aquel verano viví en un sueño, semejante en todo a los que, según el propio Virgilio, penetran en nuestra cabeza «por la puerta de marfil» y nos impiden ver la verdad. Porque la verdad era que, para entonces —1963, 1964—, aquella gente antigua que se reunía en Iruain ya estaba perdiendo la memoria. Los nombres que daban a las diferentes clases de manzanas —*espuru, gezeta, domentxa*— o a las mariposas —*inguma, txoleta, mitxirrika*— desaparecían con rapidez: caían como copos de nieve y se deshacían al tocar el nuevo suelo del presente. Y cuando no eran los nombres, eran sus distintos significados, los matices que habían ido tomando en el curso de los siglos. Y en algunos casos, no eran sólo las palabras o las acepciones: era la lengua misma la que se borraba.

Yo me comporté como quien no quiere despertar. Oía el ruido del nuevo mundo muy cerca, por la construcción de un campo de deportes justo enfrente de mi casa, con ajetreo de grúas y camiones; pero no me preguntaba sobre el último significado de aquella actividad. Hubiera podido irrumpir en mi sueño la imagen de las grúas y las ruedas de los camiones, aplastando las palabras como copos de nieve, hundiéndolas en el barro, y eso me habría permitido comprender lo desigual de la lucha, qué poca esperanza había para el mundo de los «campesinos felices». Pero esa imagen, que debía haberme despertado, nunca llegó, y yo seguí dentro del sueño; como en la deliciosa cueva que me habían descubierto Lubis y Pancho.

Mi afecto por aquel mundo siguió creciendo. No perdía ocasión de echar una mano a Lubis, o de acercarme al restaurante de la plaza, donde solían juntarse Ubanbe, Opin, Pancho y la mayoría de los leñadores de la serrería. Y los domingos, mientras tocaba el armonio en la iglesia y las chicas se levantaban para ir a comulgar, sólo tenía ojos para las que venían de los caseríos, a pesar de sus ropas y peinados pasados de moda. Me sentía atraído por ellas, mucho más que por mis compañeras de la clase de francés. Teresa, Susana, Victoria, las hijas de las mejores familias de Obaba, por las que se inclinaban mis padres y el psicólogo del colegio, no pasaban de ser lo que eran: compañeras de clase.

Teresa se percató pronto de aquel afecto *excesivo*, y en particular de mi predilección por las campesinas. Sus mensajes en papelitos de color pastel empezaron a ser frecuentes: «Te estaré esperando en la puerta de la iglesia», «iré a comulgar con minifalda», «te miraré al pasar por delante del armonio». Ella sospechaba que detrás de mi actitud había «un amor concreto»; pensaba que estaba enamorado de alguna de aquellas campesinas. Pero se equivocaba en su apreciación. No existía todavía ninguna *Selene*, nadie me había hipnotizado aún. La razón de mi sueño, de mi hipnosis, era la deliciosa cueva que albergaba un pozo en su interior; era el mundo antiguo: la patria de Lubis, Pancho y Ubanbe.

Teresa me envió una nota más larga: «Siempre estás en Iruain, David. Sólo te quedas en el hotel lo que dura la clase de Monsieur Nestor. Adrián y Martín dicen que tendrás que ir de nuevo al psicólogo, que aún no has superado la misantropía. No sé si te das cuenta, pero tratas mal a tus amigos».

Ella quería que me despertara. Lo mismo que el psicólogo del colegio, lo mismo que mis padres. Y al final desperté; salí de mi sueño; me instalé en mi tiempo. No me empujaron a ello el ruido de las grúas y los camiones que trajinaban en el campo de deportes, ni las canciones que interpretaba al acordeón, ni el sonido completamente nuevo de los aparatos de televisión, que ya empezaba a oírse en todas partes, sino otras voces que tenían su origen en la guerra de nuestros padres.

Liz, Sara: yo no sabía nada sobre la guerra de nuestros padres, *about the Spanish Civil War*. Vivía cerca de Guernica —un avión recorrería en diez minutos la distancia desde Obaba hasta allí—, y en 1964, el año del duelo entre Cassius Clay y Sonny Liston, apenas habían transcurrido veinticinco años —«Veinticinco años de Paz», decía la propaganda— desde el final de la contienda. Además, muchos habitantes de Obaba habían empuñado las armas. Pero yo lo ignoraba. Si alguien me hubiera dicho entonces que los Dornier y los Heinkel nazis habían matado en Guernica a cientos de mujeres y niños, me habría quedado con la boca abierta.

Un día de julio, en aquel *año de paz* de 1964, fui con Martín —el cuarto amigo de mi lista sentimental, el hermano de Teresa— a hacerle una visita al hijo del dueño de Maderas de Obaba, Adrián, que acababa de regresar del hospital de Barcelona después de una operación de la espalda en la que habían intentado corregir su escoliosis. Coincidió que en la televisión ponían una película sobre la Segunda Guerra Mundial. Estábamos viéndola, cuando entró en la sala el gerente de la serrería, el padre de nuestro amigo Joseba. «No sé cómo pueden dar esas películas», dijo. Martín le miró con descaro: «A mí me gustan». «Aunque los nazis siempre salgan perdiendo», le pinchó Adrián. Nos reímos los tres. El padre de Joseba se puso de pronto a gritar: «¡Ya está bien! La guerra no es una cosa de broma. Si hubierais conocido la que hubo aquí, no lo tomaríais a risa». Abandonó la sala muy agitado.

Al poco rato se presentaron tres compañeros del grupo de Monsieur Nestor, que, como Martín y yo, venían a visitar a Adrián: el propio Joseba y dos chicas, Susana y Victoria. «Estas películas son insoportables. Odio las guerras», dijo Victoria nada más sentarse en el sofá. Adrián torció los labios con malicia: «A Victoria tampoco le gusta que pierdan los alemanes. Claro que, en su caso, es normal». Victoria era hija de un ingeniero alemán empleado en una fábrica de Obaba. «Pues yo pienso como ella. Y no soy alemana», manifestó Susana. Ella era la hija del médico de Obaba, una chica muy callada. Y preciosa. La que más éxito tenía con los chicos en los bailes del hotel Alaska. «Ya sé por qué dices eso, Susanita —le dijo Martín—. Porque tu padre perdió la guerra. Si la hubiera ganado te gustarían algo más». Pretendía imitar el tono de Adrián, pero él era más tosco. «No me llamo Susanita, me llamo Susana —dijo la chica, levantándose del sofá—. Y lo vuelvo a repetir: odio la guerra. En este pueblo, sin ir más lejos, fusilaron a nueve inocentes». Martín guiñó el ojo a Adrián: «Se le nota de qué familia viene, ¿verdad?». «A ti también se te nota que eres hijo de tu padre, por si no lo sabes», le dijo Joseba, metiéndose en la discusión. Se puso de pie, y lo mismo hizo Victoria. «¿A mí? ¿Por qué, si puede saberse? Dímelo por favor, José —Martín hizo una pausa—. Perdona que no te llame Joseba, pero de la misma manera que Susanita es Susana, Joseba…». «¿Cómo le llaman a tu padre?», le interrumpió Joseba. «¿Por qué no me lo dices tú?», se irguió Martín. Yo sabía que le llamaban Berlino, después de que en su juventud hiciera un viaje a Berlín y volviera de allí contando maravillas. Y también porque su verdadero nombre, Marcelino, sonaba casi igual. Pero era evidente que Joseba se refería a otra cosa.

Adrián apagó la televisión. «Ya que no se puede ver la película con calma, vamos dar un repaso a la crónica futbolística —dijo en voz alta, abriendo una revista deportiva—. El Barcelona le va a ganar tres cero al Juventus. Eso es seguro». Nadie reparó en su comentario. «¿Salimos al balcón a fumarnos un cigarro?», propuso Joseba a las dos chicas, y los tres abandonaron la sala. Yo me fui tras ellos. La afirmación de Susana sobre las personas fusiladas en Obaba me había impresionado. Era la primera vez que oía algo igual.

Desde el balcón donde estábamos se veían los castillos de tablas y los pabellones de Maderas de Obaba, y también una buena parte del pueblo y los montes que lo rodeaban. En la falda de uno de aquellos montes había una mancha blanca: el hotel Alaska. «Parece mentira que Martín sea tan vulgar —dijo Joseba—. ¿Cómo puede Geneviève tener un hijo así?». Geneviève, la madre de Martín y de Teresa, era admirada en el pueblo por su origen francés y, sobre todo, por contar con antepasados rusos. «No pienso subir más al hotel —dijo Susana—. ¿Por qué tenemos que dar ahí las clases de francés? ¿Porque le da la gana a Geneviève?». No se le pasaba el enfado. «Podríamos darlas aquí mismo, en la serrería —se le ocurrió a Joseba—. Más ahora, que Adrián está convaleciente. Puedo hablar de ello con nuestro profesor, si queréis». «A mí me parece fenomenal —dijo Susana—. Y si Geneviève no está de acuerdo, pues formamos otro grupo».

Se quedaron en silencio, algo más calmados. Me dirigí a Susana: «¿Por qué te has enfadado tanto con Martín?». Se me quedó mirando, como preguntándose qué hacía yo en aquel balcón. «Mi padre sufrió mucho en la guerra. A su único hermano lo mataron los nazis en el bombardeo de Guernica. También era médico.» Tragó saliva, antes de continuar: «Pero quizás la culpa no la tenga Martín. Todos sabemos qué fue su padre». Desvié los ojos hacia la falda del monte, hacia el hotel. «Lo siento por Teresa», dijo Victoria algo cohibida. Si alguien le hubiera preguntado en ese momento si era de origen alemán, lo habría negado. «Ya hablaré yo con Teresa. Ella tampoco se lleva bien con su hermano», prometió Joseba.

Hacía viento, y los alisos que flanqueaban el río se balanceaban suavemente. *Todos sabemos qué fue su padre*. Pero yo no sabía. Tenía que averiguarlo.

III

El mensaje que me llegaba de Lubis, Pancho, Ubanbe y los otros «campesinos felices» se abría paso agónicamente, aplastado por el ajetreo diario; pero el que procedía de la guerra de nuestros padres sonó con fuerza desde el momento mismo en que tuve noticia de los fusilados de Obaba. Diría que como un ladrido, si la palabra no resultara ofensiva para Susana y para el mensajero que llegó después: el tío Juan.

Era la tercera semana de julio; no habían transcurrido diez días desde la conversación de la serrería. Como de costumbre, di mi clase de francés en el hotel —el plan de formar otro grupo no había cuajado—, y me volví a Iruain. Al llegar a la casa, oí ruidos arriba, como si Juan estuviera arrastrando algún mueble. Se me hizo raro, porque se trataba de la habitación que yo utilizaba, y no de la suya. Él dormía en la que estaba al lado de la cocina.

«¿Qué haces, tío? ¿Vas a cambiar los muebles de sitio?», le pregunté cuando lo tuve delante. El armario estaba movido. «Lo hago todos los veranos —dijo él después de un momento de vacilación—. Me gusta echarle un vistazo a este escondrijo, a ver cómo sigue». La palabra que utilizó fue *gordeleku*, «sitio para esconderse».

Había una abertura en el suelo, y el trozo de piso que faltaba estaba apoyado contra la pared. «¿Qué te parece que es esto, David?» «Un cuartucho disimulado dentro de la casa, ¿no?», le dije. Él asintió: «Al parecer, se construyó hace más de cien años, cuando la guerra del rey don Carlos». Yo era todo ojos. «¿Ves esta trampilla? —Juan señaló el trozo de piso que estaba contra la pared—. Sólo tienes que colocarla en su sitio para desaparecer del mundo».

Encendió una linterna, y la dirigió hacia el interior del escondrijo. «Mira aquí dentro. Ya va siendo hora de que empieces a enterarte de las cosas.» Vi una escalerilla. Al fondo, una tela, o algo que lo parecía. «¿Qué es eso de ahí abajo?», pregunté. «¿No lo ves? Es un sombrero —dijo el tío—. Alcánzamelo, por favor, que estás más ágil que yo». Apoyé el pie en el primer travesaño, y empecé a bajar.

El escondrijo era muy estrecho. Si me inclinaba a un lado, tocaba enseguida la pared con el hombro. «¡Es una tumba!», exclamé. Juan se rió: «Calla, que si no te dejo encerrado». «Con el armario encima de la trampilla, ¿cómo se las arreglaban para salir?» «Pues muy mal, a no ser que tuvieran buenos amigos fuera», contestó. «¿Y si los amigos fallaban?» Juan rió sardónicamente: «¡Pues encerrado para siempre!».

El sombrero era de fieltro gris, de la marca J. B. Hotson, según se leía en el forro. Una pequeña etiqueta daba cuenta del vendedor: *Darryl Barrett Store. Winnipeg. Canada.*

Eran nombres que resultaban chocantes. Iruain era el lugar de Lubis, Pancho, Ubanbe y los demás campesinos y pastores; el espacio donde flotaban las antiguas formas de decir mariposa o manzana, como *mitxirrika* o *domentxa*. Pero ¿Hotson? ¿Winnipeg?

Juan miraba por la ventana. «¿Cuántos años dices que tienes, David?», me preguntó. «Quince», contesté. «Yo con quince años cogía los caballos y recorría estos montes durante horas. Y tu madre, que no tendría ni catorce, cosía sin descanso hasta la medianoche. Primero a la escuela, y luego corriendo a casa, a coser. Así fue nuestra vida desde que nos quedamos huérfanos.» Agarró el sombrero y lo sacudió para quitarle el polvo. «Yo no soy el primer americano de Obaba —dijo—. El primero fue el dueño de este sombrero. Le llamábamos don Pedro. Lo pasó muy mal durante la guerra, porque había gente con ganas de quitarle la vida. Pero yo lo escondí aquí, y no pudieron encontrarle».

En sus manos el sombrero se transformaba en un objeto cercano, familiar. Lo hacía girar, le subía y le bajaba las alas, lo apretaba, lo soltaba. Pensé que en su rancho de California estaría siempre con sombrero. «Me dijo mi hermana que vas mucho al hotel Alaska. ¿Cuál es el motivo, David? Si puede saberse, claro.»

Recordé lo que le había oído a Susana en el balcón de la casa de Adrián, y me puse en guardia. «Fue idea de Geneviève organizar las clases de francés en el hotel, por eso voy allí», le dije. «También tocas el acordeón cuando hay baile, ¿no?» «Mi padre me pide que le acompañe.» Hablaba con cuidado, presentía que el tío quería decirme algo especial. «¿Y con el de los ojos rojos? ¿Qué tal te llevas con él?»

El padre de Teresa y Martín tenía una enfermedad en los ojos, una conjuntivitis crónica que hacía que los tuviera siempre enrojecidos. La primera vez que se los vi de niño

—no era tan fácil: los escondía tras unas gafas de color verde oscuro—, volví a casa y me encontré a mi madre limpiando pescado en el fregadero de la cocina. «Tiene los mismos ojos que el padre de Martín y Teresa», dije. Ella se llevó el dedo índice a los labios: «Calla, David. No digas eso».

«Me refiero a Berlino —precisó el tío—. ¿Hablas mucho con él?». «Nada.» Era verdad. Si me hacía falta algo durante los bailes o en las clases de francés, acudía a Geneviève. «Me da asco», añadí, acordándome de sus ojos rojos. «A mí también», dijo él acercándose a la abertura del suelo. Se agachó un poco y dejó caer el sombrero. Luego ajustó el tablero. «¿Ponemos el armario?», le pregunté. «No. Está bien en ese rincón. Si alguna vez necesitas esconderte, te será más fácil entrar.» Mi madre decía que Juan, a veces, se ponía hosco. Así es como lo vi en aquel momento, con el ceño fruncido y los labios apretados.

La casa tenía por fuera, contra la pared de la fachada, un banco de piedra, y nos sentamos allí. Era un día especialmente bonito, de mucho sol, y las risas y el bullicio de los tres hijos de Adela, la mujer del pastor, reforzaban la impresión de amenidad, como si los sonidos infantiles fueran parte del paisaje, la voz de la tierra, de la hierba.

Los niños jugaban junto a la empalizada del prado donde pacían los caballos, trayendo piedras del riachuelo y colocándolas alrededor de las estacas. «A veces me resulta difícil disfrutar de este sitio —confesó el tío mirándoles—. Me viene a la cabeza la época de la guerra. Lo pasamos muy mal». Se giró hacia mí: «¿Y Ángel? ¿No te ha contado nada?». Le dije que no. «Sólo hablamos del acordeón. Es nuestro único tema.» El tío empezó a hablarme de la guerra, en general, en un tono parecido al del padre de Joseba. Que eran una desgracia, sobre todo las guerras civiles. Que la gente se mataba entre sí, pero por interés, para robar.

Apareció Lubis en el camino, y se dirigió hacia los caballos. Apenas lo vieron, los tres chicos de Adela echaron a correr tras él. «Lubis hace muy bien su trabajo. Estoy muy contento con él», comentó el tío, alzando el brazo para saludar a mi amigo. «Son elegantes, ¿verdad?», dijo luego, refiriéndose a los caballos.

Eran cinco caballos, y los cinco corrían hacia la valla que bordeaba el camino, al encuentro de Lubis. Dos eran blancos; otros dos, de color castaño; el quinto, negro. El tío me preguntó si había aprendido a montar, y me dio vergüenza responderle que lo había intentado en los tiempos de la escuela, precisamente con Lubis, pero que Ángel consideró aquella actividad inapropiada para un acordeonista. «Lo tuve que dejar. Lo sentí mucho.» «¿Y por qué no le dices a Lubis que quieres intentarlo de nuevo?» «¿No soy ya demasiado grande? Peso más de noventa kilos.» «No te veo como jockey, la verdad —se burló mi tío—. Pero ¿qué idea tienes tú de los caballos? Pueden llevar a gente mucho más pesada que tú. El americano que estuvo en ese escondrijo era un hombre enorme, y fue hasta la frontera de Francia a caballo».

Volvíamos al mismo tema. «¿Quién lo perseguía, Berlino?», le pregunté. El tío se levantó del banco de piedra. «Has visto el hotel, ¿verdad? —dijo, señalando hacia el monte donde se levantaba el edificio—. Es muy bonito, desde luego. Un capricho. Pues era propiedad del americano. De don Pedro. Encontró una mina de plata en Alaska, y se hizo rico. Luego regresó a casa y construyó ese hotel. Fue suyo hasta que Berlino y los militares se lo arrebataron. Un ladrón, ese Berlino. Un criminal».

Echó a andar hacia donde se encontraban los caballos, y yo le seguí. Al llegar al puente, se detuvo y me habló al oído, como si temiera que Lubis o los hijos de Adela nos estuvieran vigilando. «Y lo que está haciendo ahora, ¿no es un robo?

¿Cuánto va a costar el nuevo campo de deportes? Me gustaría saber el dinero que se va a meter en el bolsillo.» «¿Estás seguro?», pregunté un poco asustado. Él hablaba de Berlino. Pero Berlino y Ángel eran inseparables. Además, como *autoridad* de Obaba, Ángel estaba vinculado a todas las obras públicas que se ejecutaban en el pueblo. «¡Cómo no voy a estar seguro! —exclamó el tío, dejando de hablar en voz baja—. No hubo ninguna convocatoria para esas obras. Fueron adjudicadas a una empresa directamente. ¿Dónde se ha visto eso? No son más que chanchullos entre fascistas. En California no pasan esas cosas». Siguió adelante como si de pronto tuviera prisa, y empezó a dar voces. Iba llamando a cada caballo por su nombre: «¡Blaky!, ¡Faraón!, ¡Zizpa!, ¡Ava!, ¡Mizpa!». Su favorito era Faraón, el más grande de los blancos. El caballo sacó la cabeza fuera de la valla, y el tío le puso un azucarillo en la boca.

«¿Por qué no le enseñas a montar a David?», dijo mi tío dirigiéndose a Lubis. «¡Deja que le enseñe yo!», chilló el hijo mayor de Adela, Sebastián, anticipándose. Era un muchacho de pelo muy rizado, a quien mi madre le hablaba con ternura porque le recordaba «un ángel de Murillo». Pero, con apenas diez años, soltaba palabrotas sin parar, robaba cigarrillos, contestaba descaradamente a cualquiera que se le pusiera delante. Nada tenía que ver realmente con el apacible muchacho que se presentaba en Villa Lecuona con los quesos o los huevos que solíamos comprarle a su madre. «No creo que tú sepas montar», le provocó el tío. «¡Mejor que tú, viejo!», contestó Sebastián —«*Ik baino obeto, aguria!*»—. Lubis dio un respingo. Resultaba irrespetuoso que el chico hablara de aquella manera. El término *aguria* por «viejo» era peyorativo. Pero el tío no le dio importancia. «Te veo montado en una oveja, pero no en un caballo», dijo, guiñándonos el ojo. Sebastián lanzó una de sus palabrotas. Luego superó la empalizada de dos saltos, y montó encima de Faraón. «¡Quieto, caballo!», ordenó el tío Juan.

Todos los esfuerzos del muchacho fueron en vano, Faraón no dio ni un paso. Los hermanos menores de Sebastián, dos gemelos, se echaron a reír. «Ésta sí que es buena, Sebastián», dijo uno de ellos. «Ésta sí que es buena, Sebastián», repitió su igual. En tono severo, Lubis le pidió al muchacho que se bajara: «¿Qué pretendes? ¿Que estemos todos pendientes de tus tonterías? ¡Ven aquí enseguida!». Sebastián regresó a nuestro lado apresuradamente, y desafió al tío: «Cuando quieras te hago una apuesta. Pero sin trampas, ¿eh?». Los gemelos volvieron a reír.

«¿Crees que en casa te dejarán montar, David?», me preguntó Lubis. Le respondió el tío: «¿Lo dices por el acordeón? Por eso no te preocupes. Dice mi hermana que David prefiere los libros. Y hace bien. Tocar el acordeón es bonito, pero leer libros es más provechoso». «Tengo muchas ganas de aprender —dije yo—. Me da envidia cuando te veo montar». Los cinco caballos estaban pendientes de nosotros, a la espera de más azucarillos. «¿Quieres que empecemos ahora mismo? —me preguntó Lubis. Miró al tío—: ¿Usted va a montar ahora?». El tío dijo que no. «Entonces me llevaré a Faraón. Le conviene andar.» Se subió al caballo con gran agilidad, como un verdadero jockey. «Espérame aquí un momento, David. Voy a traer una silla del pabellón.»

Llamaban *pabellón* a la caballeriza que el tío Juan había hecho construir toda de madera, «como en América». Estaba situada un poco más arriba de la casa, y, vista de fuera, recordaba una pequeña iglesia. Por dentro era muy funcional: tres cuadras en un lado y otras tres en el otro. En medio, un pasillo ancho.

«David debería aprender con Ava», propuso el tío. «Me parece bien. Es tranquila», dijo Lubis. «¿Y a mí, Juan? ¿A mí no me dejas montar?» Sebastián se quedó mirando al tío con la barbilla levantada. «Haz lo que quieras, a ver si puedo estar tranquilo.» «Entonces me llevo a Zizpa.» Al contrario que Ava, Zizpa era muy nerviosa, proclive a hacer extraños durante la marcha. «¿Y a nosotros no nos vas a dejar?», preguntó uno de los gemelos. «¡No!», exclamó el tío. «¡Entonces danos un dulce para nuestra madre!», pidió el otro. Adela les estaba llamando desde la puerta de su casa. «¡Aquí tenéis! ¡Para vuestra madre!», dijo el tío con sorna dándole un azucarillo a cada uno, y los dos gemelos se marcharon corriendo.

El tío me agarró del brazo. Volvía a estar serio. «Una cosa, David. No cuentes a nadie lo del escondrijo. Absolutamente a nadie.» Le di mi palabra. «De todos modos, estoy convencido de que no va a haber más guerras», añadí tontamente. Él sonrió: «Pero ¿tú qué te crees? ¿Que es algo que se puede saber de antemano? ¿Que en el treinta y seis estábamos todos asomados a la ventana, a ver cuándo sonaba el primer tiro?».

IV

Mi madre, Carmen, solía decir: «Yo creo que tenemos otros ojos al lado de estos de la cara, unos ojos nocturnos que en la mayor parte de los casos nos muestran imágenes perturbadoras. Por eso me da miedo la noche, porque no puedo soportar lo que ven mis Segundos Ojos». Quizás yo he heredado su carácter, porque a mí me sucede lo mismo, precisamente desde el día en que el tío me enseñó el escondrijo y me habló de la guerra. Empecé de pronto a temer la noche, porque mis Segundos Ojos me mostraban un lugar oscuro que me impedía dormir: una cueva inmunda, repleta de sombras, que en nada se parecía al lugar delicioso que me habían enseñado Lubis y Pancho. Allí estaba el americano; allí también los nueve fusilados mencionados por Susana; allí, por fin, el padre de Teresa y de Martín, Berlino, y el mío, Ángel. En mi imaginación, los primeros lloraban y los segundos reían.

En las discusiones que Juan y yo solíamos mantener durante mis primeros años en Stoneham llegué a reprocharle la forma abrupta y sin contemplaciones que tuvo de despertarme. Su relato de aquel día —le decía— me había llevado a sospechar de Ángel, de su intervención en las persecuciones y fusilamientos de la guerra; algo para lo que ningún adolescente está preparado, por muy distanciado que esté de su padre. Pero lo vuelvo a pensar, y creo que se comportó bien: sin las sospechas acerca de Ángel yo no habría luchado. Sin luchar, no me habría hecho fuerte. Sin hacerme fuerte, no habría podido salir adelante.

Un día que estábamos sentados en el porche de Stoneham, Mary Ann le dijo al tío: «David tenía que madurar, eso está claro, pero las malas noticias podían haber esperado. A los veinte años habría estado más preparado para recibirlas que a los quince». El tío respondió: «¿Te parece que quince años son pocos? Yo tenía ocho cuando empecé a trabajar». Mary Ann replicó: «En cualquier caso, a ti no te preocupaba su madurez. Le hablaste de aquella manera por motivos políticos. Hiciste proselitismo para que David no se pasara al otro bando». Y el tío: «Tengo mis ideas, pero nunca he sido tan político. Además, ¿qué otra cosa podía hacer? ¿Dejar al niño en manos de Berlino, Ángel y toda la banda de fascistas?». *El niño*. Juan lo dijo sin querer. Fue para mí la mejor prueba de que aquel día, cuando actuó como mensajero de lo ocurrido en la guerra, pensó también como padre.

A lo largo de aquel verano hubo muchos días de calor sofocante, y Lubis y yo nos aficionamos a cabalgar por los montes próximos a Iruain, donde podíamos disfrutar del frescor del bosque. Al principio, cuando apenas podía mantenerme encima del caballo, buscábamos los caminos de más abajo, que eran anchos y bastante rectos; luego, según iba ganando confianza, empezamos a recorrer otros más agrestes. «Hoy llegaremos a lo más alto del bosque», me dijo Lubis después de unos diez días. Y, efectivamente, lo hicimos; prescindiendo de los caminos, avanzando por las laderas. A partir de ese momento nos movimos con total libertad, adentrándonos en parajes hasta entonces desconocidos.

Ensillábamos a Faraón y a Ava, y salíamos hacia el monte de mañana, y, a veces —¡alegre momento!— nos encontrábamos en el bosque con Ubanbe, Pancho o el mismo Opin, que talaban árboles para la serrería. Pronto decidimos reunirnos con ellos hacia las once de la mañana, cuando paraban a descansar, para almorzar todos al lado de una fuente que llamaban Mandaska. Cuando llegábamos, Sebastián solía estar ya allí, porque era el encargado de subir el pan y de poner a refrescar la sidra.

Sacábamos la sidra de la pila de la fuente, repartíamos el pan, el queso y algún embutido, y nos poníamos a comer: Lubis, Ubanbe, Opin y yo con tranquilidad, tomándonos nuestro tiempo; Pancho y Sebastián a toda prisa, porque oían el canto de los pájaros y les costaba quedarse donde estaban. Nada más terminar, se ocultaban entre los helechos con la cabeza levantada para examinar cada rama de las hayas, y muchas veces —Pancho tenía una extraordinaria habilidad para ello— volvían con varios nidos en la mano. Cierro los ojos, y todavía los veo: el del jilguero, de musgo; el del herrerillo, perfectamente redondo; el de la urraca, grande y basto. Había días que bebíamos demasiada sidra, también Sebastián, y nos reíamos a carcajadas por cualquier tontería.

«Estoy un poco sorprendido, David —me dijo Lubis después de uno de aquellos paseos, mientras desensillábamos los caballos en Iruain—. Te veo muy contento en nuestra compañía. No lo hubiera imaginado». «¿Por qué, Lubis?» «Pues no sé. Tus amigos se dedican a ir al cine y a nadar en la piscina de Romer. No es mala vida. No me importaría hacer lo mismo.» Romer era el nombre de la empresa alemana que dirigía el padre de Victoria. «A mí me gustó más la cueva que me enseñasteis Pancho y tú. El baño de aquel día fue mucho mejor», le dije. Me dio entonces una mala noticia: «Hoy no podrías bañarte en aquel pozo». «Pues ¿qué ha pasado?» «El agua no llega ahora hasta allí. ¿No lo sabías? Desviaron el manantial porque el pueblo está creciendo mucho y hace falta agua.» Sentí tanta pena como si acabaran de comunicarme el fallecimiento de un ser vivo.

En el pabellón de los caballos la calma era total. Ava comía la hierba del pesebre; Mizpa se sacudía las moscas con la cola. Se oía algún murmullo, alguna respiración; ningún otro ruido rebasaba el silencio. «Perdona si soy indiscreto —me dijo Lubis con una leve sonrisa—. ¿Andas escondiéndote?».

No interpreté bien el sentido de la pregunta. Pensé que había adivinado mis pensamientos. No los que en aquel preciso instante pasaban por mi cabeza, ni los que me venían a la luz del día y en su compañía, sino los que me asaltaban casi todas las noches desde que Juan me enseñó el escondrijo; como si la sospecha con respecto a mi padre hubiese empezado a aflorar en mi frente para quedar marcada como un tatuaje. «Tienes razón —le dije—. Vengo aquí por no estar en Villa Lecuona».

Los ojos de Lubis, normalmente tan tranquilos, se movieron inquietos. Miraban hacia las cuadras, hacia el suelo, como si buscaran algo. «Perdona, David. Estaba bromeando. Pensaba que era por esa chica que anda detrás de ti, por Teresa. Porque no te deja en paz con sus cartas y sus indirectas.» No sabía dónde meterse, mi confesión le incomodaba. «De todas formas, es verdad —le dije—. Me han surgido dudas con respecto a mi padre, y por el momento prefiero no verlo».

La verdad era incluso más dura, porque la sospecha daba un nuevo sentido a todos y cada uno de los gestos de Ángel. No era ya mi padre, el acordeonista de Obaba, sino el íntimo amigo de Berlino, un fascista, quizás un asesino. Me resultaba insufrible verlo sentado delante de mí en la cocina de Villa Lecuona. Pero no mencioné nada de aquello a Lubis. Era evidente que no deseaba oír una palabra más.

Yo sabía que a él no le agradaban las confidencias. No sólo por el hecho de ser campesino, miembro de un país en el que las cosas se hacían de otra manera, más discretamente; sino, además, por su carácter. Pero, aun así, su reacción me pareció excesiva. «¿Te pasa algo con Ángel?», le dije. «¿Qué quieres que me pase?», me contestó más tranquilo. Me preguntaba si sabría algo; si estaría despierto, en vela, como Susana o mi tío; si estaría informado acerca de Ángel y Berlino. Pero no me dio la oportunidad de preguntárselo. Se había alejado al otro lado del pabellón y estaba echando pienso en el pesebre de Faraón. Nuestra charla había concluido.

En el transcurso del verano, los paseos a caballo y los encuentros en la fuente de Mandaska se me fueron haciendo cada vez más necesarios. Al final, decidí quedarme en Iruain, sin andar yendo y viniendo a Villa Lecuona. Me valí para ello de una mentira. Le dije a mi madre que se había convocado un concurso de cuentos para conmemorar «los veinticinco años de paz en España» y que pensaba presentarme. «Pero para eso necesito estar solo», le dije. «¿Y las clases de francés? ¿Las vas a dejar?», quiso saber ella. Moví la cabeza afirmativamente, con determinación.

Si Monsieur Nestor hubiese impartido las clases en otro sitio, por ejemplo en la serrería, como pretendían Susana y Joseba, y no en el hotel Alaska, no me hubiese importado. Pero el hotel era ahora para mí el lugar donde habitaba «el de los ojos rojos», Berlino, la mayor de las sombras de la cueva que veía por las noches. «No me hacen falta las clases. Voy muy bien en francés. Prefiero dedicar ese tiempo a escribir.» Mi madre frunció el ceño. No le gustaba el plan. «Tampoco iré a Urtza», añadí. Urtza, un remanso del río situado después de la serrería, era nuestro lugar de baño favorito. Dije aquello para que valorara mis ganas de trabajar: estaba dispuesto a renunciar a lo que era la mayor diversión del verano en Obaba. «Como quieras, hijo», me dijo ella. Pero su gesto de preocupación no desapareció.

El domingo siguiente, cuando entraba en la iglesia, don Hipólito salió a mi encuentro y empezó a hablarme de la confesión; casi sin mediar saludo, como si llevara un tiempo deseando tratar el asunto conmigo. Me dijo que no había nada tan beneficioso y saludable, y que por eso había instituido Jesucristo dicho sacramento. Me advirtió, además, que debía tener cuidado con los demonios que habitaban dentro de mí, y no permitir que se multiplicaran hasta el extremo de convertirse en legión, «como hizo aquel pobre hombre del Tiberíades». «Si tienes algún problema, házmelo saber. Te resultará provechoso», me dijo.

Nos encontrábamos en la sacristía, él vistiéndose para la misa y yo sentado en un banco. «Los jóvenes han de relacionarse con gente de su edad. No está bien apartarse del mundo», prosiguió, viendo que me quedaba callado. «¿Le ha dicho algo mi madre?», pregunté. Solían coincidir en los ensayos del coro de la iglesia, y se tenían confianza. «Carmen está preocupada, sí —reconoció—. ¿Por qué no quieres ir a bañarte a Urtza o a la piscina de Romer? Dice tu madre que el verano pasado no había forma de hacerte salir del agua, y que nadar es tu deporte favorito». «Este verano prefiero dedicarme a escribir», dije. «Pero tus amigos irán a bañarse. Y tú tendrás que descansar en algún momento. Recuerda que también Nuestro Señor descansó el séptimo día.» «En Iruain no estaré solo», me obstiné. Don Hipólito se había puesto una casulla blanca, y estaba preparando el cáliz que iba a llevar al altar. «Lubis es una buena compañía, no me cabe duda —dijo—. Consideras, entonces, que tu alma está sana. No sientes necesidad de confesarte». «No, don Hipólito», le contesté. Cogió el cáliz, y se dirigió hacia el altar.

Fue una oportunidad perdida. Si aquel día le hubiese contado la verdad a don Hipólito —«Me han llegado noticias de cosas muy graves que ocurrieron durante la guerra, y tengo una sospecha: me pregunto todas las noches si no seré hijo de un asesino»—; si me hubiera confesado con aquel hombre, tal vez mi espíritu habría encontrado la manera de curarse. Don Hipólito —un hombre de Loyola— sería una persona práctica, a la vez que prudente, y enseguida habría encontrado el argumento capaz de calmar a un muchacho de quince años —«Hombres como tu padre en la guerra hubo diez mil, y peores otros diez mil»—. De haber ocurrido así, la sospecha no se me habría quedado dentro, incrustada como un cuerpo extraño.

Lejos de actuar con sensatez, guardé para mí lo que me sucedía, y me refugié en Iruain. Allí me resultaba más fácil olvidar. Siempre encontraba algo en que ocuparme: ayudaba en el mantenimiento de las cuadras, iba con Lubis al bosque, o al río a coger truchas con Pancho, o a casa de Adela con los dos hermanos y con Ubanbe. Y al llegar la noche, cuando aumentaba el riesgo de empezar a ver con los Segundos Ojos, me metía en la cama y leía hasta las dos o las tres de la madrugada. Recorría las letras, las líneas, los capítulos, los libros, hasta caer dormido.

Los libros. Uno de ellos, que encontré en la habitación de mi tío, se volvió imprescindible para mí. Era de un poeta llamado Lizardi, y se titulaba *Biotz-begietan* —«En el corazón y en los ojos»—. Parece increíble desde este rancho de Stoneham, donde tengo a la vista las estanterías que guardan los cientos de libros infantiles de Liz y Sara, pero es verdad: fue aquel verano de 1964, a la edad de quince años, cuando vi por primera vez mi lengua materna en letras de imprenta.

Biotz-begietan era para mí un libro de lectura difícil, y me veía obligado a descifrar sus palabras —repito: ¡las de mi lengua materna!— como si se trataran de las de Ovidio o las de Marcial: con paciencia, con obstinación, como quien frota con agua y vinagre las monedas que han estado mucho tiempo enterradas. La dificultad de la lectura de Lizardi tenía por ello, afortunadamente, la virtud de hacer que me olvidara de todo lo demás. Las sombras siniestras, «los demonios que podían convertirse en legión», desaparecían de mi cabeza y me dejaban descansar.

Una mañana estaba leyendo el libro en la cocina de Iruain, cuando apareció mi tío acompañado por el médico, el padre de Susana. Solía visitarle cada cierto tiempo, para tomarle la tensión arterial, según decía el tío, pero también para charlar un rato o para irse juntos de excursión. Era un hombre lacónico, que rondaba los sesenta años, vestido siempre con chaquetas escocesas y corbatas oscuras. Su nombre era don Manuel, pero los campesinos le llamaban *mediku iharra*, «el médico flaco».

Miró de reojo el libro que estaba leyendo y, sin dejar de caminar hacia la habitación del tío, entrechocó varias veces las palmas de las manos. En un primer momento no entendí el gesto. Caí en la cuenta cuando cerraron la puerta de la habitación y me quedé solo. Don Manuel me había dedicado un aplauso silencioso.

Aquella misma noche el tío subió a mi habitación y me dijo que venía de Biarritz. Tenía en las manos un libro encuadernado en tapa. «Te he traído esto. Te vendrá bien si quieres aprender a leer en nuestra lengua.» En la cubierta se leía: *Dictionnaire Basque-Français. Pierre Lhande S. J.* «Te sería más práctico un diccionario del vasco al castellano, pero ya sabes, los militares que mandan aquí no dan permiso», añadió. Le di las gracias, y le dije que me daba igual, que sabía bastante francés. «Pero ten cuidado. No vayas diciendo por ahí que estás leyendo a Lizardi. Ha habido denuncias por menos que eso.» «Lo tendré en cuenta. Y si hay problemas, me meto en el escondrijo con el libro y una linterna, y se acabó.» «No lo digas en broma.» El tío levantó el dedo índice y lo sacudió repetidamente. Más me valía andar despierto.

V

Estaba mirando por una ventana del pabellón de los caballos, y vi el Mercedes gris de Ángel saliendo del bosque de castaños y enfilando hacia el valle. Pasó por delante del molino y de la casa de Ubanbe. «¿Sabes, David? —me dijo el tío, colocándose a mi lado—. Ese coche fue antes de nuestro amigo de los ojos rojos». «¿Qué coche, Juan?», preguntó Lubis. Estaba al otro lado del pabellón, curando una herida que tenía Zizpa en una pata. «Dice el tío que el Mercedes de mi padre antes era de Berlino», le expliqué. «Ahora entiendo», dijo Lubis, asomándose un momento a la ventana. «Y antes de pasar a manos de Berlino, perteneció al dueño actual del hotel», añadió el tío.

El coche avanzaba rápido, levantando el polvo del camino. Dejó atrás la casa de Lubis y Pancho y la del pastor. Cien metros más, y estaría ante la puerta de Iruain. «Hoy me cuesta entenderle, Juan. ¿Quiere decir que Berlino no es el dueño del hotel?», dijo Lubis. Continuaba agachado, untando la pata lastimada de la yegua con una pomada contra la infección. «El dueño propiamente dicho vive en Madrid. Es un tal coronel Degrela. Así es como le llaman Berlino y compañía.» Lubis se concentró aún más en su trabajo. No parecía tener muchas ganas de hablar. El tío me dijo: «Está enfadado conmigo por haberle dejado el caballo a Sebastián». Lubis negó con vehemencia: «Estoy enfadado porque ha dejado que ese niño se fuera solo. Ya ve lo que ha hecho. Ha llevado a Zizpa por los sitios más difíciles. Podemos estar contentos de que no le haya roto una pata». «¿Quién es el coronel Degrela?», pregunté al tío. «¿No ha estado nunca en vuestra casa?» «No, que yo sepa.» «Era el hombre que estaba al frente de las tropas que entraron en Obaba. Berlino pasó a ser su ayudante oficial. Sin tener nada de oficial, evidentemente.» El tío se rió por su juego de palabras involuntario, y se quedó mirándome como si me desafiara a hacerle otra pregunta.

El coche apenas cabía en el puente del riachuelo, pero Ángel lo atravesó velozmente. «No conozco al hombre que viene con tu padre», dijo el tío. «Es Monsieur Nestor, el profesor de francés.» Estaba un poco nervioso por la visita, y pronuncié el nombre del profesor con un tonillo irónico. «Es un hombre muy bueno y muy culto», añadí rápidamente, para evitar malentendidos. El tío se dirigió a la puerta del pabellón: «Vamos fuera, esos señores son demasiado elegantes para entrar en una cuadra de caballos». «¿No quieres conocer a Monsieur Nestor?», pregunté a Lubis. Me contestó con una sequedad poco habitual en él: «Ya lo veré en otro momento». Volví a pensar lo de días antes. A Lubis le había pasado algo con Ángel. Por eso no quería salir a saludarle.

Ángel vestía un traje oscuro que desentonaba mucho en Iruain, y el tío volvió a referirse a su elegancia. «¿Por llevar este traje? Es mi uniforme de trabajo, por si no lo sabes —se defendió él. Luego presentó a su acompañante—. Este señor es Monsieur Nestor». «Yo tampoco soy elegante. Sólo soy pobre», dijo Monsieur Nestor dando un paso hacia el tío y tendiéndole la mano. Pronunciaba las erres como en francés. «¿Pobre y elegante? ¿Cómo es eso?», le preguntó el tío cuando se estrecharon la mano. Monsieur Nestor alzó el dedo teatralmente, tal como acostumbraba en clase: «Como bien dijo Petronio, la elegancia es la última esperanza de los pobres. Si me vistiera de acuerdo con mi cuenta corriente, nadie me contrataría». Era un hombre grandón, de pelo rubio y rizado. También él iba de uniforme, con la misma ropa de siempre: traje de color crema, camisa blanca, corbata de seda de color rojo oscuro y zapatos blancos como la camisa.

«¡Veo que sigues vivo! —me dijo Ángel como si acabara de darse cuenta de mi presencia. Sonreía, pero, como decía a veces mi madre, por no ponerse a gritar—. ¿Hasta cuándo piensas quedarte aquí? ¿Hasta Navidades?». «Ya veré», le dije. Me coartaba que mi tío y Monsieur Nestor fueran testigos de nuestra conversación. «Últimamente todos me preguntan por ti —volvió él a la carga—. Me pregunta tu madre. Me pregunta Martín. Y por eso te he traído a tu profesor. Porque él también me ha preguntado por ti. ¿Es verdad o no es verdad, Monsieur Nestor?».

El tío empujó la puerta de casa. «Deja a tu hijo en paz, y cuéntanos cómo van las obras del nuevo barrio y del campo de deportes —le dijo a Ángel—. ¿Cuánto dinero habéis ganado ya?». Ángel sonrió: «Te lo he dicho muchas veces, no todos somos como tú. Trabajamos por el bien del pueblo, no nos interesan los negocios». Aparentemente, no había animadversión entre ellos. El tío se dirigió a Monsieur Nestor: «¿No quiere entrar con nosotros?». El profesor dijo que no. Prefería quedarse fuera. «Pero tomará usted algo, ¿no?» «Cerveza. Pero en vaso, por favor. No como los bárbaros.»

«¿Cómo podríamos borrar de la faz de la tierra un nombre tan espantoso como *Monsieur Nestor*?», dijo el profesor cuando nos quedamos solos, sentándose en el banco de piedra. Formuló la pregunta en francés, igual que si estuviéramos en clase, y el término que usó para decir «espantoso» fue *épouvantable*. «De todas formas, reconozco que la culpa es mía —continuó—. El primer día que llegué al hotel, Teresa y Geneviève salieron a darme la bienvenida, y me preguntaron: *Monsieur Nestor?* Y a mí no se me ocurrió cosa mejor que decirles que sí. En lugar de contestar: "Soy Nestor, Nestor a secas". Y, ya ves, me he quedado con ese nombre. Hasta en el restaurante de la plaza los camareros me llaman *Monsieur Nestor*. Además pronuncian *mosie, mosie* Nestor. En serio, esto no puede seguir así». Yo me reí, pero, a su manera, él hablaba en serio. «¿Por qué no le gusta?» «Pues, muy sencillo: porque es un nombre de hámster. *Monsieur Nestor*. Sí señor. Muy bonito para un hámster.» Sacó un pañuelo blanco del bolsillo y se enjugó el sudor de la frente.

Ángel salió de la casa con una botella de cerveza. «¡El vaso!», exclamó, entrando de nuevo en la casa. «Ya se lo he dicho a tu padre —explicó Monsieur Nestor—. La cerveza no hay que beberla como la gente de Obaba, a gollete. De esa manera se traga todo el gas». Ahora hablaba en castellano, con expresiones como aquella de «beber a gollete», que yo nunca había oído. «Su botella y su vaso, Monsieur Nestor —dijo Ángel cuando estuvo de vuelta—. ¿Le ha contado algo este hijo mío? ¿Por qué no cumple con sus obligaciones?», preguntó a continuación, sin dignarse mirarme. «Dice que aquí vive muy feliz», se inventó Monsieur Nestor. «Como todos los gandules. Pero a mí los gandules no me gustan.» Nos dio la espalda, y entró nuevamente en casa.

«De todas formas, nosotros no le llamamos Monsieur Nestor —informé a mi profesor—. Teresa sí, pero los demás no. Nosotros le llamamos *Redin*». Primero arrugó la frente, pero enseguida se le iluminó la cara: «¿Redin? ¿Como Reading, la ciudad inglesa? Pero ¿por qué? No puedo imaginar el motivo». «¿No se acuerda? Uno de los primeros días de clase estuvo comparando la pronunciación francesa y la inglesa. Dijo que el inglés era más difícil, y nos contó lo que le había pasado una vez en Inglaterra. Que usted decía *Redin*, y no le entendía nadie. Y que al final alguien cayó en la cuenta y gritó: *"Oh, rruedin!"*, o algo así. De ahí viene su apodo. Una tontería, como puede ver.» «Es mejor que *Monsieur Nestor*. ¡Mucho mejor!», exclamó, y apuró la cerveza que le quedaba.

Se quedó mirando el paisaje: «¡Qué sitio tan bonito es éste! Dan ganas de tumbarse en la hierba», dijo. Sacó del bolsillo de la chaqueta un paquete de tabaco, un rubio barato, sin filtro. «A veces siento deseos de convertirme en animal. Ahora mismo, por ejemplo. ¡Qué felices parecen esos caballos!» Encendió el cigarrillo con un solo movimiento. El dedo índice y el medio los tenía amarillos de nicotina.

Las tres yeguas, Blaky, Ava y Mizpa, se encontraban juntas a un lado del cercado, mientras Faraón pacía justo en la mitad. Al cabo de unos días, cuando se curara Zizpa, aquel equilibrio se volvería inestable. Zizpa daba muestras de querer arrebatarle el liderazgo a Faraón.

Me dio pena Monsieur Nestor. De él se contaba que, años antes, siendo todavía hermano de La Salle, había perdido la cabeza a causa de su «excesiva inteligencia», y que cogió la manía de ir a la estación de San Sebastián y montarse en el primer tren que veía. La historia era conocida entre sus alumnos del hotel Alaska, y la mayoría pensaba que había colgado los hábitos precisamente por haberse trastornado. Cuando querían burlarse de él, Adrián y Martín le llamaban *Trenes*.

«Debo de ser un profesor nefasto —dijo Monsieur Nestor, o, llamándole como él prefería, Redin—. Susana fue la primera que dejó de asistir a clase. Luego fue tu turno. Y Adrián, con eso de que está convaleciente, tampoco va mucho. Es una catástrofe». Su traje color crema estaba bastante gastado. Lo mismo que su camisa, que, por lo que me pareció, tenía los puños zurcidos. No exageraba al hablar de pobreza. Perder el grupo del hotel Alaska podía ser una auténtica catástrofe para él.

«No es por usted —le dije—. Susana dejó de ir por culpa de Martín, porque los dos se llevan mal. Ella y Joseba pensaron poner en marcha otro grupo». «No estaría mal. Me vendría estupendamente tener otra clase. Necesito comprarme unas gafas. Es increíble lo caras que son aquí. En Inglaterra son mucho más baratas —se quedó pensativo, como haciendo cálculos—... Y tú, ¿por qué no vas?», me preguntó a continuación. Yo repetí mi mentira: «Trato de concentrarme. Quiero escribir».

«Para escribir hace falta tener dinero —dijo él con la mirada puesta en Faraón—. Acuérdate de Hemingway. He leído muchas veces que era pobre, y que cuando vivía en París iba a un parque a cazar palomas para tener algo que llevarse a la boca. ¡Bah!». Redin sacudió la mano para indicar el poco crédito que le merecía la historia. *«Légendes!»*, exclamó. O tal vez en inglés, *legends*, ya que hablaba mezclando continuamente las lenguas. «¿Está seguro?», le pregunté. «Completamente. Os he dicho muchas veces que llegué a conocerlo muy bien.»

No había acuerdo entre los que asistíamos a sus clases. La historia de la relación de Redin con Hemingway la consideraban algunos una fantasía. Era el caso de Martín y Adrián, como era de esperar, pero también el de Joseba. Joseba decía que habrían estado juntos alguna vez, quizás con ocasión de las fiestas de Pamplona, y que Redin se habría quedado muy impresionado, porque Hemingway era muy popular en España. Yo también dudaba. «Hemingway en los toros» era el pie de una foto que se repetía todos los veranos en la prensa. Costaba imaginarse a un hombre tan famoso en compañía de Redin.

«¡Cómo iba a ser pobre un hombre que llevaba dólares en los bolsillos! —exclamó Redin levantándose del banco de piedra y hablando como si discutiera con alguien—. ¡En la época en que empezó a venir a España comían veinte personas con un dólar! ¡Veinte personas!». Señaló el Mercedes de Ángel antes de concluir su razonamiento: «Tu caso es el mismo. Tienes la suerte de ser rico. Puedes ser escritor».

Ángel y Juan salieron de la casa, otra vez discutiendo. Ángel se dirigió a Redin. «Vamos a levantar un nuevo monumento en la plaza en memoria de los muertos en la guerra, y lo queremos inaugurar a la vez que el campo de deportes. Pero a Juan le parece mal», le explicó. El tío me guiñó un ojo. Era más frío que Ángel. «Es malgastar el dinero. ¿Quién necesita monumentos? Más valdría que construyerais un parque infantil.» «¿Un parque infantil? —se rebeló Ángel, como si hubiera estado esperando aquella pregunta—. ¿No sabes que lo vamos a hacer? ¡Lo estamos haciendo ya, mejor dicho!». «¿Y dónde lo vais a poner? Yo no lo he visto.» «¿Dónde? ¡Dentro del campo de deportes, hacia el río! ¡Enfrente de Urtza!» «Como quieras, Ángel, pero lo del monumento es un despilfarro —repitió el tío. Miró a Redin—: Y usted, ¿qué opina? ¿Está usted a favor o en contra?».

Redin miró a lo lejos, hacia el bosque. No le gustaba discutir, ni siquiera en broma. «Para eso de los monumentos yo soy muy *romano*. Me gustan», dijo al fin. «¿Ves? —dijo Ángel al tío Juan—. Él también está a favor». «A favor de los romanos, efectivamente», añadió Redin. Pero fue un susurro que únicamente yo pude oír.

Ángel sacó el acordeón del maletero del coche. «Ya es hora de que hagas algo, ¿no te parece? Llevas semanas sin ensayar», dijo. El tío me volvió a guiñar el ojo: «¡Estupendo! De ahora en adelante, todos a bailar en Iruain!». Ángel dejó el estuche del acordeón al lado de la puerta. «Tú bailarías por dinero, no por otra cosa», le reprochó al tío. Me enfadé con él. «¿No sabes hablar de otro tema? Aburres a cualquiera», le dije. Él no se dio por aludido. «Por dinero baila el can, y por pan si se lo dan», recitó Redin de repente. Ángel aplaudió, riéndose: «Muy bonito, eso». El tío también se rió, y echó a andar hacia el pabellón. «Voy a ver cómo está el caballo. El hijo de Adela es muy atrevido, y lo ha llevado por sitios peligrosos. Por poco le rompe una pata. ¿Quieres verlo?» Ángel rehusó la invitación. «Tengo que llevar a Monsieur Nestor.» Se introdujo en el coche. Redin hizo lo mismo. «Tendrías que ver cómo ha aprendido tu hijo a montar», le dijo el tío. «Me alegro de que haya aprendido algo —respondió Ángel encendiendo el motor. Se volvió hacia mí—: Estarás aquí hasta que lleguen las fiestas. Luego, a casa».

Desde la otra ventanilla, Redin me hizo una seña para que me acercara. Me dio un encargo: «Casi se me olvida. Me ha dicho Teresa que le gustaría hacerte una visita. Si te parece bien». «Claro que sí», acepté sin pensarlo. Nunca se me hubiera ocurrido que Teresa fuera a pedirme permiso para visitarme.

Se marcharon como habían venido, levantando el polvo del camino. Yo me fui al pabellón, a reunirme con el tío y con Lubis.

Teresa vino sola, paseando tranquilamente, y permaneció sentada en el banco de piedra mientras Lubis y yo terminábamos de blanquear las paredes de la cocina de Iruain. Luego, cuando salimos, nos entregó a cada uno un manojo de flores silvestres. «¿Qué ha de hacer una chica para ser admitida en el equipo de albañiles?», preguntó. Lubis se echó a reír: «Jamás he visto a una chica blanqueando paredes. Además, tú eres muy fina. Mira qué vestido tan bonito llevas hoy». Lubis volvía a mostrarse alegre. La herida de Zizpa estaba cicatrizando. Teresa le dio un beso en la mejilla: «Gracias por decirme que soy fina». Lubis se rió otra vez: «De ahora en adelante voy a andar siempre manchado de blanco. A lo mejor así me dan más besos». Teresa llevaba un traje de chaqueta de color amarillo, y un bolso blanco al hombro.

«¿Qué tal la gente?», le pregunté. «¿Qué gente, David?» «¿Qué gente va a ser, Teresa? Nuestros amigos. ¿Habéis ido a nadar a Urtza?» Se me quedó mirando. Iba maquillada, y una raya negra hacía resaltar sus ojos de color aceite, amarillentos, casi pardos. «En Urtza ha estado mucha gente. Yo diría que han estado todos los prescindibles y que ha faltado el único imprescindible. Me refiero a ti.» Lubis se removió en el asiento. Le resultaba llamativo que una chica hablara con tanta franqueza. A mí también.

«No pensaba venir —dijo Teresa cambiando de tono—. Se supone que las chicas no deben andar detrás de los chicos. Pero la cuestión es qué ha de hacer la chica cuando el chico no se entera de nada». Esta vez Lubis intentó marcharse. Le agarré del brazo y le obligué a sentarse de nuevo. Teresa nos miró con expresión burlona. «¿Te das cuenta? A David le da vergüenza quedarse a solas conmigo.» «No es eso, Teresa», protesté. Me ponía nervioso, no dejaba de mirarme.

Teresa se levantó del asiento. «En cualquier caso, se acabó la visita. La verdad es que sólo he venido a traerte una carta». La sacó del bolso y me la entregó. Luego se alejó a pasitos cortos y rápidos, como si tuviera prisa.

La vimos alejarse por la orilla del río. A veces se agachaba, y, por lo que parecía, cogía flores. «Es valiente. Igual que su hermano Martín, pero de otra manera. A mí me gusta», dijo Lubis. Como si le hubiera oído, Teresa agitó la mano y nos envió un saludo. «No quiero decir que Martín no me guste —puntualizó Lubis—, pero Teresa tiene más categoría. Así como Martín ha salido a su padre, ella ha salido a su madre». Seguimos sentados en el banco de piedra. Un cuarto de hora más tarde, el traje de Teresa era una manchita amarilla en el bosque de castaños.

La carta de Teresa —cito de memoria, no he podido encontrarla entre los papeles de Stoneham— empezaba con un poema de la antología que utilizábamos en las clases de francés: *Les oiseaux pour mourir se cachent*, «los pájaros se ocultan para morir». Luego, en un tono acorde con el verso, se lamentaba de que no fuera al hotel y de que siguiera «empeñado en llevar una vida de campesino», sin ninguna consideración por «nuestro querido Monsieur Nestor». «No sé si te das cuenta —decía poco más o menos—, pero de esa manera dejas a nuestro profesor a merced de personas como mi hermano Martín. Ahora mismo anda diciendo por ahí que no se puede aprender nada con él porque se pasa del francés al inglés y del inglés al francés sin darse cuenta. Y, ¿sabes por qué se ha inventado esa calumnia? Porque ha sabido de alguien que podría sustituirle. Se trata, como podrás imaginar, de una chica *explosive* de veinticinco años».

La carta terminaba como había empezado, en tono triste, y al final, en la posdata, hacía mención de lo que probablemente la había empujado a escribir: «Ahora que me doy cuenta: tú has dejado de asistir a las clases de francés, Susana también. No sabía que os entendierais tan bien».

Su sospecha no tenía base. De «entenderme» con alguien, lo hacía con una de aquellas campesinas que iban a misa. Su nombre era Virginia, y tenía la misma edad que Lubis, dos o tres años más que yo. Comulgaba frente al altar y volvía a su asiento por el pasillo donde yo tocaba el armonio. Al pasar a mi lado, giraba levemente la cabeza y me dirigía una mirada. Todos los domingos, sin fallar nunca. A partir de la tercera o cuarta vez, empecé a darle respuesta: la miraba yo también, o hacía alguna variación con el armonio, algo que en la iglesia resultara singular. Eso era todo, por el momento. Las sospechas de Teresa eran, como habría dicho Lubis, *pantasi utsa*, pura fantasía.

VI

El 15 de septiembre, seis hombres subían a la torre de la iglesia a voltear la campana grande y anunciar el comienzo de las fiestas de Obaba. La campana giraba durante una media hora, y luego, cuando los seis hombres la dejaban a su suerte, perdía ligereza y su sonido se volvía irregular. Poco después, empezaba a dar trompicones, y alguien lanzaba al aire tres cohetes seguidos. La señal estaba dada, las fiestas podían comenzar.

El tío sufría con la campana grande. No exactamente por la campana, sino por los perros, que rompían a ladrar y a aullar por su culpa. Decía que le ponían dolor de cabeza, y que además los perros enloquecidos le daban miedo: un año se habían metido en el cercado de Iruain y habían mordido a una yegua. Pero, en el fondo, el problema estaba en él mismo, en su corazón y en sus ojos. *Biotz-begietan*. Sentía antipatía por las fiestas. Aún más: las detestaba. Si se quedaba en el pueblo hasta el 16 de septiembre era por mi madre, porque para ella era importante la comida familiar que celebrábamos ese día en Villa Lecuona. Pero, para entonces, él solía tenerlo todo preparado para el viaje de regreso. En cuanto terminaba la comida, mi madre cogía el Mercedes y lo llevaba al aeropuerto de San Sebastián. Veinticuatro horas más tarde ya estaba de nuevo en California. Aquel año de 1964, las cosas transcurrieron igual que siempre.

Después de las fiestas y de la marcha de Juan, todo pareció más triste. Daba la impresión de que el riachuelo de Iruain discurría con desgana, que Lubis estaba melancólico, que los caballos no relinchaban tanto, que los pájaros se habían escondido en alguna parte; *pour mourir*, quizás.

Me aficioné a caminar. Dejando atrás el barrio, iba hasta el punto en que el riachuelo de Iruain se unía al río de Obaba, y recogía allí, en el bosque cercano, las primeras castañas relucientes del año. Llegaba luego hasta Urtza y me sentaba en su pequeña playa de guijarros.

Urtza me parecía, sin la animación de los días calurosos, un lugar doblemente silencioso y solitario, como si las voces y el alboroto de la gente que durante julio y agosto se había divertido allí hubiesen dejado un vacío, un hueco en el agua. En ocasiones, «alentados por el dios Pan», los alisos de la orilla empezaban a moverse y a susurrar, y sentía en mi piel el primer frío del año. Entonces echaba a andar hacia la casa de mis padres —Ángel no permitía que me quedara en Iruain— y reflexionaba sobre mi futuro más próximo. No tenía elección. Tendría que ir al colegio todos los días, en bicicleta, en tren, a pie; con Adrián, Martín, Teresa, Joseba, Susana,

Victoria y todo el grupo de Obaba. Y a la noche vuelta a casa, a pie, en tren, en bicicleta, y esta vez solo, porque yo regresaría más tarde que los demás, después de recibir la última clase del día en la academia de acordeón.

Conforme se acercaba la fecha de comienzo de curso, mis Segundos Ojos empezaron a mostrarme la cueva inmunda y sus sombras en cualquier momento, sin esperar a la oscuridad de la noche, como si con la partida de Juan se hubieran reanimado: allí estaba, tan temible como antes, el padre de Martín y Teresa, Berlino, *el de los ojos rojos;* allí estaba el americano que buscó refugio en el escondrijo de Iruain, y el grupo de fusilados del que había hablado Susana. Y no faltaba, como siempre, una última sombra, la de Ángel, mi padre. Había momentos en que lo que veía con mis Primeros Ojos se unía a lo que veía con los Segundos: la oscuridad del agua de Urtza se mezclaba entonces con los sucesos de la guerra; el susurro de las hojas de los alisos, con mis sospechas acerca de Ángel.

La víspera de mi vuelta al colegio acudí a la casa de Iruain y le propuse a Lubis que fuéramos a la fuente de Mandaska a hacerles una visita a Ubanbe y a los demás amigos, que seguirían donde siempre, talando árboles en el bosque. Lubis estuvo de acuerdo, y emprendimos el camino igual que en días pasados, montando él a Mizpa y yo a Ava. Pero no fue una buena idea. En Mandaska estaban todos borrachos, lo mismo Ubanbe que Opin, Pancho o el propio Sebastián.

«Ya se acabaron las fiestas, pero estos mamelucos todavía no se han enterado», dijo Lubis sin bajarse del caballo. Ubanbe se puso a gritar: «¡Estamos cazando, Lubis! ¡Mira lo que ha cogido tu hermano!». Llevaba la camisa blanca desabrochada y con una gran mancha de vino en la pechera.

Pancho se acercó a nosotros. Traía un pequeño ratón de campo agarrado por la cola. «Dámelo», le dijo Lubis.

«¡Quieto ahí!», gritó Opin interponiéndose entre los dos hermanos. Tenía en la mano un hacha de mango largo, y la blandía en el aire. Su hoja, reluciente, se movía muy cerca de la cabeza de Lubis. «Ponlo encima de este tronco, Pancho. Verás cómo le corto el cuello», dijo Opin. Era el que más borracho estaba, parecía incapaz de dar un paso sin tambalearse. «Dáselo a tu hermano», repitió Lubis ignorando el hacha de Opin. «Lubis quiere el ratón para soltarlo —dijo Sebastián—. Le gustan mucho los animales. Además, ya sabéis de qué categoría es. *Peso mosca*». Sus palabras sin sentido hicieron que los cuatro soltaran grandes risotadas. «Tráelo un momento, voy a ver si sabe nadar», se adelantó Ubanbe, arrebatándole el ratón a Pancho. Se oyó un gemido, apenas perceptible: un hilillo rojo en el aire del bosque. «¿Qué te pasa? ¡Cállate!», exclamó Ubanbe sacudiendo el ratón. Se dirigió a zancadas hacia la pila de la fuente. El animalito gimió por segunda vez.

Lubis hizo girar a Mizpa para tomar el camino de regreso. Antes de ponerse en marcha, miró hacia su hermano. «Hace ya tres días que no apareces en casa. Tu madre está muy enfadada.» Pancho respondió rabioso: «¡Y qué me importa a mí la vieja!». Con sus grandes mandíbulas, daba miedo. «Ya hablaremos cuando se te pase la borrachera», le dijo Lubis aflojando las riendas del caballo.

Ubanbe gritó: «¡Agárralo! ¡Agárralo!». Luego se puso a maldecir: «¿Cómo se te ha escapado, Opin? ¡Te estás volviendo un torpe, un verdadero inútil!». Sebastián vino corriendo detrás de nosotros. «¡Lubis! No le digas a Adela que me has visto aquí.» Lubis le respondió sin girarse: «Ven a decirme que quieres montar a Zizpa. ¡Ya verás qué respuesta te doy! Te perdoné la herida que le hiciste, pero lo de hoy no te lo perdono!».

Ni siquiera cuando se enfadaba descuidaba Lubis su forma pausada de hablar. Pronunciaba las palabras algo más fuerte, eso era todo. «Te has puesto así porque te he llamado *peso mosca*. Pero ha sido sin querer», se defendió Sebastián a punto de echarse a llorar. Parecía sentirse mucho peor que unos momentos antes, como si el alcohol que le corría por las venas le hubiese dado un nuevo golpe. Estaba pálido, con el pelo completamente desordenado. «Monta conmigo, y vámonos a casa. Será mejor para todos.» Sebastián intentó subirse al caballo, pero tuvo que darnos la espalda para vomitar.

Hicimos el camino hasta casa en silencio. Al llegar al valle, Lubis se fue a la casa de Adela con Sebastián, y yo me retiré a Iruain. Cogí el libro de Lizardi, e intenté concentrarme en su lectura.

Seguía leyendo el libro cuando oí un ruido de motor. Pensé que sería Ángel, enfadado conmigo por haberme marchado a Iruain sin su permiso. Pero fui hasta la ventana y vi dos coches, no solamente el Mercedes. El otro era un Peugeot de color granate. Lo conocía. Ocupaba siempre la misma plaza en el aparcamiento del hotel Alaska. Pertenecía a Berlino. Los dos se detuvieron delante de la casa.

Ángel irrumpió en la cocina. «¿Es que no piensas salir? —me dijo—. ¡Ven enseguida a saludar al coronel Degrela!». No me levanté de la mesa. No comprendía su agitación, no sabía de quién me hablaba. O, mejor dicho, no recordaba quién era el tal coronel Degrela, aunque había oído su nombre más de una vez. «¡Muévete!», me ordenó Ángel.

Salí afuera. De espaldas a la casa, Berlino y otro hombre de cierta edad contemplaban el valle. Ángel se encargó de presentarnos: «Éste es mi hijo, coronel. Viene a este apartado rincón a ensayar con el acordeón». Hacía esfuerzos por hablar un castellano elegante, pero no podía disimular su acento de hombre nacido en Obaba. Además, le salían sin querer rimas torpes: rincón, acordeón.

Calculé que el coronel debía de tener unos sesenta años. Era delgado y huesudo, y vestía pulcramente, todo de gris, con camisa y corbata de seda. La montura de sus gafas era de color rosáceo. En general, aunque el pelo corto le confería cierto aire militar, tenía el aspecto de un aristócrata. «¿Cómo está usted?», me dijo con gravedad. Nos dimos la mano. Su apretón fue firme y corto.

Una mujer de unos treinta y cinco años bajó del Peugeot. Iba vestida con unos pantalones ceñidos de color rojo oscuro y un chaleco del mismo color sobre un jersey beige de cuello largo. Su cara era redonda, bonita. Se me hizo aún más extraña que el propio coronel Degrela.

«¿Dónde están los caballos?», preguntó sin molestarse en saludar, y quedó así claro el motivo que los había traído a Iruain. «Estarán en el prado de ahí atrás», dijo Ángel. «No. Están en el pabellón», le corregí. El coronel Degrela se volvió hacia mí: «Haga el favor de sacarlos. Mi hija se llevará una gran alegría. Siente más amor por los caballos que por las personas». La transcripción de sus palabras puede hacer pensar que hubo en ellas cierta afabilidad, un gesto de simpatía hacia sus acompañantes. No fue así. Habló fríamente, en voz baja. A pesar de ello, Ángel y Berlino se rieron. «Pilar, vete a ver los caballos —dijo el coronel a continuación—. Quiero tener el gusto de conversar tranquilamente con estos señores». No miraba a su hija, sino al paisaje. «Acompáñela, por favor», me dijo a mí, y entró en la casa con Ángel y Berlino.

Nos acercamos al pabellón. Lubis estaba en la entrada, con semblante preocupado. «Mire, éste es el encargado de los caballos. Él se los enseñará mejor que yo», dije a la mujer. Lubis se plantó frente a mí: «*Bakarrik utzi bear al nauzu oilo loka onekin?*» —«¿Vas a dejarme solo con esta gallina clueca?»—. Estaba a punto de enfadarse. «No puedo quedarme», le dije. Quería volver sobre mis pasos y vigilar a Ángel y a los otros dos hombres. «¿De qué habla tu amigo?», preguntó la mujer. «De gallinas», contestó Lubis. «Ya veremos luego las gallinas. Ahora enséñame los caballos», dijo la mujer.

Entré por la puerta de atrás de la casa y llegué hasta la habitación del tío. Tenía un ventanuco que daba a la cocina, con un torno, como en los conventos, y me aposté allí dispuesto a no perderme una palabra.

Los tres hombres conversaban con normalidad. El tema era las obras de Obaba. El coronel Degrela mencionó la conveniencia de que el barrio nuevo y el campo de deportes estuvieran terminados al mismo tiempo, y tanto Berlino como Ángel se mostraron conformes. «El barrio va muy bien. El campo de deportes, algo más retrasado —explicó Ángel—. Pero no se preocupe. Dentro de un año estará todo acabado. O incluso antes».

El coronel Degrela dijo algo que no pude captar. «El monumento también, por supuesto —dijo Berlino—. Y tiene usted toda la razón. La placa se encuentra en un estado lamentable. Algunos de los nombres de los caídos ni siquiera se pueden leer. Los de mis dos hermanos, sin ir más lejos. El coronel tiene razón, Ángel. Teníamos que haber cuidado mejor la placa». «No podemos fallar en esas cosas», advirtió el coronel. «Y no fallaremos —prometió Ángel—. Está todo decidido. Hasta el último detalle. Construiremos el monumento en mármol negro y con letras doradas. Se inaugurará a la vez que las otras obras». La voz de Berlino sonó ahora más animada: «Podríamos traer a Paulino Uzcudun para la inauguración, si les parece bien». Paulino Uzcudun era un famoso boxeador nacido cerca de Obaba. Había medido sus fuerzas con gente como Primo Carnera, Max Baer o Joe Louis. «¡Excelente idea, Marcelino!», declaró el coronel Degrela con autoridad.

Dejé de atender. Empecé a preguntarme qué hacía yo allí, pegado al ventanuco, agazapado como un ladrón. Por qué no salía y les decía: «Qué hacéis sentados en la cocina de esta casa, qué derecho tienes tú, Berlino, tú que ensucias este suelo, tú que un día, seguramente acompañado de Ángel, viniste a esta casa buscando al auténtico propietario del hotel. Ahí está todavía el sombrero que no le pudisteis arrebatar…».

Los pensamientos que me venían a la cabeza me aturdían, y tuve que sentarme en el borde de la cama. Se iba aclarando la cueva que veía con mis Segundos Ojos, y ahora había en ella una nueva sombra, tal vez la principal: aquel militar llamado Degrela. Ángel y Berlino eran sus criados.

Se oyó un portazo en la cocina. «¡Quiero comprar ese caballo! Es una maravilla, papá. ¡No he visto cosa igual!», dijo la hija del coronel Degrela. «Estese tranquila, señorita. Si le gusta, pronto será suyo», dijo Berlino. «Ya nos arreglaremos», añadió Ángel. «¡Y qué nombre tan bonito! ¡Faraón!», exclamó la mujer. «Señores, no tenemos elección. Cuando mi hija se pone así, es inútil. Tendremos que ir a ver ese caballo —dijo el coronel Degrela. No sé si oí el suspiro o lo imaginé—. Pilar, concédenos cinco minutos. Nos queda un último asunto que tratar». «Es un caballo de mucha clase», insistió la mujer. Volví a oír la voz de Ángel: «Estese tranquila, ya lo arreglaremos. Estoy seguro de que su dueño nos hará un precio especial».

No me lo podía creer. El comportamiento de Ángel me era inadmisible. ¡Cómo se atrevía a prometer un caballo que no era suyo! ¡Con qué derecho hablaba en nombre del tío Juan! Salí de la habitación, y fui corriendo al pabellón.

Lubis estaba sentado sobre una montura. «¿Sabes qué pretende esa mujer? ¡Llevarse a Faraón!» Le dije que estaba enterado. «Además quiere llevárselo ahora mismo. Pero ya se lo he advertido: sin el permiso de Juan, de aquí no sale ningún caballo.» «No sé, Lubis. Berlino y Ángel se lo han prometido.» Él se puso de pie: «Ninguno de los dos tiene derecho. ¡Esto pertenece a Juan! ¡Perdona que te lo diga!». Estaba furioso. «Ya lo sé. Pero ¿qué podemos hacer? Pronto los tendremos aquí.» «¡Pues no se lo van a llevar!» Ensilló sin contemplaciones a Faraón. «¿Adónde vas?», le pregunté. Pero ya lo sabía. Iba al bosque. «Espera un poco. Voy contigo.» Preparamos a Ava sin cruzarnos una palabra más. «¡Calma, calma!», dijo Lubis a los caballos, que se habían contagiado de nuestro nerviosismo y resoplaban intranquilos.

Nos adentramos en el bosque. Los pájaros se asustaban a nuestro paso, pues no estaban muertos, como los del poema que me había copiado Teresa, sino vivos y ligeros. Remontaban el vuelo por encima de nuestras cabezas, se alejaban en cualquier dirección.

Envidiaba su libertad. A mí no me estaba permitido seguir adelante, cabalgando sin descanso; no podía aspirar a un lugar aparte, escondido del mundo. A la mañana siguiente empezaba el nuevo curso. Debía regresar a Villa Lecuona.

VII

Salía de casa para ir al colegio cuando aún era de noche, a las siete en punto de la mañana, y con las primeras cuarenta pedaladas dejaba atrás la casa de mis padres y las obras del campo de deportes; con otras cuarenta, la zona donde se estaba levantando el nuevo barrio. Pronto, en el primer cruce, donde se tomaba la desviación para el hotel Alaska, me unía a

Teresa y a Martín, que me solían esperar allí para hacer el resto del trayecto juntos.

Los tres solíamos llegar a la estación del tren sobre las ocho menos cuarto de la mañana, más o menos a la vez que los demás estudiantes de Obaba: Adrián, Joseba, Susana y Victoria. Pero ellos iban en taxi, porque Adrián no podía realizar esfuerzos físicos y su padre, el dueño de la serrería, prefería aquella opción a la de tenerle interno.

Martín y Teresa hacían causa de aquella diferencia y se quejaban de que Berlino y Geneviève les negaran la posibilidad de ir en coche. Pero no era mi caso. Yo prefería la bicicleta. Giraban los pedales; giraba la rueda con sus radios; giraba la dinamo del farol: era agradable la marcha. Más agradable aún, más íntima, cuando la lluvia o el granizo nos obligaban a envolvernos en un capote. En general, yo aprovechaba el camino para repasar mentalmente lo que nos habían explicado los profesores en clase; no sólo para llevar mejor las asignaturas, sino porque, concentrándome en otra cosa, no notaba el esfuerzo.

Las ruedas del tren también giraban, como las de la bicicleta, pero con mucho más estrépito. Al mismo tiempo —ruido sobre ruido—, los estudiantes que íbamos a San Sebastián, amontonados todos en el último vagón, las chicas en un lado y los chicos en el otro, no parábamos de armar bulla. Normalmente, si no había retraso, los de La Salle —Adrián, Martín y yo, de Obaba, y unos diez más de diferentes pueblos— llegábamos a nuestro destino en media hora, cuando el reloj de la estación marcaba las ocho y veinticinco. Los otros estudiantes, Joseba, Susana, Victoria y Teresa continuaban viaje hasta el centro de la ciudad.

De la estación al colegio había exactamente «ochocientos setenta pasos», según aseguraba Carmelo, un miembro de nuestro grupo que tenía la manía de medirlo todo, y recorríamos aquella distancia pasando primero por las cercanías de un cuartel —ciento cuarenta pasos— y por un barrio pobre —seiscientos— y alcanzando después, una vez superados los ciento treinta pasos más duros del trayecto, la colina donde se alzaba el colegio. Entrábamos al fin, jadeantes, en la larga galería de la primera planta, donde las puertas de las aulas se alineaban «igual que soldados», como le gustaba decir al mismo Carmelo. Para entonces solían ser las nueve menos veinte minutos, y el prefecto del colegio, un fraile al que llamábamos Hipo o Hipopótamo, nos franqueaba la entrada siempre con el mismo reproche: «Hoy también venís tarde. En cambio Aguiriano lleva un buen rato sentado en su pupitre».

Aguiriano, que vivía en un pueblecito próximo a Obaba, era miembro del equipo de atletismo del colegio. Cogía el mismo tren que nosotros, y nada más llegar a la estación echaba a correr porque, según decía, le convenía entrenar. «Pero nosotros no somos atletas. Nosotros somos normales», le dijo un día Martín. Era una respuesta con doble sentido, porque en el colegio Aguiriano tenía fama de no estar bien de la cabeza. Por una vez, el prefecto sonrió.

El curso de 1964 a 1965, en el que hice sexto de Bachiller, fue para mí más duro que todos los anteriores. Ni siquiera conseguía disfrutar durante el trayecto en bicicleta. Después de pasar el verano en Iruain, los pasillos y las aulas de La Salle se me hacían oscuros; mis compañeros de clase, más ajenos que nunca; nuestras disputas —existía una fuerte rivalidad entre los alumnos de los pueblos y los de la ciudad—, insignificantes, banales. No lograba, además, librarme de la cueva inmunda que me mostraban mis Segundos Ojos.

Las semanas se sucedían, sin diversión, con monotonía. Los lunes hacíamos el examen de Matemáticas —«la composición», en el lenguaje de La Salle—; los martes, el de Física y Química; los miércoles, el de Filosofía; los jueves, el de Literatura y el de Historia del Arte; el viernes se repartían las notas de la semana, y nos subíamos a la tarima para formar una fila, los mejores delante y los peores detrás; los sábados entrábamos más tarde y se celebraba una misa en la capilla, en la que yo tocaba el armonio. Los domingos, después de volver a tocar el armonio —en la iglesia de Obaba, esta vez— iba al cine con Adrián, Martín y Joseba, o si no, los días de sol, me quedaba en Obaba y me daba una vuelta por Iruain para estar un rato con Lubis. Así era mi vida, semana tras semana: una rueda que giraba más lentamente que las de la bicicleta o las del tren. Era realmente una rueda pesada, una piedra de moler. Atrapaba los fragmentos de tiempo, y los desmenuzaba.

Nada cambiaba. Sobre todo dentro de mí. El lento girar no me conducía a ninguna parte. Deseaba hablar con Susana, que me contara más cosas de los fusilados. Y tenía en mente escribirle una carta al tío Juan, con idéntico propósito. Pero eran proyectos sin consistencia.

Poco a poco, el ambiente del colegio mejoró para los alumnos que íbamos en tren. En nuestra vieja contienda con los de la ciudad, empezamos a tener ventaja, y, como dijo Hipo, el prefecto, al repartir las notas, acabamos siendo mejores en todo. Adrián, Carmelo, yo mismo, y algunos otros *morroskos* que estaban internos —así era como nos llamaban los de la ciudad, *morroskos*, «chicarrones»— éramos buenos alumnos, y ocupábamos los primeros puestos de la fila cada vez que se repartían las notas. Además Adrián, que de *morrosko* no tenía nada por su problema físico, y que incluso estaba exento de gimnasia, pasó a ser nuestro artista oficial cuando, al llegar las Navidades, obsequió al colegio con unas tallas de madera hechas por él mismo: un pesebre completo para el Nacimiento, con el Niño, los Padres y los animales. El capellán del colegio, don Ramón, anunció que teníamos un nuevo Berruguete entre nosotros, y el fraile que nos enseñaba Historia del Arte escribió una alabanza de las tallas en la revista del colegio. Y después de Adrián, el siguiente artista era yo mismo, que tocaba el armonio y, de vez en cuando, en alguna fiesta, el acordeón. Por último, confirmando la superioridad de los pueblerinos, si bien por motivos bien distintos, estaba Martín. Su popularidad en el colegio era cada vez mayor.

Martín sacaba notas bastante malas, y no se le conocía ninguna habilidad especial, pero inspiraba cierto temor por el valor que mostraba tanto en las peleas del patio como delante de los profesores. Se sabía, además, entre los estudiantes, que todo el tabaco y las bebidas de contrabando que circulaban en el colegio pasaban por sus manos.

A veces, nos apeábamos del tren y Martín nos indicaba que siguiéramos adelante sin él, que tenía un «encargo» que hacer en un bar de la zona. Luego, ya en la colina del colegio, nos daba alcance y nos enseñaba a Adrián y a mí lo que llevaba en la maleta en lugar de los libros: generalmente, botellines de coñac Martel, y una decena de paquetes de tabaco americano Philip Morris dispuestos ordenadamente. El reparto lo tenía bien organizado. A la puerta del colegio, antes de encontrarnos con Hipo, entregaba el cargamento a un chico que trabajaba en la cocina, que solía estar esperándole. «¿Dónde tienes la maleta?», le preguntó una vez Hipo. «Se me ha olvidado en casa», mintió Martín con la mayor naturalidad.

Uno de los días que se quedó a hacer su «encargo» —era mayo y el curso tocaba a su fin, la piedra de moler iba a dar su última pesada vuelta—, Martín se retrasó más que de costumbre, y Adrián y yo entramos en el colegio sin esperarle. Le dijimos al prefecto que había perdido el tren. «Seguro que es mentira», nos contestó. Los dos nos quedamos parados, pensando que nos haría alguna pregunta. Pero, en lugar de insistir, se alejó por la galería silbando y jugando con las llaves. Estaba de buen humor, como si también a él le afectara la primavera.

Martín se presentó en el aula después del recreo. Estábamos en la clase de Historia del Arte, y el profesor, el fraile que había escrito el artículo laudatorio sobre las tallas de Adrián, nos estaba explicando la composición del cuadro *Las hilanderas* con la ayuda de un proyector de filminas. En un momento dado, noté que se producía un revuelo entre los compañeros sentados alrededor de Martín. Ninguno de ellos miraba a la pantalla.

Mis ojos se encontraron con los de Martín. Estaba radiante, sonreía abiertamente. Yo también sonreí, y le hice un gesto de interrogación. Entonces él me pasó una revista por encima de la hilera de compañeros que nos separaba. La abrí, y lo que encontré en ella me dejó estupefacto: como habrían dicho Ubanbe, Opin o Pancho, un hombre cubría a una mujer *zakurrak zakurrari bezala*, como un perro a una perra. Los pechos de la mujer eran enormes, y colgaban hasta tocar la alfombra roja del suelo.

Aún no me había repuesto cuando Hipo apareció en la puerta de clase. «¡De pie!», gritó el profesor de Historia del Arte, y todos obedecimos al instante. Hipo nos dio permiso para sentarnos de nuevo. Los fluorescentes del techo, que habían estado apagados durante la proyección, se encendieron de golpe, y los colores chillones de la portada de la revista pornográfica brillaron en mis manos. La atraje hacia mis rodillas, para empujarla al cajón del pupitre. «¿Qué escondes, David?», preguntó Hipo, avanzando hacia mí. Me llamó David, y no por el apellido, como era costumbre en el colegio. Aquella muestra de confianza hizo que me sonrojara aún más.

En aquella época, con dieciséis años de edad, medía casi un metro ochenta de altura y pesaba noventa kilos. Pero ello no impidió que el puñetazo de Hipo me lanzara contra la pared del fondo de la clase, por su fuerza tremenda y porque me cogió desprevenido. Simuló primero dirigirse a la ventana, como si pretendiera arrojar la revista; pero, en cuanto se puso de costado, se volvió y me golpeó en la mejilla izquierda, alcanzándome el ojo.

Cuando me incorporé lo tenía frente a mí, muy pálido. Quería decirme algo, pero no le salían las palabras. Tenía el brazo derecho levantado, amenazándome con el puño, y el brazo izquierdo caído. Sujetaba la revista como si fuera un trapo sucio, cogiéndola por una punta con el dedo índice y el pulgar.

Cualquier alumno hubiese podido sacarle de sus casillas; pero el hecho de que el *sucio* malhechor —se refirió a mí con ese adjetivo cuando por fin recobró el habla— fuera precisamente yo, un *morrosko*, *un noble muchacho* criado en el ambiente puro e inocente del campo, que además tocaba el armonio en la iglesia, era para él insoportable.

«Vete inmediatamente a la capilla, y espera allí. Tengo que hablar con el director. Si está de acuerdo, no volverás a pisar este colegio.» Yo quería contestarle, proclamar mi inocencia; pero no podía pensar de forma coherente, el golpe me había dejado aturdido. El ojo izquierdo me dolía.

Apenas entré en la capilla me vino a la memoria la iglesia de Obaba, y la vez que estuve allí encerrado con Lubis y los otros «campesinos felices» a raíz de la pelea del Domingo de Ramos. Por desgracia, con el asunto de la revista pornográfica no me iba a librar tan fácil. Y la culpa la tenía Martín. Súbitamente —el dolor en el ojo me exasperaba— sentí odio por él. Lo que había hecho era infame: quedarse callado, no confesar; hacerme cargar con el castigo.

A la primera reacción le siguió un momento de calma. Bien pensado, era comprensible que Martín no deshiciera el error en clase, estando Hipo fuera de sí; pero sin duda aclararía el asunto. Quizás estuviera ya, en aquel mismo instante, dando explicaciones al prefecto y al director del colegio, con aquella forma de hablar tan suya, sin apenas despegar los labios: «En efecto, esa sucia revista estaba en manos de mi amigo, pero diez segundos antes la tenía yo, y veinte segundos antes la tenía otro compañero. A saber quién la ha traído. Lo que es seguro es que no ha sido mi amigo. No merece que le castiguen». Era muy probable que Adrián hubiera decidido acompañarle, por el ascendiente que tenía sobre el director por su calidad de artista.

El dolor en el ojo no remitía, pero por lo demás estaba tranquilo. Se me ocurría, a ratos, que mis dos amigos se presentarían junto con Hipo, y que el prefecto declararía al entrar en la capilla: «Todo ha quedado claro». Pero, lejos de ello, lo que oí al otro lado de la puerta fue la voz de Ángel. Parecía muy exaltado. «¿Dónde estás?», gritó al entrar en la capilla. Me apresuré a su encuentro. Hacía tiempo que lo había borrado de mis listas sentimentales, y estaba creciendo en mí —no con el revuelo de demonios predicho por el párroco de Obaba, sino como la mostaza de la parábola: despacio, en silencio, imparablemente— la sospecha; pero, a pesar de todo, todavía podía más el afecto. Deseaba explicarle lo que de verdad había sucedido, y que viera mi ojo, hinchado y dolorido; una prueba de la injusticia que se acababa de cometer conmigo.

No bien me tuvo a su alcance, me pegó una bofetada. No fue un golpe fuerte, pero me dio en el lado izquierdo de la cara, igual que el puñetazo de Hipo, y me hizo daño. «¡No tienes vergüenza! ¡Eres un asqueroso!», gritó, empujándome con rabia.

El director del colegio se llevó el dedo a los labios. A diferencia del prefecto, era de estatura baja y ademanes suaves. No quería gritos en la capilla. «Tiene usted que comprenderlo, no podemos tenerlo entre nosotros. Los padres de los otros alumnos protestarían», explicó. «Nadie quiere manzanas podridas en su cesta», sentenció Ángel con energía. Quizás pretendía quedar bien con el fraile; quizás se acordaba de lo sucedido cuando la hija del coronel Degrela había querido comprar a Faraón, y se alegraba de verme humillado. «En cualquier caso, le daremos por aprobado el año, y así podrá presentarse a la reválida —dijo el director—. Al fin y al cabo, el curso está ya muy avanzado, y hasta este momento ha sido un buen alumno».

Era un gran favor. Por aquellos años, los alumnos de colegios privados como La Salle teníamos que presentarnos ante un tribunal y pasar una prueba que ponía punto final a la enseñanza secundaria, a la vez que nos permitía acceder al curso Preuniversitario. Era lo que se llamaba la reválida. Sin aprobarla, no era posible proseguir los estudios.

«Tienes que agradecer la generosidad del director al darte esta oportunidad —dijo Hipo. Aún no había vuelto a su ser—. ¡Si hubiera sido por mí, habrías tenido que repetir sexto! Te habría suspendido la Filosofía. O mejor dicho, la Ética». El director levantó los ojos hacia Hipo. Éste le sacaba cerca de treinta centímetros. «Hay que evitar toda desproporción entre la falta y el castigo. Basta con expulsarlo del colegio —afirmó—. He de confesar, además, que lamento de forma muy especial la decisión que hemos tomado. Perdemos un alumno aplicado que toca muy bien el armonio». Parecía, de verdad, apesadumbrado. «Muchas gracias», dijo

Ángel. «Muchas gracias», repetí yo. Y lo hice de corazón, porque el director me parecía una persona noble.

El ojo me dolía, no podía estarme quieto. «Tenía usted que haber mandado a este chico a la cocina, a que le pusieran hielo en ese ojo», le dijo el director a Hipo. Me vino a la cabeza el muchacho que trabajaba allí, el repartidor de Martín. «Esa revista me ha ofuscado», se justificó Hipo.

VIII

El ojo tardó diez días en curarse, y durante ese tiempo me quedé en Iruain. Quería mantenerme a cierta distancia de Ángel, y, tanto o más que eso, deseaba estar solo. Pero no era fácil de alcanzar la soledad. A pesar de la lluvia y del barro, fueron muchas las personas que dirigieron sus pasos hacia Iruain y llamaron a mi puerta.

Las primeras en presentarse fueron unas aprendizas del taller de mi madre. Trajeron los zapatos empapados, y, tras dejar claro que habían venido «de paseo», se dedicaron a vigilar mi ojo morado sin molestarse en disimular. No me sorprendió, o más bien debería decir que no me sorprende ahora, al recordarlo.

Liz, Sara, no juzguéis mal: tened en cuenta que corría el año 1965, y estábamos en Obaba. A pocos kilómetros de Francia pero, al mismo tiempo, en sus antípodas. Muchas de aquellas chicas no tenían permiso para bailar con chicos; ni siquiera conocían, o muy vagamente, el significado del término «pornografía». Seguramente verían en mi ojo amoratado lo mismo que veían sus padres en las llagas de las manos de los santos, a saber, una prueba de que la vida tenía un lado oculto, y de que los sueños que algunas noches las perturbaban no eran tan excepcionales. «¿Queréis echar un vistazo a una de esas revistas obscenas?», les pregunté, haciendo ademán de entrar en casa. Les costó unos diez segundos captar la broma. Mientras, permanecieron en suspenso, como figuras de sal.

Fue el primer grupo de chicas. Luego vinieron más, todas bajo la lluvia, todas «de paseo». «Se diría que no eres tan malo, David. Las chicas te miran como a un santo», comentó Lubis después de despedir al tercer o cuarto grupo de visitantes. Vinieron también, claro está, algunos chicos: Ubanbe, Opin, Joseba. Todos en son de broma, riéndose de mí.

A la lluvia le siguió el sol, y al sol el cielo nuboso, y al cielo nuboso de nuevo la lluvia. Era la rueda de los días, y dentro de ella yo tenía mi propio giro: por la mañana me levantaba muy temprano y me preparaba para la reválida; al mediodía, iba a comer a casa de Adela; luego, después de tumbarme en la cama y estudiar otro poco, me reunía con Lubis y le ayudaba en sus labores.

A veces era como si la rueda girara en sentido contrario, como si tornara al pasado. Levantaba la cabeza del libro y, más allá de la ventana, veía los caballos que pacían en el prado, y el humo de las chimeneas en las casas del valle, y los árboles del bosque, ya verdes; igual que el año anterior, igual que siempre. No obstante, mi ojo se curaba poco a poco, cada día tenía mejor aspecto. La rueda seguía su curso, no había retroceso.

Un día, al atardecer, estaba con Lubis en el pabellón cuando oímos un ruido de motor. «Creo que es el Land Rover del hotel», dijo él después de pararse a escuchar. Aunque formara parte de los «campesinos felices», tenía una gran habilidad para identificar vehículos. «Seguro que es Martín. No tiene carnet, pero conduce mejor que muchos que lo tienen», añadió. «Estoy enfadado con él —confesé—. No quiero verle». Lubis sostenía con las dos manos un saco de pienso a la altura del pecho, y dudó entre continuar hasta la cuadra del caballo o quedarse a escuchar mi explicación. «El día que me expulsaron del colegio, me vendió.» Lubis dejó el saco de pienso en el suelo. «Ya lo sé. Pancho me contó que Ubanbe fue a pedirle cuentas. A ver en qué estaba pensando cuando te pegaron en el ojo. Que de haber estado él allí le habría dejado al fraile sin dientes —Lubis sonrió—: Ya sabes cómo es Ubanbe, cree que todo se arregla a golpes».

El Land Rover se acercaba con rapidez, estaba ya a la altura de la casa de Adela. Abrí la puerta del pabellón. «¿Qué le digo, David?», me preguntó Lubis viendo que me iba a marchar. «No sé.» «Le diré la verdad. Que has estado aquí toda la tarde. Que no puedes andar lejos.» Me pareció bien, y eché a correr hacia la puerta trasera de la casa. Subí a mi habitación, y me metí en el escondrijo que me había mostrado el tío Juan.

La bocina del Land Rover llamaba insistentemente a la puerta de casa, pero sonaba como si estuviera en la misma habitación, entre la cama y el armario. Hubo un silencio, y al cabo de unos minutos oí pasos en la escalera. Eran dos personas. Me acurruqué en un rincón del escondrijo, y cogí en mis manos el sombrero J. B. Hotson. La suavidad del fieltro me tranquilizaba, atenuaba la impresión de estar enterrado en un hoyo.

Los pasos sonaron justo encima de mí. «Pues, aquí tampoco está. Pensaba que se había acostado, pero no», oí decir a Lubis. Noté una punzada en el ojo, como si se hubiera despertado el dolor del puñetazo de Hipo. «Estará sentado en el váter, mirando una de esas revistas guarras», dijo Martín. Se movía de un lado para otro, el ruido de sus tacones me llegaba con nitidez. «¡David! ¿Qué haces en el váter?», gritó. «Te equivocas. No está en casa», le dijo Lubis.

Martín continuó llamando, pero no por mucho tiempo. Oí sus pasos escaleras abajo, y enseguida la bocina del Land Rover. Se estaba despidiendo de Lubis. Salí del escondrijo y me acerqué a la ventana. El Land Rover se alejaba por el camino, en dirección al bosque de castaños.

Al regresar al pabellón, me encontré a Pancho sentado en la cuadra de Ava. Al lado, Lubis cepillaba a la yegua. «Martín ha traído a este hermano mío en el Land Rover —me dijo. Pancho se reía solo—. Quería hablar contigo, pero tenía prisa y se ha marchado». La risa de Pancho se hizo más fuerte, y Ava irguió las orejas. «¡Qué ubres, David!», exclamó al final. Utilizó la palabra *errape*, una forma muy grosera de referirse a los pechos femeninos. Lubis hizo un gesto de resignación: «Ya ves, David. También éste ha visto esas revistas».

«¿Qué os parece si cenamos en casa de Adela? Invito yo», dije, cambiando de tema. Me apetecía conversar. «Yo casi prefiero ver más ubres.» Pancho soltó otra risotada. «A mí me parece bien, David —dijo Lubis—. Pero te advierto que tendrás que aguantar unas cuantas barbaridades antes de irte a la cama». «Me es igual. Después de oírle a Martín, no me voy a escandalizar.»

Al salir del pabellón, Pancho le dio un manotazo a Ava debajo del vientre. «¡Por qué serás tan loco!», le dijo Lubis contrariado, empujándole afuera.

La cocina de Adela era muy espaciosa, y conservaba todavía, junto a la hornilla de hierro, el fuego bajo de las casas antiguas. Disponía de tres largas mesas de madera cubiertas con manteles de hule, cada una con sus respectivos bancos, y, en conjunto, recordaba las cocinas de los tiempos en que la gente se desplazaba a pie o a caballo. Lo único que contrastaba era un frigorífico que Adela había comprado por consejo de Juan.

Adela nos recibió a gritos, como si llevara mucho tiempo sin vernos y la visita le produjera una alegría especial: «¡Claro que sí! ¡Ahora mismo os preparo unos huevos fritos con patatas y jamón!», nos dijo, señalándonos la mesa que estaba junto a la puerta. Cogió una de las botellas de sidra que tenía puestas a refrescar en un balde y se la dio a Lubis para que la descorchara. «El frigo está muy bien para la carne y para otras muchas cosas —dijo, cogiendo tres vasos—, pero para la sidra es mejor el agua fresca. De eso no hay duda». Se hacía raro oír en boca de Adela una palabra como «frigo». Era una mujer regordeta y de mejillas sonrosadas. Con su pañuelo blanco y negro cubriéndole la cabeza, parecía, también ella, de los tiempos en que la gente se desplazaba a pie o a caballo. «Yo quiero vino. Sácame una botella», dijo Pancho. Lubis le indicó a Adela que no lo hiciera. «Es mejor que bebas sidra. De lo contrario, te emborracharás enseguida.» «¡Déjame en paz!», gritó Pancho, y cogió una botella de vino de una caja de madera que había en el suelo.

Apareció Sebastián en la puerta de la cocina, y vino directamente hacia mí: «Me ha dicho tu madre que vendrá mañana por la mañana». Adela le riñó: «¿Y se lo dices ahora? ¿Por qué no has ido antes a Iruain?». «He ido cuando ha venido Martín, pero él no estaba», se defendió Sebastián tímidamente. «¿Y los gemelos? ¿Se puede saber dónde andan? ¡Está anocheciendo!», le gritó Adela en el mismo tono. «Hace un rato los he visto en el río, cogiendo truchas.» En aquel momento, Sebastián tenía todo el aspecto de un ángel de Murillo. «Pues vete a decirles que vengan a casa inmediatamente. Que si no iré yo con un palo.» Sebastián se escabulló de la cocina.

Adela pasó del enfado a la sonrisa, y se dirigió a mí: «No te quejarás, David. Últimamente tienes un montón de visitas». Era probable que estuviera al corriente de lo sucedido en el colegio, pero me era imposible imaginar su opinión. «Aunque, claro, que venga Carmen es normal —prosiguió—. Ella es tu madre, y es de este barrio. Le dices mañana que no se le ocurra marcharse sin entrar a comer un trozo de queso en nuestra casa. ¿Te acordarás, David?». «Sin falta», le prometí.

Mi madre conducía despacio, evitando las sacudidas en los charcos y en los baches, y aparcó también con cuidado, avanzando centímetro a centímetro. La acompañaban cuatro chicas del taller. «Ya estamos aquí», dijo, saludándome con un beso. Se sentó en el banco de piedra, como si hubiera venido andando y necesitara descansar, y por un instante —no más— miró al bosque de enfrente. «Todo sigue en su sitio», dijo. «Adela, la del pastor, también sigue donde siempre —comenté—. Me dijo que no te marcharas sin hacerle una visita». «Entraré un momento a saludarla.» En contra de lo que esperaba, mi madre parecía animada.

Lubis se asomó a la puerta del pabellón, y las chicas que acompañaban a mi madre se pusieron a gritarle que querían ver los «caballos de patas largas», que no se marcharían sin verlos, como la vez anterior. «Sólo os preocupaba mi ojo morado —les recordé yo—. Y no era para tanto. Ya veis, ya no se me nota nada». El grupo dejó oír unas risitas. «Vamos primero a colocar las cortinas —les indicó mi madre. Se volvió hacia mí—: Le prometí a Juan que haría unas cortinas nuevas, porque las de ahora tienen más años que Matusalén». Todos miramos hacia arriba, como queriendo comprobar si las cortinas se hallaban en tan mal estado.

«¿Estás contenta o me lo parece?», le pregunté. «Pues sí. Estoy contenta», admitió, una vez que las chicas entraron en casa y nos quedamos solos. «¿Porque me han expulsado del colegio?» «Puede que sea para bien —dijo ella—. El curso que viene no tendrás que salir tan temprano a la carretera. Siempre estaba con miedo de que tuvieras un accidente. O de que pillaras una pulmonía mientras esperabas al tren todo sudado, después de cuatro kilómetros en bicicleta». Se la veía realmente contenta. Y no acababa de entenderlo. Se suponía que debía estar dolida por el asunto de la revista pornográfica. Por mucho que en la Obaba de la época pudiera ser considerada *mundana*, una mujer que fumaba y sabía conducir, mi madre vivía aferrada a la religión, y no aprobaba otra moral que la católica.

«Ayer estuve en la serrería, hablando con el padre de Adrián», continuó ella. Llevaba un jersey azul de cachemira y un collar de perlas. Su hermano, en aquel mismo lugar, solía vestirse con una camisa de cuadros; Lubis, con pantalones y camisa de mahón; yo mismo, con mis ropas más usadas. Se encontraba en su casa natal, pero parecía de otro sitio. «Van a operar de nuevo a Adrián después de los exámenes de reválida —contó—. Por lo visto, va a ser una operación más seria que las anteriores, y los médicos han dicho que en una temporada no podrá moverse mucho, que mejor olvidarse de los viajes en tren». «No tenía idea.» Adrián nunca mencionaba su enfermedad. Era una norma para él. Sus noticias me llegaban casi siempre a través de mi madre, porque en el taller «se sabía todo». «El asunto es que Isidro ha tomado una decisión —siguió ella. Isidro era el padre de Adrián—. El curso que viene le van a traer dos profesores a casa. Uno de letras y otro de ciencias. Y, ahora, adivina quién más va a asistir a esas clases». «¿Yo?» «Sí, David. Pero no solamente tú —empezó a hacer el recuento alargando un dedo de la mano por cada uno de los nombres—: El hijo del gerente de la serrería, Joseba; la hija del ingeniero de Romer, Victoria. Y luego Susana, la del médico. Parece ser que están todos hartos de tanto ir y venir, y prefieren quedarse en el pueblo».

«Seremos cinco, entonces», le dije a mi madre. A mí también me alegró el nuevo plan. «A veces seis. Conoces a Paulina, ¿verdad?» Era una de las chicas que habían venido con mi madre. Más que del taller, la conocía de verla en la iglesia. Al volver a la silla después de comulgar solía pasar por delante del armonio, como Teresa y Virginia. «Es esa gordita que ha subido a colocar las cortinas, ¿no?» «Yo no la llamaría gordita —protestó mi madre. Siempre defendía a las chicas que acudían a su taller—. Antes sí, pero ahora ha crecido, y está guapa. Además, va a ser muy buena modista. En fin, lo que quiero decir es que el padre de Adrián quiere que estudiéis una asignatura más, dibujo geométrico. Y yo le he pedido permiso para que Paulina pueda asistir. Le vendrá muy bien aprender dibujo si quiere ser una modista profesional».

Coincidiendo con la mención de su nombre, Paulina se asomó a la ventana. «Las cortinas han quedado muy bien, Carmen.» «Vamos a verlas», me dijo mi madre cogiéndome del brazo.

Mi madre hablaba sin parar, sin otro tema que las clases que se iban a impartir en la serrería, indiferente a las paredes y rincones de su casa natal. Me comunicó que iban a habilitar el taller donde Adrián tallaba sus figuras de madera, que habían encargado ya las mesas y la pizarra, además de una nueva estufa para el invierno. En cuanto a los profesores, el de letras sería seguramente Monsieur Nestor, el mismo que nos enseñaba francés, y el de ciencias un joven que había dado clases en la universidad y se llamaba César. Remató su exposición pidiéndome que estudiara mucho, porque si aprobaba la reválida podría hacer el curso Preuniversitario cómodamente, sin necesidad de salir de Obaba.

«¿Qué le han parecido las cortinas?», le preguntó Paulina cuando bajamos del piso de arriba a la cocina. «Bien», respondió mi madre. Pero no les había prestado atención.

Nos dirigíamos todos al pabellón, para que las cuatro chicas vieran «los caballos de patas largas», pero mi madre se volvió atrás y se sentó de nuevo en el banco de piedra. «Don Hipólito te manda un mensaje —me dijo—. Dice que le dio mucha pena que el domingo pasado no fueras a tocar el armonio. Quiere que vayas. Está al corriente de todo». «¿Qué te ha contado nuestro párroco, madre?», le pregunté, sentándome a su lado. «Que Martín anda en muy malas compañías —contestó, bajando la voz—. Y que si ese asunto de la revista ha servido para que os distanciéis, da por bueno lo que pasó en el colegio, aunque tú no tuvieras ninguna culpa». «Así que... yo no tuve ninguna culpa», dije. «Claro que no, el párroco me lo explicó todo.» Pensé que mi madre se habría desesperado al conocer la versión de Ángel, y que las palabras del párroco le habrían proporcionado un alivio enorme. Un alivio enorme: euforia. «¿Cómo se ha enterado don Hipólito?» «Habló con el capellán del colegio, y él le contó toda la verdad. Creo que el capellán está muy triste porque ahora no tiene a nadie que toque el armonio.» «El capellán del colegio se llama don Ramón.» «Don Ramón, eso es. Pues, él se lo ha contado todo.» «Menos mal que alguien de mi familia tiene confianza en mí», le dije. Pero ella pasó por alto mis palabras, y continuó dándome detalles de nuestro nuevo plan de estudios hasta que Lubis y las cuatro chicas regresaron del pabellón.

Paulina se acercó a mí. «Teresa te manda recuerdos. Me ha dado esto para ti», dijo, entregándome un sobre. Lo cogí y lo guardé en el bolsillo. «¡Por cierto! ¡Casi se me olvida! —exclamó mi madre—. También Virginia me ha dado recuerdos para ti». Sentí un estremecimiento. Se trataba de la campesina que siempre me dirigía una mirada al pasar por delante del armonio. «¿Dónde la has visto? ¿En la iglesia?» «Ha empezado a venir al taller —respondió mi madre—. El año que viene se va a casar con el marinero, y quiere estar preparada». La alegría que acababa de sentir se deshizo de golpe. «O sea, que se casa con un marinero», dije. Comprendí la razón de que Virginia anduviera siempre sola o con otras chicas, de que nunca la viera en compañía de chicos: los marineros pasaban largas temporadas fuera de casa. «Suele andar por Terranova, en un bacaladero. Eso es lo malo, que se pasa la vida en el mar y a veces tarda meses en venir a casa», dijo mi madre, adivinando mis pensamientos.

Observé que Paulina no dejaba de mirarme. «Según parece, el año que viene vamos a estudiar juntos», le dije. «Se hará lo que se pueda.» Se ruborizó al decirlo. Mi madre me dio un beso. «Me voy, David.» Se dirigió a sus aprendizas: «Id delante. Ya os alcanzaré. Quiero entrar a saludar a Adela». Montó en el coche y maniobró para enfilarlo hacia el camino. «Estudia, David. ¡Tienes que aprobar la reválida!» Paulina y las otras tres chicas habían atravesado ya el puente, y me dijeron adiós con la mano.

Me senté a leer la carta de Teresa en el banco de piedra. Se trataba de una postal de un jilguero que miraba con la dureza de un ave rapaz. Miraba entonces, y mira ahora, porque guardé la tarjeta y la tengo entre mis papeles. Decía: «El domingo permaneció mudo el armonio de la iglesia, y dos personas que fueron a comulgar echaron en falta algo, y escudriñaron cada rincón por si te dejabas ver. La otra —ya sabes, *la paysanne*— tiene con quien consolarse. Yo no».

«Te han vuelto a escribir, David», me dijo Lubis cuando me reuní con él. «Teresa», le dije. Sin proponérmelo, pronuncié su nombre en tono abatido. «No habrá ocurrido alguna desgracia, ¿verdad?», preguntó Lubis. Le contesté que estaba cansado, que no pasaba nada. Pensaba en *la paysanne*. «Tiene con quien consolarse.» La frase me resultaba dolorosa.

Una de aquellas tardes, después de estudiar para la reválida, cogí un cuaderno y me puse a hacer una nueva lista sentimental. Martín no podía ya figurar en ella. Tampoco podían hacerlo, tras nuestra última reunión en la fuente de Mandaska, Ubanbe y Pancho. El gemido del ratón se me había quedado grabado en la memoria. Y con Adrián tenía mis dudas, porque después de lo del colegio ni siquiera se había molestado en visitarme. En cuanto a Virginia, no habría sido honesto incluirla, porque entre nosotros no había una verdadera relación. En la lista, por tanto, solamente se mantenía firme Lubis.

IX

Tengo en mis manos la primera fotografía del grupo que formamos para el curso Preuniversitario, tomada, según se puede leer en su reverso, el 27 de octubre de 1965. Victoria, Joseba y Susana aparecen agarrados del brazo, de pie, a la izquierda de la imagen; en el centro, sentados, están Redin —Monsieur Nestor— y César, los profesores; a continuación, a la derecha, Adrián, igualmente sentado, y yo detrás de él, de pie. Debía completar el grupo Paulina, pero, por más que se lo pidió el padre de Joseba, que fue quien sacó la foto, no quiso posar con nosotros. Dijo que ella no era una estudiante, sino una aprendiza más del taller de costura. En aquella época, Paulina era muy modesta. Nuestra compañía la cohibía.

Todos aparecemos sonriendo, y Redin con más satisfacción que nadie. Confesaba estar viviendo una de las mejores temporadas de su vida, liberado del peso de las clases particulares y dedicándose a enseñar Historia y Filosofía, sus asignaturas preferidas. En el polo opuesto, el profesor César no pasa de amagar una sonrisa mientras mira firmemente a la cámara con sus gruesas gafas de montura negra. Pero también él daba por bueno su trabajo, porque, según afirmaba, entre las tablas de la serrería se sentía «como en un fuerte del Far West», a salvo de sus enemigos —«Aunque en mi caso no es a los indios a quien temo, sino a los blancos»—. En las palabras de César resonaba una preocupación real. Expulsado de la universidad tras un incidente de carácter político, temía que, al estar fichado, la policía viniera a por él en cualquier momento.

El semblante alegre que mostramos los alumnos tampoco era mera pose. Por primera vez en la vida, nos hallábamos fuera de la severa disciplina del colegio. Se nos notaría aún, como al perro de la fábula, la marca de la cadena que habíamos llevado al cuello, y no serían nuestros movimientos del todo ágiles; pero la diferencia era enorme. Nos movíamos mejor, con más holgura. César nos explicaba los detalles del cálculo integral o la estructura de las moléculas de carbono mientras se fumaba un cigarrillo, y Redin se sentaba ante nosotros con el termo de café que le preparaban en el restaurante de la plaza de Obaba. Adrián expresó a su manera lo que todos sentíamos: «Lástima no haber ido antes a que me enderezaran la espalda. Nos habríamos librado antes de los pingüinos». Los «pingüinos» eran los frailes de La Salle. Les llamábamos así por su hábito, compuesto por una sotana negra y un *babero* blanco.

Con el tiempo —así pasa siempre con lo que dejamos a un lado, nos pasaría también con el infierno— llegamos a echar en falta la vida del colegio, y las chicas, sobre todo ellas, y en especial Susana, empezaron a añorar «los buenos momentos vividos», y a marchar los domingos a San Sebastián para estar con los chicos que habían conocido en las fiestas estudiantiles. Pero, con todo, nunca nos arrepentimos realmente del cambio.

Fueron muchas las fotografías de aquel curso. Ahora, tras aquella primera, tengo en la mano la que nos sacamos cinco meses más tarde, que es la que más me interesa, o, más bien, la que mejor encaja en este relato que estoy escribiendo en Stoneham. Lleva fecha del 3 de mayo de 1966, día en que inauguramos el nuevo taller de Adrián dos kilómetros más arriba que la serrería. Están presentes, además del grupo de la primera foto, Lubis, Ubanbe, Opin y Pancho: Lubis, porque se lo pedí yo; Ubanbe, Opin y Pancho, porque fueron ellos los que construyeron el taller, una cabaña de madera muy semejante a la que empleábamos para nuestras clases. En un ángulo de la foto se observa una parrilla humeante, y detrás, al fondo, un remanso del río que por sus características —tenía forma ovalada y un peñasco del que surgía una pequeña cascada— era conocido como la Bañera de Sansón.

Terminada la comida con la que celebramos la inauguración del taller, Lubis, Pancho y Ubanbe volvieron a sus casas por el monte —«Los campesinos tenemos que trabajar más que los estudiantes», dijo Lubis—, mientras que los demás emprendimos el regreso al pueblo con la intención de tomar algo en el restaurante de la plaza; alegremente, riéndonos con las ocurrencias de Redin acerca de las dificultades que entraña el andar a pie. «Sólo hay que beber en sitios civilizados, donde alzas la mano y se detiene un taxi», repetía cada cien metros nuestro profesor, explicándonos con vehemencia «el nexo entre alcohol y sabiduría» o «la venerable costumbre que existía en la antigua Roma de llevar a los maestros en andas».

Las carcajadas más sonoras provenían de Victoria y Adrián, que estaban también un poco achispados, y la única excepción era César, que escuchaba a su compañero con cara más seria que nunca. «Los de ciencias deberíais beber más», le reprochó Redin, cuando ya estábamos cerca de la serrería y los castillos de tablas flanqueaban la carretera. «Yo también bebo mucho —repuso César—. Pero a mí el alcohol me entristece».

Circulaba el rumor —fue Victoria la que lo trajo— de que había estado casado con una compañera de estudios hasta que, en la época de sus problemas políticos y su expulsión de la universidad, ella lo abandonó. Según Victoria, de ahí provenía su rigidez y el ansia que le empujaba a fumar un cigarrillo tras otro. Pero yo no me fiaba mucho de lo que contaba mi compañera de clase. Como alguna vez le dijo el mismo César, tendía a mezclar la aritmética con la «literatura».

La serrería tenía dos entradas, la que conducía a las viviendas de Adrián y Joseba, y la que utilizaban los camiones que transportaban la madera. En esta última, sobre el suelo de cemento, había un recuadro que enmarcaba el nombre de la serrería: Maderas de Obaba. Vi a Martín dentro del recuadro, yendo y viniendo por encima de las letras.

Me puse nervioso. No habíamos intercambiado una sola palabra desde el incidente de la revista. Conocía, además, aquella forma de moverse de Martín, aquel ir y venir, y supe que algo marchaba mal. Al acercarse el grupo, él se detuvo en el centro del recuadro. Tenía los puños cerrados; parecía listo para pelear. «Ahí tenemos a nuestro boxeador, perfectamente colocado en el ring», dijo Adrián. La broma era pertinente, y casi todos se rieron.

Cuando nos callamos se hizo, literalmente, el silencio. Era domingo: no circulaban coches en la carretera; los perros no ladraban; las máquinas de la serrería estaban desconectadas.

Los trabajadores descansaban en sus casas. «¿Por qué no has venido a la comida, Martín? Te dejé un aviso en el hotel», le dijo Adrián, avanzando hacia él. Martín evitó el acercamiento retrocediendo a un extremo del recuadro. Nos miraba desde allí. «Teresa está muy grave. Nos ha llamado la directora del colegio. Es posible que se muera.» Abrió por fin los puños, y se apretó las mejillas con las manos. «¿Qué tiene, Martín?», preguntó Joseba. Victoria se tapó la cara.

Vi a Moro, el burro que utilizaba Pancho para llevar el almuerzo a los leñadores. Estaba en el herbazal del otro lado de la carretera, entre dos castillos de tablas. Tenía la cabeza erguida, como si también él quisiera saber. Pero Martín no decía nada. Recorría de extremo a extremo el interior del recuadro, sin salir de él, como un preso en la celda.

«¡No habrá cogido la polio! —exclamó Susana—. Le he oído a mi padre que hay una epidemia en San Sebastián». Ella y todos los demás formábamos una hilera paralela a uno de los lados del recuadro. «Tu padre está muy enterado —replicó Martín ásperamente—. Pero podía haberla vacunado a tiempo. En Francia vacunan a todos los niños y a todos los jóvenes. Nos lo ha dicho una prima de mi madre». «De modo que Teresa tiene la polio, *poliomielitis*», dijo Joseba con voz ausente. «¡La culpa la tiene tu padre! ¡Es una mierda de médico!», gritó Martín, encarándose con Susana. Volvía a tener los puños cerrados.

Era Susana quien más cerca se encontraba de Martín, y luego, sucesivamente, veníamos los demás: Adrián, Paulina, Joseba, Victoria, Redin, yo mismo y César. «Cálmate —le dijo César desde el extremo de la hilera. Todas las miradas se fijaron en él—. Para que un médico administre una vacuna primero tiene que disponer de ella. Y en España no se cumple ese requisito. En Francia sí, pero aquí no. Aquí estamos más atrasados». A Martín le costó reaccionar. Se dirigió lentamente hacia César, tomándose tiempo para pensar. «Tú eres comunista, ¿verdad?», le preguntó finalmente. «No digas tonterías», le contestó César. «Lo sabe todo el pueblo», insistió Martín. «¡No empieces ahora con esa historia! ¡No es el momento!», le pidió Joseba, dando un paso adelante y metiéndose en el recuadro. Adrián, Paulina y Victoria hicieron lo mismo, y los cuatro rodearon a Martín. Joseba gritó: «¡Por qué has dicho que Teresa puede morir!». «¿Es que no me has oído? —Martín también gritaba—. Nos ha llamado la directora del colegio». «Pero ¿qué ha dicho, exactamente?», preguntó Paulina. «Que está con más de cuarenta de fiebre. Delirando.» *Delirando*. Martín repitió la palabra dos veces. Aquel día nos resultó muy nueva, nos impresionó. «¡Cómo va a morirse, tan joven!», exclamó Victoria, rompiendo a llorar.

Su llanto sonaba extraño en un lugar donde habitualmente sólo se oía el ruido que hacían las sierras. «No morirá. Estad tranquilos —dijo César convencido—. Es probable que le quede alguna parálisis, como a mi mujer. Pero no morirá».

Como a mi mujer. Aquellas palabras resultaron decisivas, cambiaron el signo de la conversación. «¿Tu mujer tuvo poliomielitis?», le preguntó Martín. «Cojea un poco. Una pierna la tiene algo más delgada que la otra. Eso es todo», dijo César. «¿Acaso es poco quedarse cojo? ¡Muchos preferirían morir!» Martín no renunciaba a mostrarse desagradable. «¡No digas estupideces, por favor!» César arrojó al suelo el cigarrillo que estaba fumando. Todavía humeante, fue a parar a un par de metros del recuadro.

Martín se sentó en el suelo. Parecía exhausto. «Vamos a mi casa. Allí hablaremos más tranquilos», le dijo Adrián. Martín negó con la cabeza. «*Mielitis* —dijo de repente Redin parándose en cada sílaba—: *Mie-li-tis*. Debéis saber que la raíz "miel" no deriva de *mel-mellis*, no tiene nada que ver con la miel de las abejas. Proviene del griego *myelós*. *Myelós*: médula». Tenía el pelo desordenado, hablaba como un sonámbulo.

«¿Qué tabaco fumas?», le preguntó Martín a César, mirando el cigarro que se consumía en el suelo, como si de pronto se hubiese olvidado del estado de su hermana. «Fuma Jean. Todos los de ciencias fuman negro, y mi compañero no es una excepción —le informó Redin—. En cambio los de letras nos inclinamos por el rubio. Yo últimamente me he pasado a Dunhill. Coge uno, si quieres». Martín rehusó el cigarrillo. Se levantó y caminó hasta plantarse delante de César: «El tuyo no lo he probado nunca. Dame uno, si no te importa».

César ofreció el paquete de Jean a Martín. Era bonito, de color rojo y negro y con una greca en su base que imitaba las casillas del ajedrez. «Todos los comunistas tenéis la misma pinta. Todos sois flacos y con gafas gruesas —dijo Martín—. ¿Es verdad o es mentira, comunista?», le espetó seguidamente, dándole palmaditas en la mejilla.

No pude contenerme. Me abalancé sobre Martín y le di un empujón que le hizo salirse del recuadro. «¡Deja a la gente en paz!», le grité, levantando el puño. Quería pegarle, romperle la mandíbula. «Calma, David», me dijo César agarrándome de la cintura e intentando que retrocediera.

Martín abrió los brazos. «No pretenderás pegarme aquí. ¿No ves que estoy fuera del cuadrilátero?», dijo, señalando las líneas del recuadro. Se acercó Joseba y se interpuso entre nosotros: «No necesitamos peleas. ¡Teresa al borde de la muerte y vosotros peleando!». Desistí, y dejé que César y Joseba me separaran de Martín. Ya no sentía rabia, solamente ganas de llorar. Susana me susurró al oído: «No merece la pena pelear, David. Pero yo he sentido las mismas ganas que tú».

Adrián echó a andar hacia la otra entrada de la serrería, en dirección a su casa. «Hoy dan un partido de fútbol en la televisión. Arsenal-Barcelona. El que quiera verlo que se venga conmigo», dijo. «¿Vamos, César?», preguntó Redin. César estuvo de acuerdo: «No es mala idea, David. Acompáñanos a ver el partido». «Vale, vamos», dijo Joseba.

Martín me puso la mano en el hombro: «¿No me has perdonado aún lo de la revista?». Miré al otro lado, hacia el herbazal desde donde nos observaba Moro. «Ya veo que no —concluyó Martín—. En cambio a mí me pasa como a Teresa. Lo perdono todo. Hasta el empujón». Joseba se acercó a nosotros. «¿Cuándo vas a ir donde Teresa?», le preguntó a Martín. «Ahora mismo.» «Pues dale ánimos de nuestra parte. Dile que en cuanto podamos iremos a visitarla.» Martín se volvió hacia mí. «¿Tú también? —me preguntó—. ¿Irás tú también?». «Claro que iré», respondí. Martín se dirigió a Joseba: «Se va a alegrar un montón cuando se entere. Así son las cosas, Joseba. Tú eres su amigo, pero David es su amorcito».

Todos los demás se encontraban ya junto a la escalinata de la casa de Adrián, y empecé a caminar hacia ellos. Martín me agarró del brazo: «¿Por qué tienes tantas ganas de marcharte? ¿No quieres venir conmigo al hospital? Sería estupendo para Teresa. Mira, ahí tengo la moto. Me saqué el carnet hace un mes». Había una Lambretta en la orilla de la carretera. Era propiedad de un empleado del hotel, pero no era la primera vez que se la veía a Martín. «No tiene sentido ir hoy —le dijo Joseba—. En el hospital no le dejarán pasar». Martín le miró furioso. Tiró al suelo el cigarrillo que le había dado César. «No seas tan listo, Joseba. Sólo pretendía ponerlo a prueba.» Soltó una palabrota y se fue a coger la Lambretta.

X

Joseba me trajo una carta de Teresa poco después de que ella regresara del hospital. Dentro hallé un trozo de cartón basto, como de embalaje. *Ô triste, triste était mon âme*, «triste, triste estaba mi alma», decía con letras escritas con rotulador de color azul claro. «Deberías hacerle una visita, David», me dijo Joseba. Le aseguré que no tardaría. «Hemos ido todos. Hasta Adrián, que odia las enfermedades. Sólo faltas tú.»

No cumplí mi promesa. En su lugar opté por responder a Teresa con otra carta, diciéndole que seguía enfadado con su hermano por el asunto de la revista pornográfica, y que no quería encontrarme con él en la cafetería o por los pasillos del hotel. Que por esa razón aplazaba la visita. Pero que ya iría.

Naturalmente, la verdad era otra. El motivo no era Martín. Ni tampoco su padre, Berlino. El motivo era Virginia, *la paysanne*. Ella era la causa de que no subiera al hotel. Como me había dicho mi madre, estaba aprendiendo a coser, y acudía al taller de Villa Lecuona justo a la misma hora que Geneviève había establecido para las visitas, a las seis de la tarde. Ante el dilema que se me planteaba —un instante con Virginia, dos largas horas de conversación con Teresa— siempre me inclinaba por Virginia. La rueda de moler del tiempo no podía deshacer aquel afecto. Más bien al contrario, el grano —*la semilla del amor*— era cada vez más fuerte.

Virginia, *la paysanne*, vivía en la zona de la serrería, al otro lado del río. Poco antes de las seis de la tarde, atravesaba el puente que había delante de su casa y se adentraba en los terrenos donde se estaba construyendo el nuevo campo de deportes, camino de Villa Lecuona. En cuanto la veían, los obreros dejaban lo que estuvieran haciendo y la saludaban, le ofrecían tabaco; ella seguía adelante sin prestarles atención.

Yo la veía desde la ventana de mi habitación. Allí tenía mi observatorio. Me gustaba verla avanzar entre los contenedores y las grúas, sorteando los obstáculos con ligereza, sin apenas tocar el suelo, como una mariposa. «Hola, ¿cómo estás?», le decía poco después, al abrirle la puerta de casa, o «ya has venido», o «no te has dejado asustar por la lluvia». Ella sonreía, a su manera, sólo con los ojos. «Bien, ¿y tú?», respondía, o «sí, hoy vengo un poco más tarde», o «hace un tiempo horroroso, vengo toda despeinada». Siempre la encontraba bonita, y con el pelo revuelto, más.

Ella era consciente de que la esperaba, igual que en la iglesia cuando volvía de comulgar, y parecía aprobar mi actitud, mi tímido intento de aproximación. Me costaba admitir que tuviera planeado casarse con un hombre que se pasaba la vida en el mar.

Un día percibí que el estrecho margen que concedía a nuestra relación se ensanchaba, y me atreví a llamarla por su nombre: «¿Qué tal, Virginia?». «Bastante bien, David», me contestó ella con gran naturalidad. Fue un momento maravilloso. *Presi tanta dolcezza*, debería decir, robando la expresión a un poeta antiguo… Fue tan grande la dulzura que sentí al recibir su saludo que, emocionado, busqué la soledad de mi habitación para seguir pensando en ella.

Más dulce fue aún la primera vez que caminamos juntos. Nos encontramos en las escaleras de Villa Lecuona. Ella se marchaba a casa y yo a la Bañera de Sansón, al nuevo taller de Adrián. Era un cálido atardecer de finales de primavera, soplaba el viento sur. «Tengo tiempo. Si quieres te acompaño a casa», le dije. Se me ocurrió de repente. De haberlo planeado tal vez no me hubiera atrevido. «¿Por qué no vamos dando toda la vuelta?», me propuso ella. Quería decir que podíamos ir por la carretera hasta la zona donde estaban construyendo el barrio nuevo y volver luego, por el otro lado del río, hasta su casa. Como habría dicho mi compañero de colegio Carmelo, ella me invitaba a un paseo de aproximadamente tres mil pasos, cuatro o cinco veces más largo que el que yo había pensado.

Cuanto más me acercaba a Virginia, mayor era mi deseo. No me conformaba con verla a las seis de la tarde, pasando como una mariposa por entre las grúas y los contenedores; no me conformaba con los paseos de tres mil pasos: quería verla a todas horas y dar treinta mil, trescientos mil, cuatrocientos mil pasos a su lado. Pero mi deseo no se cumplía. El que ella fuera algo mayor que yo —debía de tener entonces diecinueve años— me cohibía. Y me cohibía, muy especialmente, la ausencia del marinero. No lo veía nunca. Virginia nunca hablaba de él. Sólo mi madre lo mencionaba de vez en cuando. Yo llenaba aquel vacío y lo imaginaba lleno de cualidades: un hombre bien parecido y de gran personalidad, dotado de la gracia que el mar concede a los mejores.

En ocasiones, me rebelaba contra mí mismo. Virginia —pensaba— tendría muchos admiradores y yo sería uno más del montón, un tonto. Debía procurar alejarme de ella, aunque sólo fuera por una tarde, y subir al hotel, visitar a Teresa, no ser tan egoísta, tan mal amigo. Pero se aproximaban las seis de la tarde, y corría a la ventana de mi habitación en lugar de bajar al garaje a coger la bicicleta.

La primera semana de junio me animé por fin a visitar a Teresa. Le llamé por teléfono la víspera. «Esta mañana he dado tres vueltas al mirador. ¿Qué te parece?», me dijo ella, nada más empezar a hablar. Ni media palabra sobre mi silencio durante aquellas semanas. «Estupendo», le contesté. «Claro que sí. Ya sabes qué distancia hay de un extremo a otro. Pues, en media hora, tres vueltas.»

El mirador era una explanada de unos dos mil metros cuadrados situada delante del hotel. Los días que había baile, Ángel hacía un pasacalles siguiendo su contorno, y solía ser cosa de tres o cuatro minutos. Tres o cuatro minutos con el acordeón a cuestas y teniendo que abrirse paso entre la gente. Y Teresa necesitaba media hora para recorrer tres veces la misma distancia. Pensé que debía de cojear bastante, o que estaría muy débil.

«Mañana bajaremos al jardín, Teresa. Daremos un paseo por allí», le prometí. «Como en los viejos tiempos», dijo ella. El jardín del hotel se encontraba al pie del mirador, formando el siguiente escalón en la ladera del monte. Era, para los dos, el lugar de nuestros juegos de infancia. «También podríamos ir al bosque», sugirió. «¿Dónde quedamos? ¿En el jardín?», pregunté. «Prefiero el mirador.» «Pues en el mirador.» «¿Te acuerdas de dónde está la cafetería, David? Ya sabes, llegas al aparcamiento y, una vez en el mirador, tuerces a mano derecha.» Era el primer reproche. «Por favor, Teresa. No ha sido tanto tiempo», le dije. «Han puesto ya las mesas fuera —continuó ella—. Con un toldo nuevo. Tiene rayas blancas y amarillas». «Entonces, debajo del toldo nuevo.» Colgó el teléfono.

Había unos extranjeros sentados a la sombra del toldo amarillo y blanco, los primeros veraneantes del año. Pero Teresa no estaba allí. Geneviève salió enseguida a mi encuentro. «Está arriba —me dijo—. En su habitación. Creo que te está esperando». Normalmente era una mujer distante, pero aquella mañana parecía otra persona. Más humilde, más afable, más pequeña. «¿Has visto a Martín?», me preguntó ya dentro del edificio, después de acompañarme hasta las escaleras. Le dije que no. Me habían contado que andaba metido en los ambientes nocturnos de San Sebastián y que se rodeaba de gente mucho mayor que él. Pero preferí callarme. «Gracias por venir», me dijo, antes de marcharse hacia la cocina.

Teresa me esperaba en el descansillo. Llevaba un vestido blanco sin mangas, y en la cabeza, sujetándole el pelo, una cinta ancha de color negro. Sin saludarme, empezó a hablar de su hermano como si nuestro encuentro formara parte de la vida de todos los días y quisiera añadir un comentario a una charla que hubiésemos iniciado unos minutos antes: «Mi madre está muy preocupada, porque hay noches en que Martín no viene a dormir a casa. Él dice que se queda con unos amigos del colegio, preparando los exámenes —pronunció la última frase en tono despreciativo—. ¿Qué mentira tan burda, verdad? Pero Martín siempre será así». Alcancé el descansillo. «¿Qué tal estás, Teresa?», le dije, besándole la mejilla. Ella sonrió como si la pregunta le hubiese agradado, pero no contestó. «Geneviève está obcecada con ese hijo suyo —continuó—. Resulta deprimente, la verdad. Se porta como cualquier otra mamá de Obaba». «¡Siendo como es francesa! ¡Y de origen ruso!», exclamé yo, por decir algo.

Subíamos ahora al segundo piso. Ella se ayudaba de la barandilla para remontar cada escalón. «Ayer se quedó de piedra», dijo. «¿Quién?» Pensé que se había decidido ya a tocar el tema de su enfermedad y quería repetirme algún comentario de su médico. «Geneviève —precisó ella—. Fue a recoger las ropas de su hijo para llevarlas a lavar, como haría cualquier otra mamá de Obaba, y el olor la dejó estupefacta». Se detuvo a tomar aliento. *«Le parfum n'était pas très chic, vous me comprennez?»* —«El perfume no era muy chic, ¿comprendes?»—, concluyó.

Al llegar al pasillo de la segunda planta me agarró del brazo. El pie derecho se le quedaba atrás, aunque no mucho. «¿Adónde vamos, Teresa?», le dije al ver que no se detenía delante de su habitación. Desde hacía dos o tres años ocupaba la última habitación del hotel, la número 27. «¿Al tejado?», volví a preguntar. Estábamos ante una escalerilla medio oculta al fondo del pasillo. Empezó a subir. «Arriba hay unos camarotes que ni yo misma conocía. En uno de ellos he descubierto cosas muy interesantes. Ya lo verás.» Volvió a faltarle el aire, y por un momento tuvo que apoyarse en la pared. «¿Listo para seguir adelante?», me dijo cinco segundos más tarde, girando la cabeza hacia mí. Sus ojos de color aceite me miraron directamente.

En la última planta del hotel el techo era tan bajo que obligaba a agachar la cabeza. A izquierda y derecha de un pasillo había unas puertas pequeñas cerradas con candado. Teresa sacó una llavecita del bolsillo y abrió una de aquellas puertas, la marcada con el número 2. «Pasa, David. Pero quítate primero los zapatos», me dijo. Al entrar sentí bajo mis pies la suavidad de una manta.

Teresa encendió la luz, una simple bombilla, y vi que me encontraba en una habitación de no más de cinco o seis metros cuadrados; la manta cubría el suelo casi por completo. En uno de los ángulos, de pie contra la pared, distinguí un fusil, y a sus pies un casco de soldado y unos prismáticos. Esparcidas por la habitación había varias cajas de cartón llenas de papeles, además de otros trastos: una silla, una maleta, un saquito de cuero encima de la silla.

Teresa empezó a sentarse con mucho cuidado, buscando un punto de apoyo con el brazo; pero antes de rematar el movimiento perdió el equilibrio y quedó tendida en el suelo, con las piernas y los muslos al aire. Sus piernas me parecieron bien formadas y fuertes. Sólo noté alguna diferencia en los tobillos: el derecho era algo más delgado.

En un espacio tan reducido como aquél, su cuerpo cobraba relieve. Veía sus tobillos, sus rodillas, sus brazos, la cinta negra que llevaba en la muñeca, la cinta igualmente negra del pelo, sus ojos de color aceite, los labios, la boca un poco abierta. Los labios se movieron, la boca se cerró y se volvió a abrir. «Has sido muy malo conmigo, y debo vengarme. Es necesario», dijo. Se quitó la cinta negra del pelo y se detuvo a observarla. De pronto, nos encontrábamos en otro lugar: el juego que nos había entretenido hasta entonces había terminado.

De haber sido pleno verano, el mes de julio o agosto, nos habrían llegado las voces de los clientes o el ruido de los motores y las bocinas de los coches. Pero aquel día el camarote parecía una urna aislada. «¿Cómo te vas a vengar? ¿Con este fusil?» Alargué la mano para cogerlo. Era muy pesado. «No podría sostenerlo», dijo Teresa. Dejó la cinta negra del pelo sobre la manta y cogió el saquito de cuero de encima de la silla. «Pero, no creas, también dispongo de armas más ligeras», dijo. Tenía una pequeña pistola en la mano. Era muy bonita, de plata. Lubis la hubiera calificado de «caprichosa», aludiendo una vez más a la gran fantasía —*pantasi aundia*— de Teresa. La pistola de plata y la cinta negra de la muñeca componían un detalle bastante teatral.

«¿Tan malo he sido?», pregunté. No me apuntaba a mí, sino al techo. «Muy malo, sí. Pero sin querer, como los niños. ¿Por qué te gustan *les paysannes*? No se sabe. ¿Y por qué me gusta a mí un chico grande y de cara ancha como tú? Tampoco se sabe.» «Entonces soy inocente», dije. «Así es», asintió rápidamente, como si prefiriera no pensar más en ello, y me pasó la pistola.

«Es un arma muy bonita», dije. «Todas estas cosas han estado aquí desde la guerra —dijo ella—. Creo que lo único posterior son los prismáticos. Son muy buenos. Alemanes». «Todo está muy limpio. Mira cómo brilla la pistola», comenté. «Gregorio es muy cuidadoso. La verdad es que conocí este sitio gracias a él. ¿Sabes? Está enamorado de mí. Pero tampoco él tiene buena suerte. No le hago ningún caso.» A Gregorio le llamaban *Baria* —Limaco— por pertenecer a una familia que recibía ese apodo, y trabajaba de camarero en la cafetería del hotel. Conmigo se mostraba muy esquivo, y cuando nos cruzábamos en la calle fingía no verme.

Dejé la pistola y cogí el casco de soldado. Estaba también reluciente. «Cuando Gregorio me enseñó esto fui a hablar con mi padre. Sin decirle nada de Gregorio, claro, para que no le cortara el cuello a mi pretendiente. Pero fui y le dije que quería la pistola para mí —se arrodilló e introdujo el arma en el saquito—. Mi padre se enfadó, pero acabó prometiéndomela. Será mía el día que cumpla dieciocho años». Me sentí incómodo. Aquellas armas llamaban a la historia reciente, a la guerra. Me encontraba en la casa de Berlino, todas aquellas cosas eran suyas.

«¿Qué son estos papeles que hay en la caja? ¿Cartas?», pregunté. «Así es. Son cartas pertenecientes a nuestra familia. Están todas aquí. Las que mi padre escribió a sus hermanos y las que sus hermanos le escribieron a él.» Guardó un momento de silencio antes de añadir: «¿Te haces cargo? Las cartas escritas por mi padre. Con lo que eso significa». «Que se las devolvieron», dije como un bobo. «Significa que sus dos hermanos murieron en el frente, y que nosotros nos quedamos con sus efectos personales.» Me señaló la caja de cartón: «Acércamela, por favor». Así lo hice, y extrajo de su interior un sobre de color azul ajado. «Es de mi tío Antonio. La mandó desde el Frente del Jarama el 21 de marzo del año 1937.» «El día que empezaba la primavera», dije, tan bobamente como antes.

Teresa sacó una única hoja del sobre. «Tienes razón. La escribió el mismo día que empezaba la primavera.» Se puso la cinta negra en la cabeza para que el pelo no le estorbara en los ojos, y empezó a leer. La letra de su tío —la estoy viendo: tengo la hoja de papel encima de mi escritorio en Stoneham— era muy pequeña. Teresa mantuvo los ojos entrecerrados mientras leía:

Hermano Marcelino, recibí tu carta el día de San José. Yo hasta el presente aquí me encuentro muy bien de salud g. a. D.

Ay hermano estaba pensando si esta última temporada te habrías olvidado de mí, o que si no estarías muy asustado con esta guerra.

La guerra que hubo ahí comparada con la de aquí no fue nada, aquí la gente se las ve moradas, aquí para quitar a esos rojos una trinchera hay que entrar a cuchillo, igual si le preguntas a alguien ya te dirán qué monte es éste, le llaman Olivar a este monte donde estamos ahora, aquí esos rojos se preparan con tanques y todo, no sé si tú sabrás qué tanques tienen, el otro día empezaron ellos a atacar queriendo avanzar con tanques y todo, les hemos quitado cuatro, uno que todavía puede hacer servicio, y otros tres los hemos dejado ardiendo con botellas de gasolina y bombas de mano, pero esos tanques rusos son enormes, llevan un cañón y dos ametralladoras y dentro lleva cada uno unas cuatro personas, y esos tanques pueden subir al monte por cuestas bastante grandes y disparan muy suelto.

Por aquí andan algunos que han estado en África de soldados con Gregorio el de nuestro pueblo, y a uno le he preguntado a ver qué hace Gregorio «Baria», y me ha dicho que el que no vale para otra cosa para ranchero, que porque no sabe castellano se libra muchas veces. ¿Cómo se encuentra nuestro amigo Ángel? Dile que aquí nos pondríamos bien contentos con su acordeón, que hable con el capitán Degrela y que venga aunque sólo sea de visita. Tu hermano Antonio.

Teresa dejó la carta en la caja, y escogió un sobre blanco de bordes negros. «Ese tal Gregorio, el que sólo valía para ranchero, era por lo visto el padre de mi pretendiente», dijo. «Y ese acordeonista llamado Ángel que se menciona al final, mi padre», añadí. «Ahora voy a leerte esta otra carta. Es muy breve, sólo un billete —dijo, y se echó a reír—. ¿Ves los colores? Blanco y negro. Al vestirme esta mañana no me imaginaba que la tendría en mis manos. Pero mira qué bien pega». Se llevó el pequeño sobre al pecho, mostrándome al mismo tiempo la cinta negra de la muñeca. «Estás loca, Teresa», le dije. «Puede que sí, David.» Empezó a leer el billete mecanografiado.

Mi amigo Marcelino Gabirondo y familia. He tenido conocimiento de la desgracia que os aflige por la pérdida de otro hermano tuyo en acción de guerra por Dios y por España. Antes fue Jesús María. El 25 de marzo, día de San Ireneo, ha sido Antonio. Me resulta difícil encontrar palabras de alivio...

«¡Basta, Teresa! ¡Por favor!», la interrumpí. «Tienes razón, es suficiente», dijo ella, devolviendo la carta a la caja. Luego alcanzó una bolsa de plástico, y sacó de ella un paquete de cigarrillos Dunhill. «Monsieur Nestor fuma ahora esa marca», le dije. «El tío murió cuatro días después de escribir la carta, el día 25 de marzo —se obstinó Teresa—. Tuvo una primavera muy corta». Encendió un cigarrillo. «¿Por qué no bajamos al jardín? —propuse—. Allí estaremos mejor, tomaremos el aire». Sin hacerme caso, sacó un platillo de la bolsa de plástico y empezó a usarlo como cenicero. «He pensado muchas veces en ello —prosiguió. Ahora hablaba como para sí—. Imagino la mano del tío deslizándose sobre el papel letra a letra. Y luego la imagino inerte. De nada hubiera servido, el día 25 de marzo, ponerle un lápiz entre los dedos». «Por favor, Teresa, vamos a salir de este camarote.» Tenía la sensación de que sus palabras revoloteaban sobre mi cabeza cada vez más enmarañadas, cada vez con más furia. «No podemos salir, David. Mi madre se enfada si me ve fumando. Martín puede fumar o beber, y no pasa nada. Pero a mí no me lo permite. *Elle m'importune!*, me fastidia.» Dio un empujón a la puerta para que entrara el aire.

Del aparcamiento del hotel nos llegaba ahora el ruido de los coches. Pensé que debía de ser la hora de comer, pero no me atreví a mirar el reloj. Teresa me vigilaba. Por un momento, sus ojos brillaron, y se le formó una lágrima. «Tienes razón, no es el mejor sitio para fumar. Mira qué humareda», dijo. Aplastó el cigarro contra el platillo.

Removió el contenido de la caja de cartón, y sacó un cuaderno. «Mira esto», dijo, entregándomelo. Era como los cuadernos que se usaban en la escuela, de color anaranjado y con el dibujo de un gorila en la cubierta. En la parte inferior, dentro de una orla, ponía «Cuaderno para uso de», y debajo, un nombre: «Ángel». «¿Te suena la letra?», me preguntó. «Es parecida a la de mi padre.» «Sí, estoy de acuerdo.» Miré más detenidamente la caligrafía. «Ahora no escribirá exactamente así —quiso advertirme ella—. Ten en cuenta que este cuaderno tendrá cerca de veinticinco años». «¿Veinticinco años?» «O un poco más.» Teresa me señaló una página en la que figuraba una lista de nombres: «A ver qué te parece esto». El cuaderno estaba húmedo, sus hojas no hacían ruido.

La letra era mala, como si el autor de la lista la hubiera escrito a toda prisa, y costaba trabajo leer algunos nombres. En la primera línea ponía «Humberto». Luego —me llevó tiempo descifrarlo— venían los nombres de «Goena *el viejo*» y «Goena *el joven*». En la cuarta línea parecía que ponía «Eusebio». En la quinta, «Otero». En la sexta, en letras mayúsculas, «Portaburu». En el siguiente renglón, «los maestros». Y en último lugar, escrito de cualquier manera y subrayado, «el americano».

«Es la lista de la gente que fusilaron en Obaba. Obra de nuestros padres, creo —dijo Teresa. En sus ojos volvía a haber una lágrima—. Ahora me odiarás, lo sé». Sus labios se movían sin control. Estaba llorando: «Cuando me puse enferma en el colegio, mi única esperanza era que vendrías corriendo a verme. Y al ver que no venías, me engañaba a mí misma…». No pudo continuar, y se tendió boca abajo, ocultando el rostro. «Teresa, no te pongas así», le dije, cogiéndole la mano. Fue algo instintivo. No pensaba en ella, sino en la lista del cuaderno.

XI

A la salida de las clases de la serrería, íbamos todos a la plaza y nos sentábamos a la sombra de los castaños de Indias a beber las cervezas y limonadas que sacábamos del restaurante. «Desconozco el motivo, pero David está preocupado. Se lo noto en la cara», dijo César uno de aquellos días. Susana y yo nos habíamos sentado con él en un banco, mientras los otros, Redin, Adrián, Joseba y Victoria, miraban de cerca el monumento que estaban levantando al otro lado de la plaza en honor a los muertos en la guerra. «Sólo quedan tres semanas para los exámenes», dije. Era una pequeña mentira. La causa de mi preocupación no eran los exámenes sino el cuaderno del gorila que me había dado a conocer Teresa. No podía pensar en otra cosa. «Puedo entender que Victoria esté preocupada, pero ¿tú?», dijo Susana.

«David tiene sus dudas, como *nuestro artista* —dijo César. Estaba fumando uno de sus Jean, y señaló el monumento con el cigarrillo—: Al final se ha decantado por una pirámide truncada. Primero hizo un cilindro, con la idea de inscribir todos los nombres en su superficie. Luego, una pirámide. Y ahora, ya veis, ha optado por quitarle el vértice». Aspiró con fuerza el humo de su cigarrillo.

Nos quedamos mirando aquella pirámide truncada. «Si pensaran poner los nombres de todos los que murieron en la guerra, no me parecería mal —opinó Susana—. Pero, da asco, porque sólo pondrán los de un bando». Llevaba un vestido de verano de color naranja y unas sencillas alpargatas blancas. Alguien que no la conociera habría pensado que era una chica sin inquietudes, que atendía exclusivamente a su aspecto; pero, como habría dicho Martín, era hija de «una persona que perdió la guerra», y se notaba. «Susana tiene toda la razón —dije—. Al menos podrían poner los nombres de las personas que fueron fusiladas en Obaba». Apenas acabé la frase, vi la lista del cuaderno como si la tuviera delante de los ojos: *Humberto, Goena el viejo, Goena el joven, Eusebio, Otero, Portaburu, «los maestros», «el americano»*.

En la pirámide truncada únicamente figuraban los nombres de dos «caídos», grabados en letras doradas sobre el mármol negro: José Iturrino y Jesús María Gabirondo, uno de los hermanos de Berlino. El nombre del otro hermano, el autor de la carta que me leyó Teresa, aún estaba por grabar.

«¿Qué sabes tú de las personas que fueron fusiladas en Obaba, David?», me preguntó César. «Poca cosa. Pero me gustaría saber más», dije. Susana se echó a reír: «Está cambiando. Hasta ahora sólo ha vivido para el acordeón». Tenía en la mano, agarrada por el rabillo, la caperuza de una castaña, y me dio con ella en la cabeza, riéndose. César me habló en el mismo tono cordial: «Por eso se le ve tan preocupado últimamente. Ha abierto los ojos y ha empezado a ver el mundo».

Se acercó Redin y nos propuso que fuéramos al restaurante de los bajos del ayuntamiento. Por lo general, él y César comían allí, por ser más tranquilo que el de la plaza. «Me apetece un vermú —dijo—. Dicen que es una bebida pésima. Que hasta el mismo propietario de Cinzano la aborrece. Pero he sentido una súbita nostalgia de su sabor». César le miró por encima de sus gafas: «A mí tampoco me gusta. Pero no me imaginaba que al propietario de Cinzano le pasara lo mismo. ¿Estás seguro de ello, Javier?». Él le llamaba por su verdadero nombre: Javier. «Me lo contó Hemingway. Una vez lo invitaron a una fiesta que ofrecía el propietario de Cinzano, y él pidió un vermú, por aquello de hacer los honores al anfitrión. Pero entonces vino el propietario y le dijo: "¿Qué haces bebiendo esa porquería?". Lo llevó a un sitio apartado y le sirvió un whisky.» Redin se rió, y nosotros con él. «Pues vamos hacia el ayuntamiento —dijo César levantándose del banco—. Si se me permite decirlo a la manera de los de letras, siento una súbita nostalgia de la ensalada de ese restaurante». Les hicimos una señal a los compañeros que seguían junto al monumento para que se vinieran con nosotros.

En los soportales del ayuntamiento había una gran placa rectangular con cerca de treinta nombres grabados en negro. Los primeros eran, también allí, José Iturrino y Jesús María Gabirondo. Antonio Gabirondo era el duodécimo. «¿Veis? La mitad de las letras están borradas. Por eso están construyendo el nuevo monumento», dijo César. Al nombre de Antonio Gabirondo le faltaban cinco letras, no se leía más que «nio abirondo». «Bastaba con retocar las letras —dijo Joseba—. Al pueblo le habría salido más barato». Adrián le cogió la mano y la sostuvo en alto, como se hace con el vencedor de un combate de boxeo: «Ha hablado el hijo del gerente de Maderas de Obaba». «Los fascistas no dejan de tener su corazoncito —declaró César—. No quieren que sus compañeros caigan en el olvido. Además, esa pirámide truncada de la plaza expresa mucho mejor lo que pasó. Le han cercenado el vértice como se cercena la cabeza, como se quita la vida... Ese artista sabe lo que hace». Todos esperábamos que concluyera con una risa sarcástica, pero permaneció serio.

Dos hombres que salían del restaurante se quedaron mirándonos. Redin se acercó a César: «Procura hablar más bajo. De lo contrario vamos a tener un disgusto». «No se han parado para oír lo que decíamos —terció Adrián—, sino impresionados por el vestido naranja de Susana. Nuestra compañera parece un sol». «Te nombro Miss Obaba, Susana», corroboró Redin. Después de todo un curso juntos, había bastante confianza entre nosotros.

La lista de los fusilados en Obaba volvió a aparecer en mi mente: *Humberto, Goena el viejo, Goena el joven, Eusebio, Otero, Portaburu, «los maestros», «el americano»*. Aunque me empeñara en olvidar, guardando el cuaderno del gorila entre los papeles viejos de un cajón o enfrascándome en mis estudios, sentía aquellos nombres rozando la superficie de mis pensamientos, a punto de aflorar. Habían quedado grabados en mi memoria con la misma precisión que los de José Iturrino y Jesús María Gabirondo en el mármol del nuevo monumento.

El restaurante de los bajos del ayuntamiento tenía en la parte de atrás una terraza cubierta que daba a los terrenos que estaban siendo transformados en campo de deportes. Juntamos dos mesas y nos sentamos allí. Redin tomó la palabra: «Este profesor fatigado estaría muy agradecido si alguien le trajera un vermú. Con aceitunas, a ser posible». Susana y yo nos pusimos en pie al mismo tiempo. «Dos camareros a tu servicio, Javier. ¡Ni los tribunos de Roma!», exclamó César. «Aceitunas, vermú, cuatro cervezas y lo que vayáis a tomar vosotros», resumió Adrián después de preguntar a todos. «Yo no quiero nada», dijo Susana.

En el mostrador sólo estábamos la dueña del restaurante y nosotros dos. «Susana, quiero hacerte una pregunta», le dije después de pedir lo que íbamos a tomar. Se quedó mirándome. Sus ojos eran muy claros, entre azules y verdes. «No sé si te acordarás. Una vez hablamos de las personas inocentes que habían fusilado en este pueblo. ¿Sabrías decirme cómo se llamaban? Estoy escribiendo un cuento que trata de la guerra, y me gustaría que los nombres fueran reales.» Le hablé en el tono más indiferente posible. «¿Queréis vasos?», nos preguntó la dueña dejando las cinco cervezas sobre el mostrador. «Sólo tres», dijimos. Adrián y Victoria bebían de la botella; *a gollete*, en expresión de Redin. «Eso lo tiene que saber mi padre. Seguro», me respondió Susana.

César apareció a nuestro lado de improviso. «¿Qué es lo que tiene que saber tu padre, el buen médico de Obaba?», preguntó. Susana empezó a explicárselo mientras yo iba donde la dueña a pagarle las consumiciones. «Conque escribiendo cuentecitos en vísperas del examen de Preuniversitario. Debería llamarte al orden», dijo César cuando regresé. Sostenía una cerveza en cada mano. «No he hecho más que empezar. No me quita mucho tiempo», me defendí. Cogí las tres cervezas que quedaban en el mostrador. «Los vasos y el vermú están ya en la mesa. ¿Qué falta ahora?», preguntó Susana al volver de la terraza donde estaban sentados nuestros amigos. «Las aceitunas», respondimos César y yo al unísono. «Si yo fuera a escribir un cuento, la escogería a ella como protagonista», añadió César en voz lo suficientemente alta como para que Susana le pudiera oír. «La mayoría de los profesores están locos, David», me advirtió ella, antes de marcharse de nuevo hacia la terraza. Sus alpargatas blancas se movieron con rapidez sobre el piso del restaurante.

«Hoy como solo —me dijo César antes de reunirnos con el grupo—. Javier se va al hotel, donde la señora francesa». «¿Geneviève?» «No sé cómo se llama. Parece ser que de vez en cuando le asalta la necesidad de hablar en francés. Y, como sabes, a Javier le asalta la necesidad de una buena comida en cualquier momento.» Me miró fijamente desde detrás de las lentes de sus gafas.

Había algo que no encajaba en César. Hablaba animadamente, pero sus ojos no expresaban alegría. Quizás —pensé— porque no eran sus Primeros Ojos, sino los Segundos. «¿Por qué no te quedas a comer conmigo? —dijo—. No será un banquete como el de Redin en el hotel, pero al menos será comida limpia. Carne asada y ensalada. Invito yo». La mayoría de las palabras fueron normales, spronunciadas con la Primera Lengua. Pero lo de la comida *limpia* tuvo otro dejo, más amargo. Como si en ese instante hubiera intervenido su Segunda Lengua.

Redin se acercó a nosotros con el platillo de aceitunas. «Si estáis intercambiando confidencias, mejor que os vayáis a un reservado. En caso contrario, sentaos con nosotros.» «Llamaré a mi madre por teléfono y comeré aquí», le dije a César. «Muy bien, David», dijo él, sentándose al lado de Redin.

El paquete de Jean estaba sobre la mesa. Ante nosotros, un par de cafés recién servidos. «¿Sabes por qué empecé a fumar este tabaco? —me preguntó César encendiendo un cigarrillo y dejando a un lado el tema de los estudios, que nos había ocupado hasta ese momento—. Por los colores del paquete, por ser rojo y negro. No sé si sabrás, son los colores del anarquismo. Pero no te asustes, no pienses que soy anarquista». Yo me mantuve en silencio. «Son cosas de cuando tenía catorce años. Fíjate, soy fumador desde entonces —continuó—. Lo hice por mi padre. Él sí que era anarquista. Y escribía poesías, como tú y Joseba».

Le observé mientras removía el café con la cucharilla. Sus gafas, su cara flaca, el cigarro en sus labios: parecía el hombre de siempre, el profesor que nos enseñaba las asignaturas de ciencias. Pero, bajo aquella apariencia, entreveía ahora un segundo César, que miraba con sus Segundos Ojos, que me hablaba con su Segunda Lengua.

Dijo de pronto: «A mi padre lo fusilaron aquí, en Obaba». Se quedó mirando el café de la taza, como si ya no le apeteciera tomárselo. Yo me alarmé. «¿Cómo se llamaba?» Mi pregunta pareció sorprenderle, pero me contestó de inmediato: «Bernardino».

Me sentí como si hubiera perdido todo mi peso y flotara en el aire, veinte centímetros por encima de la silla donde había estado sentado. Hasta me vinieron ganas de reír. *Humberto, Goena el viejo, Goena el joven, Eusebio, Otero, Portaburu, «los maestros», «el americano»*. En el cuaderno del gorila no constaba ningún Bernardino. «Cuando estalló la guerra, mi padre ocupaba la plaza de maestro en Obaba», añadió César. Sentí lo contrario que un instante antes, que mi cuerpo se hundía de golpe en la silla. En la séptima línea de la lista del cuaderno estaba escrito: «los maestros». Ahora sabía que uno de ellos era Bernardino, el padre del hombre que tenía ante mí. «Eso quiere decir que viviste en Obaba», dije abrumado. «Durante muy poco tiempo. Nada más empezar la guerra me mandaron a Zaragoza, a casa de una tía. Sólo tenía tres años.»

La duda que había albergado en mi corazón se desvaneció. Lo que me había contado Teresa era verdad: la lista del cuaderno del gorila correspondía a los fusilados en Obaba. Tuve ganas de llorar.

César se llevó la taza a los labios, y puso los ojos en el paisaje que se extendía más allá de la terraza, en el campo de deportes que estaban construyendo. Tres grúas de color amarillo chillón se alzaban ante nosotros; más allá, los alisos de la zona de Urtza se alineaban delante del bosque de castaños.

«Un tío tuyo salvó a un amigo de mi padre. Era el dueño del hotel Alaska, le llamaban "el americano". Pero mi padre intentó llegar a… ¿cómo se llama esa casa vuestra?» Levantó la mano y señaló más arriba de los alisos de Urtza. «Iruain», dije. «Eso es. Iruain. Mi padre no consiguió llegar hasta allí. Lo mataron antes.» «¿En el bosque de castaños?», pregunté. «No lo sé exactamente.» César encendió otro cigarrillo. «Tu tío se llama Juan, ¿no?», preguntó con voz queda. «Sí —respondí—. Pronto vendrá a pasar el verano. Dice que en el rancho de California hace demasiado calor». «A ver si voy un día a hacerle una visita. El padre de Susana me ha hablado muchas veces de él.» Empezaba a ver con claridad el Segundo Espacio, en el que se desenvolvían algunas personas de mi entorno: César, el padre de Susana, mi tío Juan.

Me pregunté hasta dónde llegaría su información sobre Ángel. «Te veo otra vez con esa cara de preocupación», me dijo. Estaba dejando encima de la mesa el dinero de la comida. Le hubiese podido decir entonces, como anteriormente a don Hipólito: «Ha llegado a mis manos un cuaderno con una lista en la que se nombra a todos los que fueron fusilados en Obaba. No figura tu padre, no hay nadie que se llame Bernardino, pero en la séptima línea se mencionan "los maestros". Y lo que me preocupa es el grado de responsabilidad que pudo tener Ángel en el asesinato de tu padre y en el de todos los demás. Porque en la cubierta del cuaderno, debajo de la línea *Cuaderno para uso de*, está escrito su nombre, Ángel. Me pongo enfermo sólo de pensar que puedo ser hijo de un hombre que tiene sus manos manchadas de sangre». Pero no tuve valor. «Ya se me pasará», le contesté. «Escribir te ayudará. Y tocar el acordeón también, claro», me dijo. «El acordeón, no», pensé.

César sorbió el café que le quedaba en la taza. «Tengo que ir a casa de Victoria. Ya sabes, ella también está preocupada

—se puso de pie—. Anda muy justa en Química. No sé si podremos hacer algo en los días que quedan». Era el César de siempre, el profesor. Me miraba con los Primeros Ojos, me hablaba con los Primeros Labios.

XII

El cuaderno que me dio Teresa en el camarote del hotel Alaska está ahora sobre mi mesa de trabajo, apoyado en una pequeña pila de cuadernos y fotografías. Desde su cubierta naranja, el gorila clava sus ojos en mí y me sigue con la mirada cuando me inclino en la silla hacia un lado u otro. Pero su actitud no me afecta. Ya no es como cuando hablé con César en la terraza del restaurante, hace ya veinte años o más. Sé que el cuaderno tiene sus días contados, que pronto lo tiraré a la basura para que el camión se lo lleve al vertedero de Three Rivers o de Visalia. Me río, siento una gran alegría al imaginar sus hojas manchadas con trozos de pizza y restos de salsa, destrozadas por los dientes de una máquina, consumidas por el fuego. *Finis coronat opus:* la escritura, la confesión, tendrá al fin su recompensa.

El camino ha sido difícil. Al principio creí que bastaba con apartar el cuaderno de mi lado para olvidarme de él, con dejarlo por ejemplo en el interior del escondrijo de Iruain «a fin de que el Bien, el sombrero Hotson, neutralizara al Mal», como pensé un día; a fin de que el símbolo de la labor bienhechora de mi tío Juan compensara los crímenes que presuntamente había cometido Ángel. Pero, en cuanto lo perdía de vista, el recuerdo del cuaderno se apoderaba de mi mente hasta casi volverme loco. Entonces, irremediablemente, corría a recuperarlo, y lo dejaba al alcance de la mano, encima de mi mesilla o en el estuche del acordeón, hasta el momento en que de nuevo, igual que el perro que no sabe dónde guardar la víscera que no puede comer entera, sentía la urgencia de alejarlo de mí. *Humberto, Goena el viejo, Goena el joven, Eusebio, Otero, Portaburu, «los maestros», «el americano».* La lista me acompañaba a todas partes.

De todos los nombres, sólo cuatro me sugerían una imagen. A Humberto lo veía vestido con un traje negro, sin corbata, con la camisa blanca abrochada hasta el último botón del cuello; por su rostro —quizás por su aspecto general— me recordaba al agente de seguros que, siendo yo niño, me regaló el cordón, «la herramienta para recordar cosas». A Eusebio, por su parte, me lo figuraba alto y delgado, aunque sin un motivo concreto, sólo porque su nombre coincidía con el de un campesino que había conocido en Iruain y que reunía aquellos rasgos. En cuanto a los maestros, dos de ellos se me presentaban muy borrosos, y el tercero, Bernardino, idéntico a su hijo César, es decir, delgado y con gafas gruesas. Por último, al «americano» me lo imaginaba tal como lo había descrito mi tío, muy gordo y con la cabeza cubierta con su sombrero Hotson.

Noche tras noche, al mirar con mis Segundos Ojos a la cueva inmunda, aquellas cuatro figuras cobraban una entidad mayor que la de simples sombras, y se equiparaban a las de Ángel o Berlino. Cada vez tenía menos dudas. La historia reciente no necesitaba ya de mensajeros. Bastaba con aquellas imágenes y con la mirada del gorila del cuaderno. La mirada decía: «¿Qué piensas de todo esto, David? ¿Fue tu padre un asesino?». El gorila parecía dispuesto a seguir repitiendo la pregunta durante cien años.

En los días que faltaban para el examen de Preuniversitario me dediqué a estudiar y, sobre todo, a resolver ejercicios de matemáticas. Tal como me había ocurrido antes con el libro de Lizardi, la dificultad me distraía. Por eso, cuando los resultados llegaron a Obaba y César me comunicó la noticia —«¡En matemáticas matrícula, David!»—, mi respuesta fue al mismo tiempo espontánea y sincera: «La mitad de la matrícula te la debo a ti, y la otra mitad a Bernardino, Humberto y todos los demás fusilados». César me dio unos golpecitos en la espalda, sin otro comentario. No era el momento más oportuno para hablar del asunto. Él estaba muy contento con nuestros resultados —hasta Victoria había aprobado todo— y quería saborear su éxito.

También yo saboreé el éxito, pero la alegría que me produjeron las notas no tardó en desvanecerse. Para mediados de julio se podía decir de mí lo que los «campesinos felices» decían de quienes no querían hablar con nadie y se encerraban en sus casas: *bere buruari ekinda dago*, «se ha vuelto enemigo de sí mismo». Todo me era indiferente. Me daba igual sentarme con Lubis en el banco de piedra de Iruain que ver a Virginia abriéndose paso entre las grúas y los camiones del campo de deportes; nada de aquello dejaba en mí ninguna marca. Sólo veía con mis Segundos Ojos; sólo pensaba y recordaba con mi Segunda Mente; sólo sentía con mi Segundo Corazón.

Dejé de ir a Iruain, sobre todo por el tío Juan. Me daba miedo acercarme a él. Temía que me contara algo doloroso; que rescatara de la historia reciente un nuevo objeto, como hizo con el sombrero J. B. Hotson, y que yo no fuera capaz de soportarlo. Con aquel ánimo, me pasaba casi todo el tiempo en Villa Lecuona, leyendo en la cama un grueso libro titulado *Los cien mejores relatos policiales*, o viendo la televisión que Ángel acababa de traer a casa.

Afortunadamente, el propio Ángel apenas se dejaba ver. «A veces pienso que nos ha traído la televisión para que no nos demos cuenta de que falta —dijo mi madre una noche que estábamos viendo una película—. Un día por las obras, otro día por la política, la cuestión es que siempre está fuera de casa». «Por mí que siga así», le dije. Mi madre suspiró: «No deberías tomártelo de esa manera. Ya sé que a veces te agobia con el acordeón, pero lo hace con buena voluntad. Cree que te gusta la música tanto como a él». Me quedé callado. «Últimamente andas algo desganado, ¿verdad? —prosiguió—. Este año tampoco vas con tus amigos a Urtza. Se te va a olvidar nadar». «¡Qué más me da!», le dije. «No me gusta que hables así, David.» Ella no quería verme siempre entre cuatro paredes. Quería que saliera, que me divirtiera.

Una tarde de finales de julio, decidí ir a la Bañera de Sansón. No a nadar, como le dije a mi madre, sino a hablar con Adrián. Pensaba que una persona como él, que aunque nunca lo dijera, tanto había tenido que sufrir a causa de su espalda deforme, podría ayudarme. Cogí la bicicleta y me puse en marcha.

Pero no llegué a mi meta. No inmediatamente. De camino, al pasar por delante de la serrería, vi a Virginia en el recuadro de la entrada donde ponía Maderas de Obaba. Como cabía esperar, ella no se quedó atrapada en él, como Martín el día que vino a informarnos de la enfermedad de Teresa. Lo atravesó y siguió caminando. «¡Pero si eres tú! —exclamó cuando frené a su lado. Sonrió con todo su rostro, no sólo con los ojos—. ¡Cuánto tiempo sin vernos!». Tenía razón. Ya no solía estar esperando a que llamara a la puerta de Villa Lecuona.

Dejé la bicicleta reclinada contra un tronco. «¡Cuánto tiempo!», repitió. «Tres o cuatro semanas», le dije. «Pensaba que estabas enfadado conmigo, David.» En la serrería se oía el ruido de una máquina, alguien estaba trabajando fuera de horario. Me acerqué a ella, percibí el olor a rosas de su perfume. «¿Qué tal estás, Virginia?» Inesperadamente, puso una mano en mi brazo y me dio un beso en la mejilla.

El beso rompió el maleficio. Mis Primeros Ojos se abrieron, y volví a sentir la proximidad de las cosas. Reparé en el intenso brillo del timbre de la bicicleta y en la mancha de musgo en la corteza del tronco. Súbitamente, una mariposa —*mitxirrika, inguma*— vino volando y se posó sobre el musgo, y el burro Moro echó a andar hacia nosotros por el herbazal, y un avión surcó el cielo dejando tras de sí una estela. Era el atardecer, faltaba poco para la puesta de sol.

«Estás muy guapa», le dije. Llevaba el pelo más corto que de costumbre, y se le veían las orejas. Eran pequeñas y redondas; daban ganas de cogerle los lóbulos con la punta de los dedos. Respondió a mi halago con una sonrisa: «Será por la forma de vestir. Tu madre me ha aconsejado este estilo». «Entonces felicitaré a mi madre.»

Llevaba una camisa con manzanas lilas y doradas estampadas sobre fondo negro; la falda era de una tela suave del mismo color lila que las manzanas de la camisa. Lilas eran también sus mocasines.

«Creía que había venido demasiado tarde —dijo—. Pero Isidro está todavía trabajando. Le he encargado una mesa. Ya sabes qué mesas tan buenas hacen». Solía decirse de Isidro, el padre de Adrián, que le gustaba más el trabajo que el dinero. A pesar de su posición —mi madre decía que era el hombre más rico de Obaba—, en nada se diferenciaba su forma de vida de la del último empleado de la serrería. «¿Te hace falta una mesa?», le pregunté. Ella sonrió con sorna: «En algún sitio hay que comer». No caí en la cuenta de que se encontraba en vísperas de su boda y estaba comprando muebles.

«¿Por qué no me acompañas a casa?», me propuso. «Si quieres te llevo en la bicicleta», le dije en broma. «Si vamos por la serrería, llegaremos antes andando.» Hablaba con mucho aplomo, como si en aquellas semanas se hubiera reforzado su confianza en sí misma. Me cogió del brazo. «Deja que te enseñe el camino.»

Yo estaba anímicamente débil, agotado por todos los días y por todas las semanas que me había pasado dándole vueltas a la lista del cuaderno, sin más descanso que el que me proporcionaban las horas de sueño o la lectura de los relatos policiales. Apenas sentí su mano en mi brazo, mis rodillas se quedaron sin fuerza. Como la primera vez que me invitó a que la acompañara a casa.

Entramos en el recinto de la serrería. Pasamos primero por delante de la casa de Adrián; luego por la de Joseba. «Estarán todos en San Sebastián. Les encanta la playa», le dije al ver que las luces de las dos casas estaban apagadas. Fue un comentario tonto, y completamente incierto al menos en lo que se refería a Adrián. Pero estaba nervioso, no sabía lo que me decía. «Creo que Paulina ha estado muy a gusto», comentó ella. Al llegar a la cabaña donde recibíamos las clases, se soltó de mi brazo y se puso a mirar por la ventana.

Continuamos caminando uno al lado del otro. Le hablé de Paulina, de sus progresos en el dibujo geométrico, y de la opinión de mi madre, que aseguraba que aquella chica sería una día una modista profesional, y que si acudía a Villa Lecuona era con ese fin, y no únicamente para ejercitarse en la costura antes de casarse.

Fue en ese momento, al pronunciar la palabra «casarse», cuando caí en la cuenta y comprendí lo de la mesa. Cuando comprendí también la seguridad con la que se desenvolvía: el beso que me había dado al saludarme, el que me cogiera del brazo. Virginia se iba a casar, estaba a punto de ponerse a vivir con el marinero, y su actitud, lejos de suponer un paso más hacia un trato más íntimo, indicaba el fin de nuestra pequeña relación. «¿Dónde vais a vivir tú y tu novio?», le pregunté después de un rato. Las rodillas me volvían a flaquear. «Hemos comprado un piso en el barrio nuevo», me contestó. Así que era verdad. No había remedio.

El río dibujaba una curva larga después de pasar por delante de la serrería, abrazando un terreno en el que se alzaban cuarenta o cincuenta castillos de tablas. Virginia y yo caminamos entre los castillos tratando de adivinar la dirección correcta. «Una vez, cuando era pequeña, me metí en este laberinto y me pasé casi una hora entera dando vueltas. No encontraba la salida», me dijo.

Se oía nítidamente el canto de los sapos en la orilla del río. Era siempre así al atardecer, en verano. En las horas de mucho sol los sapos se hinchaban con el calor, y luego, a medida que bajaba la temperatura, comenzaban a deshincharse emitiendo un sonido parecido al hipo. Contra lo que cabía presumir por su aspecto monstruoso, el hipo, el canto, era dulce, delicado, un tanto infantil, y sus notas sonaban a veces como palabras. Algunos días se les oía desde la terraza de Villa Lecuona, y, de dar crédito a mi madre, lo que repetían era *«i-ku-si-e-ta-i-ka-si- i-ku-si-e-ta-i-ka-si...»*, «mira y aprende, mira y aprende...».

«Solíamos venir aquí a por fresas», dijo Virginia, poniéndose a buscarlas. Pero no se veía bien; toda la luz estaba en lo alto de los castillos de tablas, y en el cielo. En un cielo en el que, por azar, dominaban los colores de la camisa de Virginia. En un lado estaba el negro; en el otro, donde se acababa de poner el sol, el lila y el dorado.

Los sapos continuaban cantando. Tuve la impresión de que decían «siéntate» —*sién-ta-te-sién-ta-te-sién-ta-te*—, como si me aconsejaran descansar. Pero permanecí de pie, esperando a que Virginia encontrara alguna fresa, pendiente de sus movimientos. Se movía como una niña, con rapidez, agachándose una y otra vez hacia la hierba; pero su cuerpo, en la penumbra, parecía más fuerte, más lleno.

«Mira cuántas hay aquí», dijo, y arrancó una flor para ensartar las fresas en su tallo. «Cuando lo llene hasta arriba, nos sentaremos en la orilla del río y nos las comeremos. ¿Quieres sentarte conmigo, David?» «De acuerdo», respondí, y me acerqué para ayudarle con las fresas. «¿Por qué sonríes?», me preguntó. Pensé decirle: «Porque no eres la única que me pide que me siente. También los sapos lo hacen». Pero no me atreví. «No sé. No me daba cuenta», dije.

Al borde del río había una construcción que conocíamos como «la carpintería vieja». «El padre de Adrián la heredó de su familia con veinte años —dije, cuando llegamos allí—. En aquella época sólo tenía un trabajador». Ella sonrió: «Mi padre». «¿Qué?» «Que ese trabajador que dices era mi padre. Pero él llevaba ya tiempo en el taller. Desde la época del abuelo de Adrián.» «No lo sabía.» «Ahora lo usamos nosotros. Mi padre guarda ahí la hierba y la paja para el ganado. Pero ya no tenemos más que dos vacas. Mis padres están muy viejos.» Dos vacas. Lo que decía Teresa: *la paysanne*.

El agua del río se amansaba en la curva, y su sonido era muy débil, un murmullo que también formaba palabras: «*Isidro, Isidro, Isidro*». Y el contrapunto de los sapos: «*Sién-ta-te-sién-ta-te-sién-ta-te*». Entramos al cobertizo de la carpintería, y yo me eché sobre uno de los fardos de paja que se amontonaban allí. Cerré los ojos. «No te irás a dormir ahora», dijo Virginia. «Ponte a mi lado», le pedí. «¡No! Ven tú conmigo», me contestó ella con firmeza. Se fue hacia la orilla del río. «De pequeña venía aquí con las fresas.» Se sentó en una piedra. «¿Quieres una?» Le dije que no, y me puse de pie.

De pequeña. Los castillos de tablas nos rodeaban; el río nos apartaba del mundo; la penumbra nos protegía; la vieja carpintería nos ofrecía el lecho que necesitábamos; sin embargo, ella se portaba conmigo como una niña. «Pues, si no las quieres, las tiraré al agua», me amenazó, sacudiendo las fresas. «No seas tonta.» Se lo dije, efectivamente, como a una niña de siete años. «Es verdad. Sería una tontería. Se las llevaré a mi madre», decidió, poniéndose de pie.

Empecé a oír los sonidos con claridad. Como cuando se despejan los oídos que han estado taponados. En la carretera principal de Obaba, un camión tocó la bocina; en otro camino, un motor aceleró hasta el paroxismo y, repentinamente, al llegar quizás a una curva cerrada, desaceleró casi hasta callar del todo. Y el padre de Adrián seguía con la máquina en marcha. Y el agua del río producía un ruido, una especie de murmullo, pero sin pronunciar ya aquel nombre: *Isidro, Isidro, Isidro*». Tampoco los sapos repetían *«siéntate, siéntate, siéntate»*.

Dejamos a un lado el terreno de los castillos de tablas y, por la orilla del río, llegamos al puente que daba acceso a la casa de Virginia. «Tu madre es como Isidro. No hace más que trabajar», comentó, alzando las fresas en dirección a Villa Lecuona. Más allá de las grúas y los camiones del campo de deportes, a unos setecientos pasos, las ventanas del taller de costura estaban iluminadas.

Tu madre. Me dio rabia. Ya estaba bien de hablar como niños. «No creas que trabaja tanto. A veces sale a la terraza a fumar un cigarro», le respondí. Quería marcharme. «A nosotras nos dice que en el taller no se puede fumar. Que la ropa cogería olor.» «Claro.» Por el tono en que se lo dije, era el adiós.

De la puerta de su casa salían dos caminos: el principal, hacia el puente en el que nos encontrábamos, y un sendero que bordeaba el río hasta perderse más o menos a la altura de Urtza. Inesperadamente, del sendero surgió un perro ratonero, corriendo y ladrando. Al llegar al puente, se paró y se puso a gimotear junto a Virginia.

«¿Quién pensabas que era, Oki?», le preguntó ella acariciándole la cabeza. «Tengo que marcharme», dije. Pero ella no me oyó. «Oki tendrá que quedarse aquí. No puedo llevármelo al piso.» En la casa se encendió una luz, la de la cocina. «Tus padres lo cuidarán bien», dije. «Mis padres se van a ir a vivir con mi hermano. Oki estará solo. Tendré que venir todos los días, si no quiero que se muera de hambre.» El perro se sacudía la cola, sin perder de vista a Virginia. «Me tengo que marchar», repetí. Ella me miró con franqueza. «No te enfades, David», dijo. Dudó un momento sobre qué hacer con las fresas, y al final las dejó sobre el pretil del puente. «¡Oki, a tu sitio!», ordenó luego, y el perro se metió en la caseta que había al otro lado del río.

La luz era cada vez más débil, en su camisa estampada sólo se distinguían las manzanas de color dorado. De pronto estaba muy seria. «Me da mucha pena dejar mi casa. Sobre todo cuando pienso que se va a quedar vacía.» La casa no tenía más que dos ventanas en el piso de arriba, y únicamente una, la de la cocina, abajo. La puerta de entrada era también muy sencilla y, a diferencia de muchos de los caseríos de Obaba, no tenía arco. «No es Villa Lecuona. Pero he vivido aquí desde que nací. Y, por muy pobre que sea, a mí me gusta.» «Claro», dije. «Lo que quiero decir es que al ganar una cosa siempre se pierde otra. Me entiendes, ¿verdad?» Algo se desató en algún punto de mi pecho. Respiré aliviado. «Ya sé que a ti no te va a pasar como a la casa, tú no te quedas vacío, pero es una manera de hablar», añadió en un tono que me recordó a Lubis.

Se acercó al pretil del puente y cogió las fresas. «Necesitamos un acordeonista para la boda, y primero pensé decírtelo a ti. Pero al final me pareció mejor llamar a otro.» «¿Qué día es la boda?» «El 1 de agosto.» «No falta nada.» «Espero que en el futuro sigamos siendo amigos.» «Yo también lo espero.» Se alejó algo más, se encontraba en la mitad del puente. «Hasta la vista», le dije. Me di media vuelta y eché a andar hacia el campo de deportes por el mismo camino que ella recorría para ir a Villa Lecuona.

«¡David! —me llamó—. ¿No vas a ir a por la bicicleta? La has dejado contra aquel tronco de la serrería». «¡Es verdad!», exclamé. Tenía que volver sobre mis pasos, por entre los castillos de tablas, por delante de nuestra escuela, por delante de las viviendas de Joseba y de Adrián. El trayecto hasta la bicicleta se me antojaba ahora muy largo. Virginia se me acercó: «Dame un beso antes de decirme adiós». Sentí la tibieza de su beso en la mejilla. Luego la vi correr hacia su casa con las fresas en la mano.

Al pasar junto a la vieja carpintería, me pareció que los sapos pronunciaban algo que al principio no entendí: *Win-ni-peg-win-ni-peg-win-ni-peg*. Recordé: había visto aquel nombre en el sombrero Hotson del escondrijo de Iruain, más exactamente en su etiqueta. *Darryl Barrett Store. Winnipeg. Canada*. Debía de tratarse de alguna ciudad que había conocido el americano que salvó su vida gracias al tío Juan.

Volvía a pensar en la historia reciente, volvían a dirigirse mis pensamientos al cuaderno del gorila. El beso con que Virginia me había saludado había roto el maleficio, borrando lo que mis Segundos Ojos se empeñaban en mostrarme; pero su efecto había sido breve.

Era una noche clara, estrellada. Sin embargo, no levanté la vista de la mancha amarilla que el farol de la bicicleta proyectaba sobre la carretera, y pedaleé fuerte hasta llegar a la Bañera de Sansón.

Adrián trabajaba encorvado ante una mesa de carpintero, a la luz de un quinqué. «¿Qué haces?», le dije. «Estoy haciendo un sapo.» «¿Sí?» «¿No oyes? Son mis vecinos.» En el silencio de la noche, el canto de los sapos se oía con toda claridad. «¿Qué dicen?», le pregunté. «Me piden cerveza. *Cer-ve-za-cer-ve-za-cer-ve-za*. Pero no les doy. Les sienta fatal.» «¿Dónde está esa bebida tan dañina?» «Donde siempre, refrescándose.» Salió de la cabaña, y sacó dos botellas del río.

XIII

En el libro de las cien narraciones policíacas había leído un cuento de Edgar Allan Poe en el que todo el misterio radicaba precisamente en la falta de misterio, ya que el objeto buscado, una carta, era hallado por fin en el lugar más visible, encima de la mesa de un despacho. Influido quizás por aquella narración, me puse a discurrir de otra manera, y empecé, al modo de los personajes del libro, a barajar una nueva hipótesis. «La lista del cuaderno no la escribió Ángel —me dije a mí mismo una noche que no podía conciliar el sueño. Inmediatamente, como ante un juez, traté de aportar la prueba irrefutable—: No es su letra». Apenas completé la frase, sentí una gran excitación. Pensé que hasta ese momento había estado equivocado, y que la clave del asunto podía hallarse en el mismo cuaderno. Tal vez la mirada del gorila no quería decir «¿crees que tu padre fue un asesino?», sino «calma, no sufras en vano, si analizas detenidamente lo que dice este cuaderno recobrarás la paz». Saqué el cuaderno del cajón de la mesilla, y lo coloqué a la luz del flexo.

La mirada del gorila era la de siempre. La de quien pregunta y aguarda la respuesta. Pero era imposible adivinar qué preguntaba exactamente. Pasé la página, me encontré con la lista: *Humberto, Goena el viejo, Goena el joven, Eusebio, Otero, Portaburu, «los maestros», «el americano»*. A primera vista no parecía obra de Ángel. Pero, naturalmente, como me había advertido Teresa, de su letra última a la de aquellas hojas había un salto de veinticinco años. Puesto a comparar, debía fijarme en cómo había trazado las letras que componían su nombre debajo de la línea *Cuaderno para uso de*. Copié aquel «Ángel» en una tira de papel, intentando que quedara idéntico. Luego lo contrasté, moviendo la tira de arriba abajo, con todos y cada uno de los nombres de la lista. Pero el examen no me condujo a nada. El nombre de «Ángel» era muy poca cosa. Apenas me daba pistas.

Me puse a buscar en casa algunas líneas que hubiera escrito mi padre en la misma época de la guerra. Pero tampoco tuve suerte. Sólo encontré una carta que mi madre le había escrito en 1943: «Querido Angelito: no sé cómo podría soportar el trabajo en este restaurante sin esas cosas tan bonitas que tú me cuentas...». La imagen de Ángel que se desprendía de la carta era la de un hombre bueno, tierno, que se esmeraba en alegrar a su novia. Pero eso no despejó mis dudas sobre su culpabilidad. Recurrí de nuevo al cuaderno, examiné la letra, y llegué a una conclusión provisional: los nombres de Portaburu y Eusebio podían deberse a su mano. No así los otros. Sin embargo, como decían los personajes de las narraciones policíacas, necesitaba pruebas más sólidas. Obtenerlas parecía difícil.

Se sucedían las horas y los días. Al igual que durante mi último año en el colegio, tuve la impresión de que el tiempo giraba con mucha lentitud; que era de nuevo una rueda de moler torpe, pesada, incapaz de deshacer nada. Incapaz, desde luego, de deshacer mis preocupaciones. Pero lo que se movía con lentitud, pesadamente, era mi espíritu.

Una mañana oí ruido de campanas y cohetes, y me dirigí al taller de costura a preguntar el motivo. No había nadie. Encontré a mi madre en su habitación, vestida elegantemente. «¿Qué fiesta se celebra hoy?», le pregunté. «¿No lo sabes? Es 1 de agosto. ¡Se casa Virginia! ¿Aún no te has vestido?» Le dije que no tenía intención de asistir a la ceremonia.

«Entonces, ¿quién va a tocar el armonio en la iglesia?» Perdí la calma: «¡Y a mí qué me cuentas!».

Una hora más tarde el teléfono de casa empezó a sonar, y pensé si sería mi madre, o el mismo don Hipólito, que llamaban para decirme que la persona que debía tocar el armonio en la boda de Virginia no había podido acudir, y que por favor fuera corriendo a ocupar su lugar. Era lo que deseaba, seguramente. Mis Primeros Ojos querían estar presentes: querían ver a *la paysanne* luciendo su vestido blanco.

En cuanto cogí el teléfono oí el grito de Martín: «¡Aquí hotel Alaska!». Me quedé mudo. «¿Qué pasa?», pregunté después de unos segundos. Él adoptó un tono tranquilo, confidencial: «Primero tienes que decirme una cosa, David. Si quieres ser mi amigo. Eso es lo más importante». No sabía a qué venía su pregunta, y permanecí en silencio. «Sí o no, David. ¡Es muy importante!», insistió.

No tuve ganas de decirle que no. Al fin y al cabo, lo más fácil era dejarse llevar. «Me alegro, David —dijo él. Volvió a cambiar de tono—: Ya te has enterado, ¿no? Lo he suspendido todo. Ciencias y letras». No parecía muy afectado. «Geneviève no me deja en paz —se quejó—. Desde que llegaron las notas está empeñada en que te llame. Quiere saber si te prestarías a ser mi profesor hasta los exámenes de septiembre. Se te pagaría bien, ya sabes. Ha hecho que limpien la sala donde dábamos las clases de francés, por si te animas».

Me puse en guardia. Si frecuentaba el hotel, podría ver a Berlino con mis Primeros Ojos. Subir allí era como volverme a meter en la cueva inmunda. «Y tú, ¿qué es lo que quieres? Trabajar lo menos posible, supongo», le dije. Martín habló más despacio, con menos brío que hasta ese momento: «¿Quieres que te diga la verdad? Necesito tu ayuda. Si no apruebo el examen Geneviève se negará a hacerme el préstamo. Ésa es la condición que me ha puesto, David». Quedó a la espera de mi pregunta. «¿Para qué necesitas el dinero?», pregunté, cediendo ante su juego. Soltó una risita: «Me he metido en un negocio. En un club de la costa. Un club muy bonito. Ya lo verás». «Pornográfico, supongo.» Su risa fue más sonora. «¿Por qué no has llamado a César y a Redin?», quise saber. «César no nos gusta, David. Como dice Berlino, es un cabrón que está metido en política. En cuanto a Redin, anda por Grecia. Le habéis pagado tan bien por las clases de la serrería que se ha marchado de vacaciones. Geneviève recibió una postal hace unos días. ¿Sabes lo que decía? Pues que Grecia es su verdadera patria.»

Mientras hablaba por teléfono veía el cuaderno del gorila encima de la mesilla. *Humberto, Goena el viejo, Goena el joven, Eusebio, Otero, Portaburu, «los maestros», «el americano».* Recordé que Teresa guardaba en el camarote del hotel las cartas que escribió Berlino a los dos hermanos que perdieron la vida en el frente, y pensé que si podía comparar la letra de las cartas con la del cuaderno me sería posible determinar en qué medida estaba implicado Berlino y también, por exclusión, el grado de responsabilidad de Ángel.

De pronto, me pareció de vital importancia aceptar la propuesta de Martín. «Podría ir por las mañanas», dije. «Entonces, estás de acuerdo. No sabes qué alegría me das. Pues sí, por las mañanas. Seguro que Geneviève lo prefiere así.» «¿Y tú no?» «Los camareros de los clubes nos acostamos muy tarde. Pero haré un esfuerzo. No me importa pasar un mes malo. Los negocios son los negocios.» Quedamos en empezar al día siguiente.

Le explicaba las asignaturas de ciencias en la misma habitación donde antes dábamos las clases de francés; luego, sobre las once, pedíamos un café y nos sentábamos bajo el toldo de la terraza, o recorríamos una y otra vez el mirador mientras le tomaba la lección de Arte o de Filosofía. A veces, cuando hacía mucho calor, bajábamos al jardín y nos tumbábamos a la sombra.

El quinto o sexto día se nos acercó una veraneante. La llamaban Signora Sonia, y ella y su marido eran, según dijo Martín, viejos clientes del hotel. Nos confesó que sentía envidia al vernos con los libros de arte, porque a ella el arte le fascinaba. «A nosotros no nos queda otro remedio. Tengo un examen a principios de septiembre, y está en juego el prestigio de David como profesor», le explicó Martín, guiñándome un ojo. La Signora Sonia no le entendió bien. Pensó que los dos teníamos que presentarnos a un examen, y se ofreció para ser nuestra profesora. *«Io amo l'arte. Io poi explicare tutto il Rinascimento in cinque ore.»* Se hacía entender en una mezcla de italiano y castellano.

Martín le ofreció un cigarrillo, que la Signora Sonia aceptó sin titubear. «Si le gusta tanto el arte, ¿por qué viene usted a estas montañas de Obaba? —le dijo Martín—. ¿Por qué no va a Grecia a visitar el Partenón, como ha hecho nuestro profesor de francés?». La Signora Sonia se volvió hacia aquellas montañas que acababa de mencionar Martín. *«Dio è il miglior artista»* —«Dios es el mejor artista»—, exclamó abriendo los brazos como si quisiera abarcarlas. «No se le ocurra decir eso delante de Teresa —le advirtió Martín—. Ella está muy enfadada con Dios por haberla dejado coja». La Signora Sonia suspiró: *«Poverina mia, Teresa»*. Martín puso una mano en el hombro de la mujer: «Yo no diría que es muy *pobrecita*. ¿Sabe qué comentario hizo el otro día en la comida, cuando les estaba hablando a mis padres de un club que quiero montar en la costa?». La Signora Sonia dio una calada al cigarrillo y negó con la cabeza. «Me miró cara a cara y me dijo: "¿Cuántas putas pensáis meter en ese club?". Con esas mismas palabras. Geneviève por poco se cae de espaldas, y a

Berlino se le atragantó la sopa. Pero nadie se atrevió a decir nada. Cuando mi hermana está enfadada, cuidado. De pobrecita o *poverina*, poco.»

Había llovido mucho mientras yo me dedicaba a leer las narraciones policíacas en mi habitación de Villa Lecuona, y los montes que se divisaban desde el mirador estaban muy verdes. A lo lejos, en dirección a Francia, el color cambiaba, las montañas pasaban a ser azules o grises. *Poverina mia, Teresa*. El suspiro de la mujer italiana se me quedó grabado.

Martín trajo un cenicero de una de las mesas de la terraza y se lo ofreció a la Signora Sonia para que dejara en él la colilla. «Entonces, ¿en qué quedamos? ¿Nos ayudará con el arte?», le preguntó. «Con mucho gusto. Además, el día se me hace largo. Ya sabéis, mi marido y sus amigos no hacen más que asistir a comidas oficiales.» «¿Por qué?», le pregunté. «Pareces tonto, David. ¿No sabes que estos italianos lucharon en la guerra con nuestros padres? Son camaradas.» *«Io odio la guerra»*, dijo la Signora Sonia. Martín me volvió a guiñar el ojo. «Pero tendría también su lado bueno, ¿no? Su marido en España, usted sola en Roma con treinta añitos, tantos hombres alrededor, miradas en la calle…» La Signora Sonia se echó a reír llevándose el dedo índice a la sien. *«Martin è pazzo!»* —«¡Martín es un loco!»— dijo, antes de alejarse de nuestro lado. «A estas señoras hay que darles un poco de alegría de vivir, David —me dijo Martín—. Es mi próximo proyecto. Un club donde las maduritas se recreen viendo camareros guapos. No aquí, David. Aquí todavía no se puede. Pero en Biarritz o en Arcachon sí. Estoy convencido». Conocía a Martín desde que era un niño, y todavía era capaz de sorprenderme.

Su cara cambió de expresión. «Teresa está furiosa conmigo. Como no puede meterse con Dios, se mete conmigo. Como si su cojera fuera culpa mía. Y me está fastidiando.

Desde que dijo lo de las putas, Geneviève está recelosa. Dice que no va a ser ella quien me preste dinero para un prostíbulo.» Le pedí que siguiéramos con la clase. Los exámenes de septiembre estaban cada vez más cerca. «Tienes razón. Si apruebo el curso, Geneviève no me negará nada.» Nos pusimos a repasar las ideas fundamentales del existencialismo. Había rumores de que caería ese tema en el examen de filosofía.

Teresa. Nunca la veía en el hotel, y empecé a temer que estuviera enfadada con todo el mundo, no sólo con Dios o con su hermano Martín; enfadada sobre todo conmigo, que no había vuelto a dar señales después de mi única visita en todo el verano. Se me pasó por la cabeza valerme de alguna excusa para conseguir las cartas de Berlino por mediación de Martín, diciéndole, por ejemplo, que estaba estudiando grafología y que me hacían falta muchas letras diferentes para hacer ejercicios prácticos; pero no me atrevía. Estaba a punto de desistir, cuando me encontré con Teresa en el aparcamiento del hotel.

Llevaba un vestido blanco y negro, muy corto. Cubrió los pocos metros que la separaban de mí lentamente, paso a paso. Las secuelas de la enfermedad eran ahora más notorias: su pierna derecha era más delgada que la izquierda.

Nos saludamos con un beso. «Esta mañana no tienes ninguna obligación. Los caballeros se han marchado a Madrid, y Geneviève a Pau», me comunicó. «No sabía nada», dije. «¿No? Pues tu padre también se ha ido. Están todos preparando la inauguración del campo de deportes y del monumento.» «Últimamente no hablo mucho con mis padres», confesé. Teresa hizo una mueca. «Como yo, entonces. Desde luego con Geneviève hablo poquísimo.» «Martín no me dijo que pensara marcharse.» «Creo que mi padre lo ha invitado a última hora. Por eso no te habrá avisado —Teresa se echó a reír—. ¿Te das cuenta, David? Esta conversación es absurda. Después de tantos días sin vernos, perdemos el tiempo hablando de personas que no merecen la pena».

El mirador estaba lleno de veraneantes y Teresa prefirió ir al jardín, a aquella hora más solitario. Caminando a su lado, sentía la distancia, cada una de las dificultades del terreno; cuando llegamos a las escaleras de piedra que unían los dos lugares, los peldaños me parecieron más altos que nunca. En un momento de la bajada le tendí la mano para aligerar su esfuerzo; pero ella rehusó mi ayuda y siguió adelante.

Teresa hablaba de sus lecturas. Tenía, dijo, una pila de libros sobre la mesilla de su habitación, pero desde que las novelas de Hermann Hesse habían caído en sus manos no podía leer otra cosa. «¿Por qué está tan lejos de mí todo cuanto necesito para ser feliz?», recitó. «Tranquilo, David —dijo a continuación—. No pongas esa cara. No es más que una frase que he leído en el libro de Hesse». «¿Qué cara he puesto?» «La de un profesor a punto de perder la paciencia.» «¡Por favor, por favor!», protesté. «Ya has empezado a enfadarte conmigo, David —dijo ella—. Siempre te enfadas». «Eso no es verdad, Teresa.» «Sí que es verdad. El día de la visita también te enfadaste. Sólo porque te enseñé aquel cuaderno de tu padre.» Le hice un gesto para que se callara, pero ella continuó hablando: «Ya sé que no estuvo bien. Pero necesitaba vengarme. Estaba obligada a devolverte el daño que me habías hecho. De lo contrario, me habrías perdido el respeto. Lo hice por eso, para ganarme tu respeto». Hablaba atropelladamente, sin tiempo de tomar aliento. «Cálmate, por favor.» «No nos enfademos, David», dijo ella. Fue un susurro.

El jardín tenía parterres circulares de flores de color rojo, muros adornados de rosales, magnolios que, al lado de las hayas largas del bosque, parecían árboles blandos y decadentes. Contaba además, en su extremo, con un segundo mirador más pequeño que el de arriba, con tres bancos de madera. Teresa y yo nos sentamos en el de la mitad. Veíamos frente a nosotros todo el valle de Obaba y los montes que nos separaban de Francia.

«Se me nota bastante la cojera, ¿verdad?», dijo ella. «A mí no me parece», le contesté. «¿Te acuerdas, David? De pequeños todos los chicos jugabais aquí al fútbol, y cuando el balón se escapaba cuesta abajo iba yo a por él.» Dos gorriones se posaron en la valla que teníamos delante. «Vienen a por las migas —explicó Teresa—. La cocinera les guarda los trozos de pan que quedan en las mesas. Se forma una banda entera en la puerta de la cocina». Como si quisieran darle la razón, los dos pájaros volaron hacia el hotel en cuanto Teresa terminó su frase. «No te preocupes —le dije—. Dentro de un mes, cuando ya estés bien, jugaremos aquí un partido de fútbol, y si perdemos el balón te mandaremos a ti a buscarlo». Teresa alargó las piernas: «¿Ves? La de la derecha está como lijada. Yo diría que tiene un centímetro menos de grosor». Sus piernas eran bonitas, poco carnosas y bien formadas; pero no parecían de la misma persona. Se me acercó y reclinó la cabeza en mi brazo. «He recibido un golpe muy duro, David», dijo en voz muy baja.

Permanecimos un rato en aquella postura, inmóviles. «Ya lo sé, Teresa. Pero pasará. Anímate», le dije al final. En determinadas circunstancias era mejor, y más honesto, recurrir a las fórmulas. «Lo más curioso es que yo no me daba cuenta de mi desgracia», dijo ella. Se levantó del banco y avanzó hasta la valla del mirador, que también era de madera, como los bancos. De pie contra las estacas, con el valle de Obaba y los montes de Francia al fondo, tenía el aspecto de quien posa para una fotografía. «Pero, ya sabes, siempre hay una persona desinteresada que te ayuda a poner los pies en el suelo. ¡Nunca mejor dicho!» Se rió, como si el doble sentido de la expresión la hubiera cogido por sorpresa. «¿Por eso estás enfadada con Martín?», pregunté. «No estoy enfadada con Martín. No es más que un chico vulgar. *Un garçon grossier*, como le llamaría Geneviève si tuviera la suficiente lucidez.» Se me ocurrió entonces si sería yo el que le había empujado a tomar conciencia de su desgracia; pero ella nombró a la esposa de un tal teniente Amiani. «Ya sabes quién te digo. El otro día estuvo con vosotros en la terraza de la cafetería.» «¿La Signora Sonia?» Teresa asintió con la cabeza. Estaba frente a mí, con los brazos hacia atrás, agarrándose a la valla. «Es una buena mujer, a su manera. Un poco pesada, a veces.» Dejó la valla y se fue hasta otro de los bancos de madera. El sol le dio de lleno. «Me aburría en mi habitación y se me ocurrió bajar a la cafetería, a tomar un té en la terraza. Y allí estaba esa señora. Vino corriendo hacia mí, y dijo: *"Poverina mia, Teresa!"*. Puso tal cara, le salió tan de dentro, que comprendí de golpe lo que me había pasado. Hasta ese momento yo me había creído como una tonta las palabras de consuelo de Joseba y los demás. La verdad la escogió a ella para revelarse.»

No podía añadir nada a aquella confesión. Teresa se me acercó. «¿Quieres venir a mi habitación?», dijo. Tenía lágrimas en los ojos. Me levanté, y la cogí del brazo.

Teresa abrió la puerta de la habitación número 27. *«Ma tanière!»*, exclamó, cediéndome el paso. «¿Qué quiere decir *tanière*?», le pregunté. No me acordaba de su significado. «La guarida de un animal salvaje. De un lobo, por ejemplo.» Se rió, y cogió el libro de Hermann Hesse que tenía encima de la mesilla para mostrármelo. Era una edición en castellano. El título del libro, *El lobo estepario*, estaba escrito en letras amarillas.

Era una habitación amplia, con dos ventanas. Al otro lado de los cristales, la falda del monte quitaba luz a toda la parte trasera del hotel. Dentro, además de libros, había muchas revistas esparcidas, pero en general imperaba el orden. La cama estaba hecha, y no se veían ropas encima de las sillas.

Teresa se fue hasta la ventana. «¿Ves eso blanco?» «¿Dónde?» «En ese árbol ancho. Arriba no, abajo.» Lo vi. Estaba al pie de la ladera. «Es una diana, ¿no?» «La uso para hacer prácticas con la pistola.» «¿Y los pájaros? ¿No disparas contra ellos?», pregunté. Tal como me había avisado, había un montón de gorriones en aquel lado del hotel. Revoloteaban y daban pequeños saltos en las inmediaciones de los cubos de basura, sin alejarse de la puerta trasera de la cocina. «No tengo nada contra los pájaros —dijo Teresa—. Mi objetivo son ciertos chicos tremendamente huidizos». Riéndose, me empujó para que perdiera el equilibrio y me cayera encima de la cama, pero sin la fuerza suficiente. «Soy una pieza grande, Teresa. No se me abate tan fácilmente», le dije.

Sacó del cajón de la mesilla la pequeña pistola de plata. «Pensé que no funcionaría, pero Gregorio la tenía a punto —dijo—. Ya te lo conté, ¿verdad? Ese criado de mi padre está empeñado en acostarse conmigo. Algunas noches llama a mi puerta. Viene y me pregunta: "¿Quieres un vaso de leche?". ¡Un vaso de leche! ¡A quién se le ocurre!». Se descalzó, y se tumbó en la cama. «Ponte aquí, delante de mí», me dijo, dando pequeños golpes a la manta. «Supongo que me tendré que quitar los zapatos.» Ella asintió. Le señalé la pistola: «Pensaba que tu padre te la regalaría al cumplir dieciocho años, no antes. Es lo que me dijiste el día que estuvimos en el camarote». Me senté a su lado. «Tienes razón, David. Pero luego, cuando la esposa del teniente Amiani me dijo aquello de *poverina mia*, subí a por ella. Quería pegarme un tiro. Los lisiados no podemos ser felices. Nunca podré ser feliz. Como tampoco lo será Adrián.» «¿Sabes qué voy a hacer la próxima vez que subamos ahí arriba? —dije frívolamente—. Te pondré en la cabeza el casco que vimos la otra vez. Por si acaso». Apoyó un pie en mi vientre y me empujó. Cogí su pie. «Tenemos que volver a subir otro día», le dije. «¿Para qué? Esta habitación no es menos secreta. No puede entrar nadie sin mi permiso.» Le acaricié la pierna. «Estoy pensando en escribir un cuento —dije—. Tratará sobre la guerra. No me vendría mal echar un vistazo a las cartas que había en aquella caja». «Pues están ahí, en el armario. El casco no lo bajé, pero los papeles sí. Aunque tampoco los tenía que haber bajado. No pienso volver a leerlos.» «Quieres dedicarte en exclusiva a los libros de Hesse», le dije en tono burlón. «A ti también te gustarán, David.» Ladeó el cuerpo hacia la mesilla. Dejó la pequeña pistola y cogió *El lobo estepario*.

El reloj de la mesilla marcaba las doce y media del mediodía. Era un día gris. El verde de la hierba parecía oscuro. «Va a llover —dijo Teresa, levantándose de la cama—. ¿Quieres que ponga un poco de música?». El aparato estaba en unas baldas que había junto a la puerta, y tenía discos a izquierda y derecha. Era rojo y blanco. «Es de la marca Telefunken, mi padre lo compró en Francia —me informó—. Y este disco también me lo trajo él, después de que se lo pidiera. Se porta muy bien conmigo». De pronto, su voz no era la misma. Ahora sonaba un poco ronca.

El plato del tocadiscos empezó a girar, la aguja se levantó automáticamente de su soporte. Una voz de mujer surgió de los altavoces. La melodía era muy lenta, algo melancólica. «¿Quién es?», pregunté. Teresa permanecía junto al aparato. «Marie Laforêt.» Lanzó la portada del disco a la cama. *La plage*. *La vie s'en va*. Eran los títulos de las dos primeras canciones. Algo sonó al chocar contra el suelo, y levanté la cabeza. «Tenía una moneda en el bolsillo pequeño», dijo Teresa con la voz entrecortada. Estaba desnuda. «Te quiero mucho», dijo. Las tres palabras le robaron todo el aliento. «Ven aquí», le contesté, tumbándome en la cama.

«¡Cuánto más feliz sería si pudiera vivir así!», suspiró Teresa. Estábamos acostados uno junto al otro, ella fumando un cigarrillo, yo hojeando el libro de Hesse y leyendo las frases y los pasajes que ella había subrayado. «¿Sola, quieres decir? ¿Sin familia?» Me esforzaba porque mi voz sonara natural. «Sobre todo lejos de Geneviève y de Martín. Con mi padre me llevo mejor, ya te lo he dicho antes. Ya sé que a ti no te gusta mucho, pero es por sus ojos.» Negué aquello. Ella exhaló el humo del cigarrillo. «Puede que lo de sus ojos se arregle. Nos han dicho que en Francia curan muy bien las conjuntivitis crónicas. El otro día llamó a un hospital de Burdeos y le confirmaron que llevan un par de años haciendo esa operación.»

Los pasajes subrayados del libro de Hesse eran muy dramáticos. Lejos de identificarme con ellos, como Teresa o Adrián, me disgustaban. Me volví hacia la mesilla y dejé el libro entre el cenicero y la pistola. Al tumbarme de nuevo, Teresa se incorporó, y nos besamos. Sus labios sabían a tabaco. «¿Qué tenían que hacer nuestros parientes en Madrid?», le pregunté. «Han ido a hablar con ese boxeador tan famoso. Quieren traerlo para que dé brillo a la inauguración del campo de deportes. Y del monumento, claro.» «¿Te refieres a Uzcudun?» Lo había visto más de una vez en la televisión. Le hacían entrevistas a menudo. «Creo que se llama así. Va a ser una gran celebración.» Se sentó, y apagó el cigarrillo en el cenicero. Por un momento, recuperó el rostro que tenía antes de la enfermedad, como si se hubiera despojado de una máscara. Se echó a reír. «Me estás tomando el pelo, David.

Estás al corriente de todo.» «No sé nada, Teresa. De verdad. Sólo que la inauguración tendrá lugar durante las fiestas del pueblo.» Se puso encima de mí, a cuatro patas. Sus pechos eran redondos. «Vais a participar todos. Tu padre pronunciará el discurso; tú tocarás el acordeón; Geneviève se encargará del banquete que será ofrecido a las autoridades y a toda la gente importante. Y por la noche se celebrarán combates de exhibición aquí mismo, en el mirador, y le pondrán una medalla a Uzcudun. Le van a nombrar hijo predilecto de Obaba.» Con cada afirmación me iba dando besos en la boca; más bien golpes. Acaricié sus pechos. «¿Cómo sabes tanto?» «Todo lo que tiene que ver contigo me interesa.» La abracé. «¿Te quedan fuerzas para hacerlo de nuevo?», me preguntó. «Supongo que sí.» «Esta vez será más fácil.» Me metió la lengua en la oreja.

Teresa cogió el teléfono. «Voy a llamar a Gregorio», dijo. «¿Para qué?» «Son ya las tres. Hay que comer algo. ¿Te gustan los sándwiches vegetales? En la cocina los preparan con salsa rosa. Están buenísimos.» «No quiero que los traiga Gregorio, Teresa.» «No entrará en la habitación, David. Dejará la bandeja al lado de la puerta. Él es un criado.» Sonreía, pero mostraba de nuevo el rostro de después de la enfermedad. Sus ojos de color aceite no expresaban ninguna alegría; al contrario, hacían que la sonrisa pareciera cruel.

Insistí en mi negativa. No quería que aquel chico se acercara a la habitación. No me fiaba. De una manera o de otra, Teresa le daría a conocer lo que había pasado entre nosotros, lo humillaría en mi presencia. «Pues, no sé cómo nos las vamos a arreglar. Ya te he dicho que el otro camarero del hotel se ha marchado a Madrid con su padre.» Se refería a su hermano. Martín ayudaba en el hotel de vez en cuando. «Entonces tendré que ir yo misma», decidió al fin.

Apenas puso los pies en el suelo, frunció los labios y se llevó la mano a la espalda. «Me duele un poco si hago movimientos bruscos. El cuerpo no acaba de acostumbrarse a la cojera, y protesta.» Se quedó como una estatua, con los ojos cerrados, esperando a que remitiera el dolor, y la luz de la ventana resaltó su figura: sus líneas, desde el cuello hasta las rodillas, eran armónicas. Me pregunté si el cuerpo de Virginia sería tan bonito como el que estaba contemplando. Tal vez no. Y, además, Teresa estaba dispuesta —lo había repetido una y otra vez mientras me besaba— a dármelo todo. Por un momento, pensé que podríamos empezar a salir juntos.

Entró en el baño, y unos minutos más tarde salió vestida con unos pantalones vaqueros y una blusa de color esmeralda. «¿Qué tal me sienta esta ropa? La llaman *prêt-à-porter*, y a los franceses les encanta. No a Geneviève, claro. A ella sólo le gusta el estilo clásico.» «Te queda muy bien. Nunca te había visto así de guapa.» Se acercó a darme un beso. «¡Qué bien te estás portando hoy! ¡Estoy asombrada!» La sonrisa le llegó esta vez hasta los ojos de color aceite. Abrió la puerta de la habitación. «Te llamaré desde la cocina para comentarte el menú. Igual hay algo mejor que los sándwiches vegetales.»

«Teresa —le dije, a la vez que me levantaba de la cama—. ¿Me dejas echar un vistazo a esas cartas de tu padre?». Se quedó un momento parada. «¡Ah, sí! —exclamó por fin—. ¡Los papeles de la guerra!». Abrió el armario y sacó la caja de cartón que había visto en el camarote del hotel. «Yo en tu lugar no escribiría cuentos sobre la guerra. Los temas de Hermann Hesse son mucho más interesantes. ¡Y no digamos las canciones de amor! ¿Por qué no escribes canciones de amor? Mira qué bonita es ésta.» Sacó un disco y lo puso en el plato. «*To You, My Love*. Es de un grupo británico. The Hollies —me pareció que pronunciaba bien el inglés—. ¿Los conoces?». Le dije que no. «En cuestión de música estás *demodé*, David.» La canción era un poco triste, pero tenía encanto.

Teresa permaneció junto a la puerta, pensativa, susurrando la letra en inglés, repitiendo el estribillo: *to you, my love, to you, my love.* «La culpa la tengo yo», dijo resignada, en el mismo tono que la canción. «¿Por qué dices eso?» «Estás hecho un lío con esas historias de la guerra. No debía haberte enseñado ese maldito cuaderno de tu padre. Ahora te encuentras completamente descaminado. ¡Un cuento sobre la guerra! ¡A quién se le ocurre!» Se volvió hacia mí y me pegó en la frente con la palma de la mano. Le rodeé la cintura y la saqué al pasillo. «Eso mismo te van a decir en la cocina. ¡A quién se le ocurre comer pasadas las tres de la tarde!» Le di un beso en la mejilla. Ella me empujó hacia la habitación. «No te quedes aquí fuera. No me gusta que nadie me mire por la espalda.» Cerró la puerta. «Te llamaré para informarte del menú», dijo desde el otro lado.

Humberto, Goena el viejo, Goena el joven, Eusebio, Otero, Portaburu, «los maestros», «el americano». Había memorizado la escritura de cada uno de los nombres, y podía representármelos como se representaría un botánico la hoja de la planta más común. Cogí de la caja un sobre en el que ponía: *Antonio Gabirondo, Frente del Jarama,* y saqué la hoja de papel. Al pie de la carta, la firma era bien clara: *Martxel.*

Me sorprendí al leerlo. Costaba aceptar que aquél había sido, «Martxel», el nombre íntimo y familiar de Berlino. Era un diminutivo cariñoso, y parecía destinado a un buen hombre. Encima de la firma, con letras que se inclinaban hacia atrás, estaba la despedida: *«Zuek eutsi or tinko guk eutsiko zioagu emen eta»* —«Vosotros manteneos firmes ahí, que nosotros nos mantendremos firmes aquí»—. Aun sin quererlo, aquellas palabras resonaron dentro de mí con la entonación de Ubanbe y Opin, con el acento de «los campesinos felices», y tampoco aquello era fácil de admitir. Que yo recordara, Berlino hablaba siempre en castellano.

Humberto, Goena el viejo, Goena el joven, «los maestros», «el americano». No había duda, era la misma letra. Aquellos nombres de la lista los había escrito Berlino, Martxel. Y casi seguro que «Otero» se debía también a su mano. En cambio «Eusebio» y «Portaburu» no eran obra suya. Seguramente —la cuestión quedaba ahora mucho más clara— habían sido escritos por su íntimo amigo Ángel.

El alivio que sentí en un primer momento no duró mucho. Berlino parecía el principal responsable, pero Ángel seguía siendo un asesino. No únicamente un ingenuo que, en la confusión de la guerra, se había visto envuelto en una situación comprometida; tampoco un cobarde que las circunstancias habían empujado a hacerse cómplice. No sólo eso, por desgracia.

El teléfono comenzó a sonar con fuerza suficiente como para asustar a los pájaros que se movían alrededor del hotel, y para cuando me di cuenta ya estaba incorporado en la cama y con el auricular en la mano. Con el movimiento hice volcar la caja que me había dado Teresa, y las cartas y el resto de los papeles cayeron al suelo. «¿Qué hay de bueno en la cocina?», pregunté. La persona que estaba al otro lado guardó silencio. «¿Sí?», pregunté. «Quiero hablar con Teresa», dijo Geneviève con mucha cautela, como si le diera miedo hablar. «Soy David. He venido a hacerle una visita a Teresa.» «¡Ah! No te había reconocido», dijo ella. Pero sin relajarse. Se preguntaba sin duda qué hacía yo en la habitación de su hija después de que Teresa se hubiera curado. «No está aquí. Ha bajado a la cocina a comer algo. Yo me he quedado leyendo el libro de Hermann Hesse.» Me senté en el borde de la cama. Tuve la impresión de que Geneviève me veía a través del teléfono, y que su reserva se debía a mi desnudez. Estaba sudando. «¿Querrás darle un encargo? Dile que he llamado desde Pau. Que ya está admitida en el colegio.» «Que ya está admitida», repetí. «Ya sabes. No pudo acabar el curso por culpa de la enfermedad. Pero aquí lo podrá recuperar sin perder un año.» «¿Y no puede ir a las francesas de San Sebastián?» Era el colegio de Teresa. «No. Tendrá que venir aquí.» «No está tan lejos», dije. «Sí, está lejos. La carretera es pésima. Esta mañana nos ha costado llegar casi cuatro horas. Pero no hay otro remedio.» Colgó el teléfono, después de pedirme que no me olvidara de darle la noticia a Teresa.

Teresa pudo por fin controlar su llanto, y recordó en voz alta la frase de Hermann Hesse: «¿Por qué está tan lejos de mí todo cuanto necesito para ser feliz?». Estaba acurrucada a mi lado, con la cabeza metida bajo la sábana. «Odio a Geneviève», dijo. «Odiar a los padres es algo muy normal», dije yo. «¿Tú a quién odias más, a tu padre o a tu madre?», me preguntó. «A mi madre no la odio. Al contrario. ¡Pero a mi padre lo odio con todas mis fuerzas!» Pronuncié la frase con tal vehemencia que ella sacó la cabeza de debajo de la sábana para ver mi cara. «Esta última temporada he estado en casa —continué—, y te aseguro que no exagero. Pienso marcharme a Iruain tan pronto como pueda». Había tomado la decisión mientras hablaba.

La cortina no cubría toda la ventana, y en el trozo de alféizar que quedaba a la vista se posaron dos pájaros; quizás, pensé, los mismos que había visto unas horas antes en la valla del jardín. Se quedaron mirando adentro, al sándwich que había dejado Teresa encima de la mesilla. «No has comido nada», le dije. «Estoy demasiado triste para comer.» «¿Quieres bajar a la cafetería a tomar algo? Te sentará bien salir de aquí.» «¿Conoces Pau?», preguntó ella. Le dije que no. «Yo sí. Las monjas del colegio nos llevaron una vez de excursión. La mitad de las chicas nos mareamos en el autobús.» «Pero es una ciudad bonita, ¿no?» «Lo mejor que tiene son los zapatos. Hacen unos zapatos preciosos. Cuando vaya me compraré veinte pares. Ortopédicos, claro. Zapatos especiales para personas que han sufrido la polio.» «No te compres veinte pares. Cómprate cuarenta», bromeé. «Tú estás contento, ¿verdad, David?» «Sí y no», respondí con prudencia. «Me voy a ir lejos, por eso estás contento.» «No es verdad.» «¿No?» «No.» Los pájaros habían desaparecido de la ventana.

Sin ruidos, sin movimiento, la habitación número 27 del hotel Alaska parecía quedar fuera del mundo. «Pero no te vas a librar, David —dijo Teresa metiéndome su rodilla entre los muslos—. Vendré todos los sábados a buscarte. O si no irás tú a Pau». «En la nueva Velosolex», afirmé. Mi madre le había dicho a Ángel que me comprara una de aquellas motos pequeñas, que no requerían carnet de conducir, para que pudiera ir más cómodamente al tren. «No te van a comprar una Velosolex, sino una moto más grande. Una Guzzi, según creo. De color rojo.» «No sé cómo puedes saber tanto.» «Ya te lo he dicho. Estoy siempre atenta a lo que puedan decir de ti. Así fue como me enteré de que cuentan contigo para que les amenices la fiesta el día de la inauguración del monumento. Y así supe también lo de la Guzzi. La idea se la dio a tu padre la mujer del teniente Amiani, la Signora Sonia.»

Teresa cambió de tono. «David, tienes que prometerme una cosa». «Que iré a visitarte a Pau», le dije. «Me encantaría, ya lo sabes. Pero ahora tengo otra petición.» «Adelante», le dije. Sentía que la habitación número 27 se alejaba cada vez más del mundo, que era una nave espacial en un órbita muy lejana. Me llegaba la respiración de Teresa, y nada más. «Me gustaría que aceptaras tocar el acordeón el día que inauguren el monumento. Hazlo por mí, David. No por mi padre ni por ese tal Uzcudun o como se llame.» «¿Por qué tienes ese capricho?» «Ese día estaré aquí, y te sacaré un montón de fotos. Y luego las pondré en la habitación de la residencia de Pau. Llenaré una pared entera con tus fotos.» «Me estás tomando el pelo.» «No. Hablo en serio. ¿Sabes cuándo me enamoré de ti? —se incorporó en la cama, y me dedicó una sonrisa muy bonita—. La primera vez que tocaste el acordeón en el baile del hotel. Salí al mirador y te vi encima del tablado con un acordeón nacarado. Desde entonces estás en mi corazón». Me quedé callado. «No es un capricho, David. Es algo más profundo.» «Supongo que no puedo negarme.» «No, no puedes». «Está bien. Tocaré en la ceremonia de inauguración, y tú me sacarás fotos.» Me besó. «Ese día te haré muchas cosas. Todos se darán cuenta de lo que hay entre nosotros.» La habitación número 27 surcaba el espacio rumbo a la Tierra. No era un travesía fácil.

Teresa empezó a reírse. «¿Qué te pasa ahora?», le dije, separándome de ella. «¿Sabes qué piensa estudiar Martín? Pues, ¡Imagen! —le costaba continuar. Se partía de risa—. ¿Y sabes por qué ha elegido eso?». «¿Para irse a Madrid?» «No. Porque es una carrera fantasma. No es una carrera de verdad. Por lo visto tienen problemas y no se imparten las clases. Dan aprobados generales. Y lo más gracioso es que Geneviève no se entera. Está encantada con su hijo. Cree que va a hacer una carrera moderna. En serio, parece tonta. Me ha decepcionado.»

Sus palabras se deshacían en el aire. El silencio envolvía el hotel. «¿No te apetece bajar a la cafetería?», le dije. «Sí, pero no puedo ir desnuda. Y yo quiero estar desnuda a tu lado.» Se dio la vuelta hacia la mesilla y cogió un cigarrillo. Antes de encenderlo, retiró la pequeña pistola de encima del libro y puso el cenicero en su lugar.

Miré el reloj. Eran las seis menos cuarto. Geneviève se encontraría en algún punto de la carretera que iba de Pau a Bayona. Berlino, Ángel y Martín no habrían salido todavía de Madrid. «Martín se ha metido en un negocio, no sé si sabes —dijo Teresa—. Conoció a los propietarios de un club y se ha asociado con ellos. Los trajo al hotel hace unos meses. Gente repugnante». Otro pájaro se posó en el alféizar. También éste fijó su mirada en el sándwich que había encima de la mesilla. «Los pájaros están hambrientos», dije. «Deberían fumar, como yo. El tabaco mata el hambre.» Teresa exhaló con fuerza el humo de la boca, y el pájaro de la ventana alzó el vuelo.

Estuvimos unos momentos en silencio. «Dice Joseba que no entiende que te quedes en Obaba.» El comentario me cogió desprevenido. «¿Sabes cómo le llama Adrián a Joseba?», le dije. «No.» «Jefe de personal. Le gusta organizar la vida de la gente.» Teresa ignoró mi comentario. Dejó el cigarro en el cenicero y alcanzó el libro de Hermann Hesse de la mesilla. Empezó a hojearlo. «Serás el único —dijo—. Todos los demás van a ir a estudiar fuera». Así era. Susana y Victoria pensaban estudiar Medicina en la Universidad de Zaragoza; Joseba y Adrián irían a Bilbao, uno a hacerse abogado y el otro ingeniero. «¿Cómo se llama lo que vas a estudiar, David? No me acuerdo del nombre.» Seguía pasando las hojas del libro, en busca de algo.

Yo iba a hacer una nueva carrera que habían programado los jesuitas. Era conocida como ESTE —Estudios Superiores Técnicos de Economía—, y a mi madre le gustaba repetirme que los alumnos que obtuvieran el título serían al mismo tiempo abogados y economistas. Teresa encontró la página que buscaba, y empezó a leer: «No había para él una idea más odiosa y sombría que la de tener un cargo, que la de doblegarse a un tiempo medido, que la de obedecer a otros.

Un despacho, una cancillería, un negociado, le parecían a él más rechazables que la propia muerte...».

El humo del cigarrillo dibujaba líneas onduladas en el techo de la habitación, y el trozo de cielo que no tapaban las cortinas presentaba el mismo color gris que cuando llegué. «¿Pongo un poco de música?», dije. Necesitaba moverme. «David, tú también me has decepcionado un poco. ¿Quieres saber por qué?» «Sí, dímelo.» «Yo pensaba que eras como Harry, el protagonista del libro. Pero ahora no estoy segura. Se te presenta la oportunidad de marcharte de casa para ir a la universidad, y decides no despegarte de las faldas de tu madre. Y para colmo eliges esa carrera. ¿Qué interés puede tener ser abogado y economista? ¿Qué es lo que quieres? ¿Pasarte toda la vida trabajando en un banco?» El tema me resultaba insufrible, me agobiaba. «Es por la Guzzi —le dije—. Me hace una ilusión enorme andar en moto». Me libré de su abrazo, y puse en marcha el tocadiscos. *To you, my love*. Empecé a vestirme. «Deja las ropas donde estaban», me dijo ella. Tenía la pequeña pistola en la mano, y me estaba apuntando. «Ponla mirando para otro lado, por favor», le pedí. «Tiene el seguro puesto. Mira.» Apretó el gatillo, pero no oí ningún ruido. Supuse que una pistola tan pequeña sería silenciosa, que aunque se disparara, la detonación apenas se oiría con la música. «¿Sabes qué se me ocurre, David? Podemos ir por el mundo como *Bonnie and Clyde*. ¿Has visto la película? Yo la vi el otro día con Adrián y Joseba, y te aseguro que me encantó. Es sobre una pareja que se dedica a atracar bancos.»

Fui a la ventana y descorrí las cortinas. Allí estaban el cielo gris, el monte verde, la diana blanca y negra, los gorriones de color pardo a las puertas de la cocina. Como antes, sin cambio alguno. Era inútil, el tiempo no avanzaba. Las ruedas del coche que traía a Geneviève de Pau se habían parado. También las del Mercedes que conducía Ángel.

El tocadiscos se calló. Lo puse nuevamente en marcha. *To you, my love*. Al girar, el disco se llevaba el mundo tras de sí, pero sólo por un momento. Mi reloj señalaba las seis y veinte.

«No me dirás que quedarte toda la vida en este pueblo te parece mejor que hacerte atracador», me dijo Teresa. Se había puesto el cañón de la pistola entre ambos pechos. Me senté en el borde de la cama. «Haré los tres o cuatro primeros años en San Sebastián, y luego me iré a Bilbao. Terminaré la carrera en Deusto.» Deusto pertenecía también a los jesuitas, y era la universidad más valorada por mi tío Juan. Me habría matriculado allí desde el principio si mi madre no me hubiera pedido que hiciera los primeros cursos en San Sebastián. Quería a mi madre, no me parecía bien dejarla sola en Villa Lecuona.

«Si no te convence lo de los atracos, podemos probar alguna otra cosa», me dijo Teresa cogiéndome de la mano. Le quité la pistola y la dejé sobre la mesilla. Ella acabó de apagar el cigarrillo que se consumía en el cenicero. «Podemos viajar por todas las ciudades españolas. Dice mi padre que a los artistas callejeros se les echa más dinero en España que en Francia. Tú tocas el acordeón, y yo bailo.» «¿Y nuestro nombre artístico?» Teresa me rodeó el cuello con sus brazos. «Pirpo y la bailarina coja», dijo. «Pirpo es un nombre bonito», comenté. «Creo que un amigo de ese boxeador, de Uzcudun, se llama así. Se lo he oído a mi padre.» «Veo que hablas mucho con tu padre.» Ella se me puso encima. «David, ¿te has asustado cuando te he apuntado con la pistola?» «No.» «Sí, te has asustado. Y con razón. Sabes perfectamente que soy capaz de vengarme. Como cuando te entregué el cuaderno del gorila. Pero esta vez sería peor. Te dejaría incapacitado.» «¿Incapacitado para qué, si se puede saber?» Pretendía alcanzar de nuevo la pistola, y le sujeté la mano.

«Déjame. Es una idea fantástica. Así seré tu única mujer.» Riéndose, quiso alargar la otra mano hacia la mesilla.

El cajón de la mesilla tenía una llave, y encerré allí la pistola. Por un momento, me quedé indeciso, no sabiendo qué hacer con la llave. «No tienes bolsillos. Es un problema», dijo Teresa riendo con más fuerza. Abrí la ventana y la lancé fuera. Cinco o seis gorriones echaron a volar. «Ven, David.» Teresa estaba tendida en la cama con las piernas abiertas. «Si quieres pegarme, hazlo», dijo. «¿Cuándo vamos a salir a tomar un poco el aire?», le pregunté, poniéndome a su lado. «Espera un poco. Si quieres, dentro de un rato podemos ir a hacer prácticas con la pistola.» «No podemos sacarla del cajón.» «Tengo otra llave. Soy una chica muy precavida —me dio un beso, demasiado húmedo, desagradable—. Soy una chica muy mala. Deberías pegarme», me dijo. Olía a sudor. Y a tabaco. «Te voy a aplastar», le dije. Ella me lamió la cara.

El pájaro cayó muerto junto a la diana. Quise volver al instante anterior al disparo; pero la bala no retrocedió, mi dedo siguió apretando el gatillo. «¡Qué he hecho yo ahora!», grité. Teresa se agachó ante el pájaro. «Aún tiene los ojitos abiertos. Tendrás que rematarlo», me dijo. No me moví. «Mira, mira cómo los abre —insistió—. Pronto, David. Más vale morir que estar sufriendo». No acertaba a decir nada, estaba empapado de sudor. «No pesa nada —dijo ella, con el pájaro en la palma de la mano—. Tiene el cuerpo tibio». Avanzó un paso hacia mí: «Cógelo. Termina lo que has empezado».

De repente, lo arrojó contra mí como si fuera una piedra. Sentí el golpe en el pecho. «¡Estate quieta!», le grité. Hice ademán de tirar la pistola. «¡No, no la tires! Recuerda que lo tienes que rematar.» Teresa se estaba riendo. «¿Qué dices? ¡Si está muerto!» Lo miré mejor: la diminuta cabeza del pájaro caía hacia un lado; su ojo era un frunce. Arrojé la pistola al pie de un árbol. Teresa fue a recogerla.

Regresó malhumorada, examinando la pistola. «No sé por qué te pones así. En un solo día los niños de Obaba matan veinte pájaros como éste con sus escopetas de balín.» «Pero ¿cómo puede ser?» No me cabía en la cabeza lo que había pasado. «¿Cómo quieres que sea? —repuso Teresa, perdiendo la paciencia—. Tú has disparado a la diana, pero no es tan fácil acertar. Y ese pájaro tonto se ha puesto delante. No ha sido culpa tuya». A mí me parecía que sí. Que hacía tiempo que debía estar en casa. Serían cerca de las ocho. Geneviève tardaría todavía un par de horas en llegar, como mínimo. Berlino, Martín y mi padre mucho más. El gris del cielo era ahora más oscuro.

Teresa dejó el pájaro en un cubo de basura. Al volver, sus ojos de color aceite estaban empañados. «Ha sido nuestra primera discusión, David. Hemos empezado muy pronto. El mismo día que hemos hecho el amor por primera vez.» Se dirigió nuevamente al cubo de basura. «¿Qué vas a hacer?», le pregunté. Pero ya lo sabía, iba a recuperar el pájaro muerto. «Buscaré un paño bonito, y lo enterraré envuelto en él. No sé cómo se me ha ocurrido tirarlo a ese cubo asqueroso. He sido muy cruel —lo acariciaba con la mano—. ¿Sabes? A mí me espera la misma suerte que a este pájaro. Te escribiré desde Pau, y tú echarás mis cartas a la basura». «Pensaba que preferías identificarte con el lobo de Hermann Hesse», observé. No estaba dispuesto a que me mareara con sus cambios de humor.

De una de las ventanas del piso de arriba empezó a salir una música. «Es nuestra canción», dijo Teresa. Presté atención. *To you, my love*. Tenía razón. Su tocadiscos estaba de nuevo en marcha. «¿Quién anda en tu habitación?» Me vino a la cabeza Geneviève, pero no podía ser. Aun cuando hubiera estado en la habitación de su hija, no habría puesto la música de los Hollies. «Es ese perro —dijo Teresa con desprecio—. Habrá andado husmeando entre las sábanas». «¿Gregorio?» «Sospechaba que se había hecho con una llave de mi habitación. Ahora no me cabe duda.»

Me fijé en un muchacho que atravesaba el aparcamiento a todo correr. «¡Sebastián!», le llamé. No me habría alegrado más de haberse tratado del mismo Lubis. *Ire bila nitxabilen, David* —«Te estaba buscando, David»—, dijo él acercándose. «¿Qué ha ocurrido?», le pregunté. «Que ya está la moto. Me lo ha dicho tu madre. Y que vayas corriendo a casa, que el mecánico te explicará cómo funciona.» Respiré aliviado. Sebastián miró a Teresa. «¿Qué tienes en esa mano?», le preguntó. «Un pájaro muerto.» «Ahí no, en la otra.» «Una preciosa pistola. ¿Te apetece probarla?» Teresa le ofreció el arma y él la cogió con decisión. «¡Qué birria! ¡Prefiero mil veces una escopeta de cartuchos», exclamó devolviéndosela.

Teresa y yo nos dimos el beso de despedida. «Ha sido el día más feliz de mi vida», dijo. «Me alegro.» «Más te alegras de que me vaya a Pau.» «Eso no es verdad —protesté—. Además, todavía no te vas a ir». «¿Que no? Tú no conoces a Geneviève. Mañana dormiré en la residencia, seguro.» Sebastián me indicó con una señal que me esperaría en el aparcamiento. «Cumplirás tu promesa, ¿verdad?», dijo Teresa. «El día 16 tocaré el acordeón, y tú me harás las fotos», le aseguré. «Ese día volveremos a estar juntos —me tendió la mano—. Hasta entonces», añadió, echando a andar hacia el hotel. «¿Vas a escribirme?» «No, David.» «¿No?» «Nunca me contestas. Y si alguna vez te da por hacerlo, mientes. Después de lo que ha pasado hoy, no me sentaría muy bien.» No se me ocurrió ninguna respuesta. «Deja el pájaro antes de entrar», le advertí, viendo que todavía lo sostenía en la mano.

«Quiero regalárselo a Gregorio», dijo ella, siguiendo hacia el hotel.

Sebastián miraba con atención un coche del aparcamiento. «¿Ves algo?», pregunté. «No mucho, pero quiero ser mecánico y hay que aprender.» «¿Mecánico? ¿De verdad?» «¡No querrás que sea pastor, como mi padre! ¡Yo no quiero pasarme la vida en esos montes de Navarra!» Nos montamos los dos en mi bicicleta, él atrás, con los pies apoyados en las mariposas, y salimos cuesta abajo. «No sabes qué moto tan bonita. De color rojo. Tienes que dejarme dar una vuelta», me dijo a gritos. «¿Sabes andar?» «¡Cómo no voy a saber! Es mucho más fácil que montar a caballo.» Le prometí que le dejaría. Por fin se estaba haciendo de noche. En las pocas casas que había junto a la carretera las luces estaban encendidas.

XIV

A finales de agosto comenzó a llover, y los montes y bosques que rodeaban Iruain quedaron ocultos detrás de la niebla. Más cerca de la casa, los árboles solitarios tenían las hojas mojadas y pesadas, y parecían dibujos, recortes pegados. Más cerca todavía, Faraón, Ava y los demás caballos comían hierba con parsimonia. Y la hierba era muy verde; y el camino del valle, lleno de barro, amarillo; el tejado de la casa de Lubis, rojo, rojo oscuro. Y el cielo, blanquecino, como la niebla.

Pasaba horas y horas sin salir de casa, mirando a la lluvia y ensayando con el acordeón. No me apetecía hacerlo, o peor aún, me fastidiaba tener que colaborar en la fiesta de inauguración del campo de deportes; pero me sentía obligado a ello por la promesa que le había hecho a Teresa. «Tu participación ha sido la mejor noticia que hemos tenido en mucho tiempo», me había dicho Martín con una solemnidad que no hubiera imaginado en él. Me hablaba, según dijo, en nombre de Berlino y de Geneviève. Luego me entregó una nota de mi padre: la lista de las piezas que tendría que interpretar.

El tío Juan me miraba con disgusto cada vez que me veía con el acordeón. Una tarde, me puse a ensayar el himno español en la cocina, y él ya no pudo aguantar más: «¡No quiero oír esa música en esta casa!». Me apuré mucho. «Tengo que tocarla en la inauguración, tío. Y todavía no me sale bien», intenté justificarme. «¿Y por qué tienes que tocar delante de esos fascistas?» «Lo prometí, tío, y no me puedo echar atrás.» «¿Y en qué pensabas al prometer semejante cosa?» Estaba furioso. Se marchó dando un portazo.

Durante los días siguientes no me arrimé al acordeón, y la mayor parte del tiempo se me fue de vacío, sin hacer nada, tumbado en la cama o sentado ante la ventana de la cocina. A veces me obligaba a coger un libro a fin de leer algo, un poema de Lizardi o una de las cien narraciones policíacas; pero perdía pronto la concentración y dejaba que mis ojos mirasen por la ventana, hacia la niebla, hacia la lluvia. El gorila del cuaderno volvía entonces a hacerse presente, y yo comprendía, con más claridad que nunca, lo que expresaba su mirada. No lo que pensé en un principio: «¿Crees que tu padre fue un asesino?». No una pregunta como aquélla, sino una aseveración: «David, ya es hora de que lo aceptes. Tu padre intervino directamente en la muerte de esa gente. Sobre todo en la de Portaburu y Eusebio». Aquel pensamiento me quitaba el aire, y tenía que salir de casa a caminar bajo la lluvia. Luego me acostaba. Y en la cama, tratando de tranquilizarme, buscaba en el recuerdo la imagen de Virginia. «Algún día se repetirá nuestro paseo entre los castillos de tablas —pensaba—. Ese día seré feliz».

Transcurrían los últimos días de agosto. Casi siempre me veía solo, porque Juan se pasaba la mayor parte del tiempo fuera, en Biarritz o en San Sebastián, y porque Lubis se veía obligado a trabajar el doble a causa del trastorno que, como siempre que se acercaban las fiestas, sufría su hermano Pancho. Recaían ahora en él tanto la tarea de cuidar los caballos, como la de coger a Moro y subir al bosque con la comida para los leñadores. No tenía tiempo de venir a verme y charlar un rato.

Vi una mañana, desde la ventana de la cocina, que los dos hermanos gemelos de Sebastián jugaban con lo que parecía una gran piedra, más allá del cercado de los caballos. Pensé que la piedra era muy blanca, y que los dos niños la desplazaban con mucha facilidad, pero no le di mayor importancia. Tampoco me hizo recapacitar el empeño que ponían en aquel juego a pesar de la lluvia. Al fin y al cabo, eran niños atrevidos, que vivían según leyes antiguas. Temerosos del trueno, tal vez; pero no de la lluvia.

Al mediodía Juan entró en la casa a cambiarse de ropa tras un paseo con Faraón. Estaba lavándose las manos en el fregadero cuando levantó la vista y exclamó: «¡Qué están haciendo esos niños! ¡Qué tienen en las manos!». Pero ya lo sabía, lo comprendió en cuanto abrió la boca. Farfulló algo que no entendí, y salió fuera.

Se dirigió hacia el pabellón, llamando a Lubis. «No está aquí, tío. Ha tenido que ir a la serrería», le dije, corriendo tras él. Se encaminó entonces hacia el puente, y entró en el cercado de los caballos. Yo le seguí. «¡Ahora no, Faraón!», gritó a su caballo, que se estaba acercando. «¿Adónde dices que ha ido Lubis?», me preguntó con el ceño fruncido. «Le toca hacer el trabajo de su hermano. Está en el bosque, repartiendo la comida entre la gente de la serrería.» «Ese

Pancho está cada vez más vago. ¡Va a acabar por hartarnos a todos!», contestó levantando la voz. En cuanto nos avistaron, los gemelos huyeron corriendo.

Lo que yo había tomado por una piedra blanca era el cráneo de un caballo. Se encontraba junto a una estaca, y tenía las cuencas de los ojos taponadas con barro. Unos cinco metros más allá, en medio de un rectángulo de cal, asomaba una hilera de costillas. Había además una especie de terrones esparcidos alrededor del rectángulo, sobre la hierba mojada. «¡Qué porquería!», exclamó el tío con asco. «¿Qué es esto?», pregunté. «¡Que te lo digan esos de ahí arriba!», me contestó. Dos cuervos volaban hacia la niebla.

El tío recogió el cráneo con cuidado, y lo colocó a continuación del costillar, dentro del rectángulo de cal. «Era un caballo estupendo. Se llamaba Paul —guardó silencio, concentrado, como si rezara—. Lo mató un cazador. Estaría de mal genio por no haber podido cazar nada en el bosque, y decidió desquitarse. Vio a Paul comiendo hierba, y le pegó un tiro. Caza mayor».

Empezó a bajar a grandes zancadas, siguiendo la valla. «Hay que avisar a Lubis. Y a Ubanbe. Tendremos que enterrar el caballo por segunda vez.» Pasamos por delante de Ava, Blaky, Zizpa y Mizpa. Separado del grupo, Faraón pacía solo, a unos metros de distancia. «Era árabe, igual que Faraón —añadió el tío Juan. Caminaba cada vez más deprisa—. Valía cinco mil dólares en aquella época. Y lo dejaron seco de un tiro». «¿De dónde era el cazador? ¿De Obaba?» Nos quedaban unos pocos metros para llegar al camino, y no me contestó hasta haberlos recorrido: «No es seguro que fuera un cazador. Algunos dijeron que fue la guardia civil. Que andaban patrullando en busca de un ladrón y que, como hacía un tiempo como el de hoy, lo confundieron con Paul. Pero no sacamos nada en claro. Si yo hubiese estado aquí, el asunto no habría quedado así».

No lo ponía en duda. Él era una persona enérgica. No había más que ver las huellas que iban dejando sus pies en el barro. «¿No sabías nada?» Le dije que era la primera vez que oía hablar del caballo muerto. «¿No te lo ha contado Lubis?» Insistí en que no. «¿Y Ubanbe o Pancho tampoco?» Negué por tercera vez. «Tus preguntas siempre me pillan por sorpresa, tío», le dije. Empezaba a darme rabia. «¡Vives en la inopia, David!», exclamó él.

El perrillo de la casa de Lubis salió al camino y se quedó mirándonos moviendo la cola. Como hacía con los caballos, el tío solía dar azucarillos a todos los perros del barrio; «para que no me ladren, no porque les tenga cariño», según decía. «Hoy vengo con los bolsillos vacíos. He salido corriendo de casa», dijo al perrillo. Dio unos pasos hacia la puerta de la casa y se detuvo de golpe. «Hubo también otra versión —me dijo entonces—. Se rumoreó que fue Ángel el que disparó contra Paul». «¿Mi padre?», pregunté.

El perrillo se quedó sentado a nuestro lado, como si quisiera participar en la conversación. «Me enteré de lo ocurrido por medio de él —continuó el tío, bajando la voz—. Me llamó a Stoneham completamente fuera de sí. "¿Por qué te pones así?", le dije. "Si tú te pones así, ¿cómo debería ponerme yo? Ese caballo valía cinco mil dólares." Al final sacó fuerzas para contarme lo que le pasaba. Le habían calumniado, y le atribuían a él la muerte del caballo. La cosa quedó así. Luego, al volver de América, Lubis me contó lo demás».

Al oír el nombre de Lubis, el perrillo se fue hasta el camino, esperando que apareciera su amo. Pero no venía nadie. «Corrió el rumor de que Ángel había venido a Iruain con una mujer —prosiguió Juan—, y que debió de pasar algo con el caballo. Vete tú a saber. En cualquier caso, estaba hecho una furia. Y no era de extrañar, porque el rumor era muy grave. Al final, lo pagó Lubis». «¿Lubis? ¿Por qué Lubis?

¡No entiendo nada, tío!» De nuevo, el perrillo se movió nervioso. «Ángel supuso que la calumnia había partido de él. ¡Fíjate qué disparate! Pero, ya sabes…, mejor dicho, seguramente no sabrás, puesto que vives en la inopia, que Ángel y la familia de Lubis siempre se han llevado muy mal. Bueno, la cuestión es que Ángel le dio una paliza tremenda.»

El tío se puso de nuevo en marcha, y el perrillo se alzó implorante sobre sus patas traseras. «¡Que no tengo azucarillos!», le dijo el tío apartándolo con la mano. «Si quieres mi opinión —continuó—, Ángel no tuvo nada que ver con la muerte del caballo, y el asunto de la mujer tampoco fue verdad. Pero es lo que les pasa a los políticos que colaboran con la dictadura. La gente aprovecha cualquier oportunidad para echarles mierda encima. Y, ya que ha salido el tema, te voy a decir algo muy en serio —me señaló con el dedo—. A ti te ocurrirá lo mismo si tocas el himno español en la inauguración. ¡Quedarás marcado para siempre, no te quepa duda!». Llamó con los nudillos a la puerta. *«Etxean al zaude, Beatriz?»* —«¿Estás en casa, Beatriz?»—, dijo.

La madre de Lubis y Pancho, Beatriz, era una mujer menuda de unos setenta años. Sus ojos, grandes y tranquilos como los de Lubis, estuvieron fijos en Juan mientras éste le explicaba lo que acabábamos de ver.

«Tú sabes, Juan, que yo era ya una mujer mayor cuando vi nacer a mis hijos —le dijo luego al tío, mientras preparaba el café—. Estaba muy asustada, y don Hipólito, el párroco, siempre me hablaba de Sara, de que ella tenía más años que yo cuando tuvo a Isaac; noventa, si mal no recuerdo. Y nació Lubis, y al momento me di cuenta de que todo había ido bien. Pero luego vino Pancho, y, qué voy a decir yo, una madre no debería decir estas cosas, pero mejor que no hubiera venido. Últimamente anda muy alterado, ni siquiera aparece en casa. Y Lubis tiene que cargar con todo. Por eso ha subido donde los leñadores». «Tampoco es que tenga tanta prisa, Beatriz, pero conviene enterrar cuanto antes los restos del caballo», dijo el tío. «Desde luego, cuanto antes mejor —asintió ella—. No te preocupes, Juan. En cuanto vuelva, le diré a Lubis que llame a Ubanbe y que empiecen a cavar».

Puso sobre la mesa unas tacitas verdes de canto dorado y nos sirvió el café que había calentado en el puchero. El olor de la achicoria era más fuerte que el del café. «¿Cuántos azucarillos queréis?», preguntó. Pusimos dos en cada taza, y el tío Juan se guardó otro en el bolsillo. «No sé si convencerás a Ubanbe, Beatriz. También anda bastante trastornado. Con eso de que viene Uzcudun, habrá combates de boxeo durante las fiestas, y la gente joven quiere que Ubanbe haga una prueba.» Beatriz se sentó delante de nosotros. «¿Qué piensa hacer Ubanbe? ¿Pelear?», preguntó. «Así es. Con un boxeador profesional. Dicen que se está entrenando.» «Pues que se entrene también con la azada», dijo Beatriz.

Estábamos de pie en la cocina, dispuestos a marcharnos. «Así que Paul se ha salido de su tumba», suspiró Beatriz mirando por la ventana hacia lo alto del cercado. «Lo peor es que están todos los restos desperdigados», dijo Juan. «Creo que la cabeza no me rige bien —volvió a suspirar Beatriz—. Veía revolotear a los cuervos, pero no caí en la cuenta. ¡Como si a los cuervos los atrajera la hierba!». «A mí me ha pasado lo mismo. Me había fijado en los cuervos, pero sin hacer caso.» La mujer nos acompañó a la puerta. «Lo que pasa es que Eusebio era ya viejo cuando ocurrió lo del caballo —explicó—. Seguramente no cavó lo suficiente. O acaso echó menos cal viva de la que hacía falta». «Eusebio hizo bien su trabajo —repuso el tío—. Aquí llueve mucho, y el suelo se pone muy blando. Y además el bosque está muy cerca. Puede haber sido alguna alimaña que ha andado hozando por ahí.

Quizás un jabalí». «Para mí que han sido perros, Juan.» «Tienes razón.» El tío abrió la puerta. «Parece que quiere escampar», dijo.

Salimos fuera y Beatriz me dirigió una sonrisa. «Has estado muy callado, David.» Le contesté como buenamente pude, con algún comentario banal. Estaba pensando en la frase que acababa de oír en la cocina: *Lo que pasa es que Eusebio era ya viejo cuando ocurrió lo del caballo.*

En lugares como Obaba, en los que el vínculo entre generaciones se mantenía a través de los nombres —una persona fallecida podía dejar tras de sí varios ahijados que portaban su mismo nombre—, lo normal era que alguien llamado «Eusebio» fuera, en mayor o menor grado, pariente de todos los que se llamaran igual. No me cupo duda: el antiguo dueño de aquella casa, el marido de Beatriz, el padre de Lubis, tenía que estar emparentado con el Eusebio que figuraba en la lista del cuaderno del gorila. Incluso podía ser la misma persona.

Beatriz me habló con cariño: «No sabes qué alegría me da que Lubis y tú os llevéis tan bien. Porque mi hijo tiene educación, aunque sea campesino. Está más a gusto contigo que con Ubanbe y todos esos escandalosos». «Estaba pensando una cosa, Beatriz —nos interrumpió el tío, acercándose a nosotros—. Hablaré con el gerente de la serrería. Le pediré que mañana les dé el día libre a Ubanbe y a ese otro chico, a Opin. Entre todos acabaremos antes».

Cuando partimos hacia Iruain, el perrillo nos siguió. «¡A ver si lo coges!» El tío Juan lanzó al aire el azucarillo que llevaba en el bolsillo. «¡Menudo artista estás hecho!», exclamó, cuando el perrillo lo engulló tras un certero salto.

Seguí los pasos del enterramiento del caballo desde el banco de piedra de Iruain: Lubis, Opin y el propio tío echaban tierra con las palas; Ubanbe aplastaba aquella tierra con la palanca de hierro; Pancho y Sebastián transportaban algo que parecía arena en una cesta que llamábamos *kopa*. Cuando acabaron, el grupo entero bajó al río a lavarse. Luego, con el tío a la cabeza, se dirigieron todos hacia la casa de Adela, riéndose, satisfechos por la labor realizada y porque les aguardaba una buena comida. Yo les saludé con la mano y permanecí en el banco de piedra.

Lubis vino a preguntarme cómo me encontraba, si no me bajaba la fiebre. Había puesto aquella excusa para no sumarme al grupo, y realmente me sentía así, enfermo. «¿Quieres que llame al médico, David?», me dijo. No, no quería. No hacía falta.

El médico. Recordé que la primera noticia de los fusilados me la había proporcionado su hija, Susana. De pronto, aquel nombre me resultó completamente extraño. Susana, Joseba, Adrián, Victoria, César, Redin. Me parecían personas de otra época.

«Lo mejor que puedes hacer es meterte en la cama», me dijo Lubis. «Eso pensaba», respondí. Entramos en casa. «Ubanbe me ha dicho que lleve el acordeón, que él también sabe tocar. Pero le diré que se me ha olvidado. Creo que este instrumento no fue hecho para sus manazas.» El acordeón descansaba sobre la mesa de la cocina. «Como quieras, Lubis.» No podía mirarle directamente a la cara.

Cuando subí a mi habitación, retiré la trampilla del escondrijo y cogí el sombrero J. B. Hotson. Ya en la cama, me lo puse sobre la cara, y me quedé dormido.

Cuando desperté, Juan estaba sentado a mi lado. Tenía el sombrero en sus manos. «Veo que te ha dado por hacer cosas raras», dijo. No estaba enfadado, pero frunció la frente como si lo estuviera. «Entraba mucha luz por la ventana, y me lo he puesto para taparme los ojos», me defendí. «No te lo digo por el sombrero, sino por no haber ido a la comida.» «No me sentía bien.» «Tampoco mal. No parece que tengas fiebre.»

Se levantó, y fue hasta la ventana. «Lo hemos pasado muy bien —dijo—. Ubanbe nos ha hecho una exhibición después de la quinta botella de vino. Le ha pegado a Tony García unos puñetazos impresionantes. Lástima que Tony García sólo estuviera en espíritu en la cocina de Adela». El tío se reía para sus adentros. También él se había excedido con el alcohol. «¿Quién es Tony García?», pregunté. «El campeón de España de pesos medios. Ya sabes que van a hacerle un homenaje a Uzcudun aprovechando que viene a inaugurar el monumento. Habrá cuatro combates, y al final saldrá Ubanbe a "hacer guantes con García".» El tío imitó el acento de Ubanbe: *a hazer goantesh con Gartzia*.

Miré por la ventana. El grupo que se había encargado del enterramiento de Paul se encontraba ahora en un prado próximo al pabellón, en un ángulo de la valla. Todos, a excepción de Lubis, estaban sin camisa. Al otro lado del riachuelo, los caballos seguían pastando, y únicamente el burro Moro parecía interesado en lo que estaba ocurriendo alrededor. Tenía la cabeza ladeada y miraba al grupo.

Ubanbe y Opin se pusieron a pelear imitando las maneras de los boxeadores, pero vino Sebastián provisto de dos pares de guantes y les hizo parar. «¡Qué raro que a Sebastián se le haya ocurrido algo así!», exclamó el tío. Eran guantes traídos de América, sin dedos y acolchados. «Si usara la cabeza para algo de provecho se haría rico.» Ubanbe y Opin reanudaron el combate. En algunos momentos, parecían auténticos boxeadores. «Si consigue darle a Tony García un solo puñetazo lo dejará KO. ¡Qué fortaleza la de nuestro Ubanbe!»

Sacó un papelito del bolsillo de su camisa. «Antes de que se me olvide. Me lo ha dado el médico para ti.» En el papel había una lista. «Según creo, le pediste a su hija los nombres de las personas que fueron fusiladas en Obaba.» «Estuve hablando con ella en el restaurante, y le comenté algo», respondí. La sensación de lejanía fue más poderosa que nunca. Parecía, ciertamente, una conversación del pasado.

Leí los nombres de la lista: Bernardino, Mauricio, Humberto, Goena *el viejo*, Goena *el joven*, Otero, Portaburu. «Los dos primeros eran maestros. Los demás, campesinos», me informó el tío Juan. Iba leyendo conmigo, comentando los nombres. «¿Y Eusebio? ¿Por qué no aparece aquí? Yo pensaba que lo habían fusilado», dije. La pregunta le produjo sorpresa. «¿Qué te ha dicho Lubis?» «Lubis, nada. Lo supe a través de Teresa.» «Pues, si quieres saberlo, no lograron matar a Eusebio. Huyó antes de que lo cogieran. Primero estuvo aquí, en el escondrijo, y luego cruzó a Francia por el monte.» «No sabía que el padre de Lubis se hubiese salvado», aventuré. «Pues sí. Se salvó —dijo Juan—. Igual que más tarde el americano». Ya tenía la confirmación. El Eusebio de la lista y el padre de Lubis eran la misma persona.

El cuaderno del gorila se encontraba en una balda de la habitación y se me pasó por la cabeza enseñárselo a mi tío; pero no me moví. «¿Quién es esa Teresa que te habló de Eusebio?» «La chica del hotel.» «¿La hija de Berlino, la que ha estado enferma?» Arrugó la frente. «Ahora está en Pau. Sus padres la han mandado allí.» No sabía qué decir. El tío fue hasta la ventana y miró en dirección al pueblo. «Si has hablado con esa chica, sabes todo lo que hay que saber —dijo sin volverse. Alargó la mano en la misma dirección que su mirada—. Dentro de unos días van a inaugurar ese monumento ahí, en el centro de Obaba, y luego le ofrecerán un banquete a Uzcudun. Y todos juntos posarán para una fotografía que al día siguiente se publicará en los periódicos. Y todos lucirán traje y corbata, como auténticos caballeros. Ahora bien, escucha lo que te voy a decir: esa fotografía estará llena de criminales. Ese tal coronel Degrela: un asesino. Berlino: otro asesino. Y lo mismo todos los demás, o casi todos. Unos fascistas, perdona que te lo diga». El tío cruzó los brazos. Aguardaba mi pregunta. «¿Ángel también, quieres decir?», me atreví. Él me contestó con aspereza: «Que anduvo con los fascistas, eso lo sabe cualquiera. Carmen dice que ya antes de la guerra era amigo de Berlino y de sus hermanos, y que por eso se metió en política. Pero que lo suyo no fue como lo de Berlino. Por lo visto, le faltaba convicción». «Y tú, ¿qué opinas?» «Carmen ha mentido muy pocas veces en su vida.» «Pues yo estoy convencido de que quiso matar a Eusebio. Y también a Portaburu.»

Cogí el cuaderno del gorila de la balda y lo puse en sus manos. «Es la lista de la gente que había que matar en Obaba», dije. Él la leyó lentamente, deteniéndose en cada uno de los nombres. «¿De dónde has sacado esto?», me preguntó. «De un camarote del hotel. A mí me parece que el nombre de Eusebio y el de Portaburu los escribió mi padre.» Releyó la lista. «En cualquier caso, no creo que Ángel participara en las ejecuciones. A Portaburu, por ejemplo, lo pillaron en las calles de San Sebastián y murió a manos de un grupo de pistoleros.» Pero él también dudaba. El cuaderno le había sorprendido. «Puede que no participara directamente, pero se rodeó de asesinos. Eso es innegable», le dije. «Sí, eso es innegable —respondió—. ¡Pero se podría afirmar lo mismo de tanta gente! Ya te he dicho que algunos *caballeros* que van a venir a la fiesta de Uzcudun son auténticos criminales».

Me agarró del brazo. «¡No debes aparecer en la inauguración del monumento, David! —de repente, me estaba dando una orden—. Repito lo que te dije: ¡si tocas el himno español en la inauguración quedarás marcado para siempre! Además, esa gente no tiene futuro. El mismo día de la inauguración van a tener problemas. Les van a boicotear». «Pero me va a ser difícil no tocar, tío. Vendrán a buscarme. Ya lo verás», dije. «No. No lo veré. Mañana mismo salgo para América. Ya le he avisado a tu madre que este año no nos reuniremos para el banquete de fiestas. Tu madre querría que la familia estuviera por encima de la política, pero a veces no es posible.»

Cogí el cuaderno del gorila, y lo devolví a su balda. «Pues, si no estás tú, no sé cómo me las voy a arreglar», dije. «Te metes en el escondrijo el 15 al mediodía y sales veinticuatro horas más tarde. La celebración habrá acabado para entonces.» «Dicho así parece fácil.» «No es fácil, David. Se te va a hacer muy duro encerrarte a oscuras durante veinticuatro horas. Mejor si te vas acostumbrando poco a poco.»

Cuando salí hacia el pabellón estaba anocheciendo, y todos los que habían ayudado en el segundo enterramiento de Paul estaban sentados en el suelo, la mayoría de ellos fumando cigarrillos. Discutían quién habría vencido el combate, si Cassius Clay o Uzcudun, de haber coincidido los dos boxeadores en la misma época. Decía Ubanbe: «Tened en cuenta que a Uzcudun y compañía les metían en la cama tres o cuatro mujeres la víspera del combate, y claro, como eran tan cerdos como nosotros, pues follaban hasta caer rendidos, y al día siguiente se subían al ring y no tenían fuerza ni para darle a un saco. En cambio ahora los boxeadores van bien preparados, y no se puede comparar...». Ubanbe interrumpió su explicación al percatarse de mi presencia. «¿No has dormido bastante, David? —preguntó—. ¡Traes cara de atontado!». Todos se echaron a reír, y Pancho siguió chillando durante un rato, imitando el relincho de los caballos. «Se ha emborrachado en la comida que nos ha pagado tu tío. Se cree que es un caballo», me informó Ubanbe. Opin le dio un golpe en la espalda a Pancho. «Tendríamos que sacarle a éste a luchar contra Tony García. A patadas le ganaría fácil», dijo. Se me acercó Lubis: «Me voy a casa. Estoy cansado de oírles». «Te acompaño», me ofrecí. «¡Adiós, don Dormido!», dijo Ubanbe, y todos volvieron a reírse a carcajadas.

«¿Vas a ir mañana al bosque, Lubis?», le pregunté cuando pasábamos por delante del cercado. «Qué remedio. Ya ves a mi hermano. Está completamente trastornado. Dice que van a ser las mejores fiestas que ha habido nunca en Obaba, y no piensa en otra cosa.» «¿Podemos ir juntos?» «Claro que sí. Pasaré por casa de Adela a las nueve, a recoger la comida, y para el mediodía estaremos de vuelta. Ahora hay sólo tres grupos trabajando en el bosque.» «Bien. Así llegaremos a tiempo para despedirnos de Juan. Ya sabes que se marcha a América sin esperar a Uzcudun.» «Ya me lo ha dicho, sí.» Me sentí aliviado al comprobar que era capaz de hablarle.

XV

Recogimos la comida que había preparado Adela y emprendimos el camino hacia el monte a las nueve en punto de la mañana. A diferencia de cuando íbamos a pasear con Ava y Faraón, subimos casi en línea recta, sin dar rodeos ni buscar laderas suaves, intentando coger altura lo más pronto posible. Nos encontramos, así, con zonas de bosque cerrado en las que no penetraba la luz, y con pendientes resbaladizas a causa de la humedad; pero sin dejar de tirar de Moro, que no conocía bien aquella ruta y se resistía, avanzamos paso a paso, sin decirnos una palabra, concentrando todos nuestros esfuerzos en superar las dificultades, y sólo nos detuvimos cuando llegamos a la primera de las cabañas.

«¿Por qué no habéis venido por la pista de los ciempiés?», nos preguntó uno de los leñadores de la serrería. Los *ciempiés* eran los camiones de montaña que transportaban los troncos. «Hoy no venimos del pueblo —le explicó Lubis—. Venimos de Iruain, y la comida la ha preparado Adela, la mujer del pastor». El leñador tenía el pelo rizado, y al sonreír parecía que los labios también se le rizaban. Se fijó en mí. «Lubis, mira cómo ha llegado este amigo tuyo. No hace más que sudar.» Era verdad. Tenía el cuello de la camisa empapado. «No me vendrá mal —respondí—. Dicen que con el sudor se eliminan toxinas». El hombre agarró un hacha que estaba encima de un tronco abatido y me la ofreció: «Si quieres sudar, ponte a trabajar con nosotros». La hoja de la herramienta recogió como un espejo la luz de la mañana.

Lubis sacó una cazuela de la cesta de Moro. El leñador levantó la tapa para ver lo que contenía. «Carne cocida con tomate. No es pollo asado, pero lo comeremos igual», dijo. Estaba de buen humor, volvía a sonreír. De pronto, lanzó el hacha como si fuera un machete, y la hincó en un árbol que se encontraba a unos cinco metros de distancia.

«¿Qué se dice por ahí abajo del leñador?», me preguntó. No le entendí. «¿Qué leñador?» «¡Uzcudun! ¿Es que no sabes que antes de hacerse boxeador andaba con el hacha? ¡Igual que nosotros!» Le dije que no lo sabía. «Pero ¡tú de dónde eres!» «Pues de aquí. Soy sobrino de Juan Imaz», contesté. Él titubeó: «¿El hijo del acordeonista?».

Lubis se reunió con nosotros después de vaciar la cazuela en la cabaña. «¿Cuántos panes os hacen falta?» «Con ocho nos basta.» Eran panes grandes, de una libra. «Así que va a venir Uzcudun a las fiestas del pueblo», le comentó el hombre a Lubis, abrazando los ocho panes. «¡Yo también vendría por quince mil pesetas!», respondió Lubis. Era una suma considerable en la Obaba de 1966. «¡Toma! ¡Y yo! —exclamó el hombre—. Pero son pocos los que pueden comer pan sin trabajar». «No te quejes —le dijo Lubis—, que hay gente que ni siquiera lo prueba». Dio unas palmadas a Moro, y el burro partió sin vacilaciones por la senda que se adentraba en el bosque. «Este camino lo conoce perfectamente —dijo Lubis—, así que no tendremos que tirar de él. Ya verás, David. Él nos indicará por dónde ir».

El leñador de pelo rizado nos dijo adiós desde la puerta de la cabaña. Debía de tener unos cincuenta años, y no me lo podía imaginar ni más viejo ni más joven. Se me ocurrió que se mantendría siempre así, a la puerta de aquella cabaña, abrazado a los ocho panes de una libra.

Era una delicia descender por el interior del bosque sin otra preocupación que la de seguir la ruta marcada por Moro. El simple hecho de respirar resultaba gozoso, y a ello se le añadía —gozo sobre gozo— la paz que me proporcionaba el ser consciente de dónde me encontraba, en qué patria: no en la de Ángel o en la de Berlino, ni en la de Adrián, Joseba y mis otros compañeros de estudios, sino en el bosque, allí donde todavía era posible encontrar gente del pasado. Y no faltaba —tercer motivo de gozo— una llama más en mi espíritu: después de mi conversación con Juan, estaba decidido a no tocar el acordeón en la fiesta que iba a presidir Uzcudun.

A ratos, al atravesar los tramos más oscuros del bosque, me sentía como cuando, años antes, con el mismo Lubis y con su hermano Pancho, conocí la cueva del pozo. Miraba las gotas que pendían de los bordes de los helechos, y me parecían de cristal, como las que habíamos hecho saltar al golpear la superficie del agua. En aquellos instantes, mis Primeros Ojos y los Segundos contemplaban un mismo paisaje.

No era, por desgracia, una impresión estable. Como ocurre con los hologramas de las tiendas de baratillo, en los que una misma persona aparece vestida desde el cuello hasta los tobillos e inmediatamente después se exhibe desnuda, el bosque se transformaba una y otra vez ante mis ojos. Daba un paso y me veía de pronto en aquella otra cueva repleta de sombras. Mis Segundos Ojos se anteponían entonces a los Primeros, y volvían a desfilar ante mí Berlino, Ángel, el americano, el buen alcalde Humberto, el padre de César —Bernardino—, el padre de Lubis —Eusebio—, Goena *el viejo*, Goena *el joven* y todos los demás. Y, por primera vez, las sombras me hablaban: «¿Por qué me mataron, si nunca hice mal a nadie?», decía Humberto. Y el americano: «De modo que quieres ponerte mi sombrero, el Hotson gris que compré en Winnipeg». Y Eusebio: «¿Es que vamos a andar siempre así, matándonos unos a otros?». Y Berlino: «Sabemos que pasaste un día entero en la habitación de Teresa. Nos lo dijo Gregorio. Geneviève y yo te esperamos en el hotel para aclarar ese asunto. Si es verdad que os dedicasteis a hacer marranadas, nos las pagarás». Y Ángel: «Ya sé que no estás ensayando. El día de la inauguración harás el ridículo. Me avergonzarás delante de tanta gente importante». Todas aquellas voces me producían tal nerviosismo que, de vez en cuando, Lubis me miraba preocupado. «¿Te estás mareando, David? Bebe un poco de agua.» Pero no necesitaba agua. Me bastaba con oírle a Lubis para salir de la cueva inmunda. Su voz borraba el murmullo de las sombras, devolviéndome al bosque de Obaba.

Una mañana oímos el estampido de los cohetes. «Faltan cuatro días para las fiestas, y ya han empezado a anunciarlas», dijo Lubis. «Este año serán muy concurridas —le respondí—. Vendrá un montón de gente para ver a Uzcudun. Ya has oído a los leñadores. No hablan de otra cosa». Era verdad. Los leñadores sentían simpatía por el boxeador que, como había dicho el de pelo rizado, «antes anduvo con el hacha». «Y a

Ubanbe y compañía siempre los veo entrenando al lado del pabellón —añadí—. Esa historia les ha hecho perder la cabeza». Lubis se sonrió: «Ésos la pierden con cualquier cosa».

Al llegar a la orilla del bosque se abrió ante nuestros ojos el barrio de Iruain. Era un día hermoso, y el lugar parecía más grande que otras veces, como si hubiera crecido. El cielo estaba muy alto, y el sol también. El riachuelo, enturbiado durante las lluvias, llevaba ahora agua tan clara que parecía hecha de trocitos de espejo. Las casas —la del tío Juan, la de Lubis, la de Adela, la de Ubanbe, el molino— estaban como dormidas. Dormidos parecían también los caballos, los perros, las ovejas y las gallinas que divisábamos junto a las casas.

En el cielo se formó una nube minúscula: el estallido del enésimo cohete de la mañana. «Quiero decirte una cosa, Lubis.» Él se detuvo. Lo mismo hizo Moro. «No pienso tocar en la inauguración.» «Yo tampoco voy a ir», contestó. Sentía deseos de acercarme al riachuelo y sentarme en una piedra de la orilla, pero no me moví. Lo que con Adrián o Teresa hubiera sido completamente normal, hacer un aparte para una confidencia, con Lubis me parecía difícil. «Pero no sé si tienes escapatoria, David —añadió—. Te han puesto en el programa». «No lo he visto», le dije con cierto asombro. «Con foto incluida.» «¿Sí?» Pensé que Teresa se lo habría pedido a su padre. «Ya lo verás. Adela tiene el programa en casa.» «Quiero preguntarte una cosa», le dije. Él se quedó esperando. El riachuelo discurría en silencio. «Me he dado cuenta de que no quieres ver a Ángel. Y me pregunto si será porque tu padre y él fueron enemigos durante la guerra.» Me costaba trabajo hablar, pero me obligué a continuar: «Supongo que ya sabes que quisieron fusilar a tu padre. Ángel, Berlino y todos los demás. Pero sobre todo Ángel. Él lo persiguió». La confesión estaba hecha. «Lo salvó tu tío Juan —dijo Lubis—. Lo tuvo escondido cuando las patrullas andaban tras él».

Moro se había puesto a comer hierba en la orilla del río, pero Lubis le dio unas palmadas y le hizo moverse. «Hace casi treinta años que acabó la guerra, David. Y casi siete desde que murió mi padre. Te digo la verdad, esas historias las tengo olvidadas.» Se puso en marcha. «No te creo. No puedo creerte.» Me indicó que le siguiera. «Vamos. Tenemos que llevarle las cazuelas vacías a Adela. Le gusta tenerlas limpias para la tarde.»

Sentí rabia hacia Moro. Avanzaba cada vez más rápido hacia la casa de Adela, y parecía arrastrar a Lubis como si a los dos los uniera un hilo invisible. Resultaba difícil mantener una conversación a aquel paso.

Llegamos frente a Iruain, al puente. De pronto, el hilo que unía al burro y a mi amigo se rompió. Moro trotó hacia la casa de Adela; Lubis se sentó en el pretil. «¿Sabes por qué tiene Moro tanta prisa? —dijo—. Porque Adela le da los posos del café. Para él no existe mejor dulce».

Cogió una ramilla del suelo, y la tiró al riachuelo. «Tu padre y el mío tuvieron un asunto muy serio —me dijo—. Antes de la guerra, solía venir aquí cierta gente con un camión, y reunían a unos cuantos y se los llevaban a San Sebastián, a esas casas donde trabajan esas mujeres... Pagaban un tanto, y servicio completo». «¿Y mi padre estaba metido en el negocio?», pregunté. Lubis arrojó otra ramilla al agua. «Yo no diría tanto. Pero por lo visto el camión se acercaba a las fiestas de los pueblos, y a veces tu padre iba con ellos. Con el acordeón, claro. Pero, no sé, puede que mi padre estuviera equivocado. Él era muy cristiano. Demasiado, diría yo. Y no podía con el asunto del camión. Le parecía una vergüenza tratar a la gente como animales. Y lo que pasó fue que los denunció —Lubis se puso en pie—. Los del camión tuvieron que presentarse ante el obispo. Y el obispo les amenazó con la excomunión. Eso fue lo que motivó el odio de tu padre. Y luego, cuando la guerra, ya se sabe. Se mataba al que se podía».

Los gemelos aparecieron en el camino llevando a Moro atado con una soga. Al llegar al cercado de los caballos, abrieron el portillo y le hicieron pasar adentro. Faraón, Zizpa, Ava, Blaky y Mizpa estaban junto a la valla, pero no se dignaron mirarle.

Enfrente de la casa de Adela había en el riachuelo unas piedras lisas que formaban un paso. «Te preocupas por historias que ya son viejas, David», me dijo Lubis, cuando cruzamos a la otra orilla. Nos quedaban unos veinte metros hasta la cocina de Adela: sólo disponía de aquel tramo para sacar el otro tema. «Entonces a ti, Lubis, ¿qué historias te preocupan? ¿Por qué evitas a mi padre? ¿Por lo que pasó cuando mataron a Paul? He oído ciertas cosas.»

Adela salió afuera. «Ya he dado de comer a los gemelos, así que hoy estaremos más tranquilos», nos gritó. Desde que nos íbamos donde los leñadores comíamos todos juntos. «¿Y Sebastián?», preguntó Lubis. «Ahí lo tengo, limpiando el gallinero —dijo Adela—. Últimamente no hay forma de hacerle parar en casa. Pero ya aprenderá. Yo no soy tan buena como tú. Si Pancho fuera mi hermano le bajaría los humos a palos». Agitó el brazo como si de verdad tuviera un palo en la mano. «Si Pancho fuera tu hermano, tendrías que ir tú misma a llevarles las cazuelas a los leñadores, Adela», replicó Lubis. Adela suspiró ruidosamente, y nos indicó que pasáramos dentro. «¡Has salido muy bien en la foto, David!», me dijo a mí cuando entramos en la cocina, mostrándome el programa. Era una foto de hacía bastantes años, y no la conocía. Pensé que la habría proporcionado Teresa.

Nos sentamos a la mesa. «David, cuando murió el caballo no pasó nada raro —me dijo Lubis en voz baja—. Deberías dejar a un lado esas historias y discurrir cómo te las vas a arreglar para no tocar en la inauguración. No te va a ser fácil, estando en el programa. Vendrán a buscarte».

«¡Es verdad! ¡Han venido a buscarte!», exclamó de repente Adela, que había oído las últimas palabras de Lubis. «¡Ha venido Martín el del hotel a buscarte! ¡Nada menos que con una caja de champán! ¡Ahí la tienes!» Empezó a lamentarse en voz alta de que sus hijos la volvían loca, sobre todo Sebastián, y que se le olvidaba todo. «¿Y qué ha dicho?» «Pues parece que ha aprobado el examen. Y dice que ha sido gracias a ti. Por eso ha venido con el champán. Porque quería celebrarlo. Se ha marchado un cuarto de hora antes de venir vosotros. Pero, señor, ¡cómo se me ha podido olvidar!»

La caja se encontraba al lado del fuego bajo, y contenía seis botellas muy vistosas de champán francés. «Me ha dicho además otra cosa —Adela se llevó la mano a la cabeza, como si tratara de concentrarse—. Vendrá el viernes a buscarte. Quieren hacer un ensayo en el hotel antes de la inauguración. Teresa vendrá ese día de Francia». Emitió un nuevo suspiro, y levantó la caja sin dejar de quejarse de su mala memoria. «Voy a meter unas botellas en el frigo para cuando las queráis», dijo.

Adela retiró del fuego la cazuela de barro, y la puso sobre la mesa. «¡Estamos en época de fiestas, así que hoy comeremos pollo asado!», anunció. Empezó a servirnos los trozos de pollo. «Ese Martín es un artista a su manera —dijo—. Ha cogido unas botellas de vino, y había que ver cómo las hacía girar entre los brazos, igual que en el circo. Dice que en el banquete de Uzcudun los va a dejar a todos boquiabiertos». «A nosotros no», respondió Lubis. Me guiñó el ojo. «Pues es muy hábil. Lo peor es que Sebastián intenta ahora hacer lo mismo. Ha roto dos botellas mientras ensayaba. ¡La verdad! Este hijo me va a volver loca.» «Sebastián quiere aprender demasiado, ése es el problema», dijo Lubis. «Por eso lo he mandado al gallinero. Para que aprenda a limpiar los excrementos. Que sude un poco, mientras nosotros comemos como reyes.» Adela se llevó el primer trozo de pollo a la boca con una sonrisa de satisfacción.

XVI

Desde mi habitación oí risas, gritos alegres, ruido de cristal, y al asomarme a la ventana vi a Ubanbe y a Opin en pantalón corto y con guantes de boxeo. Estaban en el mismo sitio que la vez anterior, en el ángulo que formaba la valla, y tenían como espectadores a Lubis, Pancho, los gemelos, Sebastián y tres leñadores de la serrería. Sebastián sostenía en la mano una botella vacía que hacía sonar con una cuchara. Un golpe único anunciaba el inicio o el final de cada asalto; una serie de golpes rápidos, alguna irregularidad.

Cuando me acerqué al grupo comprobé que la pelea entre Ubanbe y Opin no era un mero pasatiempo; ambos tenían manchas rojas en el rostro. «Me ahogo», dijo Ubanbe al poco rato. Tenía el pecho mojado de sudor. «¡Te falta resistencia, Ubanbe! —le dijo Sebastián—. Sólo han sido siete asaltos, y no puedes ni con tu alma. Verás en fiestas, Tony García te va a dar un repaso de aquí te espero». Los tres leñadores se echaron a reír. «¿Cómo quieres que me dé un repaso, si va a ser un combate de exhibición, atontado? —le contestó Ubanbe—. ¡El repaso te lo voy a dar yo a ti, si te descuidas!». «¡Yo me cago en ese Tony García!», dijo Pancho. Se volvieron a oír las risotadas de los leñadores.

Ubanbe señaló a Sebastián: «Nos ha dicho este pelele que te han traído unas botellas de champán. ¿Qué piensas hacer con ellas, David? ¿Te las vas a beber tú solo? Por si no lo sabes, me muero de sed». «Yo también», se apuntó

Pancho. «No les hagas caso —terció Lubis—. Deja que beban agua del río». «No, Lubis. Me parece bien. Vamos a cenar a casa de Adela. Y beberemos el champán entre todos.» «¡Así se habla!», exclamó Ubanbe. Los leñadores hicieron gestos de que ellos no podían, y se marcharon con un breve adiós. Ubanbe los miró con desprecio: «¡Mejor que se vayan esos lerdos! Así nos tocará a más».

Volvieron a sonar las risas. Pero yo no me reí. No me había empujado a invitarles mi alegría, sino el deseo de terminar lo que había empezado. La cueva inmunda contaba con bastante luz, y ya había podido definir con bastante exactitud los rasgos de cada una de las sombras, los de los asesinos y los de las víctimas. Sólo quedaba pendiente una cuestión: qué había ocurrido exactamente cuando el caballo Paul apareció muerto. Estaba convencido de que Ubanbe y Pancho me explicarían lo que Lubis no quería contarme. Máxime si el champán les soltaba la lengua.

Había cinco botellas vacías en el fregadero de la cocina, sólo la sexta permanecía encima de la mesa. Pancho se había quedado dormido, sentado en una mecedora; Lubis y yo tomábamos café; Adela y Ubanbe bebían champán en vasos corrientes. «Me tomo esto y me voy a casa», dijo Lubis. «¿Por qué tanta prisa? —preguntó Ubanbe—. Mañana no tienes que ir al bosque. Isidro nos ha dado vacación durante toda la semana. Dice que hasta que acaben las fiestas sólo va a trabajar él en la serrería». Agitó el vaso para ver si el champán formaba burbujas. «¿Que él va a trabajar? No será para tanto, Andrés —le dijo Adela, llamándole por su nombre de pila—. Isidro sabe descansar». «Ya. Como éste —señaló a Lubis. Movía todo el cuerpo con cada ademán—. Ya has oído lo que acaba de decir. Que se va a casa. Mañana no tiene que madrugar, pero éste es capaz de trabajar hasta en fiestas. Como Isidro». «Pues yo no», dijo Pancho saliendo a medias de su sopor. «Tú no trabajas nunca, Pancho. A ver si te enteras», le respondió Ubanbe, vaciando en el vaso el champán que quedaba en la botella.

A Ubanbe se le había apagado el trozo de puro en el cenicero, y trató de encenderlo. «Me toca limpiar los caballos», dijo Lubis. «No lo dirás por el que enterramos el otro día —repuso Ubanbe—. ¡Más limpio no podía estar!». El puro se le resistía. «¿Habláis de Paul?», pregunté. «Ah, sí, Paul. ¡Qué caballo tan bonito era!», dijo Adela. «¿Por qué dicen que lo mató mi padre?», pregunté bien alto. Lubis y Adela se quedaron mirándome. «A la gente le gusta hablar. Pero…» Adela no pudo acabar la frase. Ubanbe le quitó la palabra. «¿Quién si no, David? —exclamó, y mantuvo la barbilla levantada por un instante—. ¿Un cazador? Pero ¿qué cazador? ¿Quién vio un cazador por aquí?». Estaba recostado, con la espalda contra la pared. «Algunos dijeron que habían sido los guardias», terció Adela. «¿Los guardias? ¿Quién vio guardias por aquí? Sólo vieron al acordeonista, a nadie más. Pregúntale a ése.» Señaló a Lubis. «Hablas demasiado, Ubanbe —le dijo Lubis levantándose de la mesa—. Demasiado entonces, y demasiado ahora». Ubanbe también se levantó, con torpeza, tambaleándose. «¡Óyeme bien, Lubis! —gritó—. Yo entonces no abrí la boca. Sabes de sobra quién lo enredó todo». Esta vez señaló a Pancho: «¡Tu hermano!».

Pancho intentó incorporarse. Lubis le agarró del brazo y le empujó sin contemplaciones hasta la puerta. Se dirigió a Ubanbe con severidad. «No grites tanto, y cálmate», dijo, conteniendo la voz. Se llevaban cerca de medio metro, pero, viendo a ambos, la impresión era de que en caso de pelea Lubis sería un adversario más difícil que Tony García. «Tiene razón —dijo Adela—. Con estos gritos se me van a despertar los gemelos». «Nosotros nos vamos», dijo Lubis, y salió fuera llevándose consigo a su hermano.

La cocina pareció de pronto vacía. En el exterior, el viento sur golpeaba las ventanas. Más allá, en el bosque, en las colinas, en los montes, soplaría con fuerza, despojando a los árboles de sus hojas secas.

«¿Qué pasó? ¿Me lo cuentas tú?», le pregunté a Adela. No podía echarme atrás. «¿Qué quieres que te diga, David? —Adela juntó las manos sobre su regazo—. Cuando el caballo apareció muerto, primero pensamos que lo habría matado un rayo, pero luego se vio que le habían pegado un tiro en la cabeza. Yo misma lo vi. Le dieron justamente aquí». Adela se llevó la mano junto al oído. «Ahí no, Adela. Eso es tu oreja», dijo Ubanbe con voz pastosa. Había conseguido por fin encender el puro casi consumido, y lo aspiraba una y otra vez. «Empezaron a circular rumores, como era de esperar —prosiguió Adela—. Durante una buena temporada no hubo otro tema de conversación. Y, cómo te diría yo… Cierta gente, sobre todo algunos críos, hicieron correr la voz de que pudo haber sido tu padre…». Ubanbe golpeó la mesa con el puño. «¡Pancho lo vio! ¡Y Lubis también! Ángel se vino a Iruain con una de esas *señoritas* convencido de que aquí la cosa pasaría desapercibida, y se pone a follar, y mira por dónde el caballo empieza a relinchar, y él venga a intentarlo y el caballo venga a relinchar. Resulta que ese caballo no le deja follar tranquilo, y en una de éstas, ya sabemos que Ángel es un hombre bastante nervioso, coge la pistola y pum en la cabeza. Se calló el caballo para siempre. Lo que no sabemos es si siguió follando después de matar al caballo. Habrá que preguntárselo a Pancho.»

Ubanbe iba a continuar pero el humo del puro le hizo toser. «Si Pancho lo vio o no, eso es algo que nadie sabe —dijo Adela—. Lo único seguro es que algunos le creísteis, y la historia corrió de boca en boca». «¡En Obaba todo el mundo se lo creyó, por si no lo sabes!» Ubanbe volvió a golpear la mesa. Adela negó con la cabeza. «Tu madre vino a hablar con Lubis —dijo, dirigiéndose a mí—. Carmen es de este barrio, nos conoce bien. Y claro, quiso hablar con Lubis. No con este Ubanbe ni con Pancho. Lubis no pasaría entonces de los doce años, pero de cabeza ya andaba diez veces mejor que todos estos. Y el chico se lo explicó con toda claridad. Que con Pancho no se podía uno fiar. Que siempre andaba con historias verdes, y que era capaz de inventarse cualquier cosa. Y Carmen se fue tranquila». «¡Cuánto sabes, Adela!», exclamó Ubanbe. Tenía los ojos cerrados. «Márchate a casa antes de quedarte dormido. Y déjanos en paz», le ordenó Adela.

Ubanbe se levantó por fin, y se remetió la camisa blanca en el pantalón. Sostenía el puro en la comisura de los labios. «¿Cómo es que sabes tanto, Adela? Todavía no me lo has contado.» Adela no le respondió a él, sino a mí: «Lo supe gracias a Beatriz». Ubanbe se encontraba en el umbral de la puerta de la cocina. «Pues, si sabes tanto, cuéntale cómo encontramos a Lubis de allí a dos días.» «¿Cómo?», pregunté. «Todo lleno de sangre. La cara, el pecho, todo. Allí estaba, agachado en la orilla del río, frotándose las manchas y limpiándose. ¿No lo sabías?» Le hice un gesto negativo. «Te hacía más listo», me dijo Ubanbe con desdén.

Adela y yo nos quedamos solos en la cocina. «¿Quién le pegó? ¿Mi padre?», le pregunté. «Ángel andaba como loco con aquella historia. Y no era de extrañar. Todo el mundo lo señalaba. Y pensó que tenía que ser Lubis el culpable, porque había hablado con Carmen. Y pasó lo que pasó. Tuvo toda la cara hinchada. ¿Y sabes quién cuidó de él hasta que se puso bien? Pues Carmen. Carmen estaba muy apenada. Le pidió a Beatriz que le dejara cuidar del chico. Solíamos estar todos allí, a la puerta de casa. Don Hipólito también. Y Lubis se curó antes de lo que nadie esperaba.»

«¡Tenían que haber denunciado a mi padre! —grité—. ¡Mi madre tenía que haberlo acusado!». Los odiaba a los dos, tanto a mi padre como a mi madre. Adela se tomó tiempo antes de responder: «Ésa era la voluntad del médico, pero Beatriz se lo impidió. Beatriz es una cristiana de las de verdad. Como tu madre. Sabe perdonar». «Pero los golpes los recibió Lubis, no su madre.» Mi odio alcanzaba también a Beatriz. «A Lubis le da vergüenza. No quiere acordarse de la paliza. Ya sabes, él no se deja avasallar.» «Hoy no se atrevería a pegarle», dije. «No, claro que no. Hoy todos le tienen respeto. Ya has visto a Ubanbe. Es el doble de grande, pero bien que se ha acobardado.»

Sentía ganas de dar un abrazo a Lubis. Pero quizás él no lo quisiera. Se había marchado enfadado. «Sólo una cosa me da pena, David —me dijo Adela—. Que mis hijos van a ser como Ubanbe y todos esos. No se parecen en nada a Lubis». Fui hasta la puerta de la cocina. «Apunta la cena en mi cuenta», le dije. «Hoy nos ha dado por recordar viejas historias tristes. Pero tenemos que alegrarnos. Estamos casi en fiestas.» «Mañana es la víspera», dije. «Hoy has hecho mal una cosa, David. No has traído el acordeón. De haberlo traído nos habríamos dedicado a bailar y a cantar, sin enfados.» «Lo dejaremos para la próxima», respondí, diciéndole adiós con la mano.

Cuando salí fuera, el viento sur soplaba con la fuerza suficiente como para llevarse consigo no sólo las hojas secas o las mariposas que aquella noche hubiesen salido a volar, sino hasta los mismos pájaros. Fui hasta Iruain encogido, caminando con dificultad.

XVII

Tengo ante mis ojos una fotografía del día de la inauguración del monumento. No fue tomada ni en la plaza de Obaba ni en el campo de deportes, sino en el mirador del hotel Alaska. Figuran en ella más de veinte personas, y justo en medio, elegantemente vestido, se encuentra el homenajeado, el ex boxeador Uzcudun, el hombre al que en América, tomándole por italiano, llamaban *Paolino*. A su lado, a izquierda y derecha, están Berlino, el coronel Degrela, la hija de éste, Ángel y un joven con aspecto de boxeador que no debe de ser otro que Tony García; Ángel, con el acordeón. Detrás de ese primer grupo, como formando dos alas, sonríen unos quince hombres más, tan elegantes todos ellos como el propio Uzcudun. Son, entre otros: un conocido barman madrileño, los gobernadores civiles de las provincias vascas, el delegado nacional de deportes, algunos empresarios de la zona y una decena de periodistas. En una esquina aparecen Martín, Gregorio, Sebastián, Ubanbe y Geneviève. Los tres primeros, con chaquetas negras de camarero; Geneviève con un gorro de cocinera; Ubanbe en mangas de camisa y ceñudo, con el ojo derecho un poco hinchado.

Teresa, y yo no estamos en la fotografía. Teresa, porque se quedó en la habitación todo el tiempo que duró la fiesta, según me contó Sebastián; yo, porque me escondí en Iruain. Tal como había planeado. Tal como había prometido a Juan y a Lubis.

Permanecí en el interior del escondrijo durante treinta horas. Cuando Lubis levantó la trampilla, me sorprendió con el sombrero Hotson en la cabeza. «¿Qué haces así, David?», me dijo sonriente. Al parecer, su enfado de la víspera estaba olvidado. «Creía que no estabas al corriente de este escondrijo», le dije. «¡Cómo no lo iba a conocer, si mi padre estuvo aquí!» Me dio la mano para ayudarme a subir la escalera. «Disimulas muy bien», le dije. «A ver, qué remedio.» «Juan me aseguró que nadie lo conocía, y que guardara el secreto.» Él se rió: «Ya ves, no soy el único que tiene que guardar las apariencias».

La ventana de la habitación estaba cerrada y con las cortinas echadas, y aun así la luz me molestaba. Lubis se sentó en la cama, y yo me puse a hacer ejercicios, a moverme de un lado a otro como si fuera a medir la habitación. «Has tenido un montón de visitas, David.» «Ya lo sé —respondí—. Y he pasado mucho miedo. Con quien más, con Berlino. Creo que mi padre y él estuvieron justamente aquí, al lado del armario. ¿Sabes qué le dijo a Ángel? "Tu hijo es muy dado a escaparse. Acuérdate de cuando quisimos regalarle el caballo a la hija del coronel, entonces también se escapó"». Los dos nos reímos. «No han podido disfrutar de la fiesta, y están muy enfadados. Ha habido boicot. Y han echado propaganda. Mira.»

Sacó una octavilla del bolsillo. Me acerqué a la ventana y leí: «Boicot al fascismo. Boicot a Uzcudun y a todos los demás fascistas. *Gora Euskadi Askatuta*, Viva Euskadi Libre». Era la primera vez que me topaba con aquel lenguaje. «¿Quién más ha venido, Lubis?», le pregunté, mientras abría un poco la ventana. Vi a lo lejos que el bosque estaba enrojecido, como si hubiera mudado de color repentinamente. «Sólo sé lo que me ha contado Adela. Que ayer vinieron Martín y Gregorio. Luego Berlino y tu padre. Y esta mañana, muy temprano, Teresa. Creo que también ella está muy enfadada.» «No me extraña. Tendré que escribirle a Pau.»

«No te asustes con lo que voy a decirte ahora, David.» Lubis se puso muy serio. «También han venido los guardias. Dos Land Rover.» Me costó entender de qué hablaba. «¿A buscarme a mí?», dije al fin. Él asintió. «Han venido hace dos horas. Yo estaba en el pabellón con los caballos, y me han rodeado. "Aquí está, mi teniente", ha dicho uno de ellos. "¿Es usted David?", me ha preguntado el teniente. "¿Sabe usted dónde está?", ha dicho luego, al contestarle yo que no. Le he explicado que estarías en la fiesta, que os habíais ido todos al banquete. Y entonces se han marchado, sin más.» Me quedé callado. Aquello no tenía ni pies ni cabeza. «No te asustes.» «Yo no he hecho nada. ¿Por qué han venido a buscarme?» «Tenías que tocar el acordeón y no lo has hecho. Pero no pueden llevarte a la cárcel por eso.»

Abrí la ventana de par en par. Todo estaba en paz. Había dulzura en el ambiente, como siempre que llegaba el otoño. «Ha dicho Juan que llaméis a don Hipólito y que os presentéis cuanto antes en el cuartel.» «¿Has hablado tú con el tío?» «No, le ha llamado tu madre.» El corazón me latía deprisa, y tenía las palmas de las manos sudorosas. «Date prisa. Tu madre y el párroco te estarán esperando.» «Pero ¿cómo voy a ir?» El cuartel de los guardias estaba junto a la estación. En aquel momento, la distancia me parecía una dificultad insuperable. «Te he traído la Guzzi nueva. La tienes ahí fuera.» Me quitó la octavilla. «No pretenderás ir con esto —añadió con una sonrisa—. No te preocupes, David. Creo que esta noche podremos tomar café juntos en el restaurante de la plaza». «No sé si sabré estar tranquilo», dije. Bajamos las escaleras y salimos fuera.

«A mí no me gustan las delaciones», dijo el teniente. Era muy joven, con unas gafas muy pequeñas que le daban aire de intelectual. «Hace casi treinta años que concluyó la guerra, y hay ciertos procedimientos policiales que en mi opinión están fuera de lugar —continuó—. Yo procuro ceñirme a la ley cristiana». Su acento no dejaba dudas acerca de su origen castellano. «Me alegra oírle hablar así —le dijo don

Hipólito, el párroco—. Además, en este caso la denuncia no tiene ninguna base. Afirmar que este joven es el responsable de los incidentes de hoy es un disparate. Un disparate tremendo». Mi madre tomó la palabra: «Ya sé que no ha ido a tocar el acordeón. ¿Y qué más da? No ha sido por boicotear, sino porque no le gusta ser acordeonista. Y la culpa la tiene su padre. Le ha estado forzando desde cuando era niño, y, claro, el chico ha cumplido ya diecisiete años, y empieza a rebelarse».

El teniente tenía un papel delante. Le echó un vistazo antes de hablar de nuevo. «De todas las maneras, hay un asunto que me gustaría aclarar —dijo. Nos quedamos todos mirándole—. Parece ser que David estuvo implicado en un asunto de revistas pornográficas, y que fue expulsado del colegio por ello». Me percaté de que al lado del papel había una octavilla como la que me había enseñado Lubis. El párroco se echó a reír. Hasta dio un aplauso antes de exclamar: «¡Lo que faltaba!». A continuación, en un castellano tan correcto como el del teniente, expuso primero lo que había ocurrido con aquella revista, y pasó luego a nombrar mis numerosas cualidades. «Se lo diré con toda claridad, teniente: David es un chico modelo», concluyó.

El teniente sonrió discretamente. «Todavía hay otro asunto. El tío de este muchacho, Juan Imaz.» Tenía otro papel en la mano. «Según parece, cuando está aquí va mucho a Francia. Todas las semanas, prácticamente. Hay indicios de que se entrevista con personas que tratan de atacar al Estado.» El párroco se levantó de golpe: «¡Dios mío! ¡Cuánta confusión! Permítame decirle que están mal informados. No es ésa la razón por la que Juan va a Biarritz. ¿Le importa que hagamos un aparte?».

Estuvieron un par de minutos hablando en un ángulo del despacho. Al volver, la sonrisa del teniente era de circunstancias. «Usted hizo muy bien en casarse joven», le dijo el párroco. «Les agradezco mucho su colaboración. Pueden ustedes marcharse», zanjó el teniente.

Me puse de camino en mi Guzzi nueva, y durante todo el trayecto sólo tuve un pensamiento en la cabeza: quién me habría denunciado. Me sorprendí al comprobar cuán larga podía ser la lista de sospechosos. Berlino era uno de ellos, sin duda. Y también Teresa; Teresa antes que nadie. Una persona capaz de poner en mis manos el cuaderno del gorila bien podía hacer aquello al verse plantada. Pero también estaba Gregorio, que a buen seguro me odiaba desde el momento que supo lo de mi relación con Teresa, y que querría vengarse. ¿Y por qué no Martín, al que había fallado en una ocasión que para él era muy importante? Era descorazonador: la rueda del tiempo me traía realidades cada vez más tristes. Listas de fusilados y de chivatos, en lugar de listas de personas queridas.

Me acercaba a Obaba. El ruido del motor de la moto no me impidió oír el estallido de un cohete. Y de otro más, enseguida. Y de un tercero, al cabo de unos segundos. Por primera vez en mucho tiempo, los tres estallidos encontraron eco en mí. Me alegraron. Me dije que no debía dejarme llevar por pensamientos sombríos. Que la rueda del tiempo sabría traer días felices. En el cielo explotaron varios cohetes más, yo aceleré la moto.

«He estado hablando con don Hipólito», me dijo mi madre en casa. Me había duchado y me había puesto ropa limpia. «Has pasado una temporada muy mala, y te vendría bien la ayuda de un psicólogo antes de empezar en la universidad. Puedo llamar al que conociste en el colegio, si quieres» «¿Cómo me ves?», le pregunté, mirándome en el espejo del taller. «Muy guapo», me respondió. «Me falta el sombrero. Mañana mismo lo traeré de Iruain.» «¿Qué sombrero? ¿El de Juan? ¿El vaquero?» «Ya lo verás mañana.» Mi madre se dirigió a la puerta de la habitación: «Entonces, ¿qué me dices del psicólogo? ¿Irás?». «Ni pensarlo. Estoy mejor que nunca.» Se lo dije totalmente convencido. «Como quieras —admitió ella—. Y por tu padre, no te preocupes. He hablado con él por teléfono. No te molestará más por culpa del acordeón». «Madre, quiero marcharme —le dije—. Buscaré un piso de estudiantes en San Sebastián y me quedaré allí mientras estudio en la ESTE. Vendré a menudo. Y tú también irás a visitarme». Ella se quedó en silencio. «Como quieras, David», repitió al cabo.

En la plaza empezó a tocar una orquesta. «¿Qué vas a hacer, quieres cenar algo o prefieres irte ya a la fiesta?», me preguntó mi madre con un dejo de tristeza. No le resultaba fácil asumir mi decisión. «Hoy estoy sola —continuó—. Ángel se quedará en el hotel. Ya sabes, por la mañana con Uzcudun, por la tarde con Uzcudun y por la noche con Uzcudun». Le dije que cenaría con ella, y que luego saldríamos juntos.

Tuve la impresión de que la quería de otra manera. En parte me compadecía de ella porque en un momento dado, en su juventud, su corazón la había engañado, empujándola a los brazos de un hombre que era capaz de matar o traicionar al prójimo; pero al mismo tiempo la admiraba por no haberse dejado arrastrar. Ella seguía siendo dueña de sí misma.

Empezamos a poner la mesa para la cena. «¿Es verdad lo que le ha contado don Hipólito al teniente?», le pregunté. «¿Qué es lo que le ha contado?» «Creo que ya lo sabes.» Dijo que no. «¿A qué suele ir el tío a Biarritz? ¿A bailar con las turistas de París?» «A Juan nunca le ha gustado bailar», me respondió muy seria. «¿Estás segura?» «Pregúntaselo a él.

Tengo que llamarle para decirle que estás en casa.» «¡Así lo haré! ¡Se lo preguntaré directamente!»

No pude preguntárselo. No bien oí su voz al teléfono, feliz porque me habían dejado libre, me emocioné y no fui capaz de pronunciar una sola palabra.

El primer americano de Obaba

En la época en que regresó de Alaska e hizo construir el hotel, don Pedro era un hombre muy gordo que tenía fama de pesarse todos los días en una báscula moderna que había traído de Francia. «Por lo visto, es lo primero que hace cada mañana —comentaba la gente de Obaba, poco familiarizada con costumbres como aquélla—. Después de pesarse, coge un lápiz y escribe en la pared lo que indica la báscula». Los comentarios no andaban errados. Cuando en 1936 estalló la guerra civil, los soldados que registraron el hotel hallaron su cuarto de baño lleno de números que giraban alrededor del ciento veinte: 121; 119,40; 122,70... En algunos puntos, las cifras se amontonaban hasta formar manchas grises en la pared.

Don Pedro no vigilaba su peso por motivos de salud, aunque sabía que con diez o quince kilos menos se le aliviarían las dificultades respiratorias que a veces solía padecer. Tampoco le empujaba a ello la preocupación por su apariencia física, puesto que en aquellos años anteriores a la guerra —1933, 1934— la sombra de la tuberculosis no animaba, sino todo lo contrario, a envidiar la delgadez. En realidad, se trataba de un divertimento. En las tertulias que celebraban todas las semanas en la cafetería o en el mirador del hotel, él solía introducir, en los primeros compases de la conversación, una referencia a lo que había adelgazado o engordado, y sus palabras tenían la virtud de alegrar el ambiente de la tertulia. «Esta última semana llevo perdidos ya doscientos cuarenta gramos», o «he engordado un kilo y cuatrocientos», precisaba don Pedro, y los amigos que se reunían con él, sobre todo los tres maestros de Obaba, daban rienda suelta a sus risas y a sus bromas.

En algunas ocasiones, a fin de que la repetición no resultara fastidiosa, se olvidaba del peso y escogía como tema el sombrero J. B. Hotson de color gris que había traído de América. El eje de la narración era, en este caso, la gran habilidad que tenía el sombrero para eludir a su dueño y desaparecer. «¿Sabéis dónde me lo he encontrado esta mañana? —exclamaba don Pedro—. Pues, en el horno del pan. ¿Cómo puede ser tan friolero un sombrero fabricado en Canadá?». Era un tipo de humor que gustaba mucho a sus amigos.

Casi todos, en Obaba y en toda la comarca, solían referirse a él llamándole «don Pedro» o «el americano»; pero había personas que, con peor talante, preferían darle un tercer nombre: *el oso*. No por su corpulencia o por nada que tuviera que ver con su aspecto físico —era redondo y de formas suaves a la manera de Oliver Hardy, el actor cómico—, sino por mera calumnia, para dar pábulo a una de las versiones sobre la muerte de su hermano, la más ruin de todas. La cuestión era que su hermano, que siempre le había acompañado en la búsqueda de plata, había muerto en un bosque de Alaska víctima de un oso que «le atacó mientras andaba de caza», según informó el propio don Pedro a los pocos parientes que entonces tenía en Obaba, y que aquellos maliciosos se empeñaron en tergiversar lo sucedido, diciendo: «En aquel bosque no hubo más oso que él. Mató a su hermano para no tener que compartir la mina de plata que explotaban entre los dos. Por eso es dueño del hotel, y por eso se pasea en ese automóvil tan grande». El automóvil, un Chevrolet beige y marrón, era el único que en aquellos años existía en Obaba. Causaba más impresión que el mismo hotel.

No habría podido inventarse una calumnia más burda que la de aquel asesinato. En primer lugar, porque don Pedro se encontraba en Vancouver el día de la desgracia, renovando unos documentos relacionados con la mina; pero sobre todo porque, detalles policiales aparte, los dos hermanos se querían mucho: porque eran Abel y Abel; de ninguna manera Caín y Abel. Desgraciadamente, como bien dice la Biblia, la calumnia es golosina para los oídos, y lo que los maliciosos de Obaba habían puesto en circulación no tardó en propagarse.

Fueron los más católicos, los que más atención hubiesen debido prestar a la Biblia, quienes más empeño pusieron en difundir la calumnia. Odiaban a don Pedro porque nunca entraba en la iglesia y porque, según creían, su tema de conversación preferido era el sexo. «Sus historias —contaban— siempre son *verdes*. Cuanto más sucias, mejor». En una época en que los tradicionalistas corrían a encerrar el gallo en cuanto llegaba el día de Viernes Santo, aquel comportamiento suponía una falta casi tan grave como dar muerte a un hermano.

«¿Dónde han andado algunos de este pueblo, en América o en Sodoma?», clamó el Viernes Santo del año 1935 un predicador al que llamaban fray Víctor. Era un hombre joven, atlético, famoso en toda la región por la virulencia de sus sermones. Cuando se enfadaba —siempre que subía al púlpito provisto de *malos informes*—, la vena del cuello se le hinchaba de forma apreciable incluso para los fieles que lo miraban desde los bancos y los reclinatorios. Estaba loco, aunque no del todo. Su locura se agravaría hasta el extremo el año siguiente, con la guerra civil.

Uno de los maestros que acudía a las tertulias, Bernardino, era aficionado a escribir poesías. El día que don Pedro cumplió sesenta años recitó para él, tras el banquete, un largo ditirambo en el que aludía a la difamación de que era objeto: «Te llaman oso, y guardas, ciertamente, semejanza con él, pues no es raro que de tu boca mane miel». Quería decir que sus palabras eran hermosas y nada agresivas. «No es buena la dulzura excesiva, don Pedro», le advirtió aquel día, igual que siempre, otro de los maestros, Mauricio. A veces convenía ponerse a malas. ¿Por qué no los enviaba ante el juez? Debía hacerlo, había que plantar cara a los calumniadores.

Don Pedro no hacía caso. Contestaba con una broma, o cambiaba de asunto y hablaba a sus amigos de su vida en América. Nombraba, entonces, lugares que había frecuentado —Alice Arm, Prince Rupert, Vancouver, Seattle...—, y les contaba alguna anécdota curiosa, una cualquiera de las muchas que le habían sucedido en aquel continente: «Resulta que un día, por culpa de una gran huelga que hubo en Seattle, diez o doce amigos de aquí, que éramos inseparables, nos encontramos sin un céntimo. Ni siquiera teníamos para comer. Al final decidimos ir a un restaurante chino de King's Street. El tipo de comida no nos gustaba mucho, pero, como no podíamos pagar, nos interesaba que los empleados del restaurante fuesen pequeños y mansos...».

Los nombres de los lugares, las gentes y los objetos que surgían del recuerdo de don Pedro tintineaban como campanillas en los oídos de cuantos se acercaban a las tertulias del hotel Alaska. Eran, la mayoría de ellos, personas con estudios, con fe en el progreso. Les venía bien que alguien les recordara que existían otros países en el mundo, que no todas las tierras eran como la que divisaban desde el mirador del hotel, tan verde por fuera, tan oscura por dentro: una negra provincia sometida a una religión igualmente negra.

Del grupo de contertulios, eran los maestros los que más apreciaban el tintineo de aquellos nombres lejanos.

Bernardino llegó incluso a escribir una poesía, *América*, que, al igual que la que compusiera Unamuno nombrando los pueblos de España, enumeraba una tras otra las ciudades americanas que había conocido don Pedro: «Seattle, Vancouver, Old Manett, New Manett; Alice Arm, Prince Rupert, Nairen Harbour...». Necesitaban soñar con lo lejano, porque en lo cercano, en Obaba, vivían con estrechez, con «malos informes». En los sermones de Semana Santa, fray Víctor siempre les dirigía alguna invectiva: «¡Y qué decir de esas escuelas que corrompen el alma de nuestros niños!», gritaba, y la lista de acusaciones resultaba interminable. En la raíz de todo ello estaba la opción elegida por los maestros en las elecciones de 1934. Los tres habían votado a favor de la República. «¿Qué hacéis aquí? —les reprochaba don Pedro cuando los maestros dejaban oír alguna queja—. ¡Todavía sois jóvenes! ¡Haced las maletas y marchaos! Os daré cartas de recomendación para que las presentéis ante los notables de Vancouver». Los maestros negaban con la cabeza. No eran tan audaces como él. Además, estaban casados. Y sus esposas eran mujeres de Obaba, de las que acudían puntualmente a los oficios de la iglesia. Don Pedro comprendía a sus amigos, y seguía con sus historias, sus nombres: Seattle, Vancouver, Old Manett, New Manett...

Pasó el tiempo, y lo que empezó como un juego, una manera más de entretener a los amigos, tomó para don Pedro un rumbo inesperado. Los lugares, las gentes y los objetos de su pasado empezaron a ganar volumen y precisión, a crecer en su espíritu; aunque no justamente aquellos que cabía esperar, los que, como la mina de plata o los mineros que habían trabajado con él, más relacionados estaban con las anécdotas que contaba a sus amigos, sino lugares, gentes y objetos que acudían a su memoria al azar, caprichosamente. Se acordaba así, una y otra vez, del trozo de ámbar que encontró en un bosque próximo a Old Manett, con una abeja atrapada dentro. O de la mirada que le dirigió la hija del jefe indio Jolinshua, de Winnipeg. O de los tímidos osos negros que se acercaban al fuego que habían encendido para preparar el té, en Alice Arm. Porque ésa era la verdad, que los osos eran tímidos e inocentes como corderos de Dios; no atacaban a nadie a no ser que estuvieran heridos.

Los osos. Tan inofensivos, tan inocentes. Tan hermosos. Pero don Pedro no quería acordarse de ellos, porque de ese recuerdo saltaba al de su hermano, y al de las circunstancias que rodearon su muerte, mucho más tristes que las que él había dado a entender. Porque a su hermano no lo había matado un oso, aun cuando el animal se había abalanzado sobre él después de recibir seis tiros. En realidad, ni siquiera lo había herido. Pero, desgraciadamente —se lo explicó el doctor Corgean cuando él volvió de Vancouver—, el encontronazo causó a su hermano una terrible impresión —*the incident left a strong impression on him*—; tanta, que había perdido la cabeza. Al final, una noche, se había escapado del hospital y se había tirado a las frías aguas de un lago. «Si me permite, voy a darle un consejo de amigo —le dijo el doctor Corgean—. Tiene que vigilarse. Puede que también usted sea propenso». «¿Propenso a qué?» «*To commit suicide.*» Él intentó explicarle al doctor Corgean que nunca había habido en su familia aquella supuesta propensión al suicidio, pero el doctor le interrumpió con un gesto: «Usted verá, yo le he dado mi opinión». Él guardó silencio, y no protestó más.

Comprendió un día, cuando los lugares del pasado empezaron a crecer en su espíritu, que quizás hubiera un rastro de verdad en lo que le había dicho el doctor Corgean. En ocasiones, a solas en su habitación, sentía de pronto una gran tristeza, y sus ojos se llenaban de lágrimas. En una conversación íntima, don Pedro confesó a Bernardino los motivos de su inquietud: «Cuando embarqué en América rumbo a Obaba, pensé que dejaba atrás el destierro y volvía a casa. Sin embargo, ahora no estoy seguro. A veces me digo si no estaría haciendo lo contrario. Quizás América sea mi verdadero país, y ahora viva en el destierro». Para una persona que, como él, había vuelto a su pueblo natal un poco antes de cumplir los sesenta años, la duda tenía visos angustiosos.

Una noche de verano oyó cantar a los sapos. Estaba sentado en el mirador del hotel fumando el último cigarro puro del día, cuando tuvo la impresión de que podía entender lo que decían; como si se encontrara en un *fantasy-theatre* de Vancouver, y no ante los montes de Obaba. *Winnipeg*, decían los sapos. *Win-ni-peg-win-ni-peg-win-ni-peg*. Entrada la noche, con más estrellas en el cielo, más templado el viento sur, más oscuros los bosques cercanos al hotel, don Pedro comprendió: los nombres lejanos, y los recuerdos asociados a ellos, estaban actuando con él igual que el ámbar con la abeja. Si no les hacía frente, acabarían por asfixiarle.

Los sapos seguían cantando en los bosques de Obaba, con más delicadeza y encanto que nunca: *Win-ni-peg-win-ni-peg-win-ni-peg,* repetían. Eran como campanillas, pero de sonido triste. En adelante, no les daría pie. No volvería a hablar de su vida en Canadá.

Los contertulios de los sábados advirtieron que don Pedro trataba ahora otros asuntos, pero atribuyeron el cambio a la situación política, que, en aquel año de 1936, tras las elecciones, era mala, cada vez peor. En las conversaciones del mirador sonaban ahora, en lugar de los nombres lejanos y desconocidos de América, los de los políticos de la época: Alcalá Zamora, Prieto, Maura, Aguirre, Azaña, Largo Caballero. Cuando, al atardecer de un día caluroso de mediados de julio, los sapos rompieron a cantar, don Pedro se sentó con su cigarro puro en el banco del mirador y escuchó con aprensión.

¿Qué decían después de aquella temporada sin recuerdos? *Win-ni-peg! Win-ni-peg! Win-ni-peg!*, le contestaron los sapos con terquedad. A don Pedro el canto le pareció más apremiante que nunca, y se retiró a su apartamento del hotel con pensamientos sombríos.

Unos días después —el 18 de julio—, la báscula del cuarto de baño marcó 117,2, el peso más bajo desde hacía mucho tiempo, y pensó, mientras escribía el número en la pared, que el sábado siguiente retomaría la broma. Se sentaría en el mirador ante sus amigos, y les diría: «¡117,2! ¡He perdido tres kilos! Si sigo así tendré que hacerme ropa nueva». Acababa de tomar la decisión, cuando desde el mirador le llegaron unos gritos que le hicieron asomarse a la ventana. Era don Miguel, uno de los maestros. Había subido hasta el hotel en bicicleta, pero estaba pálido. «¡Don Pedro, el Ejército se ha alzado en armas!», gritó. Al principio, no comprendió el verdadero alcance de la frase. «¡Hay guerra en España, don Pedro!», volvió a gritar don Miguel. «¡Qué vamos a hacer ahora!», exclamó él entonces. Estaba desconcertado. «Tenemos que marcharnos cuanto antes. Los republicanos estamos en peligro.» «¿Aquí también, don Miguel?» El maestro señaló una colina al fondo del valle: «Los facciosos se encuentran ahí mismo. Un batallón entero avanza hacia aquí desde Navarra».

A lo largo de su vida, don Pedro se había visto en muchas situaciones difíciles. En una ocasión, camino de Prince Rupert con un compañero asturiano, había estado a punto de morir congelado en medio de una ventisca, y nunca olvidaría el feliz momento en que divisaron una cabaña en la nieve, ni lo que encontraron al entrar: un montón de hombres sentados alrededor de una estufa y escuchando con atención a un anciano que les leía la Biblia. Pero aquel 18 de julio de 1936, después de que el maestro desapareciera con su bicicleta, un temor desconocido se apoderó de él. En los páramos próximos a Prince Rupert llevaba en la mente una cabaña, un refugio cálido y lleno de compañeros —justo lo que acabó encontrando—, y aquella imagen equivalía al mundo entero, o más exactamente, a todo lo bueno del mundo. En cambio, las imágenes que le venían ahora a la cabeza eran producto del miedo, en especial una de ellas: la del banquete que se celebró en el hotel después de que los republicanos ganaran las elecciones; *un banquete ofrecido y pagado por él*, según se encargó de recordarle su voz interior. Ese hecho trivial lo situaba claramente en uno de los bandos.

Había momentos en que examinaba su situación, y le parecía fácil huir a Bilbao; pero, a principios de agosto, el frente se aproximó a Obaba, y unos tramos del camino se volvieron peligrosos. Además, la radio de las fuerzas contrarias a la República no se cansaba de repetir que todos los que huyeran de sus lugares de residencia serían considerados criminales y fusilados en el acto. Al final, tanto él como los maestros Bernardino y Mauricio decidieron quedarse. «Nosotros no hemos hecho daño a nadie. No nos pasará nada», dijo Bernardino cuando se reunieron para discutir el asunto. En cuanto a don Miguel, más destacado que los demás en los asuntos políticos, se mantuvo en su idea. Se arriesgaría, intentaría llegar a Bilbao. Su mujer debía de encontrarse ya allí. «Tenemos familia en la ciudad, y dispondremos de una casa como es debido», informó a sus amigos. Don Pedro le dio una palmada en la espalda: «¿Lo veis? ¡Un hombre ha de casarse! ¡No como yo! Yo no tendría adónde ir aun en el caso de llegar con bien a Bilbao». «¿Quiere venir a nuestra casa, don Pedro? —le propuso Bernardino—. A nuestro pequeño César lo tenemos en Zaragoza en casa de mi hermana, y nos sobra una habitación». Él respondió con vehemencia: «El minero no ha de abandonar la mina, Bernardino». Quiso añadir una broma: «No ha de abandonar la mina, y menos aún la báscula». Le faltó ánimo, y se calló.

Fueron días largos. Don Pedro se acostaba agotado. Se ponía a pensar, con los ojos cerrados, y se decía: «Esto parece una broma pesada». Y es que la guerra iba radicalmente en contra de todo lo que había previsto en América. Desde la distancia, él había soñado con una tierra acogedora de pequeños ríos y montes de color verde, igual a la que había conocido de niño. En su lugar, se le ofrecía el estruendo de los cañones y el runrún de los aviones alemanes que venían a bombardear Bilbao.

Don Pedro deseaba un milagro mayor que el del mismo Josué: detener el Sol y la Luna, y hacerles además retroceder. Que volviera el 17 de julio. O si no el 18. Porque también el 18, el día en que estalló la guerra, le habría servido. Se habría ido a Francia. ¡Estaba tan cerca Francia! Incluso a pie, cruzar la frontera era cuestión de pocas horas. Se arrepentía de no haber tomado el camino de la frontera inmediatamente después de que don Miguel le trajera la noticia.

Lo primero que hacían las fuerzas enemigas de la República en cuanto *liberaban* un pueblo era traer un sacerdote para que celebrara misa en la iglesia, como si temieran que el demonio se hubiera hecho fuerte en ella durante el mandato de los republicanos. También en Obaba quisieron actuar así, una vez que consiguieron entrar en el ayuntamiento y hacer el cambio de bandera. Sucedió, sin embargo, que el batallón de integristas navarros llegó el 10 de agosto a las once de la mañana, y que pocas horas antes unos milicianos que venían huyendo habían abatido a tiros, en el mismo soportal del ayuntamiento, al anciano cura del pueblo y al campesino destinado a ser el nuevo alcalde. El capitán Degrela, a cuyo cargo estaba el batallón, decidió retrasar el acto religioso y tomar represalias. Veinticuatro horas más tarde, otros siete hombres, escogidos por los fascistas del pueblo, yacían en el mismo soportal.

«Parece usted un hombre poco temeroso de Dios», dijo el capitán Degrela al joven que iba al frente de los fascistas de Obaba. Lo había visto rematar con su propia arma a dos de los fusilados. «Sólo le temo a Él», contestó el joven. «¿Con quién está usted? ¿Con los falangistas?», le preguntó el militar, viendo que llevaba el pelo ondulado fijado con gomina y peinado hacia atrás. «Estoy a favor del Ejército, eso es todo.» La forma de hablar del joven denotaba cierta cultura, y el capitán Degrela supuso que habría pasado por el seminario, la única «escuela superior» a la que tenían acceso los muchachos de los pueblos. «No me gustan las lisonjas. Si respetara al Ejército, vestiría uniforme de soldado», le dijo secamente. «Si no hubiera nacido en una casa pobre de Obaba, quizás fuera mejor militar que usted», replicó el joven sosteniéndole la mirada.

El capitán permaneció un momento en silencio, con las manos en la espalda. «¿Cómo se llama usted?», preguntó luego al joven. «Marcelino.» Supo más tarde que en el pueblo le llamaban Berlino, porque había visitado aquella capital después de haber visto un reportaje sobre el Partido Nacional Socialista alemán en el cinematógrafo. «Está bien, Marcelino. Ahora tiene que hacerme un favor. Traiga un sacerdote de donde sea. Hay que celebrar misa en la iglesia.» «Ahí tiene uno», contestó Marcelino señalando a fray Víctor. Vestido con sotana, con la pistola en el cinto, fray Víctor se movía a gritos entre los fusilados: «¡Aquí no están todos!». «Le llaman fray Víctor», informó Marcelino. «Tráigamelo», dijo el capitán.

El cura estaba acalorado, su sotana olía a sudor. «Fray Víctor —le dijo el capitán con calma—. No quiero verle con pistola. Ya sé que hay militares que lo consienten, pero no es mi caso. Los curas en la iglesia, y los soldados en las trincheras. Así lo quiere Dios, estoy convencido. Haga el favor de entregar el arma a Marcelino, y vaya luego a celebrar misa». Fray Víctor le contestó de forma desabrida: «Iré más tranquilo si me asegura que van a terminar lo que han empezado». El joven Marcelino le cogió la pistola del cinto. «¿Qué quiere usted decir?», le preguntó el capitán. «¡Aquí no están todos! ¡Aquí faltan los peores!», chilló el cura. Luego pronunció el nombre de don Pedro. «Es masón, por si le interesa saberlo.» «¿Conoce usted a ese tal don Pedro?», preguntó el capitán a Marcelino. El joven asintió. «Procure que sea una hermosa misa», pidió el capitán a fray Víctor. Fue la forma de decirle adiós.

«Tengo un amigo que es acordeonista —explicó Marcelino al capitán—. Se defiende bastante bien con el órgano. Le puedo avisar, si quiere». «¿Quién es ese don Pedro?», preguntó el capitán sin prestar atención a la sugerencia. «Un señor muy gordo que pasó unos cuantos años en América. En el pueblo se comenta que todas las mañanas apunta su peso en la pared del cuarto de baño», contestó Marcelino. «¿Marica?» «No me extrañaría.» «¿Está usted de acuerdo con lo que ha dicho el cura?» «Dio su voto a los republicanos, de eso no hay ninguna duda. Cuando ganaron las municipales, lo festejaron en su hotel. Todos esos estuvieron allí.» El joven Marcelino miraba hacia los fusilados. Un grupo de soldados estaba introduciendo los cadáveres en una camioneta. «Está usted muy bien informado. Le felicito.» Por primera vez desde que se inició la conversación, el joven Marcelino sonrió. Agradecía el cumplido del militar. «Ya le he dicho a usted que tengo un amigo que toca el acordeón. Fue él quien puso la música en esa fiesta.» «Así que, si no le he entendido mal, ese americano marica es propietario de un hotel», prosiguió el capitán. «Recién construido, muy bueno. A tres kilómetros del pueblo, en la ladera de ese monte. No sé decirle cuántas habitaciones tiene pero no menos de treinta. Y una cafetería. Le ha puesto el nombre de hotel Alaska.» «Y si es marica, supongo que no tendrá familia, ¿verdad?» «No, que se sepa.»

Había ahora dos mujeres en el soportal, provistas de baldes de agua y trapos para limpiar las manchas de sangre que habían quedado en el suelo. «¡Esas mujeres!», gritó el capitán. «¡Nosotras no hemos hecho nada, señor!», exclamó una de ellas hincándose de rodillas. «¿Quién os ha dicho que vengáis? Aquí no hay que limpiar nada.» Pensaba arengar a todos los muchachos de Obaba para animarles a que se alistaran en su batallón. Pisar la sangre derramada por siete hombres del pueblo sería un buen bautizo para los nuevos soldados.

Don Pedro se reunía todos los días en el hotel con los dos maestros que habían decidido permanecer en el pueblo, y cuando llegaba el momento de la despedida procuraba discretamente hacer que se quedaran un rato más con él. «¿De verdad que no quieren otro café?» Bernardino y Mauricio respondían que no debían retrasarse, y emprendían el descenso hacia el pueblo siguiendo los senderos del bosque. En la carretera, cada curva podía esconder una patrulla. Y las patrullas siempre hacían preguntas.

Se iban sus amigos y don Pedro se sentía desamparado, especialmente los días que siguieron al primer despliegue de las tropas, cuando los empleados del hotel, incluidos los de más edad —«¿Qué hacemos aquí sin clientes, don Pedro?»—, decidieron abandonar sus puestos. Vacías las habitaciones, la cocina, la sala de estar, la cafetería, el mirador; vacíos asimismo los montes —ni los sapos se dejaban oír— su espíritu se veía transportado más allá de la soledad, como si el hotel

Alaska no fuera ahora sino la antesala de algún otro lugar. ¿Del reino de la muerte? Tal vez. Don Pedro intentó valerse de su buen humor para tranquilizarse, y se dijo que las reflexiones sobre la muerte las iba a dejar para cuando cumpliera ochenta años; pero fue inútil. Le acababa de llegar la noticia de los fusilados en el soportal del ayuntamiento. Cuando el viento sur sacudía las contraventanas, se le figuraba que era la misma Muerte, llamando a su puerta.

El 15 de agosto, día de la Virgen, don Pedro pensó que habrían llevado a todos los soldados a la iglesia, y decidió bajar al pueblo. Quería examinar la situación de cerca; encontrarse con personas que conocía por haber realizado algún trabajo en el hotel, y de las que sospechaba que simpatizaban con los fascistas, y ver cómo lo acogían. Pero, cuando iba por el mirador en busca de su automóvil, se vio de pronto frente a una patrulla de soldados que le apuntaban con sus armas: unos con la rodilla en tierra, los de atrás de pie, como en un fusilamiento. Por sus boinas rojas, supo que eran *requetés*; no exactamente fascistas, sino integristas religiosos. El que hacía de jefe, un hombre de tez morena de unos cincuenta años, avanzó hacia él y le habló con desprecio: «¿Qué? ¿Cuánto ha marcado hoy la báscula?». «117 kilos», respondió don Pedro como si la pregunta no tuviera nada de particular. Se oyeron risitas entre los soldados. Comparados con el jefe, parecían adolescentes. «El mismo peso que el cerdo que matamos el otro día. Pero el cerdo todo lo tiene bueno, no como usted.» El hombre de tez morena le metió la punta de la pistola en el costado y le dio un empujón. «¡Como me imaginaba! ¡Huele a perfume!», añadió. Se repitieron las risas entre los soldados. «Dos de vosotros quedaos conmigo. Los demás, a registrar el hotel», ordenó.

Había oído decir a don Miguel que el batallón de integristas navarros estaba compuesto por campesinos ignorantes cuyo principal afán al conquistar un pueblo era arramblar con los espejos y los muebles de las casas; pero los que entraron en el hotel sólo cogieron el arma que guardaba en su habitación, un rifle Winchester de seis tiros que había comprado en Winnipeg. «¿De dónde ha sacado esto?», le preguntó el hombre de tez morena examinando el arma. Era un rifle precioso, con incrustaciones de nácar; a su lado, las armas que portaban los soldados parecían antiguallas. «Lo traje de América.» «Voy a probarlo.» El hombre de tez morena caminó hasta el pretil del mirador, y fijó la vista en los árboles del bosque, ladera abajo. Buscaba un pájaro. «Ahí tiene usted un tordo, don Jaime. Un poco más acá que los árboles, en la pradera», le indicó uno de los soldados. El hombre se llevó el rifle a la mejilla, y apretó el gatillo. No hubo nada. El arma no tenía balas. «Nos ha salido bromista este bujarrón. Sabía que estaba sin cargar pero ha preferido no decir nada para dejarme en ridículo ante mis hombres.» Se lanzó hacia don Pedro y le golpeó con la culata en el costado. Un golpe tremendo, que movió sus 117 kilos y le hizo tambalearse. El sombrero J. B. Hotson de color gris rodó hasta los pies de los soldados.

El culatazo le atravesó todo el cuerpo y le llegó al alma. Entonces, como Lázaro el día de su resurrección en Betania, oyó una voz que le decía: «¡Sal de ahí, Pedro! Has estado encerrado en la tumba a la que te empujaron el miedo y las dudas, pero es hora ya de despertar». A las palabras les siguieron las imágenes, y se vio en Winnipeg tomando café con el jefe indio Jolinshua; se vio en las profundidades de la mina de Alice Arm, examinando una veta de la variedad de plata roja que los mineros llamaban *ruglar silver*; se vio en Prince Rupert, después de caminar durante todo un día perdido en la nieve. Pensó: «No me voy a acobardar ante estos asesinos». Era su decisión.

«Tenga el sombrero», le dijo un soldado joven, entregándoselo. «Me alegra ver que no todos sois iguales», contestó don Pedro, después de darle las gracias. «¿Cómo somos los demás, pues?» El hombre de tez morena, don Jaime, seguía con el Winchester en la mano. «Puesto que son ustedes tan católicos, leerán a menudo la Biblia», dijo don Pedro mirándole. Estaba seguro de lo contrario. En nada se parecía aquella gente a los protestantes que había conocido en Canadá, que abrían el libro sagrado hasta para entretenerse. «Yo sí, desde luego», dijo don Jaime. «Sabrá entonces lo que se dice de la gente como usted en la Biblia. *Son como bestias inmundas*, así dice la Biblia.» El rifle cayó al suelo, y en la mano del hombre de tez morena apareció una pistola. «¡Don Jaime! —gritó el joven soldado que había recogido el sombrero—, acuérdese de las órdenes. El capitán ha dicho que al americano lo llevemos vivo». Como una auténtica bestia inmunda, don Jaime empezó a maldecir y a revolverse. «¡A la camioneta! —ordenó al final, jadeante—. Será que este marica tiene mucha información, por eso lo querrán con vida —se acercó a don Pedro y le señaló con el dedo—. Pero ya tendremos ocasión de encontrarnos a solas. No le quepa duda».

«¿En qué parte de América estuvo usted?», le preguntó, camino del aparcamiento, el joven soldado que le trataba con amabilidad. Era alto y fuerte, con aspecto de leñador. «Donde más tiempo pasé fue en la zona de Canadá», contestó don Pedro. «¿Es buen sitio? Tengo un tío por aquellas tierras, y siempre me está diciendo que me reúna con él. A lo mejor me animo cuando acabe la guerra.» «¿Dónde está su tío?» «En Vancouver Island.» Pronunció el nombre tal como se escribe. «Es un sitio formidable. Y la gente es más caritativa que aquí.» «Entonces me lo pensaré.» Estaban ya junto a una camioneta. El joven pidió ayuda a un compañero, y entre los dos lo subieron a la caja.

En la planta baja del ayuntamiento, entre el soportal y la taberna, había una pieza de una sola ventana a la que la gente del pueblo llamaba «la cárcel» y que, «desde que los ladrones desaparecieron de Obaba», servía como almacén de alimentos y bebidas. Encerrado allí, a oscuras —la única ventana se encontraba cegada con unas tablas—, don Pedro se recostó sobre unos odres de vino y se preguntó qué hacer, cómo aprovechar el tiempo que le quedaba. «Reflexiona acerca de tu paso por el mundo. Es lo que todos hacen en sus horas finales», le aconsejó su voz interior.

Como tantas otras veces, don Pedro intentó concentrarse en los nombres lejanos: Seattle, Vancouver, Old Manett, New Manett; Alice Arm, Prince Rupert, Nairen Harbour... Pero los nombres se perdieron en el vacío y no fue capaz de recordar un solo fragmento de su vida. Se sintió como un animal grande y tonto, y decidió, por despabilarse, por mantener la cabeza ocupada, hacer el inventario de todos los comestibles que había en el almacén. Al principio se limitó a reconocer los productos por el olfato y a memorizarlos; luego, como quiso la suerte que encontrara una libreta con un pequeño lápiz —¡y qué alegría ante el hallazgo!, ¡como si su salvación hubiese dependido de ello!—, pasó a anotar los datos en sus páginas.

Estaba terminando el inventario, examinando unas conservas, cuando se abrió la puerta y el almacén se llenó de luz. Sus ojos se acostumbraron pronto a la claridad, y reconoció al hombre de tez morena al que llamaban don Jaime. Venía acompañado de un grupo de soldados. «Me lo imaginaba, son sardinas», dijo don Pedro, mostrando una de las latas de conserva. Se quedó de pronto sin fuerzas, y se sentó sobre una caja. «No es hora de sentarse», le advirtió don Jaime con voz ronca. Se le veía cansado. «Estoy preparado», respondió don Pedro, poniéndose en pie y vistiéndose el sombrero. «Es hora de morir», le apuntó su voz interior. Quiso de nuevo pensar en su vida, en sus padres, en su hermano, en los amigos que había hecho en América. Pero su cabeza se obstinaba tontamente en recordar el inventario que acababa de realizar: *cinco odres de aceite, otros cinco de vino, dieciséis cajas de galletas, tres latas de atún de diez kilos cada una…*

Salieron al soportal, e inmediatamente lo pusieron de cara a la pared. Pudo ver, sin embargo, que la plaza y las calles del pueblo estaban desiertas, y que el sol se retiraba al otro lado de las montañas. El 15 de agosto tocaba a su fin. «El día de tu muerte», le dijo su voz interior. Se le acercó un soldado. «¿Quiere usted pasar por el retrete antes de que venga la camioneta?», le preguntó. Era el joven que tenía un tío en Vancouver. «Buena idea», contestó él. «No pierda el ánimo, señor —le dijo el soldado, mientras lo guiaba a la taberna de los bajos del ayuntamiento—. Ya lo ha oído esta mañana, el capitán lo quiere vivo. Es buena señal».

Al entrar en el retrete, don Pedro se dio una palmada en la mejilla. Los datos del inventario —*cinco odres de aceite, otros cinco de vino, dieciséis cajas de galletas…*— seguían zumbando en su cabeza. No podía librarse de ellos. Ni siquiera con la palmada lo consiguió.

«Don Jaime está agotado, ¿verdad?», le dijo al soldado cuando volvían al soportal. «Ha perdido la pistola, y está nervioso. Al capitán Degrela no le gustan esas cosas —explicó el soldado con una media sonrisa—. Además, hoy hemos tenido mucho trabajo. Ya no es joven, y andar todo el día de aquí para allá cansa mucho». Aquellas palabras le hicieron recapacitar. Sospechaba el carácter de las idas y venidas de aquel joven y de sus compañeros, y su situación le pareció rara. Lo habían mantenido aislado, no había visto a nadie en todo el día. ¿Dónde metían a los otros detenidos? ¿Los llevaban directamente al bosque?…

La camioneta, la misma de aquella mañana, esperaba con el motor encendido. «¿Qué habéis estado haciendo tanto tiempo? ¿Dándole a lo de atrás?» Don Jaime quería gritar, pero su garganta no se lo permitía. Los soldados rieron con disimulo, no sólo por el comentario. Era evidente que la pérdida de la pistola había debilitado su autoridad. «A don Jaime se le ha puesto voz de vieja», se burló por lo bajo un soldado con pinta de borrachín. «¡A ver si terminamos de una vez!», dijo don Jaime introduciéndose en la cabina de la camioneta. El soldado joven pidió ayuda a un compañero y, al igual que aquella mañana, alzaron a don Pedro a pulso y lo dejaron en la caja del vehículo. Luego subieron ellos mismos y el resto de los soldados.

Salieron en dirección a la carretera principal. «Dice usted que Vancouver Island es bonito», comentó el soldado. «*Ailand*, no *Island*. *Vancuva ailand*.» «Eso es lo que más miedo me da: la lengua —dijo el soldado sonriendo—. Por eso no me he animado hasta ahora. Si no, ya estaría allí». «Siempre se aprende en la medida en que uno lo necesita. Tú también aprenderás», le respondió don Pedro.

Era una hermosa tarde de verano. Soplaba el viento sur, y los restos de luz que había dejado la puesta de sol suavizaban el cielo; uno de los lados, con nubes muy ligeras y claros azules, recordaba un cubrecama infantil. Don Pedro aspiró el aire. Por primera vez desde aquella mañana, veía algo, una escena de su vida; veía a sus padres junto a una cuna, y a su hermano dormido dentro de ella. ¿Cómo imaginar la suerte de aquel bebé? ¿Cómo imaginar que encontraría la muerte en un lago situado al otro lado del mundo, a nueve mil kilómetros de distancia? Sintió que perdía pie, que se mareaba; que tenía ganas de llorar.

«¿Cómo se dice "chica" en la lengua de allí?», preguntó el soldado. «¡De eso no va a tener ni idea, a ése pregúntale por los chicos!», intervino el que tenía aspecto de borrachín. «¿Por qué no te callas?», dijo otro. *«Girl»*, respondió don Pedro. «¿*Girl?* ¿Sin más?», se sorprendió el soldado. La camioneta estuvo a punto de detenerse, y luego enfiló hacia el monte. «¿Adónde vamos? ¿Al hotel?», preguntó don Pedro. «Eso parece», le dijo el soldado. No le informó de que, desde aquella misma mañana, el cuartel del capitán Degrela se ubicaba allí.

Se encontraban en la terraza de la cafetería del hotel, el capitán sentado ante una mesa junto a un joven con aspecto de falangista, y él enfrente, de pie. Anochecía, y las luces estaban apagadas. No se veía bien. «¡Quítese inmediatamente el sombrero! ¡A ver si muestra usted más respeto por el capitán!», le ordenó don Jaime, que estaba a su lado. Él obedeció. «Dígame, don Pedro, ¿qué pena merece el que mata a su hermano?», le preguntó el capitán Degrela sin mediar saludo. Iba a contestar, pero don Jaime se adelantó: «Antes de retirarme, señor, quiero informarle de que he perdido la pistola, y de que me tiene a su disposición». «No estaba hablando con usted, don Jaime —dijo el capitán con voz apenas audible. Se volvió hacia don Pedro—: Yo se lo diré. Merece la muerte».

El corazón le latía con fuerza. Aun al amparo de la oscuridad, aun conociendo el lugar —¡su casa!—, huir le parecía imposible. «¿Qué hace usted en mi hotel? Eso es lo primero que me tiene que explicar», exigió. «No se ponga usted bravo, don Pedro. Ahora el hotel ha pasado a manos del Ejército Nacional Español.» «Yo no he hecho nada, y su obligación es ponerme en libertad», protestó don Pedro. «Eso pretendo», dijo el capitán levantándose de su silla. Pasó por delante de don Jaime sin dignarse mirarle y dio una vuelta alrededor de la mesa.

Los ojos de don Pedro se iban acostumbrando a la oscuridad. Calculó que el capitán tendría unos treinta y cinco años. En cuanto al joven con aspecto de falangista, no debía de sobrepasar los veinticinco. Pensó que aquella cara ya la había visto antes. «Usted, don Pedro, es un hombre de mundo. Confío en que podamos entendernos rápidamente —dijo el capitán—. Como sabe, estamos viviendo el inicio de un gran movimiento político. Nos proponemos extender a todo el mundo lo que sucedió en Alemania y en Italia, lo que ahora mismo está sucediendo aquí. Eso significa que esta guerra acabará, pero nuestra revolución seguirá adelante».

Don Pedro consiguió al fin acordarse del nombre del joven sentado a la mesa. Le llamaban Berlino. Había oído contar que pasó algún tiempo en el seminario y que salió de allí convertido en gran admirador de Hitler. Tenía trato con una chica francesa que había trabajado como repostera en la cocina del hotel. «Así pues, le será fácil entender nuestra oferta —prosiguió el capitán—. Usted nos venderá el hotel por una cantidad que nosotros hemos fijado ya. Como comprobará pronto, el precio no es tan malo, dadas las circunstancias. En cualquier caso, el hotel nos hace falta. Como dirían sus amigos comunistas, necesitamos cuarteles de invierno». El joven al que llamaban Berlino puso una carpeta encima de la mesa. «Siéntese y examine el contrato —dijo el capitán—. Queremos hacer las cosas como es debido». «Está demasiado oscuro», dijo don Pedro. «Eso tiene fácil arreglo.» El capitán Degrela miró por primera vez a don Jaime. «Traiga una linterna», ordenó. Don Jaime se alejó apresuradamente, a pasitos cortos. De pronto, parecía un camarero.

El documento llevaba fecha de abril de aquel año, como si fuera anterior al inicio de la guerra. Además, el comprador era el mismo capitán Degrela. No se trataba, pues, de una requisa; el hotel no pasaría a ser propiedad del Ejército, sino de un sujeto particular: Carlos Degrela Villabaso. «Si estuviera en Canadá, no pondría mi nombre en este contrato —dijo don Pedro—. Pero entiendo que la situación es especial, y si hay que firmar, firmaré». Dejó el sombrero sobre la mesa, y cogió la pluma estilográfica que le ofrecía el joven falangista. «De todas maneras, y teniendo en cuenta lo particular del caso, quiero hacerles una propuesta —añadió don Pedro—. Dejaré el hotel en sus manos sin recibir a cambio ni una moneda, será una donación. Aparte, podría hacerles alguna aportación económica. Si les parece bien, claro». Saltaba a la vista, no hacía falta linterna para verlo: si deseaba equilibrar el peso de la muerte y salir con vida, tenía que poner todo cuanto pudiera en el otro platillo de la balanza.

El militar se llevó la mano a la mejilla y se la frotó, como queriendo comprobar cuánto le había crecido la barba. No sabía cómo interpretar lo que acababa de oír. «Tengo una cantidad de dinero en bancos extranjeros —aclaró don Pedro—. En dólares, en francos y en libras esterlinas. Si permiten que me marche a Francia, destinaré parte de mis bienes a su revolución. Pero, por supuesto, para eso necesito ayuda. Háganme un salvoconducto, y llévenme al otro lado de la frontera. Yo cumpliré mi palabra». El capitán vaciló. «¿Qué opina usted?», preguntó a Berlino. «¿De cuánto dinero estamos hablando?», preguntó éste. «Diez mil dólares.» Berlino se tomó un rato para hacer el cálculo. «¡Es mucho!», exclamó luego con admiración. Era más de lo que hubiese podido ganar su novia trabajando de repostera durante toda su vida. Se dirigió al capitán: «Si a usted le parece bien, yo mismo le puedo acompañar a Francia». «Ya veremos. Tengo que pensarlo. En cualquier caso, que firme el contrato.» El capitán se levantó de la mesa. «Cuando termine, lleve a don Pedro a su habitación —ordenó a don Jaime—. Y luego, haga el favor de buscar su pistola. No se vaya a dormir hasta que la haya encontrado. Es una deshonra que una persona que ejerce el mando cometa semejante negligencia». Don Jaime permaneció cuadrado hasta que el capitán entró en la cafetería. «¡Eche una firma aquí! ¡Y otra aquí!», ordenó Berlino a don Pedro.

Encontró su habitación completamente revuelta, con toda la ropa de los armarios esparcida por el suelo. Sin detenerse a mirar, don Pedro buscó refugio en el baño: el espejo tenía una raja y la báscula estaba boca abajo en un rincón, como si alguien la hubiera lanzado hasta allí de un puntapié, pero, por lo demás, los jabones se hallaban en su sitio, así como las sales y los champús que solía traer de Biarritz. Abrió el grifo: el agua corrió como siempre.

Antes de bañarse, dio la vuelta a la báscula y se subió a ella: el aparato marcó 115,30 kilos. Su peso más bajo desde hacía años. Casi dos kilos menos que aquella misma mañana. Se dio cuenta entonces de que llevaba todo el día en ayunas, y pensó que debía procurarse algo para comer. Sin embargo, más que hambre, lo que sentía eran ganas de fumar, y cuando se puso a rebuscar en su habitación y consiguió encontrar, no sólo una caja de galletas, sino también la tabaquera donde guardaba sus cigarros puros, creyó que ese pequeño éxito podía ser un buen augurio, y se metió en la bañera con mejor ánimo.

Media hora después estaba en la ventana fumándose un cigarro. Era una noche clara, de mucha luna, y las sombras de los soldados que rondaban por los alrededores del hotel se distinguían perfectamente. Pero todo estaba en silencio, y parecía que hasta los automóviles aparcados en el mirador se habían retirado a descansar. Don Pedro se fijó en su Chevrolet beige y marrón, y le dio pena que lo tuvieran retenido. Luego, para librarse de aquel sentimiento, alzó los ojos hacia el valle de Obaba.

«Bebo el valle con mis ojos», oyó en su interior. Era la voz del maestro Bernardino. Aquel amigo suyo había escrito un poema que empezaba de esa manera: «Bebo el valle con mis ojos, en el ocaso de un día dorado de verano, y mi sed no se sacia…». ¿Qué habría sido de él? ¿Y de Mauricio? «Colinas y montañas, y esas blancas casas, que en la distancia nos recuerdan un rebaño desperdigado…» ¿Habrían conseguido esconderse? ¿Habrían mostrado más prudencia que él durante aquellas horas nefastas? Mauricio no le preocupaba tanto, porque era una persona de edad, y muy sólida; Bernardino, en cambio, a pesar de su inteligencia, era un hombre desvalido. Incluso en la vida ordinaria se veía en apuros: los niños de la escuela le gastaban bromas pesadas aprovechándose de su repugnancia por los castigos. Y si en la vida ordinaria era así, ¿cómo se las apañaría ahora que los asesinos se movían a sus anchas? *Agnus Dei!* Como un cordero entre los lobos.

La punta roja del puro que estaba fumando se avivaba o se amortiguaba a merced de la brisa que llegaba hasta la ventana. Y el mismo compás seguían sus pensamientos: se avivaban y se amortiguaban, alternativamente. Pero no le llevaban a ninguna parte. ¿Qué pensó Jesús en el huerto de Getsemaní? No podía saberlo. Era una tontería preguntarse aquello. Pero se lo preguntaba, el vaivén de sus pensamientos era ajeno a su voluntad. A una pregunta le seguía una respuesta, y a la respuesta otra pregunta; pero nada de lo que pasaba por su cabeza adquiría sentido.

Prestó atención. Después de muchos días de silencio, los sapos volvían a cantar. Pero sonaban ahora muy débiles, o muy lejanos. *Win-ni-peg-win-ni-peg-win-ni-peg-win-ni-peg*, decían. Pensó que podía tratarse de sapitos, de las crías de los sapos de otras veces, que por eso tenían aquel hilillo de voz. Apagó el puro en el grifo del lavabo y se echó en la cama. *Win-ni-peg-win-ni-peg-win-ni-peg-win-ni-peg*. Aunque sonara débilmente, el canto llegaba hasta su habitación. Poco a poco, se quedó dormido.

Tuvo la impresión, en el duermevela, de que los aviones alemanes sobrevolaban incesantemente el hotel y de que, de vez en cuando, a juzgar por el ruido del motor, alguno de ellos tomaba tierra en la misma terraza. Cuando se despertó del todo y se dio cuenta de que no podía ser, se asomó a la ventana y vio pasar justo debajo tres camionetas como la que lo había traído desde el ayuntamiento. Se detuvieron en una esquina del hotel, junto a la puerta que daba acceso a los sótanos del edificio.

Alarmado, dio un paso atrás: las tres camionetas venían cargadas de hombres. Se oían quejidos, gritos de mando, sollozos. Un soldado se puso a repartir golpes para hacer callar a los que protestaban. «¡Yo no he hecho nada!», gritó alguien. Luego, silencio. Pero por poco tiempo. El ruido de motores se impuso otra vez. Tres automóviles se aproximaban uno detrás de otro, su Chevrolet en medio. Observó que tenía un golpe en el guardabarros de la rueda delantera, y que el foco del mismo lado no alumbraba. Miró la hora en su reloj de cadena. Eran las cuatro y media de la madrugada, no faltaba mucho para el amanecer.

Se vistió sin prisas. De entre toda la ropa desparramada por la habitación escogió un traje de verano de color gris claro, con un sombrero a juego, y unos zapatos de ante todavía sin estrenar. Se metió además en el bolsillo la libreta y el pequeño lápiz que había encontrado en el almacén de la taberna, confiando, aunque débilmente, como si su corazón también se hubiera empequeñecido y casi no tuviera voz, en que le diera buena suerte. Cuando se consideró preparado, sacó otro cigarro puro de la tabaquera y se sentó a fumar en una esquina de la cama. En el mirador del hotel el ruido de motores era constante.

Estaban a punto de dar las cinco de la mañana cuando don Jaime vino a buscarle. Tenía los ojos amoratados por el cansancio, y una película de sudor le recubría la cara. «Se ha puesto usted muy elegante para viajar a Francia —dijo don Jaime. Quiso reírse, pero le dio la tos—. ¡Apague ese puro!». A la vez que gritaba, le pegó un tortazo en la mano, y el puro acabó en el suelo. «Si no encuentra pronto su pistola le va a dar un ataque de nervios», le respondió don Pedro.

Le costó levantarse del borde de la cama, como si su peso hubiera aumentado súbitamente de 115,30 a 135 o 145. «¡Nos vamos a Francia!», dijo don Jaime a los hombres que venían con él, y dos de ellos agarraron a don Pedro por ambos brazos. Todos vestían ropas de paisano, y eran más viejos que los soldados de la víspera. Llevaban el pelo peinado hacia atrás, y fijado con gomina. «Por lo que veo, usted no hace ascos a nadie. Ayer anduvo con los requetés, ahora acompaña a los falangistas», dijo don Pedro.

Hacía esfuerzos para no dejarse vencer, pero era difícil calmarse, pensar en una salida. No había esperanza para él, ésa era la verdad. El maestro Miguel solía decir que, de todos los grupos de extrema derecha que había en España, los falangistas eran los que más poetas y artistas tenían en sus filas, y que cuando empezaran a matar lo harían sin piedad, «como sucede siempre que se mezclan idealistas y militares». Apenas había transcurrido un mes desde el inicio de la guerra, pero aquello ya había quedado claro. Ahora le tocaba a él.

«Podríamos ir en su automóvil, pero sólo tiene un foco, y a nosotros nos conviene tener luz. El camino a Francia estará muy oscuro», le dijo uno de los que le sujetaban del brazo cuando salieron fuera, adoptando el mismo tono de don Jaime. Don Pedro no le hizo caso, y siguió escudriñando el interior del automóvil que tenían delante. Le había parecido que allí dentro había alguien. Un hombre delgado y con gafas. «¡Bernardino!», exclamó, al mismo tiempo que le empujaban al interior del vehículo. Los dos amigos se abrazaron como pudieron en el asiento de atrás. «Han matado a Mauricio, don Pedro. Y ahora nos matarán a nosotros.» «No se rinda, Bernardino. Todavía estamos vivos.» No fue una mera frase de ánimo. Había percibido, en el momento del abrazo, un dolor muy preciso en el costado. En el asiento había algo, un objeto duro. *Win-ni-peg-win-ni-peg-win-ni-peg!*, chillaron los sapos desde el bosque. Enderezó su cuerpo y se echó atrás poco a poco. Volvió a sentir el mismo dolor, esta vez en el muslo. Se le representó enseguida, porque la tela de su traje era muy fina, la imagen de un cilindro.

Bernardino no podía controlar el llanto, y los falangistas que vigilaban el auto le ordenaron tajantemente que se callara. «¿Adónde ha ido don Jaime?», preguntó uno del grupo. «Creo que ha ido a refrescarse. No tardará en volver», contestó el chófer. «Casi son las seis. Pronto amanecerá», se quejó su compañero. Don Pedro le dio unas palmadas al maestro. «Valor, Bernardino, valor. Todavía estamos vivos.» Se quitó el sombrero y lo colocó en las rodillas. Luego, se llevó la mano atrás y agarró el objeto. Efectivamente, era una pistola.

Don Jaime se sentó junto al chófer, y los otros dos hombres ocuparon unos pequeños asientos abatibles, frente a don Pedro y su amigo. Se pusieron bruscamente en marcha y comenzaron a descender por la estrecha carretera que iba del hotel al pueblo. Marchaban a tal velocidad que en las revueltas más cerradas lograban a duras penas mantenerse en el asiento. «Tú, vete más despacio, que no hay tanta prisa», dijo el falangista sentado delante de don Pedro, después de que un bandazo lo mandara contra la puerta. Las luces de los focos iluminaban intensamente el bosque por el que discurría la carretera. Se veían árboles cargados de hojas, hayas muy verdes.

Al llegar al cruce, se dirigieron valle abajo, en dirección contraria a Obaba. El chófer no había reducido la velocidad, pero ahora circulaban por una carretera de largas rectas. «Si la maldita pistola no está ahí, no sé qué voy a hacer», dijo don Jaime. «Estará ahí», quiso tranquilizarle el chófer. «He buscado en todas partes. Sólo me queda mirar en ese monte.» «¿En ese monte o en Francia? Yo creía que íbamos a Francia», se rió el falangista que estaba sentado frente a don Pedro. «¿No quiere ir a Francia? ¿Por qué está tan triste? —preguntó a continuación a Bernardino, alumbrando el interior del automóvil con una linterna—. Siga el ejemplo de este marica. Mire qué tranquilo va». «¡Aquí!», gritó don Jaime, al divisar una pista de monte a la derecha de la carretera. «¡Despacio!», volvió a gritar, cuando el vehículo empezó a dar tumbos por el camino lleno de baches y pedruscos. «¡Pues sí que es pésimo el camino para Francia!», dijo el falangista dirigiendo la linterna hacia la ventanilla y mirando al exterior. Don Pedro metió la mano debajo del sombrero, y agarró firmemente la pistola. «¡Atento, Bernardino!» «¡Atento a qué?», preguntó el falangista, girándose hacia él. Don Pedro levantó la mano, y le pegó un tiro en la cabeza.

Subía la cuesta corriendo, mientras los sapos a su alrededor le gritaban *Win-ni-peg! Win-ni-peg! Win-ni-peg! Win-ni-peg!* a un ritmo cuatro o cinco veces más acelerado que el de costumbre. Corría torpemente, pero tan rápido o más que cualquiera de su edad y de su peso. El afán por huir de una muerte segura aligeraba sus pies.

Despuntaban las primeras luces del amanecer, uno de los extremos del cielo se estaba tiñendo de naranja. Llegó a lo alto del bosque, y divisó un vallecito en el que se asentaba un barrio rural. Contó las casas: eran cinco en total, y todas miraban a un riachuelo; al riachuelo y a un camino. Cuatro de ellas estaban pintadas de blanco, y, a pesar de la poca luz, su contorno se distinguía con nitidez; la primera y más cercana, situada en la entrada del valle, era oscura, de piedra.

Bajó la pendiente con precaución, pues sabía, desde los tiempos de Canadá, que más valía no precipitarse, que era en ese momento cuando más se exponía a tropezar y a torcerse un tobillo. Una vez abajo, se apostó detrás de unos arbustos que crecían a la orilla del río y examinó la casa de piedra. No parecía habitada. Sacó la pistola del bolsillo del pantalón, y cruzó el arroyo.

La casa tenía una piedra de moler en la planta baja, pero no se veían restos de harina, ni tampoco utensilios. Debía de tratarse de un molino en desuso. Era, en todo caso, un mal refugio. Antes que ningún otro sitio, las patrullas registraban las casas deshabitadas. «Todos tus esfuerzos serán inútiles —le dijo su voz interior—. No vas a encontrar una cabaña cálida llena de amigos, como la vez que te perdiste en los nevados páramos de Prince Rupert». Tuvo un desfallecimiento, y fue a sentarse en la piedra de moler. Cuando se recuperó, guardó la pistola en el bolsillo de la chaqueta y salió afuera.

La luz del amanecer se iba adueñando del vallecito, y las paredes de las casas lucían ahora un tono naranja, el mismo del cielo. «No es un lugar perdido en el monte, como creías —le dijo su voz interior—, sino un barrio de Obaba. Las patrullas no tardarán en encontrar los cadáveres de sus compañeros muertos a tiros, y saldrán a por ti como perros».

Se metió en el cauce del río, y comenzó a caminar hacia las casas aprovechando la vereda que se había formado en una de las orillas. Cuando le pareció que había llegado a la altura de la primera de ellas, asomó la cabeza y la escrutó durante unos instantes. Luego, sin dejar de avanzar, repitió la operación frente a todas las restantes. Se preguntaba cuál de ellas podría servirle de refugio; cuál escondería a Abel, cuál a Caín; cuál al hombre compasivo y valiente, cuál al infame. Pero llegó al extremo del vallecito, y sus dudas no se habían resuelto. No había señales. A nadie había dicho Dios en aquel barrio: «Mata un cordero y unta con su sangre el marco y el dintel de tu casa, pues el ángel, al ver la sangre en la entrada, pasará de largo». Sin señales, sin una mínima seguridad, todas las puertas eran peligrosas. «Aunque hubiera una señal, ¿qué cambiaría eso?», se preguntó con resignación. Las patrullas que saldrían a buscarle serían más implacables que el mismísimo ángel exterminador, y no dejarían una sola casa sin registrar. Además, cabía la posibilidad de que Dios no le quisiera ayudar por haber derramado la sangre del prójimo. Al que mataba a Abel se le llamaba Caín, pero quien mataba a Caín, ¿qué nombre merecía? Se refrescó la cara con el agua del río. Los pensamientos giraban febrilmente en su cabeza.

Al llegar a la última casa del barrio, el terreno empezaba a elevarse. La pendiente era primero suave, y estaba cubierta de praderas; luego se hacía más pronunciada, y la hierba daba paso a los árboles, al bosque, a la montaña. Don Pedro caminó en aquella dirección, decidido a llegar lo más lejos posible. Quiso, sin embargo, echar una última mirada al vallecito, al camino que lo había llevado hasta allí. Apenas volvió la cabeza comprendió la verdad: no iba a continuar, no tenía ganas.

Se sentó en una roca y siguió mirando. Las cinco casas del barrio estaban en silencio, reinaba la paz. En tres de ellas había casetas para perros, aunque no parecían estar ocupadas. En la que seguía al viejo molino unas gallinas escarbaban la tierra. En los terrenos de las dos casas siguientes, había ovejas; junto a la última, a unos cien metros de donde se hallaba sentado, pacían dos caballos. Los dos eran de color castaño. Y la hierba, verde. Como verdes eran los maizales, las huertas, los manzanales, los bosques y los montes lejanos. Eso sí, en los montes lejanos el verde acababa volviéndose azul, azul oscuro. Como el cielo. Porque el cielo se mostraba azul oscuro en aquella hora del amanecer, con manchas naranjas y amarillas. De la chimenea de una casa, de la tercera, empezó a salir humo. Y el humo se deshizo lentamente en el aire. Lentamente se movía también el sol. Se demoraba tras las montañas. Pero estaba a punto de salir.

Don Pedro comprobó el cargador de su pistola para asegurarse de que las dos últimas balas estaban en su sitio. Le vino de golpe a la cabeza la conversación que había tenido con el doctor Corgean en el hospital de Prince Rupert: «Puede que también usted sea propenso». «¿Propenso a qué?» *«To commit suicide.»* Sin embargo, ahora lo sabía bien, no había tal propensión en él. Se suicidaría tan pronto como el sol asomara por encima de las montañas, pero lo haría por miedo, por la amenaza de un sufrimiento más atroz que la propia muerte. No quería ni pensar en cómo lo tratarían los compañeros de los falangistas muertos si lo atrapaban. Sabía de las torturas que infligían aquellos criminales; había oído contar que arrancaban los ojos con cucharas o que arrojaban a la gente sobre láminas de hierro candentes. Comparado con aquello, morir de un tiro de bala parecía una bendición. Además, habría cierta justicia en su muerte. Dentro del coche yacían tres hombres a los que él había quitado la vida. Debía pagar por ello.

De la última casa del barrio salió un muchacho. Don Pedro lo siguió con la mirada, y vio, sin prestar mucha atención, como si ya para entonces se hubiera disparado un tiro en la cabeza y fuera su espíritu quien presenciaba la escena, que el muchacho se dirigía hacia los caballos, que hablaba con ellos y los acariciaba, y que los sacaba del cercado para guiarlos hasta el riachuelo. Se puso en pie, sobreponiéndose de pronto al desánimo. «¡Juan!», exclamó. El muchacho no le oyó. «¡Juan!», volvió a llamar, apresurándose cuesta abajo.

Mientras terminaban de construir la carretera de acceso al hotel, él solía desplazarse a caballo, acompañado siempre por un muchacho. Habían pasado cinco años desde entonces, y volvía a tenerlo delante. Ahora era un joven rubio, no muy alto, pero fuerte. «Vaya hasta el puente y métase debajo», dijo sin pestañear. Don Pedro se acordó de que era muy serio. Una vez, él le había llamado «Juanito», como a un niño. «No me llamo Juanito, don Pedro —había replicado el muchacho—. Me llamo Juan».

El puente estaba un poco más abajo, a la altura de la casa, y don Pedro se apresuró por llegar allí. Los recuerdos se avivaron en su memoria. El muchacho era huérfano y vivía con su hermana, más joven que él. Y el nombre de la casa era Iruain, por eso solían referirse a él llamándole indistintamente Juan o Iruain. Ya debajo del puente, se acordó de otro detalle, éste muy importante. Aquel muchacho siempre le preguntaba por América, igual que el soldado que tenía un tío en Vancouver, con idéntico anhelo: «¿Es verdad que en América hay ranchos tan grandes como nuestro pueblo? ¿Los ha visto usted?».

Juan se acercó con los dos caballos. «Te he reconocido gracias a los animales», le dijo don Pedro. «¿Se ha dado cuenta de que tiene toda la chaqueta manchada de sangre?», le preguntó Juan. No, no se había dado cuenta. «Ellos eran tres, y nosotros dos —respondió—. Sólo yo he salido vivo del tiroteo.» Se le reprodujo el dolor de aquel momento. Si el segundo tiro se lo hubiera disparado al chófer del auto, y no a aquel ridículo don Jaime, ahora Bernardino estaría a su lado.

El sol ascendía en el cielo. El capitán Degrela y sus hombres ya se habrían percatado de que faltaba un coche.

«Hace unos años me contaste que soñabas con marcharte a América. ¿Has cambiado de opinión?» «Me marcharía ahora mismo», respondió Juan sin dudarlo. No se movía, parecía de piedra. «Yo necesito ayuda para salvarme, y tú la necesitas para emprender una nueva vida en América. Podemos ponernos de acuerdo.» Un perro ladró, y el joven recorrió todo el valle con la mirada. El perro se calló enseguida. «¿Qué ha pensado usted?», preguntó. Ahora parecía algo tímido. «Con esos caballos, en siete u ocho horas nos pondríamos en Francia», dijo don Pedro. El muchacho no abrió la boca. «¿Hay en vuestra casa algún sitio donde yo me pueda esconder?», añadió.

Don Pedro confiaba en que la respuesta fuera afirmativa, porque muchas de las construcciones de Obaba conservaban los escondrijos habilitados durante las guerras del siglo XIX; pero cuando vio que Juan asentía, a punto estuvo de desmayarse de pura excitación. Por primera vez desde que lo detuvieron, su esperanza tenía un fundamento.

«Escóndeme en tu casa, y luego, cuando convenga, me llevas a Francia. A cambio te daré tres mil dólares. Lo suficiente para ir a América y comprar allí un rancho.» Juan sujetó las riendas de los caballos. «Me parece a mí que cinco mil no serían demasiado para usted», dijo. «De acuerdo. Cinco mil dólares», respondió raudo don Pedro, y los dos hombres se estrecharon la mano. «Póngase entre los caballos, y vamos a casa despacio. Una vez dentro, sígame sin hacer ruido, para que no se despierte mi hermana.» El joven no parecía tener miedo. «¿Dónde ha dejado el sombrero? Usted siempre solía andar con sombrero», le dijo de pronto. Don Pedro hizo un gesto de disgusto. «La verdad, no lo sé. Supongo que se habrá quedado en el lugar del tiroteo.» «¿Dónde ha sido?» Don Pedro le explicó con precisión en qué cruce se había desviado el automóvil; pero no fue capaz de detallar los pasos que había dado desde aquel punto hasta llegar al valle. «Creo que he atravesado un bosque. De castaños, no de hayas», dijo. El joven se quedó pensativo por un momento. «¡Vamos!», dijo, tirando a los caballos de las riendas.

Dentro del escondrijo la oscuridad era total, y se adaptó a la nueva situación como lo habría hecho un ciego. Determinó primero que estaba en una especie de pasillo corto, de seis pasos de largo y apenas dos de ancho; luego, una vez dominada la angustia que le producía el sentirse encerrado, examinó el contenido de las marmitas que Juan había introducido por la abertura del techo. Eran en total cuatro marmitas, tres grandes y una pequeña, más ancha que las otras: en la primera había agua; en la segunda, manzanas; en la tercera, zanahorias. La cuarta, la más ancha, estaba vacía, y de ella colgaban trozos de periódico sujetos con un alambre. Despacio, arrastrándolas con cuidado, distribuyó las marmitas: la que le serviría de letrina en un extremo, las tres grandes en el otro. Cuando acabó de organizarse, se sentó con la espalda apoyada en la pared, y empezó a comer. «3 manzanas, 3 zanahorias», apuntó luego en la libreta que llevaba en el bolsillo de la chaqueta, esmerándose por escribir con buena letra a pesar de la oscuridad.

Le asaltó con fuerza la preocupación por el sombrero. Si lo había dejado dentro del automóvil, no importaba. Pero si lo había perdido en el camino, o en el mismo barrio, y alguna patrulla daba con él, la casa dejaría de ser un lugar seguro. Muchos de los soldados eran campesinos, y conocían la existencia de los escondrijos. Pero su inquietud no duró. El día había sido muy largo, y estaba muy cansado. Se quedó dormido.

Al despertar tenía el sombrero sobre el pecho, como si se hubiera posado allí con la suavidad de un copo de nieve.

Lo cogió en sus manos y lloró en silencio. Pensó que había tenido poca fe al llegar al barrio y no ver ninguna señal en las puertas de las casas. Lejos de abandonarle, Dios había querido enviarle un ángel protector, valiente y cabal, semejante en todo a aquel Rafael que ayudó a Tobías. Se puso a comer manzanas, y no paró hasta que fue incapaz de tragar un trocito más. «Manzanas: 7», escribió en su libreta. Luego se tumbó y volvió a quedarse dormido.

Pasaron unos días, tres o cuatro, quizás más, y llegó un momento, cuando el contenido de las marmitas ya estaba por la mitad, que don Pedro se sintió a salvo. «Parece que me voy a librar del registro», se dijo una mañana. O una tarde, él no podía saberlo. Justo entonces, oyó ruidos dentro de la casa. Lo supo enseguida: eran los perseguidores. Le pareció que él mismo los había convocado, que había hecho mal en cantar victoria.

Reaccionó tumbándose boca abajo y tapándose la cabeza con las manos. Pero la postura le resultó incómoda, a causa sobre todo de los fuertes latidos de su corazón, y volvió a colocarse en su postura habitual, sentado y con la espalda en la pared. Los perseguidores subieron las escaleras sin hacer mucho ruido, y unos segundos más tarde oyó la voz de una joven que daba explicaciones: «Es la habitación de nuestra madre. Está exactamente igual que el día en que murió. Quién lo diría, pronto hará diez años. Pero mi hermano Juan se niega a cambiar nada. Es dos años mayor que yo, y ya sabéis, dos años es mucho cuando se es niño. Él dice que se acuerda muy bien de nuestra madre. Yo no. Yo no me acuerdo muy bien». La chica no paraba de hablar, y los hombres que la acompañaban, sin duda soldados, asentían una y otra vez a sus palabras. Don Pedro supuso que sería una chica bonita, y que los soldados estarían conmovidos. «Éste era su armario, y éstos sus vestidos», continuó la chica. Un cajón se abrió y se volvió a cerrar, y el ruido sonó justo encima del escondrijo. Pensó que el mueble le robaba la poca luz que podía llegarle, la que debía iluminar los resquicios de la trampilla que hacía de techo. «Y a vuestro padre, ¿cuándo lo perdisteis?», oyó. Los soldados se marchaban de la habitación. «Yo tenía cuatro años», dijo la chica. «Qué pena. Es muy triste ser huérfano», dijo un soldado. La chica cambió de conversación: «¿Vais hacia el pueblo? Trabajo en el taller de costura y si me lleváis en la camioneta, me hacéis un favor». Los soldados le dijeron que lo sentían, pero que no podían. Tenían la orden de proseguir con la búsqueda.

Los pasos de los soldados resonaron en las escaleras. Una vez fuera —contempló la escena como si la tuviera ante sus ojos— verían a Juan en el prado, cepillando a uno de los caballos. El joven se despediría de ellos levantando por un instante el cepillo, y el registro tocaría a su fin.

Se habían acabado las manzanas y casi todas las zanahorias, y don Pedro empezó a preocuparse. Juan tardaba más que en anteriores ocasiones; ni siquiera venía por la marmita ancha que normalmente cambiaba cada poco tiempo. Pero la preocupación cedió enseguida, y se le metió en la cabeza que el retraso de Juan se debía al afán de completar y mejorar su alimentación, y que la próxima vez que viniera le dejaría unos hermosos panes redondos elaborados con harina de maíz, y que tendría también el detalle de traerle un buen pedazo de cecina o de jamón; no de tocino, claro, porque el tocino había que comerlo frito y bien caliente, cuando todavía goteaba la grasa. Pensó luego, cuando las imágenes relacionadas con la comida fueron ganando en detalle, que Juan bien podría asar un pollo en el horno mientras su hermana estaba en el taller, y si lo acompañaba con unas patatas fritas y unos pimientos rojos, mejor que mejor. Y no había que olvidarse del queso. Seguro que en las casas del barrio se hacía queso, y con un poco de suerte tampoco les faltaría membrillo. Le pediría a Juan queso y membrillo. Le vinieron también a la memoria las conservas de atún que había visto en la *cárcel* del ayuntamiento. El atún en conserva, con un poco de cebolla bien picada, era muy rico. Y con aceitunas verdes… ¡un manjar!

Se acabaron también las zanahorias, y mientras duró el ayuno no hizo más que vigilar el techo, como el perro hambriento que aguarda la llegada de su amo. Incluso hubo momentos en los que se desesperó y dio por seguro que Juan lo dejaría morir de hambre; pero recobró la serenidad, examinó la situación —el peligro asumido, los cinco mil dólares del trato— y siguió esperando. Hasta que, por fin, su ángel protector regresó.

Sirviéndose de la cuerda, Juan bajó dos marmitas además de la de agua. Don Pedro metió la mano dentro: manzanas y zanahorias, eso era todo. No pudo contener su enfado, y, por un momento, su voz adquirió el tono autoritario del dueño de un hotel: «¿Es que no hay pan en esta bendita casa? ¿Es que no hay queso? ¿Es que no hay cecina? ¿Ni huevos?». Una larga lista de alimentos completaron su protesta. «¿Ha acabado ya? —le dijo Juan secamente—. Andan como locos detrás de usted. No debemos perder la cabeza». Don Pedro suspiró: «Tobías pescó un pez con la ayuda del arcángel Rafael. Luego le arrancaron la vesícula, el hígado y el corazón, y lo asaron para comer». Hablaba ahora para sí mismo, consciente de que no estaba siendo razonable. «Cuando lleguemos a Francia yo mismo le invitaré a comer langosta», dijo Juan desde arriba. Se disponía a poner la trampilla en su sitio. «El *foie* tampoco es malo en Francia», dijo don Pedro. «No lo he probado nunca.» «¿Puedo pedirte un favor?» «No voy a traerle más comida, don Pedro. No insista», respondió Juan en su tono más severo. «Un poco de luz, entonces. Si descorres las cortinas de la ventana de la habitación y apartas un poco el mueble, la luz llegará hasta aquí.» «La habitación tiene dos ventanas», dijo Juan. «Mejor.» «Esté tranquilo, y procure moverse lo más posible y hacer gimnasia. Si no, se va a quedar anquilosado.» «Otra cosa —dijo don Pedro—. ¿Por qué no me traes una navaja y un poco de jabón? La barba me produce picor». «Ya se afeitará en Francia, antes de comerse la langosta», contestó Juan, ajustando la trampilla en el piso. Instantes después, oyó el ruido de las cortinas. En el techo del escondrijo aparecieron cuatro franjas de luz.

Las franjas de luz le fueron de gran ayuda durante los días siguientes. Adquirió la costumbre de examinarlas y de calcular, según su intensidad, no sólo la hora del día —objetivo fácil, como comprobó enseguida— sino también el tiempo que hacía, si se trataba de un día soleado o nublado, y en el caso de que fuera nublado, hasta qué punto, con qué riesgo de lluvia. Sus observaciones las anotaba en la libreta con su pequeño lapicero. «Hoy, llovizna. Franjas exteriores casi invisibles y las del medio muy débiles.» «Hoy chaparrones y claros. Al escampar, luz muy intensa. Veo el contorno del sombrero encima de la marmita.» «Hoy cielos azules, hermoso día de verano.» Mientras se mantenía ocupado, el peso del tiempo se le hacía más leve.

Empezó a tomar como eje el momento en que el sol se encontraba en la mitad del cielo, y a organizarlo todo alrededor de dicho momento: las comidas, el descanso, el sueño y los ejercicios de gimnasia que le había recomendado Juan. De todo ello, lo que más le gustaba era la gimnasia, y acabó por practicarla casi continuamente, tanto por las mañanas como por las tardes. Además de los ejercicios propiamente dichos, recorría sin descanso el escondrijo, de extremo a extremo, cinco pasos para allá, cinco pasos para acá, una y otra vez. Apuntaba los datos en el cuaderno con entusiasmo: «Mañana 475 pasos. Tarde 350». Los datos de las comidas, en cambio, le desesperaban: «Desayuno: 1 manzana, 2 zanahorias. Comida: 3, 4. Cena: 2, 4». Cuando las marmitas estuvieron casi vacías, ya no pudo más y decidió no comer nada hasta que volviera Juan. «Desayuno: 0 manzanas, 0 zanahorias. Comida: 0, 0. Cena: 0, 0». Escribió todos los ceros con rabia, como si las manzanas y las zanahorias fueran capaces de entender su desprecio.

Cuando Juan volvió a aparecer con las marmitas de comida, a don Pedro se le escapó un gemido. Él deseaba llevar su pensamiento más allá del escondrijo, salir en espíritu de aquel agujero y convencerse de que se hallaba camino de su salvación; pero la mente no le obedecía, y le insinuaba que tal vez hubiera sido mejor haberse disparado un tiro. Ahora ni siquiera le quedaba esa opción, ya que Juan le había quitado la pistola para esconderla, según le había dicho, en el hueco de un árbol del bosque. Volvió a gemir. No entendía el comportamiento de Juan. No se explicaba su terquedad. ¿Cómo podía pretender que comiera más manzanas, más zanahorias? Era imposible. A él le olían como los excrementos de la marmita ancha. Igual también que los pelos de la barba, antes tiesos y ásperos, ahora cada vez más lacios, pestilentes. Le daban ganas de vomitar. Juan percibió su congoja. «Pronto saldremos para Francia —le dijo—. Tenga valor, falta muy poco».

Se quedó en silencio. Tenía la impresión de que el suelo del escondrijo se había hundido y de que volvía a estar bajo tierra, como cuando era joven. Pero en aquel maldito agujero no había plata ni oro; sólo manzanas y zanahorias. Como le había sucedido unos días antes con la comida, en su cabeza empezaron a arremolinarse nombres, personas de otro tiempo, personas muertas: su hermano, el jefe indio Jolinshua de Winnipeg, el maestro Mauricio, Bernardino. Sobre todo Bernardino, su desgraciado amigo, que no había hecho otro mal que escribir poesías y había sido asesinado por ello, delante de sus ojos. «Otra semana aquí, y me vuelvo loco», le dijo a Juan. «Tres días más, y nos pondremos en marcha», le prometió el joven.

Juan vino con una escalera y le ayudó a salir del escondrijo. Luego, a la luz de una vela, bajaron hasta la cocina y se sentaron a la mesa. Juan le preparó unas sopas bien calientes de maíz, y él se dispuso a comer, manejando con lentitud la cuchara de madera. «He recibido la orden de llevar veinte vacas a la zona del frente, y me han dado dos salvoconductos. Uno para mí y otro para el boyero. Usted será el boyero. Pero no se preocupe. Podrá hacer casi todo el camino montado a caballo.»

Don Pedro mostró su conformidad, y puso la vela que había sobre la mesa un poco más lejos, porque la luz le molestaba. Siguió comiendo las sopas de maíz. «Calculo que con vacas y todo nos llevará unas diez horas llegar a donde me han pedido —le explicó Juan—. Así que, si salimos temprano, para la noche estaremos libres. Y tendremos la frontera francesa a un paso. Al día siguiente, se afeitará la barba e iremos a comer langosta». «Sin olvidarnos del banco», añadió él. «Termine eso, que hay que prepararse», dijo Juan. «Estoy comiendo. Espera un poco.» «Hace tiempo que dieron las cuatro de la madrugada, y tenemos mucho que hacer.» Del exterior llegó el mugido de una vaca. «No voy a levantarme hasta acabar las sopas», se empeñó don Pedro.

Una vez fuera, Juan le hizo dar una vuelta alrededor del cercado de las vacas para ver si era capaz de andar. Luego lo guió a un recodo del riachuelo. «En ese pozo el agua le cubrirá hasta la cintura. Lávese bien», le dijo, proporcionándole un trozo de jabón basto y una toalla. «Harás mucho dinero cuando vayas a América. Eres una persona muy organizada.» «Eso mismo me dice mi hermana.» «¿Dónde está ahora?» «Se quedará en casa de una tía abuela hasta mi vuelta. Se ha colocado en el taller de costura. Va a ser modista.»

«¿Estará fría el agua?», preguntó don Pedro, mirando al riachuelo. «Sí, tío. Pero si anda rápido no se va a enterar.» Juan parecía muy tranquilo. «¿Tío? ¿De ahora en adelante voy a ser tu tío?» Juan asintió con la cabeza. Se estaba riendo. «Mi tío, y el encargado de cuidar los bueyes», añadió. «Dime, sobrino, ¿qué te hace reír?», preguntó don Pedro. Iba volviendo en sí poco a poco. «Perdone que le diga, pero lo que me da risa es su aspecto. Ya me contará cuando se mire en el espejo.»

Se frotó una y otra vez el cuerpo con jabón, se sumergió una y otra vez en el agua. Al salir del riachuelo se sintió completamente renovado, y echó a andar hacia la casa casi desnudo. Se detuvo después de dar unos pasos: por primera vez desde hacía mucho tiempo, por primera vez desde que habían intentado darle muerte, sus oídos estaban abiertos. Podía oír el rumor del viento sur entre el follaje del bosque, y acompañando al rumor, salpicándolo, el canto de los sapos. *Win-ni-peg-win-ni-peg-win-ni-peg*, repetían una vez más, pero con brío, con ganas. La vida era hermosa, sin duda.

Juan le arregló la barba y le cortó el pelo con unas tijeras de su hermana. Luego le pidió las ropas que llevaba puestas «para quemarlas cuanto antes», y le dio en su lugar otras de faena, propias de un campesino. «Lo que más pena me da es el sombrero», dijo don Pedro. «A un boyero le va más una boina vieja. Pero no se preocupe. Lo dejaré en el escondrijo como recuerdo —respondió Juan. Cambió de expresión y añadió—: Ha llegado el momento de ponerse delante del espejo, don Pedro. Ya hay luz suficiente». Era el amanecer.

No se reconoció. En el espejo vio un hombre de rostro fatigado y barba blanca, ni gordo ni flaco, que aparentaba más años que él. «Las patrullas buscan a un hombre gordo y bien vestido. Pero tal hombre no existe ya», dijo Juan sonriente. Él siguió mirándose en el espejo, intentando asimilar lo que veía. «Ahora entiendo lo de las manzanas y lo de las zanahorias. Ha estado muy bien pensado. Pero eres un hombre sin piedad. Una excepción no me habría hecho engordar.» Examinó otra vez al viejo que tenía delante. «¿Tenéis báscula en casa?», preguntó. «Hay una de las antiguas al lado de la cuadra. Creo que todavía funciona.»

Conoció su nuevo peso mientras Juan preparaba más sopas de maíz: 94 kilos. El mismo que cuando era joven, casi veinte kilos menos que cuando le sacaron del hotel. «¿Dónde está mi libreta?», preguntó a Juan mientras desayunaba. «La he quemado junto con la ropa. Ya sabe, usted es ahora mi tío…, mi tío Manuel. Y mi tío Manuel no es capaz de escribir una sola letra. No ha hecho otra cosa más que cuidar ganado durante toda su vida.» «Insisto en que vas a hacer mucho dinero en América. Eres muy listo. Siento lo de la libreta. Me habría gustado saber cuántas manzanas y zanahorias he comido durante el tiempo que he estado en ese agujero.» Juan señaló el reloj de la pared. Eran las siete. Hora de agrupar las vacas y emprender la marcha.

Mientras iban de camino, don Pedro distinguió unas manchas rojas en el bosque. Se acercaba el otoño. Pensó que se quedaría en Francia hasta el fin del invierno, y que en primavera regresaría a América. Iba tranquilo, con el convencimiento de que su plan tendría éxito.

Tuvo un último susto: una patrulla les dio el alto al abandonar las inmediaciones de Obaba, y se encontró cara a cara con el soldado que tenía un tío en Vancouver. «¡Ay, abuelo! ¡Que a sus años todavía tenga que seguir trabajando!», le dijo el joven. Él hizo un gesto de resignación, y siguió adelante con una sonrisa en los labios.

Madera quemada

I

«Supongo que todavía eres acordeonista», dijo Ángel presentándose en la puerta de mi habitación. Yo seguí con mi labor, metiendo la ropa de verano en una bolsa, sin mirarle. «Tengo prisa», dije. Estábamos a finales del mes de junio de 1970, y veía ante mí, después de aprobar el cuarto curso en la ESTE, tres meses largos de vacaciones; pero los minutos, las horas, que debía pasar en Villa Lecuona se me hacían inaguantables. Quería marcharme cuanto antes a la casa de Iruain.

Ángel ensayó una sonrisa. «Ya veo que tienes prisa. Ni siquiera has tenido tiempo de encender la luz.» «¡Déjalo! —grité cuando él levantó la mano hacia el interruptor—. ¡Me basta con la luz que entra por la ventana!». «¡Qué raro que estés enfadado!», dijo él forzando la sonrisa. Desapareció en el pasillo y volvió con el acordeón. Lo trajo metido en su estuche, listo para el traslado.

Cerré la bolsa de la ropa y me quedé con los brazos cruzados. «¿A qué has venido? —dije—. Cuanto antes acabemos, mejor». No quería hablar con él, lo único que quería era su confesión: «El gorila del cuaderno dice la verdad. Durante la guerra fui un asesino. Me arrepiento de ello, hijo mío». El arrepentimiento podía ser un primer paso, el principio de una mejor relación entre nosotros. Quizás sí y quizás no. «Todos los corazones se reblandecen ante la persona que se arrepiente, incluso los que son de piedra», solía decir don Hipólito, el párroco de Obaba. Yo no estaba tan seguro.

«Me canso mucho tocando en el baile del hotel —dijo él—. Son muchas horas. Quiero que ocupes mi puesto». Le miré con desconfianza. El hotel era su segunda casa, y llevaba años sin faltar a un baile o a una fiesta. Las camisas y chaquetas que se solía poner para las actuaciones seguían en el armario de su cuarto de ensayar, tan impecables como siempre. «Ya he hablado con Marcelino. A él le parece bien que seas tú quien me sustituya.» «¿Y a Geneviève? ¿Qué le parece a ella?», dije. Según mi madre —me lo había contado en una de sus visitas al piso de estudiantes donde vivía en San Sebastián—, Geneviève estaba molesta conmigo a causa de la actitud de Teresa, que se negaba a venir a Obaba y prefería pasar las vacaciones en casa de sus familiares de Francia. Ella pensaba que a su hija la movía el despecho, y que la culpa era mía por haberle dado «falsas esperanzas».

Ángel se desentendió de la pregunta y me señaló el acordeón: «Si quieres trabajar este verano, empieza a ensayar. Cuanto antes, mejor». Encendí un cigarrillo y me puse a meter libros en una bolsa más pequeña que la que ya estaba llena de ropa. Fumaba desde el segundo curso de la ESTE. «Lo único que quieren Marcelino y Geneviève es que los bailes de este verano salgan bien —me dijo Ángel—. Están abriendo muchas discotecas, y la gente acude cada vez menos a los bailes al aire libre. Es lo único que ahora mismo nos preocupa».

Nos preocupa, dijo, incluyéndose. Pero estaba mintiendo. Sabía por Martín que los bailes de verano del hotel Alaska seguían dejando muchos beneficios, gracias sobre todo a las bebidas que se habían puesto de moda, el gin-tonic y el cuba-libre. Lo que a ellos de verdad les preocupaba no era, pues, la marcha del negocio, sino la situación política en el País Vasco. Se estaba volviendo una pesadilla, con huelgas y atentados que los continuos estados de excepción impuestos por el Gobierno de Madrid no conseguían frenar. Además —eso era lo peor— los recordatorios de lo que estaba sucediendo los tenían allí mismo, delante de sus ojos: el Domingo de Resurrección de aquel año, una bomba había destruido el monumento de mármol inaugurado cuatro años antes por Paulino Uzcudun, y sus restos permanecían aún en uno de los ángulos de la plaza de Obaba; no lejos de allí, en el campo de deportes, unas letras enormes anunciaban desde el muro del frontón «la muerte del fascismo español» y reivindicaban la libertad de Euskadi, «única patria de los vascos». Estaban, por otra parte —tercer recordatorio—, los panfletos que se habían repartido aquel 1 de Mayo en el barrio nuevo del pueblo, en los que se denigraba a los «peones al servicio de la dictadura militar». Costaba creerlo, pero era verdad: los enemigos, que ellos creían derrotados, muertos, enterrados, habían resucitado y caminaban de nuevo sobre la tierra. Era normal que estuviesen preocupados. Preocupados y vigilantes. Los mexicanos de Stoneham Ranch habrían descrito la situación diciendo que todas las serpientes de Obaba estaban «con la cabeza levantadita».

Ángel se impacientó: «¿Qué le digo a Marcelino? ¿Que aceptas el trabajo o que no?». «¿Cuánto piensa pagarme?», pregunté. «Lo mismo que a mí». «¿Cuánto?» La cantidad que me dio como respuesta fue muy alta. Calculé que me bastaría con tocar durante veinte tardes para conseguir el dinero necesario para todo un curso. Saltaba a la vista que el coronel Degrela lo premiaba. Como premiaba a Berlino dejando la administración del hotel en sus manos. De un modo u otro, ambos seguían a su servicio. Las pintadas y los panfletos decían la verdad: eran peones, trabajaban a favor de la dictadura militar.

Repasé mis cálculos. No había error. Si tocaba el acordeón en el baile durante todo el verano, no necesitaría el dinero de mi madre para ir a Bilbao a terminar los estudios que había iniciado en la ESTE. «Está muy bien pagado. Así que de acuerdo», dije. Ángel volvió a sonreír. La mueca era ahora de sorna. «Yo creía que eras un idealista, y que el dinero te importaba menos que al resto de los mortales. Pero, ya veo, no eres la Virgen Inmaculada.»

Iba a salir de la habitación, pero se detuvo en la puerta. «¿Cuándo vas a traer la Guzzi?» «¿Para qué quieres saberlo?», le respondí. Había prestado la moto a uno de mis amigos de la ESTE, y hacía semanas que no tenía noticias de ella. «¿Cómo piensas subir al hotel? ¿A caballo?» «Está en el taller —mentí—. Necesitaba una revisión». «Utiliza el coche viejo, entonces.» Él acababa de comprar un Dodge Dart de color gris, pero el Mercedes seguía en el garaje de Villa Lecuona. «No me va a hacer falta. Me llevará Joseba», dije. «¿Manson?» La sonrisa de Ángel volvió a cambiar. Ahora mostraba desprecio.

Joseba, el más modoso de mis amigos en la época en que estudiábamos con Redin y César en la serrería, llevaba ahora una melena que le llegaba hasta la mitad de la espalda, y una barba *sucia* que se extendía por debajo de la barbilla hasta la nuez del cuello. Solía vestirse con ropas que siempre parecían arrugadas, y fumaba cigarrillos de hierbas aromáticas que liaba él mismo. El apodo, Manson, le venía de un asesino hippie que desde el año anterior aparecía con frecuencia en los periódicos.

«Yo no le llamo así», dije. Metí en la bolsa los libros que quedaban sobre la cama. «¿En qué coche te va a llevar, si puede saberse?» Le señalé la ventana: «Mira abajo y lo verás». El coche de Joseba, un Volkswagen amarillo de segunda mano, estaba aparcado enfrente de casa. «¡A quién se le ocurre comprar un coche de ese color! —exclamó Ángel sin moverse de la ventana—. ¡Vaya amigos, David! ¡Vaya amigos!». Por un momento, su expresión acompañó a sus palabras. Suspiraba de verdad, con hondura.

Mis amigos. El segundo era Adrián, cuyo aspecto era aún peor que el de Joseba. Se vestía casi siempre con blusones blancos que le llegaban hasta la rodilla, o con jerséis exageradamente grandes. No obstante, la gente era comprensiva con él. Pensaban que su extravagancia provenía de su condición de jorobado, de la necesidad de disimular la deformidad de su espalda.

«Supongo que Manson tiene carnet de conducir —dijo Ángel apartándose de la ventana—. De lo contrario, no subirás al hotel en ese coche amarillo. ¡Ni pensarlo! Las carreteras no están para bromas». Después de la bomba que había destruido el monumento de la plaza, los controles de carretera eran frecuentes. No le faltaba razón a Ángel: las carreteras no estaban para bromas. Los fusiles y las metralletas vigilaban, los policías miraban con desconfianza a los viajeros que circulaban por lugares como Obaba. Especialmente si eran jóvenes y del aspecto de Joseba. «Tiene carnet desde los dieciocho años», respondí. «Algo es algo», dijo él saliendo de la habitación.

Volvió enseguida. No estaba tranquilo, quería terminar nuestra conversación de otra forma, con más rotundidad. «Espero que te comportes como un verdadero profesional, y que vayas bien vestido. Ya sabes dónde están mis chaquetas. Pruébalas, a ver qué tal te quedan» «No necesito tus chaquetas», dije, y sus ojos cambiaron inmediatamente de expresión. Pensé que me pegaría, que intentaría darme una bofetada. Pero se contuvo. «¿Qué te vas a poner? ¿Un sombrero?», dijo.

Tenía dos sombreros Hotson, uno de invierno y otro de verano. Me los había enviado el tío Juan después de un viaje a Canadá. «Exactamente. Has acertado», dije. Fui hasta el armario y saqué uno de los Hotson, el de verano. Era de color crema, me gustaba mucho. Me lo puse. «Pareceréis el trío Carnaval», dijo. Estaba a punto de perder la paciencia. Cogió el acordeón y lo puso junto a mis bolsas. «Empieza a ensayar cuanto antes, si no quieres dejarnos a todos en ridículo. ¡Sobre todo a mí!» «Ya me las arreglaré», dije.

Se marchó de la habitación. Sentí que entraba en el taller de costura y se ponía a hablar con mi madre. Imaginé lo que le diría: «Me pides demasiado, Carmen. Yo hago lo posible para reconciliarme con él, pero lo único que recibo a cambio son malas contestaciones. Si quiere irse a California para todo el verano, que deje los bailes del hotel y coja un avión. Tendré mucha más paz».

El plan de viajar a California surgía todos los años, sobre todo porque, debido a la situación política, a los estados de excepción, el tío Juan había dejado de venir a Iruain en verano; pero nunca se cumplía. Y tampoco se cumpliría aquel año de 1970, aun siendo ése, probablemente, el deseo de Ángel. Mi madre me quería a su lado. El curso siguiente lo pasaría en Bilbao, una ciudad que le resultaba extraña, diez veces más lejana que San Sebastián.

II

Íbamos por el camino de Iruain cantando, con las ventanillas del Volkswagen abiertas, chillando cada vez que tropezábamos con un bache y Joseba parecía perder el control del coche. Estábamos los tres muy contentos, especialmente yo: delicioso era el comienzo del verano; delicioso el frescor del aire bajo las oscuras hojas de los castaños; delicioso, por fin, volver a Iruain después de pasar el curso en San Sebastián. Al bajar hacia el pequeño valle, vi a lo lejos los caballos de Juan. Allí estaba, allí seguía, la tierra de los campesinos felices.

Nos cruzamos con una muchacha de unos quince años, y Joseba la saludó sacando el brazo por la ventanilla. «¿Quién es?», dijo. «La hermana de Ubanbe», le respondí. Joseba abrió los ojos exageradamente. «Resulta difícil de creer. La última vez que la vi era una niñita.» «El tiempo va rápido», dije. Adrián se incorporó en el asiento de atrás y adelantó la cabeza: «Efectivamente, va rápido. Mucho más rápido que este Volkswagen de segunda mano». «¿Qué quieres decir? ¿Que vamos muy lento?» «No, Joseba. Lo que quiero decir es que no vamos. Estamos parados. No sé cómo no te das cuenta.»

Joseba pisó a fondo el acelerador y la sacudida del coche lanzó a Adrián hacia atrás. «¡Música! —gritó Joseba, empujando la cinta que ya estaba metida en la ranura del casete—. ¡Credence Clearwater Revival! ¡El grupo favorito de los estudiantes de derecho de Bilbao!». «¿Qué canción es?», pregunté. «¡Susie Q!», dijo él siguiendo el ritmo de la música y moviéndose en el asiento. La canción era muy bonita, y transformaba el paisaje: los maizales, los manzanos, los árboles del bosque parecían con su melodía más alegres, más verdes. En los bailes del hotel Alaska tocaría otra clase de canciones; música de otra época, más triste.

Vi a Pancho, que estaba metido en el río con los pantalones remangados hasta la rodilla y la cabeza agachada, y también a los hijos gemelos de Adela, que le miraban desde la orilla. Joseba hizo sonar el claxon, y ellos nos respondieron saludando con la mano. «Realmente, es algo asombroso», dijo Adrián desde el asiento de atrás. «¿Asombroso? ¿Qué es asombroso?», preguntamos. Teníamos que hablar a gritos, porque la música de los Credence sonaba a todo volumen. «Pues que Ubanbe tenga una hermana —dijo Adrián—. Yo pensaba que en su casa sólo habría bueyes, leones y jabalíes. Cosas de ese estilo, quiero decir». «Ya ves que te equivocas. No hay fieras, sino una chica bastante guapa», dijo Joseba frenando el coche. Estábamos a punto de llegar al puente sobre el riachuelo, justo enfrente de Iruain. «A ti todas te parecen bonitas, Joseba —siguió Adrián—, pero es por el cocodrilo. Está muy hambriento y te lleva a confusión. Ves belleza donde sólo hay carne».

Adrián llamaba cocodrilo al órgano sexual masculino. Todos sus amigos teníamos penes de madera que representaban al saurio con la boca abierta y en actitud de dar una dentellada. Decía Adrián que era su mejor obra. Y lo mismo pensaba Martín, que tenía un montón de réplicas en su club de la costa para regalárselas a los mejores clientes.

Joseba aparcó delante de la casa y quitó la música. El silencio del vallecito nos pareció entonces imponente, y empezamos a hablar con timidez, sin atrevernos a levantar la voz. «Los artistas tenéis una manera muy particular de ver las cosas», dijo Joseba. «Una manera excelente», puntualizó Adrián. «Una manera pésima», le contradijo Joseba. Se bajó del auto, y yo le seguí. Adrián tardó un poco más. A pesar de las operaciones, su espalda no se adaptaba bien a todos los movimientos. Pero no se le podía ayudar. Se ponía furioso si alguien lo intentaba.

Tuve la sensación de que la casa de Iruain desprendía un olor del que, como ingredientes —inefables ingredientes—, formaban parte Lubis y los caballos, el tío Juan y Adela, el libro de Lizardi y la cerveza que un día Redin había bebido en aquel mismo lugar, los pájaros del bosque y las truchas del río. Sentí que estaba en mi verdadera casa, y cerré los ojos para ser más consciente de mi respiración y aprehender aquel olor.

Pero, no. Me engañaba a mí mismo, me dejaba arrastrar por una ilusión. ¡Mi verdadera casa, Iruain! La experiencia mostraba lo contrario. Que llevaba mucho tiempo sin echar de menos aquel lugar, aquella casa; que ahora eran otros los olores familiares: así el del butano que utilizábamos en el piso de estudiantes de San Sebastián; así también el de la gasolina que ponía semanalmente en la Guzzi o el del tabaco que fumaba diariamente. Parecía difícil de creer en una tarde de comienzo de verano como aquélla, sentado en el banco de piedra y con la mirada puesta en los maizales, en los manzanos, en el bosque verde, bajo un cielo azul pálido que anunciaba la cercanía de la noche; pero, como solían decir mis profesores de Economía en la ESTE, era la pura realidad.

«¿Dónde estará Lubis?», dije. El pabellón de los caballos parecía desierto. Adrián señaló hacia el lugar donde habíamos visto a Pancho y a los gemelos. «Estará en el río, vigilando a su hermano. Y hace bien, porque Pancho es capaz de comerse a los niños. Sabíais que es caníbal, ¿verdad?» «Ya estamos otra vez —dijo Joseba sin quitar los ojos del cigarrillo que había empezado a liar—. Hemos pasado de la hermana de Ubanbe y el cocodrilo a Pancho y su canibalismo. Ya veo que nos quieres dar la noche». «¡Es asombroso!», exclamó Adrián. «Efectivamente —coincidió Joseba, encendiendo el cigarrillo. Su tabaco olía como el de pipa, a miel—. Un caníbal no es cosa que se vea todos los días». «Me refiero a otra cosa.» «Brevedad, por favor.» «Me refiero, Joseba, a que Pancho y Lubis son muy diferentes. Como si no fueran del mismo cocodrilo.»

Adrián no conocía a Beatriz, la madre de los dos hermanos; no sentía aprecio por los campesinos, ni por los felices ni por los desgraciados; él seguía donde siempre, en su mundo.

«¡Lo que has dicho es una estupidez! —dije—. ¡No lo repitas, por favor!». «No te enfades, David. Manos blancas no ofenden.» Las abrió delante de mis ojos. Eran, efectivamente, muy blancas. Parecían de nata, y tenían hililos azulados. «¿Por qué no os calláis? —dijo Joseba—. Me gustaría contemplar el paisaje con tranquilidad». «Ya ves cómo son los poetas, David, siempre están trabajando.» Esta vez, las palabras de Adrián no tuvieron respuesta.

Dos de los caballos, Ava y Mizpa, pacían en el centro del prado, acompañados de tres potrillos; más arriba, arrimado a la valla de la parte alta, el burro, Moro, parecía estar pensando. Luego venían algunos árboles aislados, y algo más lejos el bosque, ascendiendo por las faldas de las colinas, de las montañas; el bosque de finales de junio, extraordinariamente verde. En el cielo azul pálido había ahora nubecillas que, en sus bordes, parecían de purpurina.

«Ahora entiendo por qué Lubis no está aquí», dije. Adrián puso su mano sobre los ojos, a modo de visera, como si estuviera a pleno sol: «Está claro. Tiene que vigilar a Pancho. Pero, la verdad, no parece que lo vigile bien. Sólo veo a uno de los gemelos. Seguro que Pancho ya se ha comido al otro». «Haz el favor de callarte, Adrián —dijo Joseba, lanzándole una bocanada de humo a la cara y haciéndole toser—. Disculpa que te estropee los pulmones, pero algo hay que hacer para cerrar esa sucia boca tuya». «Habrá ido a montar a Faraón —dije—. No lo veo en el cercado. Y que yo sepa mi tío no lo ha vendido. Vendió a Zizpa y Blaky, pero no a Faraón». Joseba se fue hasta el coche a apagar el cigarrillo. «Cuando venga Lubis le pediré que me deje montar —dijo—. Nunca he tenido esa experiencia». «¿No has montado nunca?», preguntó Adrián con aire de inocencia. «Oh, no. Otra vez, no —dijo Joseba tapándose los oídos—. ¡No quiero oír lo del cocodrilo por tercera vez!». En uno de los senderos que salían del bosque apareció un caballo con su jinete. El caballo era blanco. «Ahí viene Lubis», dije. Los tres levantamos la mano, y el jinete nos devolvió el saludo.

Joseba puso cara de susto cuando se subió encima de Faraón. «Me da vértigo», dijo. «Es cuestión de acostumbrarse a la altura —dijo Lubis—. La primera vez todos se sienten raros». «Tienes razón. La primera vez se siente uno fatal —intervino Adrián—. Pero en el caso de Joseba el problema es doble. Ya os habréis fijado en los cigarros que fuma. Son pura droga. No es extraño que le provoquen vértigo». Lubis ayudó a Joseba a que se bajara, y se alejó de nosotros con el pretexto de llevar a Faraón con los demás caballos. Nuestro comportamiento le resultaba ajeno, sobre todo el tono de Adrián, tan bullanguero y excitado. Él venía de andar por el bosque, del silencio, y necesitaba tiempo para acostumbrarse al humor que nosotros traíamos de la ciudad, el de los pisos de estudiantes, el de los bares.

«¿Qué tal vives, Lubis?», le pregunté un poco después, cuando me ayudó con las bolsas y el acordeón. Estábamos los dos en mi habitación. «Estoy bien», dijo. Recordé que la última vez que habíamos estado juntos el barrio estaba nevado. Llevábamos cinco o seis meses sin vernos. «¿Y tú? ¿Qué tal por San Sebastián?» «Bastante bien», le respondí. Tampoco a mí me resultaba fácil entablar una conversación.

Por fin, Lubis sonrió: «¿Qué es de aquel chico que tenía el pelo como el de un erizo?». «¿Komarov?» Era mi mejor amigo en San Sebastián. El apodo le venía de un famoso astronauta ruso. «Era un chico muy valiente —siguió Lubis—. La vez que vinisteis a andar en la nieve, se agarró a la tubería del agua y se subió hasta el tejado. No parecía un erizo. Parecía un gato». El recuerdo de mi amigo le era agradable, no dejaba de sonreír. «Supongo que uno de estos días vendrá por aquí —le dije—. Tiene que traerme la Guzzi. Se la presté hace ya varias semanas».

Volví al inicio de nuestra conversación. «Así que vives bien», le dije. «La pena es que Juan no viene. Y que Pancho no anda como debiera.» «Le he visto al venir.» Empecé a colocar en un estante los libros que había traído de Villa Lecuona. «¿Qué estaba haciendo? ¿Cogiendo truchas?» «Creo que sí», le dije. «A Pancho le gusta mucho andar en el agua. Pero para beber prefiere otras cosas.» Fue hasta la ventana y miró hacia fuera. «Estaba más abajo de vuestra casa, con los gemelos.» «Ahora no se ve a nadie. Habrán ido donde Adela», dijo. «No sé qué pasa en este sitio —continuó después de un silencio—. Todos beben mucho. Mi hermano, Ubanbe, incluso Sebastián. De continuar así acabarán mal. Sobre todo Pancho. Tiene muy poca cabeza».

Abrí la ventana. Ava, Mizpa y los potros estaban ahora más separados, Moro seguía en la parte alta del prado. «¿Quién lleva ahora la comida a los leñadores?» Lubis hizo un gesto de resignación: «Es inútil pedir a Pancho que haga el trabajo de la serrería. Tampoco en casa ayuda mucho». «Así que tú eres el que se encarga de ir al bosque.» Lubis asintió.

Oh Susie Q, oh Susie Q, oh Susie Q. Joseba puso el casete del coche a todo volumen, y los potros levantaron la cabeza y se quedaron mirando hacia la casa. Uno de ellos comenzó a brincar. Debajo de la ventana, sin brincar pero agitando su melena, Joseba se movía al ritmo de la música. «Me gustaría tener su humor —dijo Lubis. Luego señaló el prado—. ¿Qué te parecen los tres pequeños? Son unos potros preciosos, ¿verdad?». «Muy bonitos», admití. «Juan me llama casi todas las semanas para preguntarme por ellos.» «¿Qué nombre les habéis puesto?» «A los dos castaños, Elko y Eder. Al blanco, Paul.» «¿Paul? ¿Igual que el que mataron?» Movió la cabeza afirmativamente. «Es mío. Me lo ha regalado Juan. Dice que ahora que él no viene tengo más responsabilidad, y que me lo merezco.» «Tiene razón», dije.

Joseba apagó el casete. «¿No vais a bajar? —gritó levantando la vista hacia la ventana—. Se está haciendo de noche». «Falta más de una hora para que anochezca», le respondió Lubis. Las nubes del cielo ya no tenían ribetes de purpurina, pero seguía habiendo mucha luz. Adrián empujó a Joseba para que echara a andar. «Estaremos en el Ritz —dijo—. Venid antes de que llegue el momento de pagar». Se marcharon en dirección a la casa de Adela con exagerados gestos de despedida.

Cerré la ventana y me puse a hacer la cama con las sábanas limpias que encontré en el armario. «Les he prometido que les invitaría a cenar. Ven tú también, Lubis», dije. Se había puesto al otro lado de la cama para ayudarme. «Iré si quieres. Pero si Pancho anda por allí querrá sentarse con nosotros. No se irá a casa, a cenar con su madre. Eso seguro.» «Pues que se quede.»

La cama estaba hecha, íbamos a bajar. Lubis se detuvo en la puerta de la habitación. «¿Te acuerdas de cuando estuviste ahí dentro? —dijo señalando el escondrijo—. Fue un día duro, ¿verdad?». «Me vino bien estar escondido. Aprendí mucho de aquello.»

«¿Por qué has traído el acordeón? ¿Vas a tocar de nuevo?», me preguntó Lubis de camino a la casa de Adela. Nuestra conversación se iba haciendo más fluida. «Me han pedido que toque en el baile del hotel Alaska. No sé si he hecho bien en aceptar.» «El dinero es necesario. Eso lo sabe cualquiera.» Improvisé una respuesta: «Es verdad. Pero hay momentos en que me arrepiento de haber dicho que sí». De pronto, sentía vergüenza. La presencia de Lubis sacaba a la luz el lado miserable de mi decisión. Volver al hotel Alaska era ceder, agachar la cabeza.

«De todas maneras, el hotel no es solamente la casa de Berlino —dijo Lubis, percibiendo mi malestar—. Es también la casa de Martín y Teresa. Y los dos son amigos tuyos». El razonamiento no era redondo, pero no quise pensar más en ello. «También yo me veo obligado a subir al hotel —continuó Lubis—. Pancho siempre anda por allí. Por las turistas. Le vuelven loco, sobre todo las francesas. Si le dejara, se quedaría por los alrededores del hotel durante todo el verano». Estábamos frente a la casa de Adela. Lubis se detuvo. «Entra tú. Voy a avisar a mi madre. Enseguida vuelvo.» Cruzó el río por una hilera de piedras y salió al camino.

Adela me dio la bienvenida a voces, diciéndome que se alegraba mucho de volver a verme, y que había hecho bien en venir con mis amigos. «Vemos muy pocos estudiantes por esta casa. Nos hacéis un honor, David.» Adrián y Joseba estaban sentados en una de las mesas largas de la cocina, comiendo pan y queso. Tenían delante una botella de vino casi vacía. Pancho estaba con ellos.

En otra mesa, más pequeña, uno de los gemelos cenaba en silencio y con la cabeza gacha. «¿Dónde está Sebastián?», le gritó Adela. «Esta mañana le he visto con Ubanbe», dijo el gemelo sin levantar la vista. Estaba comiendo un huevo frito, rebañaba el plato con un enorme trozo de pan. «¿Y Gabriel?» Era el nombre del otro gemelo. «No sé.» «¡Pues termina de cenar y vete a buscarle!» Adela suspiró con fuerza. «No hay quien pueda con estos críos, David.» «Me alegra que el ambiente de tu casa sea el de siempre —dije—. De verdad, Adela».

Pancho comenzó a golpear la mesa. Parecía enfadado. «Saca más queso, Adela. Estos estudiantes comen como bestias, y me han dejado sin nada.» Adrián puso cara de asombro: «¡Cómo! ¿Todavía tienes hambre?». «Pues ¿qué he comido yo? —se ofendió Pancho—. Un pedacito de carne, este mediodía. ¡Nada más!». Adrián abrió desmesuradamente los ojos: «¿Un pedacito de carne, dices? ¡Eres un verdadero caníbal, Pancho!». Joseba se echó a reír. «Lo que quieras —dijo Pancho, sin entender la broma—. Pero yo tengo hambre».

Lubis apareció en la puerta de la cocina. «También yo vengo a cenar, Adela», dijo. «¿Has avisado a Beatriz? Si no, ahí tienes el teléfono. Ya sabes que tu madre se inquieta mucho.» El teléfono, nuevo, de color rojo, estaba junto al frigorífico. Lubis hizo un gesto: no necesitaba llamar.

La puerta de la cocina volvió a abrirse, y Gabriel, el segundo gemelo, se deslizó hasta donde estaba su hermano. «¡Vaya! ¡Por fin has venido!», le dijo su madre. Adrián levantó los brazos. «¡Gracias a Dios! —exclamó—. ¡Gracias a Dios!». Adela le miró sin comprender. «Ver que un hijo vuelve al hogar siempre es motivo de alegría», explicó Adrián. «No le traiga más vino a este estudiante, señora —dijo Joseba—. Cuando bebe sólo dice tonterías». Pero la atención de Adela estaba en otra parte. «¡Estás completamente mojado! —dijo a Gabriel—. ¿Se puede saber dónde has estado?». «En el río», contestó el niño. «¿A estas horas? ¿Y con qué motivo?» «Te lo diré yo, Adela —dijo Pancho—. Hay una trucha asquerosa, y a Gabriel le hacía ilusión cogerla y traerla aquí para su madre y para todos. Pero la trucha asquerosa no se deja coger». Gabriel movió la cabeza arriba y abajo para mostrar su acuerdo.

III

En el mirador del hotel solían colocar un pequeño tablado con el micrófono y la banqueta, y cuando empezaba a tocar el acordeón yo me veía solo, aislado de los demás; no en el hotel ni en el mirador, en medio de un baile, sino en un lugar aparte. Si además me cubría la cabeza con el sombrero, la impresión se hacía todavía más fuerte, y me sentía protegido, escondido de los demás. Era como volver a cuando era niño y permanecía acurrucado entre los soportes del tablado, comiendo cacahuetes y viendo cómo se movían los zapatos —los zapatos negros, los zapatos marrones, los zapatos blancos— de la gente que bailaba con la música de Ángel.

La gente se acercaba al hotel hacia las seis de la tarde. Los chicos, en su mayoría, solían quedarse junto al pretil del mirador o en la terraza de la cafetería, fumando cigarrillos y bebiendo cuba-libres o gin-tonics; en cuanto a las chicas, bajaban al jardín y se paseaban entre los muros de rosas o entre los parterres hasta que, hacia las siete de la tarde, subían al baile. Era el momento en que yo me ponía a tocar canciones ligeras, rítmicas, y todos, chicos y chicas, se ponían a dar vueltas y a saltar con sus zapatos negros, sus zapatos marrones, sus zapatos blancos. A las ocho y media llegaba el descanso, y luego el tramo de las canciones lentas como *Orfeo negro* o *Petite fleur*. Parecía entonces que las doscientas o doscientas cincuenta personas que bailaban en el mirador empezaban a juntarse y apelmazarse, hasta que poco a poco, conforme iba llegando la noche, se convertían en una masa, un único cuerpo que se movía lentamente.

Aquella masa se iba quedando dormida, igual que se quedan dormidas las peonzas en el momento de mayor equilibrio. Sosegado y sereno parecía entonces el valle de Obaba, sosegado y sereno el propio hotel Alaska. Daban así las diez y media de la noche. Elegía entonces una canción de moda —*Casatschok*, aquel verano de 1970— y ponía final al baile. La masa, el único cuerpo, se despabilaba, se desbarataba. Algunos de los asistentes al baile corrían hacia sus casas; los demás continuaban hasta la última nota, girando y saltando con sus zapatos negros, sus zapatos marrones, sus zapatos blancos.

A veces, también yo me quedaba como dormido, mirando por encima de los que bailaban, absorto en la contemplación del paisaje. El valle de Obaba era al principio fresco y verde; dulce y blando después, allá donde las colinas y los montes parecían resguardar los pequeños pueblos o las casas solitarias; azulado e inmaterial, como si fuera de humo, al final de todo, cuando tropezaba con las montañas que miraban a Francia.

Con la oscuridad de la noche, el valle parecía un lugar más íntimo. Se encendían las luces de las casas y de los pueblos, el valle se llenaba de manchas amarillas. Sin dejar de tocar el acordeón, yo recorría aquellas manchas amarillas con la vista: primero las de Obaba; luego, las de la serrería; enseguida, las de la casa de Virginia.

El marinero con el que se había casado Virginia había tenido un accidente en el mar de Terranova, y llevaba más de dos años desaparecido. Ella vivía de nuevo en su casa del río, al otro lado del campo de deportes, y, según mi madre, estaba muy baja de ánimo. «Como el cuerpo no ha aparecido, no da por acabado el duelo. Por eso va siempre vestida de negro o de gris. Hace poco le hablé de hacerle un vestido de color verde, pero ella se echó a llorar.» A mi madre se le humedecían los ojos mientras lo contaba.

Virginia trabajaba ahora en una cafetería del barrio nuevo, y allí era donde solía verla cuando venía a Obaba a pasar el fin de semana o para alguna celebración. Iba generalmente a la hora del desayuno, cuando el local se llenaba de clientes, y me quedaba mirándola mientras ella iba y venía —con los bollos, con los cafés— al otro lado del mostrador. Llegaba mi turno: ella se ponía enfrente y me sonreía. De una forma especial —eso me parecía, al menos—, pero desde muy lejos, como si los recuerdos de la época en que nuestras miradas se cruzaban en la iglesia de Obaba fueran ya flores secas, estampas del pasado. Ella preguntaba: «¿Qué tal por San Sebastián, David?». Yo le daba una respuesta cualquiera, y ella me traía el café o lo que le hubiera pedido.

En ocasiones los dos nos quedábamos solos en la cafetería. Ahora llevaba el pelo muy corto, que apenas se rizaba y dejaba ver su rostro: la frente, los ojos oscuros, las orejas, la nariz pequeña, los labios. Los campesinos de Obaba habrían dicho: «Virginia está muy bonita». En el mismo sentido, juzgando la belleza como un estado que bien puede mejorar o empeorar, yo habría añadido: «Es verdad, Virginia. Estás más bonita que hace cuatro años». Pero nunca lo llegaba a decir. Ni aquello ni nada que se le pareciera. Me lo impedían las imágenes que creaba mi mente: naufragaba un barco; una mujer lloraba en una habitación; sonaba el teléfono y una voz me decía: «El cuerpo sigue sin aparecer».

Algunas veces se producía un cambio. Las imágenes dramáticas se difuminaban en mi mente, y eran sustituidas por otras —más simples, más fuertes— creadas por el deseo. La veía entonces desnuda, y me veía a mí mismo tocando sus pechos, su vientre, sus muslos. Me entraba el miedo; temía que, nada más abrir la boca, salieran de ella las palabras que no debía decir: «Virginia, estás más bonita que hace cuatro años, por favor ven conmigo». Dejaba el dinero de la consumición en el mostrador y me marchaba de la cafetería. Adrián habría dicho, con razón: «Si ese cocodrilo tuyo no le da un buen mordisco se volverá loco».

Apartaba los ojos de la mancha amarilla, de la luz de la casa de Virginia, y volvía al baile. Veía delante de mí a la gente que se abrazaba; veía a Ubanbe y Opin hablando con una pandilla de chicas; veía a Joseba y Adrián tomando algo en la terraza, y también, a veces, a Lubis. Sentía envidia de ellos. Me parecía que vivían en el puro presente, en el verano de 1970, y que todo lo que habían vivido con anterioridad se había deshecho ya en su corazón y en su mente; que el pasado era en ellos un fluido que circulaba por su espíritu sin traba alguna. Mi espíritu, en cambio, seguía siendo una masa, una papilla espesa. El odio que sentía hacia Ángel enturbiaba la buena relación con mi madre y me llevaba aún, algunas veces, a la cueva inmunda, como cuando tenía catorce o quince años. En el lado opuesto, el amor por Virginia me cerraba el camino hacia otras mujeres. No tenía ya la costumbre de hacer listas sentimentales, pero, de haberlo hecho, Virginia habría ocupado el primer lugar. Había otras mujeres que también me atraían —Susana, Victoria, Paulina, por ejemplo, o mis compañeras en la ESTE—; pero no me valían para aquellas listas. Sólo para las del cocodrilo.

IV

El tiempo discurría con suavidad, giraba como una peonza: a un baile le seguía otro; al sábado, el domingo; al domingo, el sábado de la siguiente semana. Y parecía que todo iba a continuar así, que también el tiempo, como la peonza, iba a dormirse. Pero, a comienzos de agosto, de pronto hubo un movimiento extraño, y me vi mezclado en un altercado entre Adrián y las chicas que habían sido compañeras nuestras en la escuela de la serrería. No fue nada, pero dejó patente que el sosiego y la paz son rasgos propios de las montañas, o del cielo; nunca de la mente o del corazón de las personas. Fue una señal: vendrían más movimientos extraños, más quiebros, y serían cada vez peores, cada vez más graves. En un momento dado, alguna vida —otra peonza— rodaría por el suelo.

Era sábado. Terminé mi actuación y me fui a la terraza de la cafetería a sentarme con Adrián, Joseba y Lubis. «¿Por qué terminas el baile con esa pieza, *Casatschok*? —me dijo Lubis—. Aquí en Obaba resulta un poco raro». Me miraba con sus grandes ojos. No supe qué responder, no entendía el comentario. «Lo que quiere decir Lubis es que no estamos en Rusia —aclaró Joseba en otro tono, más irónico—. Es decir, que eres un traidor por traer aquí esa danza del Volga, y que mereces todo nuestro desprecio».

Aspiró su cigarrillo, se inclinó hacia mí y me lanzó una bocanada de humo. «Ten cuidado con lo que haces», protestó Victoria dispersando el humo con la mano. Estaba sentada justo detrás de mí, con Paulina, Niko —la hija del director de una sucursal bancaria que se había establecido en Obaba— y cuatro muchachos franceses que pasaban sus vacaciones en el hotel. Susana y su novio —Martín le llamaba Marquesito— también se encontraban cerca, en una mesa detrás de Adrián.

Victoria parecía irritada. «Disculpa mi gravísima falta —le dijo Joseba con parsimonia—. Ahora mismo voy a liarte un cigarrillo para que no me guardes rencor». «¡No me apetece fumar!», respondió Victoria. «Pues tú me dirás qué debo hacer para que me indultes. Quedo a tu disposición.» Era difícil enfadarse con Joseba. Tan difícil como saber cuál era su verdadero humor.

«Lubis tiene razón, David. ¡Esto no es Rusia! —clamó Adrián—. Ésa es al menos mi impresión. No veo nieve, no veo bolcheviques y, sobre todo, no veo ni una sola botella de vodka». Se levantó de su silla y señaló las mesas de la terraza. «¡Ni una sola! —chilló. Luego levantó su vaso como para hacer un brindis—. De todas formas, no me pienso quejar. ¡El gin-tonic está buenísimo!». «Eso de que aquí no hay bolcheviques habría que verlo», dijo Joseba. Lubis se inclinó hacia mí: «Lo único que quería era darte mi opinión, David. Pero si quieres tocar eso de *Casatschok* tienes toda la autonomía». *Autonomía:* en boca de Lubis, la palabra resultaba inesperada. «¿Qué tocarías tú al final del baile?» «A mí me gusta mucho esa pieza que llaman *Pagotxueta*. Aquí se ha tocado siempre.» Hablaba de un pasacalle con el que se daba final a muchas fiestas populares. «Me parece bien, Lubis. La ensayaré esta semana y la incluiré en el repertorio.»

Adrián se había vuelto a poner de pie. «Esto no es Rusia, amigos. ¡Esto es Francia!», gritó, señalando la mesa donde Paulina, Victoria y Niko hablaban con los muchachos franceses. Niko hizo un comentario en voz baja, del cual sólo pudimos oír una palabra: «Gin-tonic». «¡Es verdad! ¡No me daba cuenta! —volvió a gritar Adrián—. ¡Gin-tonic! ¡Esto no es Francia! ¡Es Inglaterra!».

«Nos estás dando una verdadera lección de geografía», dijo Marquesito, el novio de Susana. Tenía unos veinticinco años, y era lo opuesto a Joseba. Vestía con pulcritud y llevaba una barba muy cuidada. A nosotros nos miraba con antipatía. «¡Qué poco noble, señor marqués! —le reprobó Adrián—. Me ataca usted por la espalda, como un bellaco». «Por favor, Adrián. No seas borde», dijo Susana. *Borde.* También aquella palabra me resultó inesperada. No le cuadraba a ella, a pesar de que estuviera viviendo en Madrid, acabando la carrera de Medicina que había empezado en Zaragoza. Al fin y al cabo, era la hija del médico de Obaba, del hombre que me había aplaudido silenciosamente al ver que leía un libro de Lizardi. «Disculpe usted, señora marquesa», le respondió Adrián poniendo los ojos en ella.

Los ojos de Adrián a veces perdían repentinamente el brillo, y parecían de madera, como los de las figuras que hacía en el taller. Susana, que los conocía y sabía lo que indicaban

—que Adrián era en aquel momento capaz de decir cualquier barbaridad—, giró la cabeza hacia el otro lado y se quedó mirando el valle. Pero no encontró más que oscuridad, y se removió inquieta en su silla.

Joseba me puso el acordeón sobre las rodillas. «¿Cómo has dicho que se titula esa pieza que le has recomendado, Lubis?» «*Pagotxueta.*» Adrián volvió a gritar: «¿Qué nuevo crimen estás planeando, Manson?». Joseba dio un par de palmadas: «Adrián, amigos, amigas: un poco de silencio, por favor. David nos va a interpretar *Pagotxueta*». «No sé si me acordaré», dije. «Eso no nos importa, David —se sonrió Joseba—. El público de esta terraza te aplaudirá igual». Susana y Marquesito estaban de pie, dispuestos a marcharse. «¡Que duerman bien los señores marqueses!», les dijo Adrián a modo de despedida.

V

Era costumbre que el acordeonista cenara en la terraza de la cafetería una vez que los asistentes al baile se hubiesen marchado a sus casas. Lo hacía siempre Ángel, y lo hice yo el verano de 1970, invitando además a mis amigos, a Joseba y a Adrián, y también, de vez en cuando, a Lubis, que solía traer a Pancho —«Para que no se le escape en busca de francesas», decía Adrián—. Martín tampoco faltaba a aquellas reuniones, aunque trabajaba hasta tarde en su club de la costa y llegaba al hotel cuando nosotros ya estábamos en los postres o en el café.

Solíamos quedarnos en la terraza hasta muy entrada la noche, porque era muy agradable estar allí sentados, escuchando las verdades y mentiras que el viento sur nos traía después del largo día: «Es mejor tomarse la vida a la ligera.

Es mejor alegrarse. Es mejor comer y beber despreocupadamente, y charlar a lo tonto, y fumar sin más objeto que hacer humo». Nosotros seguíamos el consejo, y comíamos pescado y ensalada, bebíamos cerveza y vino, fumábamos los cigarrillos con olor a miel de Joseba o el tabaco rubio americano que nos traía Martín, y lo hacíamos todo perezosamente, con las luces de la terraza casi apagadas para que los insectos no se nos acercaran.

Una noche de agosto —debió de ser el tercer domingo del mes, una noche especialmente calurosa—, nos vimos de pronto, a pesar de las luces casi apagadas, rodeados por unos insectos con aspecto de libélulas, pero tan lentos y pesados que parecían incapaces de sostenerse en el aire. Cuando alguno de ellos se posaba en la mesa, Adrián lo atrapaba con un vaso ancho de cerveza: lo atrapaba, lo tenía preso durante un buen rato y, al fin, cuando parecía que le empezaba a faltar el aire, levantaba el vaso y le dejaba escapar. Pronto, Pancho empezó a imitarle, pero extremando el aprisionamiento: los insectos quedaban muertos dentro del vaso.

«¡Ya está bien, Pancho!», le gritó Lubis. Le pasaba como a mí, que sentía la asfixia del insecto, como si fuera él quien estuviera dentro del vaso. Pensé que debía inventar algo, cambiar el signo de la sobremesa; de lo contrario, Adrián y Pancho seguirían con su entretenimiento. «¿A quién le daríais el título de Miss Obaba?», dije, cogiendo el periódico que alguien había dejado sobre una silla. En la última página, en letras grandes, el titular anunciaba: «Soledad Errazuriz. Una descendiente de vascos puede ser Miss Mundo».

Todos se me quedaron mirando. «No me parece una decisión fácil. Tendríamos que discutirlo», dijo Joseba, dándose cuenta de mi propósito. «Que hablen los cocodrilos», dijo Adrián cogiendo mi sombrero Hotson y espantando a los insectos que seguían alrededor de la mesa. «Yo ya sé», dijo

Pancho. «¿Qué es lo que sabes?», le preguntó Adrián. «Sé qué chicas están buenas.» «Buenas, ¿para qué? ¿Para comer?» Lubis levantó la mano ante Adrián. «Si dejamos a Pancho en paz todos andaremos mejor», dijo. Joseba puso cara de cansancio: «Lubis tiene razón. Te repites demasiado». Adrián se tapó la cara con el sombrero: «Perdonad, amigos. Como dice un refrán muy sabio, no hay jorobado que no jorobe. Es como si lo lleváramos en la sangre». «Dejad las discusiones para otro momento, por favor. Vamos a estudiar la cuestión de Miss Obaba», dije.

Gregorio vino a preguntarnos si queríamos tomar algo más, porque era muy tarde y se disponía a cerrar la cafetería. No se dirigió a mí, a pesar de ser yo el acordeonista y el que invitaba, sino a Joseba y a Adrián. No me perdonaba mi encuentro con Teresa cuatro años antes, allí mismo, en el hotel. «Gin-tonic para todos», dijo Adrián. «Para mí y para Pancho dos zumos» —le corrigió Lubis—. Pancho está tomando pastillas y el alcohol no le conviene». Gregorio se encaminó al interior de la cafetería. «Trae papel y bolígrafo, por favor», le pidió Joseba cuando iba a desaparecer por la puerta.

Los gin-tonics, los zumos, la hoja de papel y el bolígrafo estaban sobre la mesa. «¿Qué opináis de Paulina? —preguntó Joseba tomando un sorbo de su gin-tonic. El vaso era largo y lo coronaba una rodaja de limón—. Con ese vestido nuevo que llevaba hoy se le veían las rodillas —añadió—. A mí me han parecido muy bonitas». Empezamos a discutir sobre las cualidades de Paulina. «¿En qué puesto de la lista la pondríais?», pregunté al fin. «¿Puesto veintitrés?», sugirió Adrián abanicándose con el sombrero. Joseba y yo protestamos, y decidimos que debía estar entre las diez más bonitas de Obaba. «¿Puesto octavo?», pregunté. «Puesto sexto», dijo Joseba. Pancho levantó la mano, como se hacía en la escuela de párvulos: «Noveno». «¿Y tú, Lubis? ¿Qué dices?» Lubis se encogió de hombros. No quería opinar. «Estoy con Pancho. La pondremos en el noveno puesto», zanjé. El nombre de Paulina y el número que le correspondía quedaron escritos en el papel.

Seguimos con el juego hasta que logramos completar una lista de diez nombres; pero Adrián se quejó de que éramos capaces de tomar en cuenta a cualquier chica, «incluso a las que son como yo, pero en femenino», y nos obligó a reducir el número de candidatas. Primero bajamos hasta ocho; luego, por fin, hasta cinco. Las chicas elegidas fueron: Bruna, Niko, Victoria, Alberta y, por delante de ellas, Miss Obaba, Susana.

Después de elegir los nombres, tuvimos otra idea: ¿por qué no poníamos la lista por escrito? ¿Por qué no hacíamos un montón de copias para repartirlas durante el baile, al igual que hacían los grupos clandestinos con sus panfletos? La propuesta fue de Joseba. «¡Qué buena idea! —exclamó Adrián—. ¡Puede ser muy divertido! ¡Les haremos la competencia a los revolucionarios del país!». Lubis me lanzó una mirada: «Hay que andar con cuidado, David. No se deben mezclar las cosas». «El que esté a favor, que levante la mano», dijo Adrián. El único que no la levantó fue Lubis.

Pancho estaba adormilado, se le cerraban los ojos. «Tendríamos que marcharnos a casa —dijo Lubis, dirigiéndose a Joseba y a mí—. Iría andando, pero ya veis cómo está Pancho. Es por efecto de las pastillas que toma». Joseba se levantó de la mesa: «No te preocupes. Nos marchamos ahora mismo».

«¿Quién va a redactar el informe sobre la miss y sus cuatro damas? —preguntó Adrián—. A mí me parece que el idóneo es el poeta del grupo, Joseba. Aunque últimamente está un poco blando». «Lo haremos entre Joseba y yo», decidí. Veía a Lubis impaciente, y no quería que nos alargáramos.

Adrián se puso el sombrero. «Si puedo pedir un favor, dadle un buen palo a Marquesito. Con un par de frases en el capítulo dedicado a Susana, bastará.» Me pareció que era su mayor preocupación, que había querido llegar a aquel punto desde el momento en que hablamos de poner la lista por escrito. «¿Dónde hacemos las copias? —preguntó Joseba—. ¿En la fotocopiadora de la serrería?». Adrián se negó: «No, allí no. Como ha dicho nuestro modélico y ejemplar hermano de Pancho, no se deben mezclar las cosas». «También éste debería tomar unas cuantas pastillas —me susurró Lubis, hablándome al oído—. Siempre está buscando bronca». «El resto dejadlo en mis manos —dijo Adrián—. Voy a hacer un riego perfecto». *Riego*. Era el término que en aquella época se daba a la distribución de panfletos.

VI

MISS OBABA Y SUS CUATRO DAMAS.
LAS CHICAS MÁS BONITAS DE OBABA.
(Hoja clandestina. Información indispensable)

La quinta más bonita: Bruna, la hija del guardabosques. Veintitrés años. No hay por estos alrededores nadie que tenga su cuerpo de atleta. Cualquier hombre se embelesaría en la contemplación de sus muslos y de su culo.

La cuarta más bonita: Niko, veintiún años. Es delgada, y se viste como las cantantes inglesas. Sus ojos son hermosos, grises y muy grandes. Tiene una boca preciosa.

La tercera más bonita: Victoria, la hija del ingeniero alemán que dirige la empresa Kramer. Veinte años. Su cuerpo es más blando y carnoso que el de las anteriores y, según cuentan los que la han visto desnuda en la piscina de su chalet, posee las tetas más impresionantes de Obaba.

La segunda más bonita: Alberta, la dependienta de la tienda de deportes. Es musculosa y muy alta, tal como corresponde a alguien que, como ella, ha jugado durante años en un equipo de balonmano. Da la impresión de que puede romper a un hombre con su abrazo. Le gusta andar con el pelo corto, para que destaquen más sus labios gruesos. Tiene veinticuatro años.

La más bonita, Miss Obaba 1970: Susana, la hija del médico. Algunos dirán que es demasiado pequeña, ya que apenas sobrepasa los ciento sesenta centímetros. Pero su cuerpo baja de la cabeza a los pies con extrema suavidad, curvándose con delicadeza, y bien podría decirse que ha sido hecha como una pieza de porcelana. Al referirse a ella, algunos dicen «muñeca» o alguna otra palabra parecida; pero no hay en ella endeblez, ni ñoñería. Al contrario: su cuerpo transmite una sensación de potencia, y sus tetas son casi tan grandes como las de Victoria. Sus ojos son a un tiempo verdes y azules. Su voz es ronca, ligeramente acatarrada, y muchos son los jóvenes de Obaba que han soñado con escuchar esa voz en la cama, muy cerca de la oreja. Pero, por ahora, sólo el marqués de Mingafría puede disfrutar de esa prebenda. Veintiún años.

VII

Joseba y yo escribimos cien veces la lista de las chicas más bonitas de Obaba con la máquina del tío Juan, haciendo tres copias por vez gracias al papel carbón. El último sábado de agosto, metimos las trescientas hojas en una carpeta y las llevamos al hotel. Adrián nos estaba esperando.

«¿Cómo las piensas repartir?», le preguntamos, enseñándole una de las hojas. Estábamos en una habitación de la planta baja que hacía las veces de camerino. «Yo ya sé cómo. Vosotros no os preocupéis», respondió sacándose de la boca el chupa-chups de sabor a Coca-Cola que estaba comiendo.

Se sentó a leer el papel delante de un espejo. En la imagen, su joroba parecía más grande. «Como era de suponer, trato especial para Niko —comentó sin levantar la cabeza. De pronto se le iluminó la cara—: ¡Marqués de Mingafría! ¡Es buenísimo! ¡Buenísimo! —soltó una carcajada—. Perdona mis dudas del otro día, Joseba. Eres un artista poniendo nombres. ¡Marqués de Mingafría!». Empezó a recorrer el camerino de lado a lado. Estaba muy excitado.

«¿Qué vas a tocar antes del descanso, David? Necesito saberlo», me preguntó, tras felicitar de nuevo a Joseba. «¿Padam Padam?» Era una pieza que a Lubis le gustaba mucho. «¿Cuál es?» Cogí el acordeón y toqué el estribillo. «No. Es demasiado lenta. Piensa otra.» «¿Se puede saber qué te propones?», le preguntó Joseba. Él le respondió a través del espejo: «Vosotros no os metáis. Dejadlo todo en mis manos». La piel de su rostro era también muy blanca, como la de sus manos. «Hay que decidirse, David. Dime qué vas a tocar». «¿Casatschok?» Adrián se paró a pensar. «No está mal. La gente arma mucha bulla con esa pieza.»

Llamaron a la puerta del camerino, y entró Gregorio: «Es hora de empezar el baile», dijo. Joseba señaló el reloj de su muñeca: «En calidad de agente del artista le comunico que todavía faltan tres minutos». «¡Qué gracioso eres!», contestó Gregorio antes de darse la vuelta y marcharse. «¡Qué suspicaz es este camarero! —comentó Joseba—. Además, dicen que colabora con la policía. «No lo perderé de vista —dijo Adrián—. El reparto estará hecho antes de que él se dé cuenta de nada». Hablaba como si nuestras hojas fueran panfletos de verdad.

Me puse el sombrero y me dirigí hacia el mirador. Adrián me señaló con el chupa-chups: «Acuérdate. Antes del descanso, *Casatschok*». «Mi general, ¿no quiere usted hacernos partícipes de sus planes?», le dijo Joseba. «No. Pueden ustedes retirarse.» «¿Y si le damos otro chupa-chups?» Adrián estaba leyendo la hoja de nuevo, y no respondió. «Esperemos que no nos monte un numerito», me susurró Joseba cuando salimos fuera.

Era un día de bochorno, más caluroso que todos los anteriores, y la bruma hacía que los montes parecieran sucios, como espolvoreados con cal. Me acomodé en el tablado sintiéndome un poco nervioso: no en un lugar aparte, ni oculto bajo mi sombrero, sino expuesto a las miradas de todos los chicos y chicas que habían venido al baile. No podía imaginarme cómo repartiría Adrián las hojas, pero su actitud en el camerino no anunciaba nada sensato. Pensé que nos estábamos excediendo con la broma de Miss Obaba, y que teníamos que haberle hecho caso a Lubis cuando nos aconsejó que no mezcláramos las cosas. Pero todo estaba en marcha, y no podía hacer otra cosa que seguir tocando el acordeón.

Aplacé el momento una y otra vez, pero, al final, sobre las ocho de la tarde, empecé a tocar la pieza convenida: *Casatschok*. Para entonces la temperatura había bajado algo, y en la terraza había más o menos la gente de siempre, unos doscientos jóvenes: unos, la mayoría, bailando; otros —entre los que se encontraban Paulina, Victoria, Susana, Marquesito y algunos veraneantes— tomando refrescos y comiendo helados bajo el toldo de la terraza de la cafetería.

Nada más sonar las primeras notas, todos los que estaban bailando empezaron a hacerlo a la manera rusa, y Ubanbe ocupó el centro del grupo dando mayores saltos que nadie. Llevaba unas zapatillas blancas enormes, y parecía el primer bailarín, la persona a la que todos seguían en el momento de corear el estribillo: *¡casatschok, casatschok, casatschok!* Miré hacia la terraza. Marquesito le ofrecía un cigarrillo a Susana. Pero ella estaba comiendo un helado, y no lo aceptó.

El paquete de tabaco de Marquesito se fue al suelo, y alguien empezó a dar voces y a gritar. Sin esperar un instante, Ubanbe corrió a ver lo que pasaba. Y Marquesito salió también corriendo, pero en dirección opuesta a la de Ubanbe. Dejé de tocar. Se oyeron más voces.

«¡Un toro!», gritó alguien. Pero el único animal que atravesó la terraza y se adentró en el mirador fue un burro que saltaba y coceaba enloquecido. Tenía el armazón puesto, con una cesta a cada lado. Las hojas de papel que venían en las cestas saltaban al aire y se desparramaban. El burro era Moro. Una persona se subió a una silla de la terraza para ver mejor lo que estaba ocurriendo: Pancho.

Moro se puso aún más frenético cuando la gente se percató de la situación e intentó acorralarlo, y yo me asusté al verle correr ciegamente hacia el pretil. Si caía al jardín, se le romperían las piernas, o se le partiría la columna. Pero no sucedió. Se salvó gracias a la fuerza de Ubanbe y varios amigos suyos. Se abrazaron a su cuello y le hicieron ponerse de rodillas. Ubanbe gritó: «¡Le han metido pimienta por atrás! ¡Traed agua!». Trajeron tres botellas, y se las vaciaron.

«¡Qué estupidez la nuestra! Me deprimo sólo de pensarlo», se lamentó Joseba en tono sombrío. Habíamos acabado de cenar y seguíamos sentados a la mesa con Adrián y Pancho. «La verdad es que a mí también me ha dado pena verle a Morito. ¡Con lo bueno y tranquilo que es normalmente!», dijo Pancho. Joseba ni siquiera le miró.

Inquieto porque Lubis no venía a buscarle, Pancho empezó a dar explicaciones y a exculparse: «Ya le he dicho yo a

Adrián que le estaba metiendo demasiada pimienta a Moro. Pero, nada, ha vaciado todo el paquete. Y digo yo: ¿quién va a hacer que ese burro suba al monte mañana por la mañana? A mí no me parece que lo de atrás le vaya a quedar limpio. Y a ver qué hacemos si se pone a dar saltos y nos tira toda la comida de los leñadores». «No te preocupes por eso —le dije—. Ubanbe lo ha llevado a Iruain. Entre él y Lubis lo habrán dejado bien limpio». «No sé, David. Me da que ese hermano mío no nos va a perdonar lo que hemos hecho.»

Adrián se metió en la cafetería haciendo gestos de que la conversación le aburría, y volvió con Gregorio. El camarero traía cervezas en una bandeja. «Las hubiera traído yo, pero hoy la joroba me pesa mucho y podría perder el equilibrio.» Gregorio no movió un solo músculo de su cara. «Para eso estoy», dijo. «¿Qué te ha parecido el reparto de hojas de esta tarde?», le preguntó Adrián. «Marcelino está enterado», respondió Gregorio secamente.

Adrián puso dos botellas delante de cada uno. Sin exceptuar a Pancho. «Bebe tú también —le animó—. Desde que te han prohibido beber pareces tonto. ¡Mira que llamarle *Morito* al burro! ¡A quién se le ocurre! *¡Morito!* En este pueblo al burro siempre le hemos llamado burro». Se echó para atrás en el asiento, mirando hacia arriba, hacia el toldo blanco y amarillo. «No entiendo vuestra reacción. Parece que tenéis el cocodrilo así —dijo, dejando que el dedo índice colgara inerte en su mano—. Hace una semana todos estábamos de acuerdo. Y ahora me venís con que estáis deprimidos. Pues, no. No estáis deprimidos. Estáis acojonados. Tenéis el cocodrilo caído». Volvió a poner el dedo como si le colgara de la mano.

Pancho se rascaba la cabeza. «¡La verdad es que yo sí estoy con el rabo entre las piernas! —exclamó—. Ya habéis oído a Ubanbe. Si encuentra al que le ha metido la pimienta al burro lo va a dejar seco». «¡No se atreverá con el hijo del patrón! —exclamó Adrián—. O quizás sí. ¡Qué suspense, amigos!». Se puso a dar palmadas, pero nadie le siguió. «La verdad, no entiendo esas caras largas. Sois unos cobardes. Unos auténticos cobardes.» Le dio un trago a la botella de cerveza.

Apareció Martín, que venía del aparcamiento con las llaves del coche aún en la mano, y se nos quedó mirando desde la entrada de la terraza. «Adrián, se te oye desde el cruce de abajo. ¿No sabes hablar sin berrear?» Se acercó y nos estrechó la mano a todos con gran formalidad. Luego le acarició la joroba a Adrián: «Recuerdos de parte de la rumana. Te echa de menos y quiere que vayas a visitarla». Joseba le habló sin apartar los ojos de su botella de cerveza: «¿La rumana? ¿No querrás decir la marroquí? Según tengo entendido, todas las jovencitas que prestan sus servicios en ese club tuyo son súbditas del rey Hassan». «Eres un completo ignorante, Joseba», le respondió Martín.

Adrián puso una cerveza delante de Martín, pero éste apartó la botella. «Perdona, pero a estas horas sólo bebo champán.» «Yo ya sé quién es esa rumana —terció Pancho—. Adrián la trae a la Bañera de Sansón, y se pone a follar con ella». «No digas groserías, Pancho», le dijo Martín pellizcándole el brazo.

Adrián le contó a Martín lo que había pasado: que al aparecer el burro dando saltos y coces, los franceses y los demás veraneantes del hotel habían corrido a sus habitaciones, convencidos de que los perseguía un toro. Y que también Marquesito había huido espantado, sin acordarse de ayudar a Susana, el muy cobarde. Por su parte, Paulina no había dado muestras de miedo, pero sí de rabia, por no figurar entre las más bonitas de Obaba. Había destrozado un montón de hojas, y estaba dispuesta a tomar medidas. «Por lo que parece, el próximo domingo va a presentarse en minifalda, con los muslos al aire. A ver si consigue entrar en la lista de las misses de Obaba». «Has bebido, Adrián, y sigues hablando muy alto —le dijo Martín—. ¿Qué quieres? ¿Que Berli te oiga desde su habitación? Pues, si se entera de que sois los autores de la *acción* de hoy, ¡cuidado! Creo que el jaleo no le ha gustado nada. He hablado por teléfono con Geneviève y me ha dicho que ha estado a punto de llamar a los guardias». «¿Me permites una última observación?», le pidió Adrián. «Si no es a gritos, adelante.» «Pues que yo también tengo una pena, al igual que mis compañeros de mesa. Teníamos que haberles sacado una foto a Ubanbe y compañía mientras le refrescaban el trasero al burro. ¡Si bastaba con avisarle al padre de Joseba, que es un fotógrafo excelente! Habría sido una foto bien bonita. La habríamos mandado al periódico para que difundieran cómo somos los de Obaba. A los periódicos les encanta ese tipo de noticias. *Sabor local.*»

No aguantaba el parloteo de Adrián, y me puse a recoger las hojas que quedaban en los rincones de la cafetería. Me molestaban, no las podía ver. «Dame una», me pidió Martín. Joseba seguía sin apartar los ojos de la botella de cerveza. «¡Por favor, tíralas todas!», me rogó. «Las voy a guardar en el estuche del acordeón —respondí. Tenía en la mano unas quince—. Ya las tiraré en otro sitio». Empecé a caminar hacia al camerino. «¡Profesor! —me llamó Martín—. Mi madre todavía estará por ahí, en la cocina. Dile que traiga un par de botellas de champán y una bandeja de pasteles. Que se lo pide su hijo amantísimo». Se volvió hacia Pancho: «Tenemos que luchar contra esas caras largas que Joseba y David tienen esta noche. ¿No te parece, querido amigo?». «¡Bien me parece!», remató Pancho en su elemental castellano.

Cuando volví, Martín tenía todavía en la mano la lista de las misses de Obaba. «Sois unos críos —dijo—. Y tú, el crío más grande de todos, Joseba. ¿A quién se le ocurre incluir a su amorcito en la lista? Porque Niko es tu amorcito, ¿verdad? "Es delgada, y viste como las cantantes inglesas. Sus ojos son muy hermosos…" ¡Por favor, Joseba! ¡No puede ser más cursi!». Adrián soltó una carcajada. «¡Calla, borracho! —le cortó Martín dándole un manotazo en la espalda—. Tú también eres un crío. Pero de los malos. No tienes corazón».

«La lista no vale nada, eso está claro», concluyó Martín encendiendo un cigarrillo. Llevaba una sortija que no le había visto nunca, con una piedra roja y redonda. «Por ejemplo, no habéis incluido a Virginia, la camarera —precisó—. Cuando se viste bien parece Claudia Cardinale. Además, tiene una forma de respirar muy especial. Respira como cuando uno tiene catarro, no sé si me entendéis». Yo sí le entendía. Se me hizo un nudo en la garganta.

«Quieres decir que respira como la lechuza», se le ocurrió a Pancho. Martín se le quedó mirando. «Lo mío son las mujeres, querido amigo, no los animales del bosque ni las truchas del río. ¿Me quieres explicar cómo respira la lechuza?» Pancho permaneció unos instantes con los ojos cerrados, y luego empezó a jadear. A mí me pareció el estertor de un moribundo. «¡Increíble! —exclamó Martín—. La respiración de Virginia es exactamente así. ¡Nunca lo hubiera pensado!».

«Es verdad que esa chica está muy bien. Se nos ha olvidado», dije. Intentaba evitar que la charla degenerara. «Está buenísima —afirmó Martín—. En cambio Alberta, la de la tienda de deportes, es una yegua. Pero una yegua holandesa, de las que se empleaban antes en los caseríos para arar. No una yegua fina como Virginia». Se llevaba el cigarrillo a los labios constantemente, mostrando cada vez la sortija con la piedra roja.

Martín pareció notar mi nerviosismo. «¿Tú qué dices, David? ¿Sabes qué significa esa respiración? ¿Lo sabes?»

Temí que fuera capaz de leer mis pensamientos. O que estuviera enterado de todo. Quizás por mediación de Teresa, que, por lo que me contaban, seguía sin perdonarme el plantón que le había dado cuatro años antes, el día de la inauguración del monumento. «Dímelo tú. Conoces mejor que yo a las mujeres», respondí. «Pues, quiere decir: Estoy sola, no encuentro a nadie que aplaque mis ganas, no quiero entregarme a esos hombres que me tientan, pero las ganas son cada vez más fuertes, más fuertes, más fuertes, y no puedo aguantarme, no puedo.» Martín se echó hacia atrás en el asiento, como si estuviera exhausto. «Una mujer con semejante respiración merece el primer puesto de la lista», dijo.

«Cuando se asusta da un grito tremendo, Martín», dijo Pancho. «¿Quién da un grito tremendo? No te entiendo.» «La lechuza.» Sin mediar otra explicación, se puso a imitar al pájaro. Sonó como el grito de alguien a quien acaban de darle una cuchillada. «Pues, no, ese grito no —se burló Martín—. Si alguien se montara encima de ella, yo mismo por ejemplo, ella chillaría: "No quiero, no quiero, no, no, no, por favor, no, no…, no quiero, para, para, por favor, ven, ven, ¡métete!, ¡métete!, ¡más adentro!, ¡más adentro!"». Según hablaba, Martín jadeaba retorciéndose en la silla, con la cabeza hacia arriba y los ojos cerrados. Pensé que se iba a masturbar.

«¿Ya estás otra vez haciendo el indio?», dijo Geneviève dejando la botella de champán y la bandeja de pasteles encima de la mesa. «Hola, guapa, ¿qué tal estás?», le saludó Martín levantándose y agarrándola de la cintura. «Quita de ahí. Apestas. ¿Se puede saber de dónde sacas las colonias?» «La que llevo ahora me la dio una amiga que me tiene mucho cariño. Si no quisiera tanto a mi *maman*, me casaría con ella.» Empezó a darle besos. «¡Estate quieto, por favor!» Geneviève puso cara de disgusto. Pero estaba fingiendo. Tal como solía decir Teresa, adoraba a su hijo.

Se quedó de pronto pensativa. «¿No habréis montado vosotros el escándalo de esta tarde, verdad? —preguntó—. Os veo un poco alterados». «No lo dirás por Joseba. Más que alterado, yo le veo fúnebre», dijo Martín. No era del todo exacto. Con los brazos cruzados y la mirada atenta, Joseba parecía ahora un observador, una persona ajena al grupo. «Toda la culpa la tiene este chico, Geneviève —continuó Martín señalándome a mí—. Toca de forma tan prodigiosa el acordeón que atrae a todos los burros de la comarca, a los de dos patas y a los de cuatro». La mujer levantó el dedo índice. No estaba dispuesta a admitir bromas sobre aquel asunto: «Haz el favor de callarte. Ya te he dicho cómo se ha puesto tu padre. Y ahora está todavía más enfadado porque los guardias no se han tomado en serio su denuncia». Martín le pasó el brazo por encima del hombro. «¿Sabes, *maman*, lo que tienes que decirle a Berli? Dile que en esta mesa estamos hablando de amor. Y que los guardias, en esta noche tan calurosa, también estarán hablando de amor. No les apetecerá ocuparse de burros.» Geneviève suspiró ostensiblemente. No tenía ganas de charla después de un largo día de trabajo. Se marchaba a la cama. «A vosotros tampoco os vendría mal», nos dijo antes de alejarse.

«¿En qué piensas, David, si puede saberse?», preguntó Martín ofreciéndome una copa de champán. Les confesé la verdad, que estaba pensando en Virginia. «Bien, David. Me alegro. Eres un crío, pero aprendes rápido.» «Desde luego las tetas las tiene bonitas. Muy redondas y bastante grandes», comentó de pronto Pancho. Esta vez le miramos todos, incluido Joseba. «¿Cómo dices?», preguntó Martín. «Que esa Virginia de la que estáis hablando tiene las tetas muy redondas. Y no le cuelgan como a Victoria, la alemana.» «¿Quieres decir que se las has visto?» Martín arqueó las cejas. Pancho asintió. Estaba comiendo un *petit-suisse*. «¿Cómo?» «Con los prismáticos de tu padre.» «Creía que los querías para avistar pájaros —le dijo Martín—. Por eso se los quité a Berli. Por hacer una buena obra. Pero, pensándolo bien, es normal. A mí también me gustan más las tetas que los pájaros».

«A ver si me aclaro —intervino Joseba, saliendo de su mutismo—. ¿Estás diciendo que te dedicas a merodear por las casas a escondidas?». «¿Cómo te las arreglaste para verle las tetas a Virginia?», concreté yo. Cuanto más claro se le hablara a Pancho, mejor. «Ahora estamos en verano y hace mucho calor, ¿verdad? —empezó él, un tanto molesto—. Y Virginia entra a trabajar en la cafetería muy pronto, ¿verdad? Pues luego se echa la siesta». «¡Vaya lección de lógica! ¡Nunca lo habría imaginado!», le interrumpió Adrián. Pancho concluyó su explicación: «Y si suda se va a la cocina a refrescarse en el fregadero. Sin camisón, muchas veces». Se inclinó hacia los pasteles. Primero cogió otro *petit-suisse*, pero lo volvió a dejar en la bandeja y se llevó un canutillo a la boca.

«Escúchame bien —le dijo Joseba—. No es lo mismo coger truchas de noche que andar espiando a las mujeres. Lo segundo supone un delito más grave». «Más vale que le hagas caso. Joseba es casi abogado», dijo Adrián subrayando el «casi». «¿Desea más champán su señoría?», preguntó Martín. Joseba negó con la cabeza. «Pues, no sé qué vamos a hacer para que le cambie el humor a este caballero —continuó Martín con un suspiro—. ¿Dónde tienes el acordeón, David?». «En el camerino», dije. «¿Por qué no lo traes? La música obra milagros. Puede que Joseba se alegre. Y Berli también si la escucha desde la cama.» Consideré que era una manera de poner punto final a la reunión. «Un par de piezas y nos retiramos. Estoy agotado.» «Por mí de acuerdo. Ha sido el típico largo día malo», dijo Joseba. «¿Hay más pasteles en el hotel?», preguntó Pancho. Los largos días malos apenas le afectaban.

Al salir del camerino con el acordeón vislumbré en el otro extremo del mirador dos figuras que caminaban en la oscuridad. Pensé primero, por la cautela con que se movían, que se trataría de policías secretas. Pero el que venía delante exclamó con alegría: «¡David! ¡Si estás aquí!». «¿Quién eres?» Mis ojos se iban acostumbrando a la oscuridad. «¿Estás ciego? ¡Soy Agustín!» «¿Agustín o Komarov?», dije, reconociéndole. Nos dimos un abrazo. «Fuera de la ESTE, mejor olvidarnos de mi nombre ruso. Así me ahorro tener que dar explicaciones.»

«¿De dónde sales?», le dije riendo. Me hacía ilusión verle. «Hemos venido a Iruain para devolverte la Guzzi. Ya era hora, ¿no?» Le pregunté si habían estado con Lubis. «Se acuerda mucho de cuando anduvimos en la nieve y tú te subiste al tejado.» «Sólo hemos visto a unos gemelos.» «Y caballos», añadió la persona que acompañaba a Agustín. Era un joven atlético, que vestía de una forma no muy habitual en aquella época, con un niki blanco de felpa y pantalones vaqueros de color rojo. «Unos caballos muy bonitos, por cierto. Y los potros, no digamos», comentó. Su forma de hablar se parecía un poco a la de Lubis. Agustín se encargó de presentármelo: «A éste le llaman Bikandi». Nos estrechamos la mano.

Les propuse acercarnos a la terraza de la cafetería para que conocieran a mis amigos de Obaba. Bikandi dijo que no podían quedarse. «Tenemos que volver donde los amigos que hemos dejado en Iruain. A decir verdad, estamos aquí para echar un vistazo a la propaganda política que han repartido hoy. No esperábamos encontrarte.» «Desde luego que no. Creíamos que estarías en Iruain», corroboró Agustín. «Iré allí enseguida», dije.

Era una situación algo incómoda. Joseba y los demás estaban esperándome. Tenía que tocar las piezas prometidas.

«Luego nos vemos», dije. Bikandi me hizo un gesto para que esperara un poco. «¿Es verdad que el reparto de propaganda lo han hecho con un burro? Te lo pregunto porque suena raro.» Les expliqué que no había habido ninguna propaganda política. Abrí el estuche del acordeón y les di un par de hojas.

«¡La más bonita, Miss Obaba 1970: Susana, la hija del médico!», leyó en alto Agustín. Se rió a carcajadas. «¿Qué tontería, ¿no?», dijo Bikandi. Él permanecía serio. Le di la razón. «¿Me la puedo quedar, David? —me preguntó Agustín—. Se la quiero enseñar a los amigos que nos esperan en Iruain». «Puede que la nuestra te haya parecido una curiosidad excesiva —comentó Bikandi—, pero sin curiosidad no se aprende nada». No cabía duda, hablaba como Lubis, eligiendo las palabras, con corrección. Le dije que yo también era curioso, y que me parecía bien. «Muchas gracias. Hasta ahora, entonces», se despidió. «Hemos dejado el coche detrás del hotel», me informó Agustín. Los dos se adentraron en la zona oscura del mirador.

«Eran unos chicos que venían a por nuestra lista», expliqué al volver a la terraza, ante la severa mirada con que me recibió Martín. «Has tardado mucho, y ahora es inútil. Mira qué pinta tienen éstos.» Adrián y Pancho estaban hundidos en sus asientos; Joseba se había acercado al pretil del mirador y contemplaba las luces del valle. «Ya tocaré otro día. Creo que necesitamos descansar», dije. No era del todo cierto. Me sentía cansado, pero, sobre todo, tenía ganas de reunirme con Agustín y Bikandi en Iruain. «Os ayudaré a meter a estos dos en el coche», dijo Martín.

Joseba se unió a nosotros. «La próxima vez le diré a Geneviève que traiga marihuana —le dijo Martín—. Quizás así consigamos que sonrías. El champán no te hace ningún efecto». «Ha sido un día largo y malo», le respondió Joseba.

«¡Dejadme en paz! ¡Quiero dormir!», gritó Pancho cuando intentamos levantarle. «¡Pues ahí te quedas, si eso es lo que quieres!», le dijo Martín, dirigiéndose al interior del hotel. «Deja que te llevemos a casa», se esforzó Joseba. «¡Que me dejes en paz!», gritó Pancho. «Va a despertar a la gente del hotel —dije—. Que duerma aquí. No hace frío». Joseba estuvo de acuerdo, y agarró a Adrián. «Ahora sólo falta que éste tampoco quiera.» Pero Adrián era incapaz de reacción alguna, y pudimos llevarlo al coche fácilmente.

VIII

El largo día malo se torció todavía más cuando nos encontramos a Isidro esperando en la entrada de la serrería. Su expresión era la de una persona que acaba de recibir una mala noticia, y nos temimos que hubiera ocurrido una desgracia en el bosque o en el taller. Pero, en cuanto cogió del brazo a su hijo para ayudarle a subir las escaleras, y le dijo, en voz baja, «mira que abandonarte así, Adrián, con el arte que tú tienes», comprendimos el verdadero motivo de su pesar. «Estoy bien, padre», balbuceó Adrián. Pero saltaba a la vista que no lo estaba. «Deberíais ayudarle», nos dijo Isidro, una vez que Adrián se hubo retirado a su habitación. Sin acritud, humildemente, como quien pide un favor a sabiendas de la dificultad que entraña.

Arrancamos hacia Iruain. «¡Qué triste está Isidro!», comentó Joseba. Le respondí que tampoco a él se le veía muy contento. «Lo mío no es tristeza, sino vergüenza —se lamentó—. Y, por si quieres saberlo, he acabado asqueado. ¡Comiendo pasteles con nuestro amigo proxeneta y con el anormal de Pancho! ¡Ya está bien!». «Creo que tienes razón —le dije—. No sé en qué estábamos pensando mientras escribíamos lo del Marqués de Mingafría y todas esas chorradas».

Dejamos atrás la carretera principal en dirección al bosque de castaños, y el Volkswagen empezó a dar tumbos. «Vete más despacio», le pedí. Redujo la velocidad. «Si quieres mi opinión, David, estamos bebiendo demasiado.» No supe qué añadir, y continuamos en silencio hasta que tuvimos delante el vallecito. Las casas parecían allí flotar en el aire, porque la bombilla que iluminaba la fachada de cada una de ellas realzaba los tejados dejando la planta baja en penumbra. Encima del barrio y de los montes, muy arriba, las estrellas brillaban con timidez.

Al aproximarnos a la casa de Adela, vimos a Sebastián sentado en el quicio de la puerta. Desapareció súbitamente en la oscuridad, y apareció en el camino, a la luz del coche. «Este día no se va a acabar nunca. A ver qué pasa ahora», dijo Joseba a la vez que frenaba. Sebastián se acercó a mi ventanilla. «¡Podíais haber venido antes! Me estoy muriendo de sueño», se quejó. Fue su forma de saludar. «¿Qué pasa, Sebastián?», le pregunté. «Ha llamado tu madre, David. Que tu padre se ha marchado fuera y que a ver si le das un poco de amparo. Quiere que vayas a Villa Lecuona.»

Un poco de amparo. No me parecía que Carmen lo hubiera dicho así. La expresión encajaba mejor con la forma de hablar de Adela. «¿Y sólo para decirle eso te has quedado sin irte a la cama? ¿No podías esperar hasta mañana por la mañana?», le preguntó Joseba. «Eso le he dicho yo a mi madre. Pero ella tenía ganas de castigarme, y no me ha hecho caso.» «Ya habrás hecho alguna nueva maldad», le dije. «¡Yo no! ¡Los gemelos!», se defendió Sebastián.

La bombilla de la puerta de Iruain dejaba entrever a tres o cuatro personas sentadas en el banco de piedra, así como la silueta de un Renault. «Son Komarov y sus amigos», le informé a Joseba. Él se volvió hacia mí: «¿Cómo dices?». «A mi amigo de San Sebastián le llaman Komarov en la universidad.»

«No es un apodo muy normal, que digamos. ¡Komarov!» «Era un astronauta ruso, me parece. Él se llama Agustín. Y el que le acompañaba en el hotel, Bikandi.» «Dos personas sensatas. Se han olido qué clase de gente era la que comía pasteles en la terraza y han preferido no acercarse.» Al atravesar el puente, los faros del coche nos permitieron ver que eran cinco las personas que estaban delante de la casa. Además de Agustín y Bikandi, dos desconocidos y Lubis.

Agustín estaba sentado en mi Guzzi. Hizo las presentaciones sin moverse de allí. «Jagoba e Isabel», dijo, señalando a los desconocidos. Nos presentamos también nosotros y Jagoba nos estrechó la mano con seriedad. Era un hombre de unos treinta años de edad, y llevaba unas gafas redondas que le daban aspecto de profesor. «Es entomólogo, pero se gana el pan dando clase en un colegio», nos hizo saber Bikandi, confirmando mi impresión. «Isabel, en cambio, trabaja en la investigación pedagógica. Igual que yo —continuó—. Nos dedicamos a preparar material escolar». También el aspecto de la mujer era acorde con su profesión. Vestía de una forma muy clásica, con una falda plisada de color gris. Recordaba a una maestra de tiempos pasados.

Me acerqué a Lubis y le pregunté por Moro. «Ya se le ha pasado, pero lo he dejado en casa por si acaso», me dijo. No estaba enfadado. Cuando le dije que Pancho no había querido moverse del hotel, se limitó a encogerse de hombros, sin concederle mayor importancia. «Jagoba nos estaba contando unas cosas muy bonitas sobre insectos», me informó. Le confesé que estábamos arrepentidos por lo del hotel, que Adrián había acabado la noche fatal. «Ya os lo dije el otro día. Adrián debería tomar pastillas, como mi hermano —Lubis titubeó un momento—: Aunque... no sé. A Pancho tampoco se le nota tanto la mejoría. Mientras las toma, aún, pero en cuanto las deja vuelve a trastornarse».

Nos reunimos con el resto del grupo. Agustín le estaba contando a Joseba la historia de su apodo: «Vladimir Mikhailovich Komarov fue el primer astronauta muerto en el espacio. Se le estropeó una válvula de su nave, y recorrió al menos cinco veces la órbita de la Tierra antes de quedarse sin oxígeno. Me impresionó tanto aquella muerte que no hablaba de otra cosa a mis amigos. Hasta que empezaron a llamarme Komarov». Joseba miró hacia el cielo, como si buscara entre las estrellas la ruta fatal del astronauta ruso. «Conque dando vueltas ahí arriba», dijo.

Parecía interesado en el accidente espacial, pero cuando abrió la boca fue para contarles a Bikandi y a Isabel que una vez, el primer día de curso, nuestra maestra de Obaba me había invitado a subir a su mesa para tocar el acordeón. «Estás hablando de una época en la que el nivel de exigencia de la escuela dejaba mucho que desear. Era bastante naïf», opinó Isabel.

«Os quedaréis a dormir, ¿verdad?», les pregunté, aprovechando el silencio que se hizo tras la respuesta de Isabel. Fue Agustín el que me respondió: «Si no te importa… Pero, tú tranquilo. Hemos traído sacos, y dormiremos en el suelo». «La habitación del tío está libre», sugerí. «Se la dejaremos al entomólogo —dijo Bikandi—. Es el mayor del grupo». «Cierto. Soy el único que se está quedando calvo», corroboró Jagoba levantando el flequillo. Tenía el pelo rubio, bastante ralo.

Estuvimos hablando hasta las tres de la madrugada. Sobre escuelas y sobre insectos, pero también —Bikandi introdujo el tema— sobre la situación política en España y en el País Vasco. Tuve una sensación de novedad. Me pareció que algunos de los componentes del grupo, especialmente Bikandi e Isabel, pertenecían a una patria para mí desconocida, y que también a ellos se les podía aplicar la afirmación de

L. P. Hartley: *They do things differently there* —«Allí hacen las cosas de otra manera»—. Efectivamente, Bikandi e Isabel intercalaban en sus frases términos tales como «problema nacional», «cultura popular» o «alienación» con la misma naturalidad con que Lubis, Ubanbe y los otros campesinos de Obaba decían *gezeta* o *domentxa* al coger una manzana, y *mitxirrika* o *inguma* al señalar una mariposa. En las asambleas de la ESTE había escuchado a estudiantes que se expresaban de forma parecida, pero con una diferencia: Bikandi e Isabel utilizaban aquel léxico con dominio, como si formara parte de su lengua materna y les naciera de lo más hondo.

«¡Por fin una conversación como es debido! ¡Soy feliz!», exclamó Joseba cuando le acompañé hasta el Volkswagen para despedirle. Le contesté que compartía su opinión, y que confiaba en tener más oportunidades de seguir conversando con Bikandi y sus compañeros. Pero, en realidad, deseaba marcharme de Iruain. Pensaba en Virginia. No me podía quitar de la cabeza lo que había oído en la terraza de la cafetería del hotel. La afirmación de Pancho: «Desde luego las tetas las tiene bonitas. Muy redondas y bastante grandes». Desde Iruain, Virginia me quedaba lejos; desde Villa Lecuona, muy cerca.

Estaba todavía en la cama cuando Bikandi y Agustín se presentaron en mi habitación y me propusieron ir con ellos a buscar mariposas. «¿A buscar mariposas?», repetí. No entendía. Bikandi acercó una silla a la cama y se sentó como el doctor que acude a visitar a un paciente, inclinándose hacia mí. Llevaba los pantalones rojos de la víspera, pero se había cambiado el niki blanco por uno negro. Parecía recién salido de la ducha. «Me he bañado en ese pozo que se forma al lado del puente. Por eso tengo el pelo mojado —me dijo sonriendo. Luego me hizo una pregunta propia de un médico de verdad—: ¿Qué tal has descansado?». «He soñado con una chica», respondí.

No era del todo mentira. La lista de las misses de Obaba estaba encima de la mesilla. En la otra cara del papel, antes de dormirme, había redactado unas líneas: «Virginia, te escribo en esta calurosa noche del 27 de agosto, abusando quizás de nuestra antigua amistad. Sólo para hacerte esta pregunta: ¿quieres salir a dar un paseo conmigo? Esperaré tu respuesta con impaciencia». Mi intención era copiar la nota en una postal y mandársela por correo.

«No sabía que las chicas te interesaran tanto, David —me dijo Agustín—. En San Sebastián no te he visto ir detrás de ellas». Estaba vestido con ropas de monte, con unas botas que llamaban «chirucas» y un chándal verde. «Sólo me gustan las de Obaba», respondí.

«Pues yo no he dormido tan bien —dijo Bikandi—. Nunca lo hago cuando estoy preocupado». Le interrogué con la mirada, él se inclinó aún más hacia mí. «Hemos entrado en tu casa como colonos —se explicó—. Vinimos cuatro personas con la excusa de devolverte la Guzzi y así, sin más, nos hemos instalado aquí. Pero esto no es un piso de estudiantes en el que la gente entra y sale continuamente, sino tu casa familiar. Así pues, te pido disculpas en nombre de todos por nuestra falta de consideración. Lo correcto hubiese sido pedir tu conformidad de antemano».

Hablaba de repente con mucha modestia, con la mirada baja. «También yo os pido disculpas por recibiros en la cama», dije en broma. Pero él siguió en el mismo tono. Intuí que iba a confesarme algo. «Te explicaré el asunto de las mariposas —dijo—. Tal como os contamos ayer, Isabel y yo estamos impulsando el movimiento de la escuela vasca. Un día nos dimos cuenta de que nuestros niños apenas si disponen de material lúdico en vasco, y decidimos crear unas barajas.

Al principio, lo único que hicimos fue traducir las de Walt Disney, pero luego pensamos que con ello estábamos tendiendo puentes al imperialismo, desnacionalizando a nuestros niños, y nos propusimos crear productos autónomos. Para no alargarme: completamos una baraja que recogía los diferentes estilos de casa que existen aquí. Y ahora estamos trabajando en otra que se llamará *Las mariposas del País Vasco*. Por eso nos pusimos en contacto con Jagoba, que como te dijimos es entomólogo, y por eso estamos aquí, siguiendo la pista a nuestras mariposas. Tenemos ya fotos en color de parejas de dieciséis especies, o sea, treinta y dos cartas. Nos faltan otras tres parejas. Y Jagoba está convencido de poder encontrarlas en estos bosques. Y se acabó mi larga explicación. ¡Perdona, David!».

Imperialismo, desnacionalizar: no son palabras especialmente atractivas, pero aquel verano de 1970 me pareció que sí lo eran. Atractivas, nuevas. Bikandi se puso en pie, y volvió a colocar la silla en su sitio. «Si tenéis dieciséis parejas de mariposas, os faltan cuatro, no tres. Las barajas suelen ser de cuarenta cartas», le dije. «¡David tiene razón! —exclamó Agustín alegremente—. Ten cuidado. Este compañero mío es bastante listo». «Tiene razón, pero no toda la razón —esta vez Bikandi amagó una sonrisa—. En realidad, nuestra baraja tendrá cuarenta y una cartas. En la última cartulina pondremos un petirrojo. Un pájaro insectívoro —se dirigió de nuevo a mí—: Por lo tanto, David, mi pregunta es la siguiente: ¿podemos quedarnos en esta casa familiar hasta conseguir esas cuatro parejas de mariposas que nos faltan? Jagoba calcula que como mucho será cosa de dos semanas». Pronunció la palabra «dos» con más fuerza que las demás. «Claro que sí. Seguro que a mi tío le gustaría mucho la labor que estáis realizando», respondí. Me dio las gracias tendiéndome la mano. Y lo mismo hizo Agustín. Los dos parecían satisfechos, y antes de marcharse me pidieron que no tardara en reunirme con el grupo. La primera expedición en busca de mariposas se iniciaría aquella misma mañana, sobre las diez.

Salí a la ventana a fumar el primer cigarrillo del día. Lubis, Joseba, Jagoba e Isabel se encontraban en el prado del otro lado del riachuelo contemplando los tres potrillos, y Bikandi y Agustín se dirigieron hacia allí después de salir de casa. Su coche, un Renault gris, y el de Joseba estaban aparcados junto al puente, y la Guzzi al lado de la puerta. Sobre el banco de piedra había tres redes para cazar mariposas y la funda de unos prismáticos.

Volví atrás, sobre lo ya visto. Miré de nuevo la Guzzi. No era roja. Estaba pintada de negro.

«Ayer por la noche no me di cuenta. ¿Qué le ha pasado a la moto?», le pregunté a Agustín cuando me junté con él. Se rascó la cabeza. No sabía qué responder. «Me pareció que quedaba más bonita así», acertó a decir. Nos encontrábamos los dos junto a la valla. Los demás —Lubis, Joseba, Jagoba, Isabel y Bikandi— seguían al lado de los potrillos. Según me pareció, escuchaban las explicaciones que les estaba dando Jagoba.

Bikandi se separó del grupo, y vino hasta nosotros. «¿De qué habláis? ¿De la Guzzi? —adivinó—. Pues, tienes que decirle la verdad, Agustín». «Tranquilo, Komarov», le dije yo dándole una palmada en la espalda. Lo veía nervioso. «Joseba dice que ahora pega más con su Volkswagen —continuó Bikandi—. Estoy de acuerdo. El rojo con el amarillo siempre queda muy español». «Es que quemamos la moto, David —dijo al final Agustín. En un primer momento, pensé que se refería a algún problema de tipo mecánico—. Lanzamos propaganda a favor de la escuela vasca, y la policía se dio cuenta de que sacábamos los papeles de la bolsa que llevábamos en la parrilla de la moto. No nos pudieron coger la matrícula, porque nos habíamos encargado de mancharla de barro, pero vieron que se trataba de una Guzzi roja. Por eso la pinté de otro color. La próxima vez utilizaremos un burro, David. Como ayer en el hotel». Agustín sonrió. «La verdad es que no queda mal pintada de negro. Un poco rara», le dije, como si el cambio no me importara.

En realidad, el cambio en sí me era indiferente; lo que me preocupaba era su significado. Lo veía claro. Ya no era un adolescente como cuando el tío Juan me habló de la guerra. Bikandi y sus compañeros —a excepción del entomólogo, pensé— no eran de otra patria u otro mundo, sino más bien personas dobles que, al igual que mi antiguo profesor César, o el mismo tío Juan, poseían dos lenguas, dos nombres, dos territorios. Eran —no podían ser otra cosa— activistas clandestinos. Me acordé del monumento de la plaza de Obaba, destrozado por una bomba, y de la organización que reivindicó la acción.

El grupo que había estado con los potrillos se unió a nosotros. «Me acaba de decir Bikandi que podemos quedarnos en tu casa. Muchas gracias», me dijo Jagoba. A la luz del día me pareció más joven que la noche anterior. «¿Hay muchas clases de mariposas en estos bosques?», pregunté. «No he tenido tiempo de examinar el lugar, pero no menos de diez especies, según mis cálculos. Una de ellas, la *Dasychira pudibunda*, es muy difícil de cazar, nos dará trabajo. Puede que tengamos que dar por terminada la baraja sin ella.» «¿Por qué es tan difícil?», le dije. También él parecía de otra patria. «Se posa en el tronco de un árbol y se vuelve invisible —respondió—. No podrías distinguirla de la corteza ni siquiera a una distancia de veinte centímetros. Será un gran desafío».

Jagoba, Lubis y Agustín se pusieron en cabeza al llegar al bosque, cada cual con su red, e iniciaron el ascenso pasando de un árbol a otro, desviándose continuamente como si estuvieran buscando setas. Bikandi e Isabel los seguían a unos cien metros. Isabel llevaba unos pantalones vaqueros que le daban un aire más juvenil que la falda plisada de la víspera.

Joseba y yo caminamos al principio con el primer grupo, pero luego, por deseo de él, nos quedamos atrás. Quería hablar a solas conmigo para darme a conocer las decisiones que había tomado aquella misma noche. Aminoré la marcha y me dispuse a escuchar. El bosque de finales de agosto no era mal escenario para una confesión: había silencio, había sombra, y un suelo blando bajo los pies.

«No voy a ir más al hotel —me dijo—. No me veo en ese sitio. Esa forma de estar en la terraza, con Niko, Susana y las otras chicas en una mesa y nosotros en otra, y todos como idiotas... Y nuestros amigos, David. No son presentables. No lo digo por Adrián. Adrián se pone pelma con eso del cocodrilo, y bebe demasiado, y es un desastre, pero es una persona que sufre, le cuesta asumir su problema, y como amigos tenemos que apoyarle. Además, me lo ha dicho esta mañana mi padre, Isidro es consciente de que su hijo necesita un tratamiento, y ha ido a hablar con el psicólogo que teníais en el colegio».

Sendero arriba, a unos cien metros, el ambiente era muy distinto: las redes para cazar mariposas sobresalían entre los helechos; sonaban las voces de Jagoba y Lubis; sonaban también, por encima de todo, las risas de Komarov. «No me siento nada cómodo con Martín —prosiguió Joseba. Ahora caminaba más deprisa—. Es un mafioso, no nos engañemos. Una vez, viniendo de Bilbao, nos metimos en ese club suyo porque Adrián quería hacerle una visita a una chica, y conocí a su socio, un tipo que fue policía. Si he de serte sincero, no quiero saber nada de ese mundo. ¡Absolutamente nada!». La exclamación final quebró el tono un tanto deprimido de su monólogo. Acordarse del club de Martín le soliviantaba.

Distinguí entre los árboles la mancha roja de un tejado, pero no reconocí el lugar hasta llegar a él: era una de las cabañas de los leñadores de la serrería. «Ya veo que esta noche has pensado muchas cosas», le dije a Joseba. «Efectivamente. Y tú, ¿no has pensado nada?» Quise decirle la verdad, que todos mis pensamientos habían sido para Virginia. Pero después de su confesión aquello parecía una frivolidad, y opté por callarme.

«¿Habrán cogido alguna de las que faltan?», dijo Bikandi, alcanzándonos. Delante de la cabaña, Jagoba, Lubis y Agustín estaban hablando con un hombre vestido con una camisa de cuadros. Jagoba le mostraba algo que tenía en la mano. Bikandi nos tomó la delantera, como impulsado por la curiosidad.

«Yo también he tomado una decisión, aunque no tan importante como la tuya —le dije a Joseba—. Voy a volver a casa, donde mi madre. Ya oíste lo que dijo ayer Sebastián». «Me parece bien», respondió. Pero su mente estaba ya en otro sitio. Miraba hacia atrás, buscando a Isabel, que venía muy rezagada, a unos doscientos metros. «¿Qué piensas de nuestros nuevos amigos?», le pregunté. «Me parece una gente muy interesante.» Lo dijo tan convencido que no me atreví, tampoco esta vez, a expresar lo que pensaba: que tal vez fueran personas dobles, con planes que no confesaban y que relacionarnos con ellos podía acarrearnos problemas. Yo había tenido ya un contacto con los guardias, y no quería pasar de nuevo por una experiencia que, esta vez, sin la ayuda de don Hipólito o de mi madre, sería mucho peor. «Tú también estás contento, ¿verdad, David?» «Muy contento.» Era verdad. La decisión de volver a Villa Lecuona me producía un gran alivio.

Jagoba nos enseñó la cajita que sostenía en la mano. Dentro había una pequeña mariposa azul clavada con un alfiler. «Ésta es una de las que buscábamos —nos dijo—. Es una *Plebejus*. *Plebejus icarus*». «La ha encontrado Lubis —me informó Agustín—. Creo que si él nos ayuda acabaremos enseguida». Lubis se rió: «Ya sabes quién es el más habilidoso del equipo, David. El erizo que trepa al tejado como un gato». El hombre de la camisa de cuadros se acercó a mí: «¿Qué tal estás, Imaz? ¿Todavía te dedicas al acordeón?». En un primer momento no lo reconocí. Era el leñador de pelo rizado que había visto en aquella misma cabaña abrazando ocho barras de pan. «*Eta zu? Oraindik hemen!*» —«¿Y tú? ¡Todavía aquí!»—, exclamé. Su rostro estaba arrugado, parecía mucho mayor que el día de nuestro primer encuentro. «*Gu basoan hilko gaituk!*» —«¡Nosotros moriremos en el bosque!»—, dijo. Frunció los labios. Su sonrisa seguía siendo la misma.

IX

Terminó el trabajo de la tarde en el taller de Villa Lecuona, y todas las aprendizas se dirigieron a paso rápido hacia la plaza, como si tuvieran prisa por retirarse a sus casas. Después de que desaparecieran, el pueblo entero se quedó en calma: no pasaban coches por la carretera; no había bañistas en el río; en el campo de deportes, dos niñas charlaban junto a una portería de balonmano; algo más lejos, en el parque infantil, una mujer columpiaba mecánicamente a un bebé. De vez en cuando, surgía un poco de viento y hacía sisear las hojas de los árboles.

Mi madre estaba de pie, apoyada en la barandilla de la terraza, hablando precisamente de aquel siseo, cuya procedencia, decía, conocía bien, pero que, en su imaginación, ella prefería atribuir al río. Le gustaba pensar que se trataba del sonido del agua, porque el agua —la que corría por un lecho de piedras, sobre todo— le parecía alegre; el viento —corriera por donde corriera— siempre triste. «Si alguna vez me voy a vivir a otro sitio —dijo— elegiré una casa que esté a la orilla de un río». «Villa Lecuona no está tan lejos.» «Tampoco está en la orilla.» «Quizás sea por la casa en que naciste. Iruain está a muy pocos metros del riachuelo.» «No se me había ocurrido, David.» Mientras hablaba con ella, miraba a la casa de Virginia. Sus paredes, recién pintadas para las fiestas, lucían más blancas que nunca.

Traje para mi madre una butaca de mimbre y un taburete para que apoyara los pies. En cuanto se sentó, empezó a hablarme de Juan: «Mi hermano me ha escrito una carta muy larga. Me cuenta que se ha comprado un rancho precioso. Una casa con no sé cuántos miles de metros de terreno y más de treinta caballos. Caballos finos, de paseo. Le van muy bien las cosas a nuestro Juan, gracias a Dios. El rancho se encuentra en la frontera entre Nevada y California, en el lado de California. Y dice que le ha cambiado el nombre, lo va a llamar Stoneham Ranch. No sé si lo digo bien».

Me pregunté por qué Juan habría elegido ese nombre en vez de «Obaba Ranch» o algo por el estilo. Lo que no imaginaba entonces era que un día sería mi casa y que precisamente en ella, es decir, en este rancho de Stoneham, rememoraría mi vida viendo jugar en el porche a mi hija Liz y a mi hija Sara, ajenas por completo al mundo que yo tuve en el pasado; hasta tal punto ajenas que si alguna vez llegan a leer estos recuerdos míos les parecerán inverosímiles, de otra galaxia.

Mi madre me preguntó: «¿Es verdad que ayer en el baile echaron propaganda?». Le dije que no hubo tal propaganda. Guardaba en el bolsillo la hoja en la que la víspera había escrito el mensaje para Virginia —«Virginia, te escribo en esta calurosa noche del 27 de agosto...»— y se la entregué por la cara de la lista. Pero le faltaban las gafas, no podía leer. Le dije que era la lista de las cinco chicas más guapas de Obaba, y que todo había sido una broma.

Mi madre bajó la voz: «El domingo por la tarde Marcelino le llamó por teléfono a tu padre. Por lo visto estaba rabioso. Le dijo que habían soltado un burro borracho con propaganda en la terraza del hotel, y que tenían que hablar con el gobernador y con el coronel Degrela». «¿Por esto?», pregunté, señalando la hoja de papel. Añadí que me parecía increíble, que estaban los dos locos. «Locos no, David. Asustados. Desde que pusieron la bomba en el monumento viven preocupados. Tu padre dice que los activistas que vienen de Francia entrenan a la gente de los pueblos pequeños para que cometan actos ilegales, y que primero hacen ensayos. Que por eso repartieron ese papel con la historia de Miss Obaba. Porque la policía no podría hacer nada aunque los detuvieran. Según tu padre, no empiezan con las verdaderas acciones hasta estar bien preparados.»

Conocía las teorías de Ángel. Le había oído el mismo razonamiento a raíz del atentado que había destrozado el monumento de la plaza. «No creo que sea para tanto», le dije. Pero sin convicción. Acababa de acordarme del grupo que buscaba mariposas en Iruain. Tal vez mi madre no lo expresara con exactitud, pero lo que decía podía ser verdad. Ella siguió adelante: «Alguien reconoció al burro. Se dieron cuenta de que era del hijo de Beatriz, de Lubis. Yo sé perfectamente que él es un buen chico, un chico serio, muy serio, y... escucha lo que te voy a decir, David: en una ocasión estuve a punto de dejar a tu padre, porque agarró un día a Lubis, que entonces no era más que un crío, y le dio una paliza tremenda sin motivo alguno. Ahora dicen que se está metiendo en política, y que el burro lo llevó él, y no su hermano, ese pobre desgraciado. Dicen que Pancho es incapaz de organizar nada».

Se calló de repente. Hacía esfuerzos por no llorar: «Tú no te metas en política, David. La política es una porquería, eso quedó bien claro durante la guerra. Meterte en política sería para ti lo peor. Piensa que tienes un buen futuro. Lubis quizás no lo tenga, pero tú sí. Eres el único sobrino de Juan, casi un hijo para él. Te ayudará todo lo que te haga falta». «¿Dónde está Ángel?», le interrumpí. Quería que cambiara de tema. «Están todos en Madrid. ¿No te lo han dicho? A ese forzudo de Ubanbe quieren hacerle boxeador.» «No sabía nada.» «Pues me extraña. El que más metido anda en el asunto es tu amigo Martín. Dice que Ubanbe puede convertirse en un segundo Uzcudun, y que de ocurrir así todos ganarán millones. Ángel y Marcelino se ofrecieron a acompañarle a Madrid. Ya sabes, para ellos cualquier excusa es buena para marcharse de Obaba.» «¿Qué es lo que quieren? ¿Organizar un combate en Madrid?» Subestimaba sus planes. «En Madrid, en San Sebastián, en Bilbao y en todas partes —mi madre se encogió de hombros—. ¡Vete tú a saber! ¡A lo mejor tiene razón tu amigo!», concluyó.

El parque infantil estaba vacío, y lleno de sombras; al contrario que el campo de balonmano, mucho más animado que antes. Dos equipos de niñas disputaban un partido siguiendo las instrucciones de un joven que debía de ser el entrenador.

Aún había mucha luz en el cielo. Miré los alisos junto a Urtza: se habían vuelto negros, parecían cipreses. Miré la casa de Virginia: seguía siendo blanca. Los focos del campo de deportes empezaron a encenderse.

Mi madre estaba ahora más tranquila, y empezó a hablar de asuntos cotidianos. Mencionó las labores del taller, las nuevas canciones que habían aprendido en el coro de la iglesia; me hizo preguntas acerca de la gente que iba a los bailes del hotel Alaska. Se acordó de pronto de la lista que le había mostrado: «Por cierto, ¿quiénes son las chicas más guapas de Obaba, según los autores de la clasificación?». Desplegué la hoja y leí los nombres como si no me los supiera de memoria: «Bruna, la hija del guarda forestal, Niko, Victoria, Alberta, la de la tienda de deportes, y en el primer puesto, como Miss Obaba, Susana, la hija del médico». «¿Y no han tenido en cuenta a nuestra Paulina?» Mi madre anteponía el posesivo «nuestra» a todas las chicas que acudían al taller. Y más en el caso de Paulina. Ya no era una aprendiza, sino una profesional. «¿Crees que debería estar en la lista?» «Si es verdad lo que se comenta en el taller, no le faltan pretendientes. Y tu amigo Adrián es uno de ellos.» «¿Adrián?» «Eso dicen las chicas.» «Debo de vivir en la Luna. ¡Pensaba que le tenía manía a Paulina!» «De ti también se dicen cosas.» «Que me porté mal con Teresa.» «Y que te gusta esa jovencita delgada, Niko.» Me eché a reír. «No pueden estar más equivocadas», dije.

Hizo un gesto. Tenía un nuevo nombre en la cabeza: «¿Sabes quién falta en esa lista? —me dijo—. Virginia. Es una mujer muy bonita. Muy bien proporcionada de cuerpo, y con un porte muy elegante. Posee una elegancia natural. No es algo que ella haya aprendido». «Creo que mucha gente comparte tu opinión», dije con cautela. «Le he hecho un vestido. Es verde. No negro ni gris. Está dispuesta a empezar a vivir de nuevo. Creo que hasta se va a animar a bailar en las fiestas.»

Una chica alta se acercó al campo de balonmano, y le dio un beso al joven que hacía de entrenador. Era Alberta, la chica de la tienda de deportes, la cuarta más bonita de nuestra lista. Pero no se podía comparar con Virginia.

Virginia. Habría diez, quince, veinte hombres pensando en ella. Pensando en cómo abordarla, en cómo obtener su abrazo. Y cuando apareciera en fiestas con su vestido verde, el número de sus seguidores se multiplicaría: ya no serían veinte hombres, sino cien, doscientos, trescientos. Todos como perros que rastrean una pieza, y Martín al frente de todos ellos, el perro mejor entrenado. *«Si alguien se montara encima de ella, yo mismo por ejemplo, ella chillaría "no quiero, no quiero, no, no, no, por favor, no, no…".»* El recuerdo de las palabras de Martín me llenó de desasosiego.

Los focos iluminaban ahora al máximo de su potencia y realzaban los columpios, las porterías, las líneas marcadas en el suelo. Pero el vacío era absoluto. Las niñas de los dos equipos se habían marchado con Alberta y el entrenador, y se volvía a oír, de vez en cuando, el siseo del viento entre las hojas. *«No, no, no, por favor, no, no…»* El siseo reprodujo la voz de Virginia. Miré hacia su casa: era sólo una mancha blanquecina a la derecha de los alisos de Urtza.

Entramos en casa para cenar. «A mí me parece que Adela abusa de la grasa, David —me dijo mi madre—. Mientras estés aquí, comerás de forma más sana. No quiero que sigas engordando». Empezó a preparar una ensalada de tomate. «Si mañana hace bueno, iré a nadar a Urtza. Yo también quiero estar guapo para las fiestas de Obaba.» Mi madre abrió el frigorífico. «Hay merluza frita. ¿Qué hago, David? ¿La caliento o la comemos tal cual?» No me importaba que estuviera fría, y nos sentamos a la mesa.

«¿En qué estás pensando? —le pregunté después de que termináramos de comer la ensalada—. ¿Sigues preocupada por algo?». «Antes no te he explicado la situación… no del todo —me dijo—. Ángel no pasa la noche en casa, viene poquísimo, y nunca a la misma hora. Se lo ha aconsejado la policía. Lo mismo que a Marcelino. Tienen que ser muy prudentes mientras exista el riesgo de un atentado. Así que, ya ves, cuando no están las chicas del taller me quedo sola. Con la televisión ya no es como antes, pero aun así lo paso mal. Por eso llamé a casa de Adela. Comprendo que en Iruain disfrutarías más, pero yo prefiero tenerte aquí. Durante la noche, al menos».

La luz del fluorescente de la cocina era más cruda que la de la terraza. Resaltaba las ojeras de mi madre, los frunces de la boca, las rojeces en una de las mejillas. «Puedes estar tranquila. Ya estaba decidido a volver antes de que me llamaras. Me he pasado todo el verano en Iruain y tengo ganas de ver la tele.» Mi madre sonrió. «Pues en esta casa la televisión se ve de maravilla.» Empezamos a comer la merluza fría. «Se me ha olvidado contarte una cosa —le dije—. Unos amigos míos se van a quedar un par de semanas en Iruain. Son pedagogos». Mi madre sonrió por segunda vez. «Ya me ha contado Adela. Que han venido a buscar mariposas porque quieren hacer un libro. Dice que es una gente muy formal.»

El libro de las narraciones policíacas continuaba en un estante de mi habitación, y me entretuve leyendo hasta muy tarde. Antes de apagar la luz, me levanté de la cama, y escogí una postal de un fajo que me había regalado Joseba en mi último cumpleaños. Eran tarjetas artísticas, publicadas por el museo de Bellas Artes de Bilbao, y una de ellas mostraba mujeres desnudas tomando el sol o secándose con toallas en un acantilado.

Copié en la postal la nota que había redactado en Iruain: «Virginia, te escribo en esta calurosa noche del 27 de agosto, abusando quizás de nuestra antigua amistad. Sólo para hacerte esta pregunta: ¿quieres salir a dar un paseo conmigo? Esperaré tu respuesta con impaciencia». Al día siguiente, mientras ella estaba en la cafetería, la metería por debajo de la puerta de su casa.

Antes de dormirme me surgió una duda. Quizás fuera una grosería mandarle aquella postal de las mujeres desnudas. Un paso demasiado atrevido. En realidad, apenas nos habíamos tratado durante los últimos años. Rompí la postal, y volví a escribir el mensaje en otra que llevaba la fotografía de una rosa.

X

Había geranios rojos en las ventanas de la casa de Virginia, y pensé que habrían sido un estorbo para Pancho mientras trataba de enfocar sus pechos «blancos y redondos» con los prismáticos que le había prestado Martín.

Estaba cruzando el puente cuando un perro salió de la sombra de un matorral y empezó a dar vueltas alrededor de mí, ladrando pero sin atreverse a acercarse. Era viejo, y cojeaba. «¡Vete de aquí, déjame pasar!», le ordené. Apenas oyó mi voz, vino hasta mis pies meneando la cola.

También yo lo reconocí: era el perro de Virginia. «¡Te has hecho viejo, Oki!», exclamé. Miraba a las montañas, y no parecía que transcurriera el tiempo; miraba a mi madre, o mi cara en el espejo, y parecía que pasaba lentamente; pero el mensaje escrito en el perro no dejaba lugar a quimeras. El tiempo hacía daño, destrozaba la vida. Oki estaría pronto muerto. Y, a diferencia de las flores, a diferencia de los geranios de las ventanas o de la rosa de la postal, nunca resucitaría tal cual era. Seguiría habiendo perros, pero ninguno de ellos sería Oki.

Le acaricié la cabeza. «¿Qué tal estás?» Tenía cataratas. Seguramente vería muy poco. «La próxima vez no me olvidaré de traerte un azucarillo. Ahora tengo prisa», le dije. No quería demorarme. Deslicé la postal por debajo de la puerta de la casa y me encaminé hacia Urtza por la orilla del río.

El río. Si uno lo escuchaba de cerca, su siseo se parecía, como quería mi madre, al que producía el viento al moverse entre las hojas de los árboles; pero había, en su descenso hacia Urtza, tramos llanos en los que se callaba del todo y dejaba oír los chillidos y la bulla de los bañistas.

La luz del sol me obligaba a entornar los ojos. Me llegó de pronto la voz de Ubanbe: «¡Cógela!». Le siguieron una palabrota y una exclamación cargada de impaciencia: «¡Ya se te ha vuelto a escapar!». «¡Tranquilo, Pancho, que ya es tuya!», exclamó una segunda voz, la de Sebastián.

La trucha se deslizaba veloz de una piedra a otra, pero su recorrido era cada vez más corto. Pancho levantó los ojos hacia Ubanbe y le dijo: «Ya se está cansando. Pronto se me pondrá en la mano». Estaba metido en el agua, con los pantalones remangados hasta los muslos, moviéndose de un lado a otro y espantando a la trucha. Andaba perezosamente, sin alzar la vista, como un abúlico. «¿Qué haces tú aquí? —me dijo Ubanbe al percatarse de que estaba mirando—. ¿No has ido a buscar mariposítas?».

Mariposítas. Pronunció la palabra con un dejo sarcástico, tratando de imitar la forma de hablar de Jagoba. Sebastián se echó a reír: «¡Qué redes tan finas tienen tus amigos, David! Parecen de señoritas». Ubanbe volvió a gritar: «¡Pancho! ¡Vas a dejar que se escape la trucha! Creía que eras más listo». Me guiñó el ojo. Estaba sentado en una piedra que dominaba el río, con una camisa blanca y zapatos negros de charol. Sebastián estaba pegado a él, en cuclillas, como si fuera su paje. Tenía el pelo rizado muy largo, los bucles le tapaban la frente.

«Qué elegante te has puesto, Ubanbe. ¿No has ido a trabajar?», le dije. De ordinario solía vestirse con pantalones azules de mahón y camisa del mismo color, al igual que la mayoría de los empleados de la serrería. «¿Y tú? ¿Dónde tienes el acordeón? ¿No lo has traído?», replicó en el mismo tono que había empleado con Pancho. Me pareció que estaba un poco bebido. «¿Sabes, David? —dijo Sebastián—. Nuestro amigo Ubanbe ha estado hoy en una clínica de San Sebastián y le han hecho pruebas para ver si sirve para boxeador. Y le han dicho que sí, que sirve de sobra, y que ganará un montón de dinero cuando sea campeón de Europa. Mucho más que trabajando con el hacha en el bosque». Lo que me había contado mi madre en la terraza de casa era verdad.

Ubanbe miraba al río como si las palabras del muchacho hubiesen caído allí y él las pudiera distinguir entre las ramillas y las hojas que llevaba la corriente. «Martín y unos amigos suyos me han prometido un millón. Un millón al año. Diez veces más de lo que gano en el bosque», dijo. «¿Y qué problema le ves?», le pregunté. Estaba muy serio, algo le preocupaba. «La nariz, David —me informó Sebastián—. Si quiere ser boxeador tiene que operarse de la nariz. Y él tiene miedo de ponerse feo, y que las chicas le den la espalda». «Tú cállate, que no sabes nada», le regañó Ubanbe dándole un manotazo en la cabeza. «Con esos golpes de maricón no llegarás muy lejos», se rió Sebastián. «¿Qué quieres? ¿Que te aplaste la cabeza de un puñetazo?» Sebastián se alejó de los pies de Ubanbe para continuar con sus burlas: «Yo pensaba que eras un peso pesado, pero ahora, después de ese golpe que me has dado, tengo dudas. Ni siquiera lo he sentido».

«¡Os queréis callar! ¿No veis que asustáis a la trucha?», gritó Pancho, alargando los dos brazos hacia nosotros. «Estás muy torpe, Pancho. Al final tendré que cogerla yo», le dijo Ubanbe poniéndose de pie. «Me voy a bañar», les dije. «Bien. Pero luego vuelve con nosotros», me dijo Sebastián. «¿Has oído? —insistió Ubanbe—. Ven sin falta. Nos vamos a ir todos a cazar mariposistas». Todos se rieron, y Sebastián el que más.

Después de nadar un rato en Urtza, decidí volver a casa dando toda la vuelta, alejándome de la casa de Virginia y pasando por el barrio nuevo, y me puse a andar sin hacer caso del camino, entrando y saliendo del bosque de castaños. Las hojas de los árboles estaban muy verdes, y daban mucha sombra.

«¿Adónde vas, David? ¡Quédate aquí con nosotros!», oí. Era Ubanbe, que me hablaba desde debajo de uno de aquellos árboles. Él y Sebastián estaban fumando; un poco más allá, debajo de otro árbol, Pancho parecía dormido. «Al final ha conseguido coger la trucha. Y nosotros nos la hemos comido», me informó Ubanbe. «Habéis elegido un bonito sitio para celebrar el banquete», le dije. Estaban a unos quinientos pasos de donde los había visto antes. «No seas bobo, David. ¿De verdad crees que hemos venido hasta aquí para comernos esa birria de trucha? Estamos aquí porque queremos buscar mariposistas.» «Y porque nos hemos parado a fumar un cigarro», le respaldó Sebastián. Ubanbe apagó el cigarrillo en el suelo. «¿Qué hora es? ¿Son ya las cinco? Se me ha parado el reloj.» Sebastián me guiñó el ojo: «No podía esperar más y se ha metido a por la trucha sin quitarse el reloj. Tendrá que espabilar si quiere llegar a campeón de Europa». «Son las cinco y veinte», le dije a Ubanbe sacando el reloj del bolsillo del bañador. «Mira, Ubanbe. Mira qué pantaloncitos tan chulos lleva David —siguió Sebastián—. Parecen hechos con el pellejo de una pantera. Tendrás que comprarte unos así cuando empieces a boxear. Las chicas perderán la cabeza». Mi bañador era de fondo amarillo con manchas negras. Ubanbe se llevó las manos a los oídos: «No calla, David. En cuanto bebe un poco se pone insoportable».

Pancho se levantó de repente. «¡Vamos a ir o no!», exclamó. Llevaba los prismáticos colgando del cuello. «Vámonos, sí. Nuestra mariposita ya se habrá echado a volar.» Ubanbe salió corriendo bosque arriba, seguido de Pancho y Sebastián. «¡Ven con nosotros!», me gritaron. Por inercia, o tal vez por curiosidad, empecé a subir tras ellos.

Estuvimos pronto en pleno monte, y el bosque —ahora de haya larga— se volvió sombrío. Las ramas de los árboles se entrecruzaban y formaban, hoja a hoja, un techo que reducía la luz del día a la mitad. Además, la tierra estaba mojada, y daba la impresión de que su blandura —el pie se hundía ligeramente al pisar la hierba o el musgo— no se debía a la lluvia o a la falta de sol, sino a una secreción de la propia tierra. En algunos tramos, la blandura era aún mayor: el monte parecía hecho de la misma materia que la de los limacos que encontrábamos continuamente a nuestro paso.

Delante de mí, Pancho y Sebastián corrían sin rastro de cansancio, empujándose, cayéndose, chillando; con la alegría que antecede a una celebración, con el cuerpo manchado con aquel lodo, aquella materia blanda. A unos cien metros de nosotros, Ubanbe se abría paso entre los helechos. Llevaba el torso desnudo, y de vez en cuando hacía ondear su camisa blanca y nos gritaba. Sólo para exhibir su fortaleza, no para decirnos algo.

La pendiente se suavizó, como si hubiésemos llegado a una cima, y al mismo tiempo el bosque se volvió mucho más cerrado. Seguimos adelante, y nos encontramos con una especie de barrera: los árboles se erguían tan juntos unos de otros que parecían cañaveras. Sebastián le silbó a Ubanbe para que se acercara a nosotros, y al poco tiempo los cuatro seguíamos a Pancho a través de una abertura que tenía la barrera, invisible a primera vista; en silencio, atentos. Atentos Sebastián y Pancho, como si hubieran perdido las ganas de jugar; atento Ubanbe, indiferente al roce de las zarzas; atento yo también, para no rezagarme en aquel pasaje estrecho. Cuarenta pasos más, y comenzamos a descender por un sendero que las raíces de los árboles llenaban de protuberancias.

«¡Por aquí anda nuestra mariposa!», exclamó de pronto Ubanbe olfateando, olvidándose esta vez del diminutivo. De cerca, sentía el calor de su cuerpo. «¿No lo notáis?» Olfateé, como los demás. Percibí un vago olor a colonia: un rastro de lavanda en el aire. Ubanbe corrió a pasos cortos, agitando de nuevo la camisa en el aire, y Sebastián, Pancho y yo mismo corrimos tras él. Veinte pasos más, y habíamos llegado al final del sendero.

Miré adelante. Rodeada de hiedra y musgo, había una balsa, sin duda un depósito de agua que había quedado en desuso. El agua permanecía tan quieta que parecía un espejo con hojas verdes incrustadas en su superficie. Oí unos chasquidos, como de pequeños cuerpos que se zambullen en el agua. «Los sapos ya nos han oído», dijo Pancho. Y así era, los sapos saltaban entre el musgo y la hiedra en dirección a la balsa. «Mirad qué se le ha puesto a David en el pecho», dijo Sebastián riéndose. Noté una mancha de color sangre en mi niki. Era una mariposa de alas rojas. Pancho alargó la mano y la atrapó.

«La guardaré para esos amigos tuyos que están en Iruain —me dijo—. Igual me pagan algo». La sujetaba por un extremo del ala. «¡Que te crees tú eso! —se burló Sebastián—. Cuando van a cenar a nuestra casa piden siempre lo más corriente. No tienen un céntimo». «¡Pues vaya mierda!» Decepcionado, Pancho lanzó la mariposa al aire. Pero las alas del insecto habían perdido su polvillo en contacto con los dedos, y cayó enseguida al agua.

«¡A ver si os estáis quietos! —exclamó Ubanbe nervioso—. Pero ¿dónde está esa chica?». «Veo la toalla, pero a ella

341

no la veo», dijo Sebastián señalando al otro lado de la balsa de agua. La toalla era blanca, y se encontraba a unos sesenta pasos de nosotros, en el único claro del bosque en el que el sol conseguía penetrar. «Ahí viene», dijo Pancho con los prismáticos en los ojos, y en ese mismo instante una chica salió de detrás de un árbol. Estaba completamente desnuda. «¿Quién es?», pregunté. «Bruna, la hija del guardabosques», me informó Sebastián alegremente. «¡Es verdad!», exclamé. No la había reconocido. Ubanbe respiró hondo: «En ese papel del otro día la pusieron en quinto lugar, pero para mí se merece el título de Miss Obaba. O si no el segundo puesto», declaró.

«*Bruna, la hija del guardabosques. No hay por estos alrededores nadie que tenga su cuerpo de atleta...*» Viéndola junto a la toalla, la descripción de Joseba no me pareció exacta. Sus piernas eran largas y recias, pero de cintura para arriba le sobraba grasa; guardaba un mayor parecido con las ninfas de los cuadros de tiempos pasados que con las atletas de finales del siglo XX. No obstante, ése era el siglo al que pertenecía. Se estaba dando crema.

«¡Allá voy!», dijo Ubanbe, y empezó a caminar hacia la chica. Se oyó un gemido, como el de un animalillo del bosque, y Bruna dejó caer el bote de crema y corrió a esconderse detrás de un árbol. Ubanbe se detuvo donde la toalla blanca. Dejó la camisa en el suelo, y se quitó los pantalones. «Ahora empezará a hablarle, David. Ya verás», me dijo Sebastián, acompañando sus palabras de pequeños aplausos. Efectivamente, Ubanbe tenía la cabeza vuelta hacia donde se había ocultado la chica, y parecía decirle algo. Estaba ya completamente desnudo, y tenía el bote de crema en la mano. «Ya sé lo que le estará diciendo. A ver si quiere que le dé crema», explicó Sebastián. Pancho se llevó los prismáticos a los ojos. «Ya viene, ya ha salido de su escondite», avisó. Yo estaba convencido de que Bruna aparecería vestida, o tapándose con algo; pero no llevaba nada.

Había ahora dos figuras desnudas en el claro soleado del bosque. La más grande atrajo a la otra hacia la toalla, poco a poco, agarrándola de la cintura. Cuando se tendieron sobre ella empezaron a moverse a un lado y a otro, primero con lentitud, luego con energía. Sebastián y Pancho guardaban silencio.

«¿Ha terminado?», preguntó al cabo de un rato Sebastián. «Están uno encima de otro, pero bastante quietos», dijo Pancho. «Entonces, ¡vamos!», exclamó Sebastián adelantándose hasta la orilla de la balsa de agua. «Ahora le deja a cualquiera, David», me dijo Pancho. Sonreía con la boca abierta, y empezó a jadear lascivamente. Estaba imitando la respiración de la lechuza.

Sentí que me asfixiaba, como si me encontrara dentro de la balsa; luchando por desembarazarme del lodo y las raíces del fondo, viendo encima de mí las hojas y las ramillas de la superficie, y también la mariposa roja muerta. Empecé a correr sendero arriba, crucé la barrera y salí al bosque abierto. Seguí andando y divisé, mil pasos más allá, trozos de cielo azul entre los árboles, la luz del último sol de la tarde. Cinco mil pasos más, y ya estaba sentado en la terraza de Villa Lecuona. Furioso conmigo mismo.

Aplazaba las decisiones, era la peor de mis costumbres. En vez de ir a la cafetería donde trabajaba Virginia y plantearle la pregunta directamente —«¿Quieres salir conmigo?»—, en vez de enfrentarme a ella cara a cara, y conocer en un instante su disposición, echaba mano de una postal. Daba tiempo al tiempo, malgastaba las horas y los días.

Pero los demás no esperarían, eso era seguro. Pancho le diría a Ubanbe: «Vete donde la camarera de la cafetería, y tócale las tetas. Ya verás qué blancas y redondas son». Y Ubanbe no vacilaría, porque sabía, sin haberlo leído en ningún libro, que el tiempo no corre en balde: que los abrazos que no hemos dado en este mundo no los daremos en la tumba. Mi cabeza se llenó de imágenes. Veía a Ubanbe encima de Virginia, y a Pancho a mi lado babeando: «Ahora nos dejará a todos, David. Ubanbe la ha cansado un poco pero sigue respirando como una lechuza». Veía luego a Martín haciendo malabarismos con las botellas dentro de la barra de la cafetería en la que trabajaba Virginia, y a ella sonriendo a su lado. No era simplemente una fantasía. También aquello podía pasar. Podía pasar que Martín se me adelantara. Y, como Martín, cualquiera de los diez, de los veinte, de los cuarenta hombres que la observaban con disimulo en la cafetería.

Estuve viendo la televisión hasta que mi madre me llamó para la cena. Justo entonces, el teléfono empezó a sonar. «Es para ti. Un amigo tuyo.» Mi madre sonreía, y pensé que sería Joseba, que me llamaba desde la cocina de Adela. Pese a su pelo largo y su aspecto descuidado, mi madre le tenía simpatía. Pero no era él. Era Martín.

«Soy muy feliz, David —dijo sin preámbulos, nada más coger yo el teléfono—. Estoy en el piso número 27 de un hotel de Madrid, viendo desde mi habitación todas las luces de la ciudad, las de las casas y las de los coches que circulan por la Gran Vía. Y soy muy feliz». Me sentía confuso, mis fantasías de la terraza me habían dejado intranquilo. Creí adivinar la causa de aquella felicidad, e imaginé lo que iba a decirme a continuación: «Está aquí conmigo una chica de tetas blancas y redondas que tú conoces. En este momento se está duchando. Supongo que ya sabes a quién me refiero». «¿A qué se debe esa felicidad tuya?», le dije. «Todo ha salido muy bien, David. Muy bien. Mejor imposible. Esta tarde hemos firmado un contrato para diez combates. Y después de esos diez combates, Ubanbe disputará el campeonato de Europa de pesos pesados. Nuestro Ubanbe, David. ¿Te das cuenta de lo que te estoy diciendo? Será un nuevo Uzcudun, y nosotros seremos sus promotores. Tú también, si quieres.» «Me alegro», le dije. En comparación con lo que había imaginado, aquello me sonaba a música celestial.

Le dije que me había encontrado con Ubanbe cerca de Urtza, y que sabía que los médicos le habían dado permiso para dedicarse al boxeo. «Todo ha salido muy bien —repitió él—. Muy bien. En un año lo haremos campeón de Europa. No sé si estás enterado, en este momento en los pesos pesados el nivel es bajísimo. La mayoría de los boxeadores son como sacos, y Ubanbe los dejará a todos KO. Y luego iremos a América, y visitaremos los sitios que visitó Uzcudun: Las Vegas, Chicago, Reno, Atlanta y luego, al final, Nueva York, el Madison Square Garden, y a nosotros no nos pasará como a Uzcudun... ¿Sabes por qué le ganó Joe Louis a Uzcudun? Pues porque la noche anterior le metieron tres mujeres en la habitación del hotel, y el hombre se quedó sin la mitad de sus fuerzas. Los promotores le vendieron».

Mi madre apareció en la puerta de la cocina avisándome de que la cena estaba en la mesa, que no me alargara mucho. Pero no podía colgar, Martín seguía hablando. Me explicó que el primer adversario de Ubanbe sería un boxeador francés llamado Philippe Lou. Y que luego se enfrentaría a un alemán. «Así están las cosas, David. Ahora nos vamos a cenar al mejor restaurante de Madrid. Mi padre, Angelcho, el señor Degrela, otro señor de la directiva del Real Madrid y el mayor promotor de boxeo de toda España.» Me extrañó su forma de hablar: que dijera «mi padre» en vez de Berli, que le añadiera el diminutivo a Ángel, que a Degrela le llamara «señor». «Pues, estupendo», le dije en tono de despedida. «Un momento, David. Tanta historia, y todavía no te he explicado el verdadero motivo de mi llamada.» Mi madre estaba de nuevo en la puerta de la cocina. «Se me va a enfriar la sopa», le dije. «Yo también tengo prisa. Te diré de qué se trata. Mira, el sábado que viene tienes que ir al hotel…» «A tocar en el baile, ya lo sé», le interrumpí. Él hizo una pausa. «¿En el baile? No habrá baile, David. ¿No te ha llamado Geneviève? Los hemos suspendido. Ya sabes, mi padre se puso furioso con la historia del burro. Pensó que era propaganda política.» «Ya me ha contado mi madre que tienen miedo de sufrir un atentado.» «No vamos a hablar de cosas tristes. Lo de los grupos clandestinos se arreglará pronto, estoy convencido. Además, tendrías que ver cómo andan los dos viejos aquí. Están felices.»

Me expuso por fin el motivo por el que querían que fuera al hotel Alaska. Había que presentar a Ubanbe en sociedad, y su intención era montar una fiesta para los periodistas. Las invitaciones estaban ya repartidas. «Nuestro deseo es que tú toques el acordeón. Podríamos contratar cualquier orquestina, pero hemos preferido pedírtelo a ti. Queremos hacer las paces contigo. En aquel homenaje a Uzcudun pasó lo que pasó, y todos nos quedamos dolidos. Pero con rencores y caras largas no vamos a ninguna parte. Lo que hay que hacer es mirar hacia delante.» «No me queda otro remedio que decirte que sí. De lo contrario no te callarás y no va a haber quien se coma la sopa fría», le dije. «No sabes qué alegría me das. Entonces, a las diez en el hotel. El sábado.» Parecía otro Martín, más cariñoso, más formal.

«No me sorprende que lo hayas encontrado cambiado —me dijo mi madre después de sentarnos a cenar—. He hablado antes con Ángel y he tenido la misma impresión. Por lo visto, están ante un gran negocio. ¿Sabes cuánto dinero van a ganar con esos primeros diez combates, David? ¿Sabes cuánto dinero calculan?». Recordé lo que le había oído decir a

Ubanbe, que a él le ofrecían un millón al año. «¿Diez millones?» «Los primeros», dijo mi madre llevándose una cucharada de sopa a la boca.

<h1 style="text-align:center">XI</h1>

Tenía que recoger el acordeón para tocar en el acto organizado para presentar a Ubanbe, y salí de casa con la intención de pasarme por Iruain. «¿Por qué has pintado la moto, David?», me dijo mi madre cuando coincidimos en las escaleras. Ella salía a pasear todas las mañanas, porque se lo había aconsejado el médico. «Me gustaba más cuando era roja, David», añadió volviendo a mirar la Guzzi. «Joseba dice que de negro queda más moderna», le dije. Mi madre frunció los labios para expresar su desacuerdo, pero no siguió con el tema. «¿Vendrás a comer?», dijo. «Sin falta», respondí. No tenía ganas de hablar de insectos o de política.

Divisé a Beatriz y Adela en cuanto dejé atrás el bosque de castaños. Estaban las dos al borde del camino, charlando. Frené al llegar a su altura. «¿Vienes para estar con esa gente de San Sebastián? —me dijo Adela por encima del ruido del motor de la Guzzi—. Pues tendrás que esperarles. Ahora mismo no hay nadie en la casa. Salen hacia el bosque en cuanto amanece y no vuelven hasta la hora de cenar». Beatriz sonrió. «¡Quién iba a decir que unas mariposas dieran tanto trabajo! Es para no creer —suspiró—. Lubis pasa más tiempo con su red que cuidando a los potrillos». *Es para no creer*. Ella lo dijo en la forma más dialectal: *Ez da sinistatzekoa*.

El Volkswagen amarillo estaba aparcado a la puerta de Iruain. «Por lo que veo, Joseba está con ellos.» «Se han hecho muy amigos —aseguró Adela—. Joseba y ese tal Jagoba se arreglan muy bien». «También se arreglan bien Lubis y ese chico tan vivaracho», dijo Beatriz. «Se llama Agustín —le ayudó Adela—. Es como una comadreja. Del estilo de Sebastián, pero con más estudios». «Ya los veré otro día. Hoy vengo a por el acordeón», les dije.

Llegué a Iruain y entré en la cocina. Los sacos de dormir seguían en el suelo. Había además una decena de libros, un transistor, un paquete de galletas, un par de bolsas de viaje. Y sobre la mesa, en cajitas de cartón, dos mariposas blancas atravesadas con sendas agujas. Eché un vistazo a los libros: salvo alguno que trataba de las «nuevas escuelas», el resto eran de entomología.

Me avergoncé de mis sospechas. Lo que estaba viendo no hacía sino demostrar lo que me había comunicado Bikandi. El grupo trabajaba con fines pedagógicos. Ellos estaban allí para ayudar al profesor, a Jagoba. Querían hacer una baraja para que los niños vascos conocieran las mariposas de su país. A su modo, todos eran intelectuales. Incluso Agustín, Komarov. Me lo acababa de decir Adela: era igual que su hijo Sebastián, pero con estudios.

Pero no acababa de convencerme a mí mismo, y fui a la habitación del piso de arriba a mirar en el escondrijo. Lubis sabía dónde se encontraba. Si estaba metido en política, como decía mi madre, y se había hecho tan amigo del grupo, se lo habría mostrado para que pudieran ocultar allí la propaganda o lo que fuera.

Levanté la trampilla, y lo único que vi fue el sombrero J. B. Hotson del primer americano de Obaba. Volví a la cocina, cogí el acordeón y salí afuera. No siempre se cumplían las malas expectativas.

Adela me esperaba sentada en el banco de piedra de Iruain. «Tengo que hablar contigo, David», me dijo. «¿Pasa algo?» «Ya lo creo que pasa. Pero no quería contártelo delante de Beatriz. Bastante trabajo tiene con sus hijos.» Me dispuse a escucharla. «¿Tú conoces a esa gente de San Sebastián desde hace mucho?», me preguntó. «A Agustín sí. De la universidad. A los otros les conocí el día que vinieron aquí.»

«Mira, David —dijo Adela, desviando la mirada hacia el bosque—. Fue ayer por la tarde. Los gemelos aparecieron en casa apestando a gasolina. Ya sabes cómo son, no saben estarse quietos, siempre vuelven llenos de barro o con un corte en la cabeza. Y ayer, ya te digo, con ese olor a gasolina. Y a mí me extrañó, porque en este barrio no es que se vea mucha gasolina, la verdad. Les pregunté dónde habían andado para que se les pegara aquel olor, y ellos me dijeron que había cuatro marmitas ahí, en un rincón del bosque. Que las habían abierto pensando que dentro habría leche. Enseguida me di cuenta de que no mentían. "¡Quién ha dejado esas marmitas en el bosque!", les dije. Ellos me aseguraron que era cosa de Bikandi e Isabel. Que fueron ellos los que cargaron con las marmitas hasta ese sitio, mientras sus amigos cazaban mariposas. Fíjate, David: ¡cuatro marmitas llenas de gasolina! Pueden dejar a tu tío en muy mal lugar».

Sus últimas palabras me cogieron por sorpresa. «¿Qué quieres decir, Adela?» «Ya sabes, David. A la gente le gusta murmurar, y algunos dicen que Juan no va a volver más, y que lleva tiempo intentando vender esta casa y el pabellón de los caballos. Si alguien les prende fuego, las malas lenguas dirán que ha sido por cobrar el seguro. Todo el mundo sabe que Juan tiene un seguro muy alto.»

Miré a los caballos, a los potrillos: Ava y Mizpa movían la cola perezosamente; Elko, Eder y Paul se perseguían de un lado a otro de la valla. Aparte, Moro comía hierba con toda la parsimonia del mundo. Era una estampa muy alegre.

«¡Es la mayor tontería que he oído en mucho tiempo!», protesté. Era impensable que el tío quisiera vender Iruain. Él residía en América, pero seguía siendo un campesino de Obaba, incapaz de desprenderse de su casa natal. «Tienes toda la razón —me dijo Adela—. Además, Juan no se ha casado, no ha tenido hijos, y yo sé bien que sigue acordándose mucho de sus padres. Pero no todos son como él. Antes le mataron aquel caballo tan bonito, y ahora quién sabe si no estarán tramando otra canallada: quemarle la casa y el pabellón para luego hacer correr la voz de que ha sido él. Y todo por envidia, porque él ha logrado salir adelante. Igual que tu madre». «Es difícil de creer», dije. «Mira, David —continuó ella—. No quiero murmurar de nadie, pero puede que esos jóvenes anden detrás de algo así. Puede que alguien les haya pagado para prender fuego a la casa y al pabellón. ¡Es tan fácil! ¡Lo decía muchas veces un vendedor de seguros que hubo en Obaba! ¡El más tonto del mundo puede encender un fuego que los cien más listos no podrían apagar!». «Llamaré a mi tío. A ver qué dice él.» «Tú verás, David. Yo más no puedo hacer.»

Sujeté el acordeón en la parrilla de la Guzzi. «Que los gemelos no vayan contándolo por ahí. Vamos a ser discretos», le dije a Adela. «De eso me encargo yo.» Se quedó mirando el acordeón. «Por lo que veo, vas a tocar en esa fiesta que le están preparando a Ubanbe», dijo. Pero tenía la mente en otro sitio, y se encaminó hacia su casa sin esperar mi respuesta.

XII

Ubanbe apareció en el comedor envuelto en una capa roja, y subió entre aplausos al pequeño tablado donde yo había estado tocando el acordeón. Cuando se acercaron los fotógrafos, se desprendió de su capa y les mostró su cuerpo: *Ecce Homo*. Tenía la piel muy blanca, y componía una hermosa figura con sus pantalones cortos de satén rojo y sus guantes negros; tanto más hermosa cuando alzó los brazos para lucir los músculos del pecho y del abdomen.

Los flases de las cámaras fotográficas lo iluminaron una y otra vez. Ubanbe intentaba sonreír, pero le costaba. Quizás pasaran por su cabeza los mismos pensamientos que por la mía: qué sería de su piel de leche durante los meses siguientes, cuántas moraduras sufriría; si acabaría, todo él, tan estropeado como los ex boxeadores que habían acudido a la fiesta; si valía la pena subirse a aquella cruz por ganar diez veces más que en la serrería. Pero la decisión estaba tomada, y su nariz —ya achatada, con la herida de la operación todavía visible— era prueba de ello. El tiempo de las dudas había pasado.

Había cerca de cincuenta personas en el comedor, la mayoría hombres, pero únicamente aplaudían los que estaban alrededor del tablado. Un antiguo boxeador, que cogió el micrófono y se presentó como «el entrenador de la nueva estrella», se puso a calcular el tiempo que le llevaría a aquel joven «tan fuerte como ágil» convertirse en campeón de Europa, y declaró rotundo: «Con quince meses será más que suficiente». Luego tomó la palabra un hombre de negocios que dijo ser uno de los promotores, y aseguró que no escatimarían medios. «Empezará a entrenar mañana mismo en el gimnasio que le hemos preparado aquí, en el hotel —explicó a los periodistas—. Hemos preferido que Gorostiza entrene cerca de casa». El nombre profesional de Ubanbe sería, pues, su apellido: Gorostiza. «¿Quién será su primer adversario?», preguntó un periodista. «Philippe Lou, el ex campeón de Francia», respondió el promotor. Pidió luego que no le hicieran preguntas tan concretas, y alargó el brazo hacia la mesa central del comedor, donde se sentaban, entre otros, Berlino, mi padre y el coronel Degrela: «Y ahora, para seguir con la presentación, quiero solicitarle unas palabras a un caballero que ha tenido una importancia capital en nuestro proyecto. Me refiero al señor José Antonio Degrela». El coronel tenía el cabello más blanco que cuando lo conocí, pero seguía siendo un hombre elegante. «Hago votos por que sea un nuevo Uzcudun y por que dé una buena imagen de España en el mundo. Eso es todo.» Volvió a sentarse.

Los periodistas aplaudieron. «¿Qué bolsa vas a tener por enfrentarte a Philippe Lou, Gorostiza?», le preguntó uno de ellos. «¿Cuánto vas a cobrar tú por el artículo de mañana?», replicó Ubanbe. Sus agresivas respuestas se harían muy populares en el futuro.

«Ahora un poco de champán, para alegrar los corazones», anunció Martín acercándose al micrófono, y Gregorio y él empezaron a moverse entre la gente con las bandejas. Ángel se me acercó. Estaba más gordo. «Tenías que haberte quedado en el tablado. A la entrada de Ubanbe le habría venido bien un poco de música», me dijo. Quería darme una lección, como cuando me enseñaba solfeo. Que quedara claro que él era mejor acordeonista que yo. «¿Qué quieres? Me he pasado más de una hora tocando. Y ha tenido que salir justo cuando he dejado el acordeón. Podíais haberme avisado.» «¡Un profesional no abandona su puesto! Tenías que haber seguido tocando hasta el último momento.» «¡Yo no soy profesional ni pienso serlo nunca!», le grité. Su tono me resultaba insufrible.

Martín vino a nuestro lado. Levantó la bandeja y la hizo girar sobre la punta de un dedo. «Los jóvenes de hoy en día somos así, Angelcho. Rebeldes y tercos —le dijo—. Te traeré una copa de champán para que te consueles». Seguía contento, como cuando me llamó de Madrid, pero ya no parecía otro. «¡No entiendo a este chico! ¡Ahora me viene con que él no es un profesional!», se quejó Ángel. Martín le dio unos golpecitos en la espalda. «Pero no lo dice en serio. En la sobremesa le pediremos que nos toque unas bonitas piezas. Y él las tocará como un auténtico profesional. Ya lo verás, Angelcho.»

Martín volvió a meterse entre la gente. «No bebas mucho durante la comida —me advirtió Ángel—. Recuerda que todavía no has acabado tu trabajo». Parecía que no iba a dejar de molestarme, pero se nos acercó una mujer y le interrumpió. «¿No te acuerdas de mí?», me dijo la mujer. Llevaba un vestido rojo muy vistoso. Hice un gesto de duda. «Pues yo sí que me acuerdo de ti. Fuiste el culpable de que no pudiera llevarme aquel caballo que me gustó tanto.» Era la hija del coronel Degrela. «Pero no creas que no lo entendí. Lo hiciste porque querías que el caballo siguiera en aquel paraíso.» «Efectivamente», le respondí, y ella pareció complacida. Luego se fue con Ángel hacia donde estaba Ubanbe con los periodistas. Metí el instrumento en el estuche, y me marché de allí.

Camino del aparcamiento, me fijé en una pareja que paseaba lentamente por el jardín. La chica cojeaba ligeramente; el chico caminaba encorvado, como si la joroba de la espalda le empujara hacia delante. Eran Teresa y Adrián.

Me alegré de verlos. Y de verlos precisamente en el jardín silencioso y solitario, rodeados de flores, de las últimas rosas. Ángel, Berlino, Degrela, la hija de Degrela, el promotor: ellos no llegarían hasta allí. Seguirían dentro, en el agobiante comedor, comiendo huevos con mayonesa y mejillones fritos, con los labios llenos de grasa. De todos los participantes en la fiesta, sólo a Ubanbe podía imaginármelo en aquel jardín, caminando entre los parterres con su capa roja, pensativo, triste.

Dejé el acordeón junto a la Guzzi, y llamé a la pareja desde las escaleras de piedra. Teresa respondió enseguida, como si hubiera estado esperando mi saludo. Después de unos segundos, también Adrián levantó un brazo.

Teresa llevaba un ajustado traje de color crema, y un sombrero de paja adornado con unas cintas de color azul claro. Sus zapatos, desiguales, el derecho normal y el izquierdo con una suela de tres centímetros de grosor, eran también de color azul claro, muy bonitos, de un tono pastel que no había visto nunca. Nos dimos un beso. Tenía los labios pintados de naranja.

«Vamos a sentarnos ahí —dijo, señalando un banco que había junto a unos rosales—. Bienvenido a nuestra reunión, David. Es una alegría encontrarnos por sorpresa con nuestro primer amor». Le dije que yo también me alegraba, que hasta aquel momento la mañana había sido horrible. No me gustaban nada las celebraciones. Y tocar el acordeón, tampoco. «¿Lo ves? —dijo Teresa mirando a Adrián—. Todos nos parecemos un poco. Todos nos equivocamos. David también. Se toma en serio lo que le dicen personajes como mi hermano. Y sigue tocando el acordeón, en vez de librarse de una vez por todas de la influencia de su padre». «Es verdad», admití. «Pero lo del burro fue tremendo. Menos mal que nadie se hizo daño», dijo Adrián. Estaba muy apocado.

Teresa me dirigió una sonrisa maliciosa: «¿Cómo era, David, aquella frase de Hesse que a mí me gustaba tanto y que aquel día repetí hasta aburrir a las moscas?». «*¿Por qué está tan lejos de mí todo cuanto necesito para ser feliz?*», recordé. «A mí también me gustaba. La tenía subrayada en el libro», dijo Adrián. «Pues es repugnante. Hueca y pretenciosa —le respondió Teresa—. Hay que tomarse la vida muy en serio. Nos parece que tendremos mil oportunidades. Pero no es verdad. Se nos permite coger alguna carta de la mesa, pero no veinte. Ni siquiera tres. Por eso, en cuanto uno empieza a perder cartas lo mejor es cambiar de juego. Es lo que hice yo. Estuve a punto de volverme loca cuando me mandaron a estudiar a Pau, viendo que nuestro buen amigo David no me quería. Hasta que decidí arrancar de raíz aquel amor. A veces, oigo una canción de los Hollies en la radio y me viene a la memoria el sentimiento que tuve, pero ya no me duele. Al contrario. Me resulta grato, como cuando encontramos una flor seca entre las hojas de un libro».

En contraste con lo que acababa de escuchar en la presentación de Ubanbe, las palabras de Teresa me parecieron profundas. Pero no las comprendía del todo. «¿De qué hablabais antes de venir yo?», dije. Me respondió Adrián: «Mañana me voy a Barcelona. Voy a pasar dos o tres meses en una clínica especializada. Pero no por la espalda, sino por esto». Se llevó la mano a la cabeza. «¿De verdad?», le dije. «Si sigo como hasta ahora, voy a acabar de pena. Eso está claro. Y con el tratamiento, ya veremos.» Teresa le agarró del brazo: «Al principio se te hará duro estar sin beber, pero recibirás ayuda y saldrás adelante. Y si lo consigues, luego te tocarán unas cartas muy buenas, porque tienes mucho talento. Debes jugar en serio. Con eso será suficiente». «Teresa me ha ayudado mucho», confesó Adrián. «Últimamente hemos hablado por teléfono con frecuencia —dijo ella con más viveza que hasta ese momento—. Pero, no creas. Nuestro tema de conversación preferido son los negocios».

Adrián también se animó: «No sé qué opinarás tú, David. Teresa me recomienda añadir una nueva sección a la serrería. Hacerme con una patente francesa y empezar a fabricar juguetes de madera. Mi padre está de acuerdo». «Dentro de unos años la demanda será enorme —le apoyó ella—. Es un tipo de juguete que en Francia tiene un gran éxito. Lo avalan las nuevas corrientes pedagógicas». «Tiene muy buena pinta, Adrián. Pero ¿qué será de los cocodrilos?», bromeé.

Él respondió con firmeza: «No pienso tallar más cocodrilos. Todo eso se acabó». «Te tengo que dar otra noticia, David», dijo Teresa. «Me estáis mareando con tanta novedad.» «Ahora soy francesa. Dentro de un año empezaré a trabajar con una prima de Geneviève. Dirige un pequeño hotel cerca de Biarritz. Adrián y yo tenemos algunas ideas muy interesantes para promocionarlo.»

Adrián, Teresa, Martín, Joseba: todos estaban tomando decisiones, todos iban a alguna parte. En cambio yo seguía en casa, inmóvil, al arrimo de mi madre, sin hacer otra cosa que esperar, a ver qué pasaba con la carta de Virginia o con las marmitas de gasolina escondidas en el bosque. «¿En qué piensas, David?», me dijo Teresa. «En que no tengo carácter. En eso pensaba», respondí.

La imagen de las marmitas de gasolina ocupó mi mente. ¿Por qué no volvía a Iruain y le decía al grupo que se largara de allí? Pero era difícil. No me veía capaz de hablarle con franqueza a Bikandi. «Es un pensamiento negativo, David. Deshazte de él enseguida», me dijo Teresa. «Entonces os explicaré otra cosa que estoy pensando. Os veo cambiados. No parecéis los mismos. Y Martín igual. El otro día me llamó desde Madrid y hasta se puso poético al hablarme de las luces de la ciudad.» Teresa sonrió de una manera que sí reconocí: era su peculiar sonrisa desdeñosa. «¡Habría tomado cocaína! Es lo único que hace cambiar a ese hermano mío tan *grossier*.» «Bueno, yo también estoy tomando pastillas —dijo Adrián—. A lo mejor por eso me verás cambiado». «No compares», le dije. Pero su apocamiento era sin duda producto de las pastillas.

Era el momento de la despedida. Teresa se separó de nosotros, y volvió con dos rosas. Una para Adrián, otra para mí. «Son las últimas. No habrá más», dijo. «Hay algo en lo que no has cambiado, Teresa. Sigues tan teatral como siempre.» «Sí, pero ahora me dedico al teatro de la verdad.» Ella lo dijo en francés: *Théâtre de la verité*. Me dio un beso en la mejilla. «Hasta la próxima, David.» «¿No te vas a quedar en Obaba?» «No —dijo—. Me voy a Londres. No puedo emplearme en un hotel de Biarritz sin dominar el inglés». Le di un abrazo a Adrián: «Ya hablaremos cuando vuelvas de Barcelona». A él se le empañaron los ojos.

Había más coches que nunca en el aparcamiento. El Dodge Dart gris de Ángel y el Peugeot de Berlino estaban uno al lado del otro. Me pregunté si la gasolina de las marmitas sería para incendiarlos. En cualquier caso, yo no tenía por qué preocuparme. No había complicidad por mi parte. Agustín y Bikandi me habían engañado, se habían servido de una mentira para alojarse en Iruain. En caso de que pasara algo, yo quedaría a salvo. «Creía que estaban preparando material escolar», explicaría a los guardias.

Comencé a bajar del hotel lentamente, con el acordeón sujeto a la parrilla de la Guzzi. Al tomar una curva, el valle se abrió ante mis ojos. Había allí un río, y en el río un remanso al que llamábamos Urtza. Y un poco más arriba que Urtza, al lado de un puente, había una casa. Y en la casa, la postal de una rosa. Y en la postal, un mensaje: «Virginia, te escribo en esta calurosa noche del 27 de agosto, abusando quizás de nuestra antigua amistad. Sólo para hacerte esta pregunta: ¿quieres salir a dar un paseo conmigo? Esperaré tu respuesta con impaciencia». Llevaba la rosa que me había dado Teresa —una rosa de verdad, no de postal— en el manillar de la Guzzi. En cuanto llegara a casa la pondría en una taza con agua. Esperaría la carta de Virginia hasta el día que empezara a perder sus pétalos. No más.

XIII

Se había puesto a lloviznar, y me quedé en casa viendo el partido de hockey sobre hielo que estaban dando en la televisión. «Ha llegado una carta para ti», me dijo mi madre, entrando en la sala con un sobre de pequeño tamaño. No llevaba remite, y tanto el nombre como la dirección estaban escritos con mucho esmero, con buena caligrafía. «Ah, ya», dije.

Mi madre estaba cansada. Se quitó las gafas para frotarse los ojos. «Me vuelvo al taller —dijo—. No puedo perder un minuto. Hay que acabarlo todo para las fiestas». «¿Habrá muchos vestidos nuevos este año?», le pregunté. Me costó decirlo en un tono normal, disimulando la emoción que sentía. Estaba convencido de que el sobre que tenía en las manos traía la respuesta de Virginia. «La mayoría de los vestidos están ya rematados —dijo ella—. Ahora estamos con las cintas. Este año las chicas se lo han tomado muy en serio. Todas las que vienen al taller están bordando la suya».

Era costumbre que las chicas de Obaba prepararan unas bandas de seda —«cintas»— con el objetivo de participar en un juego que se celebraba el primer día de fiestas. «¿Necesitas algo?», me preguntó mi madre. No necesitaba nada, me sentía bien. Cerró la puerta sigilosamente, como si temiera despertar a alguien.

Había algo dentro del sobre que lo hinchaba y le daba volumen, y un objeto pequeño y duro en su parte central. Palpé el relleno una y otra vez, y llegué a la conclusión de que se trataba de viruta fina, un material que por aquel entonces, antes de que el plástico se hiciera omnipresente, era muy usado para proteger figuras de porcelana y otros objetos frágiles. Pero ¿qué era lo que protegía? En un primer momento, las yemas de los dedos sólo percibieron la pequeñez y la dureza del objeto. Seguí no obstante palpando, y llegué a la conclusión de que era un anillo. No pude contenerme, y rasgué el papel. Oculto entre las virutas, había un pequeño aro de baquelita.

Miré a la pantalla de la televisión. Un jugador de casco rojo cruzaba a toda velocidad la pista de hielo en dirección a la portería. Lanzó el *puck*, falló, y tres jugadores de casco negro lo rodearon empujándole hacia la valla.

El único papel que encontré dentro del sobre, una especie de envoltorio para las virutas, estaba en blanco. La respuesta de Virginia era el aro. Me sentí confuso, no era capaz de interpretar el mensaje.

Fui al taller de costura. «Dile a mi madre que salga un momento», le pedí a la chica que me abrió la puerta. Vi a Paulina sentada al lado de la ventana, hilvanando un vestido azul.

«¿Qué es esto? ¿Lo sabes?», pregunté a mi madre. Efectivamente, lo sabía, y me miró con malicia. Entró de nuevo en el taller, y volvió con un puñado de aros. A diferencia del mío, blanco, eran todos de colores: rojos, verdes, amarillos, azules, rosas. «Se te están olvidando las costumbres de tu pueblo, David», me dijo. Alguien bromeó desde el taller: «Es un estudiante, Carmen. Y los estudiantes se olvidan enseguida de las chicas de su pueblo. Les gustan más las de las ciudades, en particular las de San Sebastián». Todas sus compañeras rieron. «Los aros son para las cintas, David», me dijo mi madre.

Me acordé por fin de la «carrera», el juego del primer día de fiestas. Montados en bicicleta, los chicos del pueblo pasaban por debajo de un arco e intentaban introducir su punzón en alguno de los aros que asomaban de él y sacar la cinta. Pero el premio más importante venía a continuación: la chica que había bordado la cinta y el chico que había acertado a sacarla se convertían en «novios por un día». Empezaban por hacerse una fotografía «oficial», asistían a un banquete —*la boda*— y seguían luego juntos hasta que el reloj de la iglesia o del ayuntamiento marcaba las doce de la noche.

Mi madre me devolvió el aro. «No es del taller. Aquí no se ha bordado ninguna cinta blanca. Además, suelen ser raras. La mayoría prefiere que tengan color.» «El aro venía en la carta», le dije. «Las chicas de ahora son unas tramposas —respondió ella con un suspiro—. En mis tiempos, hasta leer el nombre bordado en la cinta no se sabía quién la había hecho. Ahora, en cambio, os dan todas las pistas. Sabéis de antemano qué chica quiere estar con vosotros». Era una buena noticia para mí. Virginia hacía trampa a mi favor. «Por cierto, ¿quién es ella?», preguntó mi madre. De pronto parecía sorprendida. «Ya te contaré», respondí.

El partido de hockey seguía adelante, y los de casco rojo acababan de meter el *puck* en la portería. Se agarraban, se abrazaban, agitaban los *sticks* en el aire.

Quise tranquilizarme, analizar mi situación sin levantarme del sofá, frente a la televisión. Pero no podía. En mi cabeza, dando vueltas y más vueltas, sólo cabía una idea: Virginia me había dicho que sí. «Sí, quiero —decía su mensaje—. Quiero pasar estas fiestas, las primeras desde el naufragio del barco y la muerte de mi marido, paseando y bailando contigo». La idea giraba cada vez más rápido en mi cabeza; tenía ganas de saltar, de moverme. Sólo un pequeño detalle frenaba mi alegría. No había cogido la bicicleta desde que utilizaba la Guzzi. Y de eso hacía cuatro años. Necesitaba entrenarme si quería tener éxito en la carrera de cintas. También yo debía poner algo de mi parte.

Lo que no alcanzaba a entender y, en cierto modo, me desconcertaba, era su forma de expresarse, el hecho de que no me hubiera escrito una sola palabra. Aunque, pensándolo mejor, ¿qué esperaba? ¿Que me llamara por teléfono para decirme que fuera a su casa? ¿Encontrármela desnuda, tumbada en la cama de su habitación? Aquello era imposible. Virginia era de Obaba, pertenecía al mundo de los campesinos. No podía llamar la atención, menos aún en su situación. Sólo podía acercarse a mí de una forma discreta.

Apagué el televisor y salí a la terraza. Allí estaba su casa de paredes blancas, a la orilla del río, al otro lado del puente, rodeada de colinas y de montes verdes.

Puse el aro de Virginia en el garaje de casa, colgándolo de una cuerda, y empecé a entrenarme para la carrera de cintas. «¿Qué haces, David?», escuché de pronto. Joseba y Agustín me observaban. Me bajé de la bicicleta y dejé caer al suelo el punzón que estaba utilizando, un clavo largo al que en Obaba daban el nombre de *entenga*. No quería testigos de lo que estaba haciendo.

Joseba se había cortado el pelo y tenía ahora el aspecto de un estudiante normal y corriente. Agustín llevaba una visera como la de los jugadores de béisbol. «Pretendía ponerse una escafandra, para parecerse más a Komarov, pero no se lo hemos permitido. Hace calor todavía», dijo Joseba recogiendo el punzón del suelo. Los dos sonreían, parecían de buen humor.

«¿Es verdad lo que ven mis ojos? ¿Estás entrenándote para la carrera de cintas?», dijo Joseba mirando al aro que colgaba de la cuerda. «Tus ojos no te engañan», respondí. «Pues, perdona que te diga, David, pero estás siendo víctima de una regresión mental. Estás volviendo a las más profundas tradiciones de Obaba. Ahora entiendo por qué no has querido venir con nosotros a buscar *mariposas*. Porque eso a ti te parece cosa de chicas, como a Ubanbe y demás tradicionales de este pueblo.» Bromeaba, pero, al mismo tiempo, estaba convencido de lo que decía. «Lo de las mariposas va fenomenal, David —comentó Agustín—. Hemos encontrado hasta una *Dasychira pudibunda* hembra. Jagoba y los otros se han quedado vigilando a ver si aparece el macho».

Fuimos a la plaza del pueblo a tomarnos una cerveza en el restaurante, y Joseba, más serio, se puso a hablarme de Adrián. Era una buena noticia que nuestro amigo hubiese accedido a que lo ingresaran en una clínica. Había visto a Isidro aquella misma mañana, y parecía otro hombre, mucho más contento que la noche en que habíamos bajado a su hijo del hotel. Tenía incluso nuevos proyectos. «Mi padre y él están examinando ahora el mercado de los juguetes de madera. Dicen que puede ser un buen negocio. Quizás abran una nueva sección en la serrería.» Le respondí que ya lo sabía. Había estado con Adrián y Teresa en el jardín del hotel. «Por cierto, Teresa me contó una cosa sorprendente. Me dijo que Martín toma cocaína.» En el rostro de Joseba asomó una sonrisa tan maliciosa como la de Teresa. «Los mafiosos recorren su propio camino», dijo. Agustín también sonrió.

Cogimos las bebidas en el bar del restaurante y salimos a la plaza a sentarnos en uno de los asientos de piedra, bajo los castaños de Indias, igual que en los tiempos de Redin y César. «¿Cuándo piensan retirar esos trozos de mármol?», preguntó Agustín, mirando los restos del monumento destruido por la bomba. «Los dejarán ahí hasta que se haga el nuevo. Se resisten a abandonar la trinchera», dijo Joseba.

Agustín habló entonces con un hilo de voz, mirando el monumento pero viendo otra cosa: «Vosotros no lo sabéis, pero mi abuelo, mi abuela y dos de mis tías perdieron la vida en el bombardeo de Guernica hace treinta y tres años. Luego se supo que las mil quinientas personas que murieron allí, incluidos mis parientes, fueron víctimas de unas pruebas. Que los alemanes querían probar sus nuevos aviones Dornier y

Heinkel, y que Franco les dijo: "Ahí tenéis un blanco. Marchaos y quemad Guernica". Y ¿sabéis lo que os digo? Que no tendremos derecho a caminar con la cabeza alta mientras no les hagamos pagar por aquello».

Nos quedamos callados, mirando hacia la gente que trajinaba en la plaza montando el tablado de la orquestina o acotando con tiza el espacio donde debía disputarse la carrera de cintas. El sentimiento con que Agustín pronunció aquellas palabras me conmovió. Al mismo tiempo, despejó las pocas dudas que me quedaban: él y sus compañeros iban a hacer uso de la gasolina de las marmitas.

Cenamos los tres en el restaurante de los soportales del ayuntamiento, y yo les conté la conversación que tuve años atrás con César en aquel mismo lugar, y lo de los fusilados de Obaba. Hubo un momento en que se me pasó por la cabeza olvidarme de la carrera, pues parecía, en comparación con los temas que nos ocuparon durante la cena, un pasatiempo tonto, anacrónico, frívolo. Pero cuando volví a casa y vi la rosa que me había dado Teresa en el jardín del hotel, todavía fresca, conservando su olor y todos sus pétalos, mi pensamiento derivó hacia Virginia, y todo volvió a ser como los días anteriores.

XIV

La fotografía que nos hicieron el día de la carrera de cintas ha permanecido durante todos estos años guardada en una caja, aquí en Stoneham. La tengo ahora encima de la mesa, delante de mis ojos. Virginia está muy guapa, con su vestido verde recién estrenado; tiene la cabeza levantada, y se ríe por una tontería que le estoy diciendo al fotógrafo. Yo tengo los brazos alargados, y muestro a la cámara la cinta que acabo de conseguir. Los restos del monumento ocupan el fondo de la imagen; se ve, en una esquina, el triciclo del vendedor de helados que vino aquel año a las fiestas de Obaba.

Todos los que habíamos resultado emparejados por el juego, unos treinta chicos y otras tantas chicas, fuimos al comedor del restaurante y celebramos un banquete. Virginia y yo nos sentamos en un extremo de la mesa, uno enfrente del otro. Al pasarle un trozo de pan, o al responder a una pregunta suya, con cualquier excusa, le rozaba los dedos, la mano, el brazo. Cuando nos trajeron los postres le ofrecí un pastelito de crema, y ella lo cogió con la boca. Sentí sus labios húmedos en las yemas de los dedos.

Se acercó a nosotros un chico que llevaba su cinta roja alrededor del cuello, y puso un acordeón sobre la mesa. «Cuando quieras, David», me dijo. Todos los compañeros empezaron a aplaudir. Les pregunté si me iban a hacer trabajar en un día como aquél. «Habrá que bailar un poco antes de que nuestras novias se vayan con otros», dijo el chico de la cinta roja. Su ocurrencia provocó nuevos aplausos. «¿Qué pieza queréis que toque?» «¡*Casatshok!*», dijeron todos. «¡Peor para vosotros!», les dije, colocándome el acordeón. «Los acordeonistas estamos obligados a obedecer —me disculpé ante Virginia—. De todas formas, esto es un castigo. No podemos bailar juntos». Me sentía eufórico, veía que Virginia estaba contenta. «Ya bailaremos luego, con la orquestina», dijo ella con naturalidad.

Algunos chicos andaban descontrolados, haciendo de caballo por entre las mesas, llevando sobre los hombros a otros participantes. «No te alargues mucho con el acordeón, no vaya a ser que alguno se caiga y tengamos un disgusto», me dijo el dueño del restaurante hablándome al oído. «Ahora mismo los saco a la calle», le dije. Hice sonar las primeras notas del pasacalle *Pagotxueta*, y eché a andar hacia la puerta. «¡Nos siguen todos!», me dijo Virginia.

Cuando llegué hasta los castaños de Indias, me desprendí del acordeón y se lo devolví al chico de la cinta roja. Ya estaba libre para disfrutar de mi propia fiesta.

El trompetista de la orquestina anunció por el micrófono una canción clásica: «Y ahora, para todos ustedes, *Quinientas millas*». «Me gusta mucho. Tiene una melodía muy bonita», dijo Virginia. «*Faborez?*» —«¿Por favor?»—, le dije yo a mi vez. Así era como pedían baile los campesinos. «No me puedo negar. Has sacado mi cinta», me respondió ella. Empezamos a bailar. «¿Hasta cuándo va a durar el privilegio? ¿Sólo hasta la medianoche?» «Estamos en fiestas. La cinta te servirá por lo menos hasta la una.» La cogí de la cintura y la atraje hacia mí. Sentí las puntas de su pelo en la mejilla. La estreché aún más contra mi cuerpo.

De repente, la orquestina dejó de tocar, y en lugar de la música se oyó un murmullo, cada vez más intenso. «Están echando propaganda, David», me dijo un hombre que bailaba con su mujer. Nos conocíamos de los tiempos en que yo tocaba el armonio en la iglesia, porque cantaba en el coro. «¡Mirad! ¡Mirad!», exclamó alargando el brazo hacia el ayuntamiento. La bandera de España ardía en el balcón. «¡El que haya sido está más ágil que yo!», le dijo el hombre a su mujer. El trompetista de la orquestina gritó desde el micrófono: «¡Tranquilidad, por favor!». Empezaron a tocar de nuevo *Quinientas millas*, pero era inútil. Todo el mundo se marchaba.

Al dispersarse la gente vi dos Land Rovers y unos seis guardias con los fusiles en alto. «¡Ésta sí que es buena!», exclamó el hombre. En el tejado del ayuntamiento ondeaba ahora una bandera roja, verde y blanca. Yo la había visto más veces, sobre todo en la universidad, pero únicamente en los panfletos o pintada en la pared. «¡La bandera vasca!», dijo el hombre. Hubo emoción en sus palabras, o quizás susto.

Los componentes de la orquestina se bajaron del tablado. «Se acabó la fiesta», dijo Virginia. El hombre del coro asintió con la cabeza. «Mirad. Están llegando más guardias.» Desde donde estábamos nosotros se veían ahora cinco Land Rover. «No tienen nada que hacer. El trapo está completamente quemado», dijo el hombre mirando a las dos personas que se afanaban por apagar la bandera española. A uno no lo conocía; el otro era Gregorio. «¿Tenéis?», nos dijo una mujer joven pasando por nuestro lado. Era también miembro del coro de la iglesia, y a la hora de cantar se ponía al lado de mi madre. Nos dio una hoja a cada uno y siguió adelante.

El murmullo resurgió con más intensidad, y la gente echó a correr hacia la carretera. «Pero ¿qué está pasando aquí?», dijo el hombre. Su mujer leyó lo que ponía en la hoja: «¡Vasco! ¡Euskadi te necesita! Pon tu granito de arena a favor de la Libertad». El hombre le hizo un gesto de guardar silencio. La mujer que nos había dado la hoja volvió a pasar por delante de nosotros: «¡Hay un incendio!». «¿Dónde?» «¡En el hotel Alaska! Las llamas se ven desde el barrio nuevo.»

El hombre del coro y su mujer salieron corriendo. Virginia y yo caminamos primero a paso normal, pero acabamos también corriendo, como los demás. Al llegar al barrio nuevo, los que habían llegado antes empezaron a darnos explicaciones: «Por lo visto lo de quemar la bandera ha sido una maniobra. Han aprovechado que todos los guardias estaban en el pueblo para prender fuego al hotel». El hombre del coro estaba otra vez a nuestro lado. «¡Mira que son listos!», dijo. En el lugar donde se levantaba el hotel se veía una nube negra. De su parte central surgían a veces llamas rojas.

«Me da miedo», dijo Virginia. «A mí también.» No podía apartar los ojos de la nube negra. Había momentos en que se ensortijaba. «Si quieres te preparo un café especial», me dijo. Nos encontrábamos cerca de la cafetería donde trabajaba. «Yo quiero seguir a tu lado. Siempre te responderé que sí.» «Yo también», me dijo ella. «¿Qué?» «Que yo también quiero seguir a tu lado.» «¿Incluso después de que den las doce o la una?» Ella se rió.

«Aquí va a pasar algo muy gordo», dijo el hombre del coro, mirándonos. Pero no le prestamos atención, y dirigimos nuestros pasos a la cafetería. «¡Aupa, David!», me dijo un chico al cruzarnos. Me volví hacia él. Agustín también había girado la cabeza. «¡Hasta luego!», gritó. «Hasta luego», respondí. Isabel y él se agarraban de la cintura, parecían dos enamorados. «¿Quién es?», me preguntó Virginia. «Un chico que estudia conmigo. Le llamamos Komarov.» «Pero no es ruso.» «No, no es ruso.» Virginia se volvió a reír.

XV

Salí de casa de Virginia sobre las dos de la madrugada, dejándola dormida, y se me hizo raro que hubiera luces en Urtza y que unas personas estuvieran dando voces; pero era nuestra tercera noche, me sentía muy feliz —«por primera vez», le decía a Virginia— y no tuve curiosidad. Poco después, cuando marchaba por el campo de deportes, Sebastián me adelantó. Iba llorando, y me dijo algo que no entendí. «¿Qué pasa, Sebastián?», le pregunté. «¡Lubis! —exclamó, llevándose las manos a la cabeza—. Lubis se ha ahogado en Urtza». Recorrió diez metros más y gritó: «¡Voy a buscar a Ubanbe. ¿Quién va a ir, si no, donde la madre del pobre Lubis?». *Zeñ jungo'a Lubis gizaajuan amana bestela?* Fue así como lo dijo él. Yo eché a correr hacia Urtza.

Un Land Rover con el motor encendido daba luz a tres hombres que estaban metidos en el agua y dejaba entrever al grupo de personas que presenciaba la escena desde la otra orilla del río. El lugar estaba rodeado de guardias. Uno de ellos, que sujetaba el fusil con una sola mano, me cerró el paso. «Si viene usted a mirar, vaya donde ese grupo o suba a ese bosque de castaños», me dijo. En efecto, también había gente entre los árboles. Las puntas rojas de los cigarrillos se movían en la oscuridad. «Si no le importa me quedaré aquí», le dije. No tenía fuerzas para acercarme más. Él no se opuso. «Al menos usted sabe comportarse. No como otros. Hace unos instantes un individuo ha provocado un incidente y el capitán lo tiene retenido.» Me señaló un Land Rover situado a unos veinticinco metros.

Los movimientos de los tres hombres metidos en el agua se hicieron más bruscos. Tiraban de una cuerda, o de un cable. «El juez tiene que redactar su informe, así que no le puedo dejar pasar», me dijo el guardia. Era muy joven, y además tenía cara de niño. Sin uniforme, no le hubiera echado más de diecisiete años. Tenía ganas de hablar. «Ésos son los testigos», añadió, mirando hacia el Land Rover que tenía los focos encendidos. Reconocí a Isidro. «No comprendo por qué no lo sacan ya —continuó el guardia—. Estas cosas, cuanto más se alargan, peor. ¿Lo conocía usted?». Le respondí que sí. «Según nos han informado, era furtivo y se dedicaba a coger truchas por las noches. Se ha resbalado, y ha tenido la mala suerte de golpearse con la punta de una roca. Y luego se ha ahogado.» Se oyó un grito —«¡Tirad, ahora!»—, y los hombres que andaban en el agua empujaron hacia la orilla. El cuerpo de Lubis fue arrastrado hasta la playita de guijarros.

«Es muy triste, ya lo creo», dijo el guardia joven. No respondí. No podía hablar. «Si quiere verlo, venga conmigo», me dijo de pronto. Se notaba más movimiento en los alrededores de Urtza, como si con el rescate del cadáver se hubiera recuperado la normalidad. Los que habían estado sentados en la hierba se levantaron; los del bosque bajaron hasta el camino y empezaron a alejarse. No me di cuenta de que eran los guardias los que obligaban a la gente a marcharse.

Vi al padre de Joseba hablando con un oficial. Gesticulaba, protestaba. «No le va a servir de nada, el capitán no dejará en libertad al retenido hasta mañana por la mañana —dijo el guardia joven—. Se ha presentado diciendo que era el médico del pueblo, pero sin un solo papel que lo acreditara, y el capitán no le ha dejado pasar». Avanzó hacia la orilla, y yo seguí sus pasos.

El cuerpo de Lubis seguía tendido sobre los guijarros. Un hombre le iluminó la cara con una linterna. «¡Qué golpe se ha dado ahí! ¡Casi se le sale el ojo!», dijo alguien.

En el corrillo que se formó alrededor del cadáver surgió la discusión de si la verdadera causa de la muerte había sido el golpe, o el hecho de permanecer sumergido en estado inconsciente. El hombre de la linterna no paraba de moverla, y el anillo de luz daba saltos en el rostro del cadáver. A veces parecía que no era la luz la que se movía, sino una parte de la cara, los labios, o los ojos, y que no era verdad, que estábamos equivocados, que Lubis no estaba muerto. Pero la linterna acababa por detenerse en el ojo reventado, y el triunfo de la muerte se hacía evidente.

«Nadie dirá que no era un buen chico —dijo Isidro—. Yo quise emplearlo en la serrería, pero a él le tiraban más los caballos». Hubo un silencio. Nadie tenía nada que decir. Todos se callaron, salvo el de la linterna, que seguía dándole vueltas a la cuestión de si habría muerto por el golpe o ahogado. Volvió a recorrer con la linterna el rostro del cadáver. «¡Apaga eso de una vez, por Dios! —le gritó Isidro. Luego me miró a mí—: ¿Dónde está Pancho? ¿Lo has visto?». Hice un gesto: no, no lo había visto. «Creo que ahí viene», dijo el de la linterna enfocando el camino. Aparecieron Sebastián, Pancho y Ubanbe corriendo en la oscuridad.

Ubanbe se detuvo de golpe al ver el cadáver. Se tapó la cara con las manos. Iba vestido con un chándal blanco, y así fue como me lo imaginé: vestido de blanco, llevando en brazos el cadáver de Lubis a través del bosque, corriendo de una cabaña a otra, diciéndoles a los leñadores: «Enterradlo en un sitio resguardado; que cuando despierte de nuevo pueda ver sus hayas de siempre. Y traed de Iruain ese potrillo que le regaló Juan; se alegrará de verlo pacer junto a su tumba».

Pancho dio un par de pasos hacia el cadáver. «¿Éste es Lubis?», preguntó incrédulo. «¿Quién, si no?», sollozó Sebastián. «¡Dios!», exclamó Ubanbe. «Se está haciendo tarde. ¡Hay que acabar con esto!», dijo el capitán de los guardias desde el camino. Dio dos palmadas para dejar claro que se trataba de una orden.

Virginia lloraba tumbada boca abajo en su cama, tan silenciosamente que a veces tenía que fijarme en el temblor de su espalda para saber si se había quedado dormida; pero no, seguía llorando, deteniéndose, volviendo a empezar, sin aspavientos, con un llanto que abría un surco en la oscuridad de la habitación. Todo estaba en silencio. Se oía únicamente el siseo del río, que en algunos momentos era más fuerte que el llanto.

Yo escuchaba a Virginia, vigilaba el curso de su llanto, y poco a poco, la barrera que cerraba el paso a mi voz acabó por ceder, y empecé por fin a hablar, a contar lo que le había ocurrido a Lubis: «Intentaba atrapar una trucha, y ha resbalado y se ha dado un golpe muy fuerte en la cabeza, y ha sido mala suerte que haya caído justamente en Urtza, donde más agua hay. Lubis no sabía nadar».

Eran palabras pobres, que no hacían sino repetir lo que había dicho el guardia joven, pero me hacían bien, me ayudaban a recobrar la voz. Virginia me cogió la mano y apoyó en ella su mejilla mojada. «Esteban tampoco sabía nadar. Yo le decía que aprendiera, que no era prudente trabajar en un barco sin saber nadar, pero para algunas cosas él era como de otros tiempos, no se veía haciendo un cursillo en la piscina. Y luego, un barco chocó contra el suyo cuando pescaban en la costa de Bretaña. De siete se salvaron dos, uno de ellos el capitán. Y el capitán me escribió una carta: "… viendo que el barco se hundía, allí en plena mar y rodeados de niebla, Esteban vino como pudo hasta mí y me preguntó: '¿Y ahora qué hacemos?'. El barco dio una sacudida, y él resbaló y cayó al agua. No lo vi más".»

Virginia siguió hablando de lo que había sido su vida durante los días y meses que siguieron a la muerte de Esteban, esperando recibir la noticia de que habían hallado por fin su cuerpo. «Apareció un cadáver en un lugar llamado Brest, pero no era el suyo.» «Él y Lubis estarán ahora juntos», le dije. La traba que me oprimía se había deshecho ya completamente, y rompí a llorar.

Me desperté hacia las siete de la mañana, y vi la luz del día por las rendijas de las contraventanas. A mi lado, Virginia respiraba sosegadamente. Fuera, en el río, el agua corría hacia Urtza, se afanaba ya en borrar las marcas de la víspera; que el remanso fuera, como hasta entonces, el lugar de la diversión veraniega. No el escenario de una muerte.

Oki ladró en su caseta. «¿Quién andará ahí?», dijo Virginia abriendo los ojos. «¡David! ¡David!», llamó alguien en voz muy baja, procurando no hacer ruido. Unas piedrecillas golpearon la contraventana. «Tiene prisa», me dijo Virginia. Me asomé, y vi a Joseba. «Baja rápido. Por favor.» Se le veía muy angustiado. «Pasad a la cocina», me indicó Virginia desde la cama, alarmada por la actitud de mi amigo.

«Lo sabes, ¿no? Han matado a Lubis —me dijo Joseba cuando bajé, sin darme opción a decir una sola palabra—. Ayer por la noche se lo llevaron los guardias cuando estaba en casa de Adela, y luego lo torturaron hasta matarlo. Por eso apareció luego en Urtza, lo tiraron ahí para disimular». Estaba muy pálido. «Tienes que ir a Iruain, David. Si no matarán a nuestros amigos. Todo el valle está atestado de guardias. Yo he podido pasar porque les he enseñado el carnet y han visto que vivo en la serrería.» Todavía jadeaba. «No tienen escapatoria —dijo—. Lo único que les puede salvar es el escondrijo».

Lubis les había hablado del escondrijo, pero no había querido enseñarles en qué punto de la casa se encontraba por respeto hacia mi tío Juan. «Nos dijo que de vernos en un aprieto él mismo nos escondería. ¡Quién iba a pensar que moriría antes!» «¿Están allí, en casa?», le dije. «Están los cuatro, pero los guardias ya han empezado a registrar el valle. Si no se esconden pronto, no sé lo que va a pasar. Papi les ha dado total libertad. Cada uno verá cómo actuar. Pero dice que a él no lo cogerán vivo. Que tiene demasiada información. Y Triku me ha confesado que él piensa hacer lo mismo. Que es mejor caer en un tiroteo que morir como Lubis.»

«Papi, Triku... ¿Se puede saber de quiénes me hablas?», le pregunté con acritud. Suponía quiénes eran, pero los apodos me irritaban. Me irritaba todo lo que estaba pasando. Más aún al recordar que un instante antes me encontraba durmiendo con Virginia. «En efecto, dormías con Virginia —me dijo la voz interior—, pero, un poco antes, ¿dónde estabas? Pues delante del cadáver de Lubis. ¿No es así? Recuerda también eso».

«Perdona —me dijo Joseba—. Papi es el nombre interno de Jagoba. Triku, el de Agustín». «Agustín, Komarov, Triku..., nombres no le faltan a ese compañero mío.» Lo dije en un tono más cordial, y me sentí mejor. «Papi es el responsable. Fue él quien organizó la quema del hotel. Desde el principio.» «¡El entomólogo!», exclamé. «Aunque no te lo creas, es un entomólogo de verdad.» Los dos parecíamos más tranquilos. «¿Irás?», me preguntó. «Iré», le dije.

Nos dirigimos hacia el otro lado del puente. Mi Guzzi estaba junto al parque infantil. «Vete cuanto antes. Iruain es la casa de tu familia, y los guardias te dejarán pasar. Les salvarás la vida.» Miré a la ventana de la habitación de Virginia. Estaba vacía. Pensé que estaría tumbada en la cama. «Saldrá bien y a ti no te pasará nada. Tú mételos en el escondrijo y luego ya me encargaré yo.»

Su forma de hablar delataba que él también estaba implicado. *Organizado*, para decirlo con una palabra de la época. «¿Cómo te llaman a ti?», le pregunté. «Etxeberria —me respondió seriamente—. Pero todavía no es oficial. Soy un neófito». No me animaba a arrancar la moto. «Esto me asusta —le dije—. Además, quiero estar con Virginia. Tú no lo puedes entender». Joseba dijo una palabrota. «Ya sé que no tengo tan buena mano como tú con las mujeres. Pero ¡por favor! No soy tonto.» La ventana de la habitación de Virginia seguía vacía.

Joseba pasó al otro lado de la moto. «¿Sabes por qué fueron los guardias a por Lubis? —dijo—. Bikandi cree que por un chivatazo. Pero a mí me parece que la culpa es nuestra. Lubis empezó a ser sospechoso el día en que soltaron el burro en el baile del hotel. En el pueblo corrió la voz de que el reparto de los papeles de Miss Obaba era una especie de entrenamiento. Es lo que pasa por poner campos de deportes en pueblos como éste. Ahora todo es entrenamiento. La gente se piensa que para ser activista político hay que entrenarse.» «Lubis hace tiempo que estaba marcado. Pregúntaselo a Ángel», le dije. Pero me sentí culpable. Lo que decía Joseba tenía sentido.

En la mayoría de las casas la luz de la cocina estaba encendida. En Villa Lecuona también. A mi madre nunca le faltaba trabajo. Como decía ella, en fiestas porque eran fiestas, y luego porque no lo eran y quedaba trabajo pendiente. En la carretera, el paso de los coches de la gente que iba al trabajo era constante.

«Puede que el chivato haya sido Ángel —le dije a Joseba—. Le guardaba rencor a Lubis desde que pasó lo del caballo del tío Juan». Joseba hizo una mueca. «Si quieres mi opinión, el que ha estado detrás de todo esto es Berlino. Creo que se puso como loco cuando vio arder el hotel, y empezó a disparar contra todo lo que se movía. Y te digo una cosa, David: si se demuestra que él es el responsable de la muerte de Lubis, lo pagará caro.» Me sentí más culpable que un instante antes: por haber tocado el acordeón en los bailes del hotel; por ser hijo de Ángel, el amigo de Berlino; por haber contribuido a la gamberrada del burro y haber aumentado las sospechas que hasta ese momento pudieron existir sobre Lubis.

El reloj de la iglesia tocó una sola campanada. Eran las siete y media. «De todos modos, si prefieres que vaya yo, dime dónde está el escondrijo y ya me las arreglaré.» «Tendrás problemas en los controles. Tú no tienes justificación para ir a Iruain a estas horas de la mañana.» «Puedo intentarlo. No quiero que maten a Triku. A Komarov, quiero decir. Con lo de Lubis es suficiente.»

Monté en la moto. «No sé si lograré controlarme», le dije. Él intentó sonreír: «Mientras venía hacia aquí me imaginaba que era el cantante de Credence y que estaba en plena actuación: *Oh Susie Q, oh Susie Q...* Así he podido superar el miedo». «Entonces yo tararearé *Padam Padam*. Era la pieza favorita de Lubis.» Pero sabía que no sería capaz. Me puse en marcha sin girar la cabeza hacia la casa de Virginia.

La baraja

El apartamento de Papi en París estaba situado muy cerca del parque de Montsouris. Era una pequeña pieza de no más de treinta metros cuadrados, agradable pese a su poca luz. Desde la ventana de la habitación se veían los árboles del parque, y un conjunto de casas elegantes que parecían formar una aldea. «Creo que Ben Bela vive por aquí. A veces me cruzo con él en la calle», me dijo, mirando por la ventana. En aquella época, el antiguo presidente de Argelia vivía exiliado en Francia.

El tocadiscos estaba en marcha, la música apenas se oía. Papi subió el volumen. «Puede haber micrófonos —me dijo, sentándose en el sofá—. ¿Conoces esto?». Se refería a la música. «Guridi, ¿no?», le dije. «Así es. La octava melodía. La más bonita de todas, para mi gusto.» A renglón seguido, pasó a hablar de política. Me dijo que la dictadura española estaba viviendo sus últimos días, y si tenía una opinión formada acerca del papel que debía desempeñar un grupo revolucionario en el caso de que en España montaran una democracia. Utilizó ese verbo, montar, como si hubiera estado hablando de una barraca.

Dos horas después, nos encontrábamos de nuevo en el parque de Montsouris, en una de sus entradas, esperando el autobús. Sacó una baraja del bolsillo y me la mostró. El estuche llevaba la fotografía de una mariposa de color naranja.

Leí: *Euskalerriko Tximeletak*, «Las Mariposas del País Vasco». «Tú nunca creíste que yo fuera entomólogo —me dijo—. Pero mientras estuvimos en Iruain me ocupé también de los insectos. Aquí tienes la prueba. Se publicó el mes pasado».

Intenté sacar las cartas del estuche, pero estaban tan apretadas que no podía. «La baraja es para ti —me dijo, poniendo su mano sobre la mía—. Si no la quieres, déjala en aquel *zulo* de Iruain junto con el sombrero del americano. Como exvoto». Su expresión no cambiaba ni siquiera cuando bromeaba.

La baraja que me regaló Papi se encuentra ahora en mi estudio de Stoneham, no en el escondrijo de Iruain, en el *zulo*. Siempre ha estado aquí, desde mi primer día en el rancho. Al tío Juan también le gustaba, y muchas veces, sentado en su mecedora, en el porche, se recreaba repasando las cartas, como si se tratara de una colección de cromos. Y lo mismo hacían Liz y Sara. Jugando con ellas, yo adoptaba a veces las maneras de un mago, y les echaba las cartas: si salía una oscura mariposa nocturna, mal augurio; si tocaba una amarilla o roja, estábamos de enhorabuena.

He apartado las manos del teclado del ordenador y he ido a por la baraja. Acabo de mezclar las cartas. Quiero echarlas de nuevo sobre la mesa. No como cuando jugaba con mis hijas —Liz y Sara han crecido, ya no creen que su padre sea un mago—, sino para despertar mis recuerdos.

La primera carta está ya sobre la mesa. Corresponde a una mariposa marrón y amarilla, con seis ocelos negros. Su nombre es *Pararge maera*. La he asociado con Adrián. En los tiempos de Obaba habría podido llevarla en la solapa de su chaqueta, como emblema.

He echado otra carta, y la mariposa que ha salido es grande y hermosa, de un blanco nacarado, con unas manchas negras en sus alas anteriores y cuatro ocelos de color rojo vivo en las posteriores. Su nombre es *Parnassius apollo*, y corresponde sin duda a Ubanbe. Siempre lo tengo presente: en el juicio que tuvo lugar por la muerte de Lubis —quince años más tarde, en 1985—, fue el único que se atrevió a nombrar a los asesinos, siendo denigrado por ello; fueron muchos los que entonces hablaron del «deterioro físico y espiritual del boxeador Gorostiza». No compartimos aquella opinión, Ubanbe. Para nosotros, para todos los que fuimos amigos de Lubis, siempre serás *Parnassius apollo*, y siempre veremos a tu lado a Sebastián, el primero que lloró por Lubis. La carta de Sebastián, su mariposa: una no muy grande de color azafrán. *Colias croceus*, de nombre.

La cuarta: *Eudia pavonia*. Es nocturna, de un color mezcla de dorado, azul y gris, y con dos líneas negras en las alas posteriores. Destacan los cuatro ocelos, semejantes a unos ojos de verdad. Teresa: he pensado en ti.

Virginia, ¿qué mariposa te corresponde? He querido echar una carta sobre la mesa y han caído dos a la vez: la *Leptidea sinapsis*, de un blanco inmaculado, y la denominada *Euproctis chrysorrhoea*. No es un nombre muy bonito, pero la mariposa sí lo es. Sus alas son pequeñas, blanquecinas, ordinarias, si se quiere; pero —es el rasgo que le da nombre— su abdomen es de color oro. Virginia: si necesitas un emblema, llévalas como broche en tu vestido.

Lymantria dispar: es blanca y rosa. Sus alas anteriores parecen pintadas por alguien; las de atrás, dos falditas. Pienso en mi madre.

La octava carta ha caído boca abajo, y la he dejado así. Me he dicho: «Aquí está Joseba. Todavía no sé qué carta le corresponde». Es posible que él piense lo mismo de mí.

La novena: *Plebejus icarus*. Pequeña, azul. Es Lubis.

La décima: *Gonepteryx rhamni*. De un amarillo muy intenso y con manchas anaranjadas. Sin musa no hay canto, Mary Ann.

Días de agosto

1

Este mediodía he ido con Mary Ann al aeropuerto de Visalia para recoger a Joseba. A la salida, en la cola para pagar el aparcamiento, una mujer que al parecer venía de Chicago ha empezado a quejarse de la fatiga que le producen los viajes largos. Se lamentaba en voz baja, hasta que se ha fijado en Joseba y en mí y ha dicho: «Tampoco ustedes tienen muy buen aspecto. A saber cuánto tiempo llevan de viaje». Estaba claro. Ambos teníamos el mismo aspecto, aunque Joseba llevaba más de treinta horas de avión y había cruzado el océano y todo Estados Unidos y yo, en cambio, había salido de Stoneham a media mañana, después de desayunar tranquilamente en el porche de mi casa. No ha sido, sin embargo, una sorpresa. El espejo me recuerda la verdad todos los días.

A Mary Ann y a Joseba no se les ha escapado la impertinencia del comentario, y su recuerdo ha ensombrecido nuestra conversación. Al final he decidido abordar el asunto y hablar de mi enfermedad. Estábamos llegando al rancho, y Joseba acababa de elogiar la belleza de Lemmon Valley. «Es la tierra de las manzanas de oro —le he dicho—. No hay mejor lugar para recuperarse de los viajes largos. Ya verás, el *jet-lag* que ahora sufrimos desaparecerá como por encanto». Mary Ann no se ha andado con rodeos, y le ha puesto al corriente de mi estado: «David no se ha sentido muy bien últimamente. Dice el médico que habrá que operarle de nuevo del corazón». «A no ser que aprenda a volar mejor», he añadido con ligereza. Pero Mary Ann ha seguido dando explicaciones con gesto preocupado. «Es necesario que hagamos algo —ha dicho al final—. Ahora mismo no es capaz de subir una caja de libros al piso de arriba».

He pensado: «Joseba no dejará pasar esta oportunidad». Y así ha sido. Ha fruncido el ceño de forma exagerada, y ha contestado a Mary Ann casi a gritos: «¿Qué insinúas, Mary Ann?, ¿que me vas a poner a subir cajas?, ¿y a segar el césped?, ¿y a cortar leña? ¡Ni hablar! He venido de vacaciones, y te advierto que no voy a mover un dedo». A Joseba se le da muy bien el papel de gruñón, y Mary Ann se ha echado a reír. «Yo no me refería a esos trabajillos, Joseba. Pensaba ponerte a limpiar las cuadras de los caballos. ¡No pretenderás pasarte todo el mes de agosto dándole a la lengua!» «Mira, Mary Ann —ha dicho Joseba, aparentando impaciencia—. Espero que adoptes pronto una actitud más positiva. De lo contrario David y yo iremos todos los domingos a ver el partido de béisbol. Te aviso». Mary Ann ha vuelto a reírse. Le gustan los escritores, y un libro de Joseba figura entre sus favoritos.

«No te pediré que trabajes, pero sí un favor —le ha dicho luego, poniéndose seria—. Sabes que en Estados Unidos cada localidad tiene su Book Club. Pues, Donald, que es el responsable del de Three Rivers, me ha preguntado si estarías dispuesto a hacer una lectura. Yo te ayudaría con el inglés». «Ya hablaremos, pero me parece bien», ha contestado Joseba.

Ya en Stoneham, todo lo bueno del recibimiento lo han puesto Rosario y Efraín. Le han dado la bienvenida a Joseba, y le han acompañado hasta la antigua casa del tío Juan para mostrarle su habitación. En cambio, Liz y Sara se han portado horriblemente mal. Sara no ha pronunciado una sola palabra, «por un ataque de vergüenza», como suele decir ella; en cuanto a Liz, se ha metido en su cama y no ha querido saber nada de nosotros. Al acercarse Joseba ha escondido la cabeza debajo de la almohada, y yo me he enfadado y la he llamado *tuntuna*, que en vasco significa «tonta». Entonces se ha puesto a gritar: «*Shut up! Don't speak Basque to me!*» —«¡Cállate! ¡No me hables en vasco!»—. He tenido que dejarla sola.

No sé qué le pasa a Liz, pero últimamente está furiosa conmigo. El pasado fin de semana cumplió trece años, y en la fiesta que dimos aquí, en casa, sus amigas le regalaron unas cuantas mariposas de esas gigantes llamadas *monarca*. Es la última moda. Las compran en las *butterfly farms* y las echan a volar nada más apagar las velas. La cuestión es que durante la fiesta quise contarles que la lengua vasca disponía de cientos de nombres para designar a las mariposas, uno de los cuales, *pinpilinpauxa*, era realmente curioso, porque, en lugar de reproducir un sonido, como es el caso de las onomatopeyas, imitaba el modo de volar del insecto. No habían pasado ni treinta segundos cuando Liz me lanzó uno de sus «*Shut up!*», y tuve que callarme. Me hizo quedar ante sus amigas igual que un viejo que repite siempre la misma historia. No esperaba de ella un comportamiento así.

Mary Ann asegura que es la edad, que nuestra hija mayor se porta así porque está entrando en la adolescencia. Puede que sea verdad, pero hay otras explicaciones posibles. Temo que haya heredado cierta dureza, la misma que corre por las venas de Ángel y las mías. Temo también —ésta es la hipótesis peor— que Liz esté viendo el futuro con más claridad que nadie, y que, horrorizada ante la imagen, se esté alejando de mí, preparándose para el momento de la verdadera separación. *El momento de la verdadera separación:* la muerte, para decirlo sin eufemismos. En cualquier caso, esto que me está pasando con Liz ahonda mi pesimismo sobre el amor.

Queremos ponerlo por encima de todas las cosas, pero es imposible. No somos ángeles. Yo querría que Liz estuviese más cerca de mí; pero no parece muy congruente reclamar ese afecto después de la historia que he tenido yo con mis padres.

Por la tarde hemos estado en el porche conversando y bebiendo limonada contra el *jet-lag*. Mary Ann y Joseba continúan allí. Más me hubiera valido quedarme con ellos. Mis pensamientos se han deslizado hacia rincones oscuros, y he acabado escribiendo letras negras en este ordenador blanco que me regaló Mary Ann el día de mi cumpleaños.

2

Después de una comida ligera hemos ido a darnos un baño en un pozo de la parte alta del Kaweah, y ha sido como desprenderse del cansancio. Era un placer meterse en el agua fría; un placer igual poder hablar en la lengua que desde la muerte de Juan sólo puedo utilizar a solas. Además, tanto Joseba como yo nos hemos dedicado a recordar las cosas más alegres del pasado, aunque a Joseba la forma del pozo le ha traído a la memoria la presa del río donde nos bañábamos en nuestro pueblo natal, y la muerte de Lubis. «Nunca me he arrepentido de la respuesta que dimos a los que le mataron», ha dicho de pronto, en un tono que Mary Ann no reconocería. He creído que iba a seguir por ese derrotero, pero ha cambiado de tema. Mejor. Llegó ayer a Stoneham, y es demasiado pronto para tratar todo aquello.

El aire que llegaba de la sierra hacía que el calor no se sintiera tanto. Nos hemos alejado de la orilla del Kaweah y, como dos veraneantes ociosos, en bañador y con las toallas al cuello, hemos caminado hacia la casa de Rosario y Efraín con la intención de recoger el guacamole que le prometieron a

Joseba. Era pronto para cenar, y nos hemos detenido un rato en el pequeño cementerio del rancho.

El cementerio estaba muy bonito. El viento movía la hierba y las flores dulcemente, como si temiera lastimarlas. «Vamos a parar un momento, mientras fumo un cigarrillo», me ha dicho Joseba, y nos hemos sentado, él en una roca y yo en otra. Joseba fuma ahora tabaco negro en lugar de las hierbas aromáticas que fumaba antes.

Se ha callado, y yo también. El viento ha cesado de golpe, y la hierba y las flores han dejado de moverse. Entonces, como si hubiese estado esperando aquel momento, una mariposa ha surgido de un rincón del cementerio y ha volado directamente hacia nosotros. Parecía que quería posarse en mi frente, o en la de Joseba. Pero no. Ha pasado por encima de nuestras cabezas y ha desaparecido entre las hojas de un árbol.

Me he alegrado, y he sentido deseos de explicarle a Joseba que la mariposa, sin duda una *monarca* de las que dejaron libres el día del cumpleaños de Liz, había salido sorprendentemente del punto donde estaba enterrada la palabra *mitxirrika* —«mariposa», en la lengua de los campesinos de Obaba—, como si hubiera resucitado o, más exactamente, como si se hubiera encarnado para así poder remontar el vuelo desde su pequeña tumba. Pero me he callado. No resulta fácil explicar a un viejo amigo la costumbre de enterrar palabras en cajas de cerillas, por muy sencilla que sea la explicación. Mary Ann lo sabe bien: lo hice únicamente por razones pedagógicas. Quería que mis hijas se fijaran en mi lengua materna. Un deseo que, de no cambiar mucho las cosas, no se va a cumplir. La actitud de Liz no deja lugar a la esperanza.

Después de que la mariposa pasara por encima de nosotros he notado a Joseba aún más ensimismado. Le he preguntado en qué pensaba, y ha contestado como si citara a alguien: «Errantes vagan mis pensamientos, vienen y van…».

Pero con Joseba no se puede saber. Sus citas suelen ser invenciones para salir del paso. Es una costumbre que le viene de atrás. «*Errantes*. Me gusta esa palabra», le he dicho, y nuestra conversación ha adquirido el tono de las charlas de hace treinta años en Bilbao.

Se ha acercado hasta la tumba de Juan, y ha leído el epitafio en voz alta: «He tenido una vida. Hubiese necesitado dos». Me ha preguntado si lo había escrito yo. «Con la ayuda de Mary Ann.» «Pues estáis en forma. Me gusta mucho.» Luego ha continuado hasta las tumbitas de los hámsters: «¿Y aquí?, ¿quiénes están?». «Tommy, Jimmy y Ronnie. Los hámsters de mis hijas.» Ha saltado por encima del metro cuadrado en el que están enterradas las cajas de cerillas, y ha salido del terreno del cementerio. ¿Por qué ha dado el salto? Quizás haya sentido la presencia de *mitxirrika* y de las demás palabras de Obaba.

«¿Sabes de quién me he acordado en el cementerio?», me ha dicho más tarde, cuando nos hemos puesto en camino. Le he pedido que fuera más despacio, no podía seguirle cuesta arriba: «A ti ya se te está pasando el *jet-lag* —le he dicho—, pero yo lo tengo más difícil. Cuéntame, ¿de quién te has acordado?». Se ha puesto al lado y ha cogido mi paso. «De Redin, nuestro profesor de francés. Es decir, de Monsieur Nestor.»

Se me ha pasado por la cabeza mencionarle las memorias que he escrito, pero no es el momento. Le daré una copia la víspera de marcharse de Stoneham para que la lea si quiere y la deje luego en la biblioteca de Obaba. «Yo me acuerdo mucho de él», le he dicho. «¿De verdad?» «De verdad.» «Realmente, eres un alumno muy leal, David. Yo lo había olvidado. Pero el mes de marzo estuve en Cuba y allí estaba nuestro Redin.» «Bromeas», le he dicho. «En una foto, David, no pongas esa cara.» Joseba se ha echado a reír y me ha dado con la toalla en la espalda.

Me ha contado que está estudiando la relación de la colonia vasca con los escritores cubanos, y que por eso viajó a La Habana. El poeta Eliseo Diego le llevó a visitar la casa donde vivió Hemingway en la isla, y pudo entrar en ella. «Es muy hermosa —ha dicho—. Está situada en lo alto de una colina, toda rodeada de árboles. Nada más entrar en su salón, me encontré con un gran cartel de una corrida de toros en San Sebastián. Estaba colgado sobre la chimenea, y tenía a izquierda y derecha otras fotos tomadas en el País Vasco. En una de ellas se veía al propio Hemingway en un ambiente festivo, fumando un puro enorme y agarrando del cuello a su acompañante como si quisiera hacerle una llave de lucha libre. Pues bien, adivina quién era el acompañante». «¿Redin?» «¡El mismo! Con un puro igual de grande», ha dicho Joseba. «Así que era verdad lo que nos decía.»

Me he echado a reír. De puro gozo. Mi profesor de francés me parecía de pronto una persona más digna; no como en los tiempos de la escuela, un hombre pobre y desgraciado que se inventaba historias para adornarse. «He recordado mi viaje a La Habana al ver las tumbitas de Tommy y los demás hámsters —ha explicado Joseba—. Hemingway hacía lo mismo con los gatos. Había cuatro tumbitas blancas a unos veinte metros de la casa».

No he entrado en la casa de Efraín y Rosario, pero he visto las mochilas de Liz y Sara en el porche. Mary Ann me ha dicho luego que nuestras dos hijas han decidido mudarse: Liz, porque quiere vivir allí; Sara, porque quiere estar al lado de su hermana mayor. Son inocentes, pero me hacen daño. También nosotros seríamos inocentes en la época de Redin, pero seguro que le hacíamos daño. En cierto modo, le despreciábamos. Yo mismo, aunque creía en él más que Joseba y los demás, emitía juicios muy severos sobre su forma de actuar. Me parecía una persona de poco carácter, servil a veces, sobre todo en su relación con la gente del hotel Alaska. O con Ángel. Por eso me he alegrado tanto cuando he sabido que lo de Hemingway era verdad. Ante nuestra incredulidad, Redin pensaría: «Sonreíd todo lo que queráis, jovencitos. Pero es muy probable que vuestra vida no tenga ni rastro del brillo que ha tenido la mía». No le faltaba razón. Si andar de juerga con Hemingway no tiene brillo, ¿qué es entonces el brillo? Ahora mismo, me pongo a pensar en la foto y me entran ganas de fumarme un puro.

3

Esta noche he visto en sueños un anciano sentado a la puerta de Iruain. Vestía un traje de color crema y una corbata granate. Tendría unos ochenta años. «¡Si es usted! ¿Qué hace aquí, Redin?», le he preguntado al reconocerle. «¿Qué quieres que haga, David? ¿No lo ves? Estoy esperando al último tren.» Yo he sonreído abiertamente, y le he dicho que tenía buen aspecto y que no pensara en el último tren hasta cumplir los cien años. Él se ha quitado las gafas y me ha mirado de frente: «Hay que resignarse, David. ¿Qué otra cosa podemos hacer? ¿Tirar de la soga como el animal que siente el cuchillo en el cuello?». «Tiene razón, más vale esperar tranquilo», he dicho. «¡Claro que sí! ¡Mira! Ahí llega mi tren.» Me he vuelto, y he visto la estación de Obaba medio a oscuras, y un grupo de gente silenciosa aguardando la llegada del tren. De pronto, el jefe de estación me ha agarrado del brazo: «Suba usted». Asustado, he soltado el brazo de un tirón. «¡No es mi tren! ¡Sólo he venido a acompañar a este señor!»

«Tranquilo, David. Soy yo», ha dicho Mary Ann. Me ha costado recobrar la calma. «Estaba soñando. Luchaba con un oso para defender mi rebaño», he dicho al fin. «Los pastores vascos siempre andáis igual. Pero esta vez se va a imponer el oso.» Se me ha echado encima, y nos hemos besado.

A la noche y a su sombrío sueño le ha seguido un día alegre. Mary Ann ha estado muy activa. Ha llamado a nuestros amigos del Book Club de Three Rivers para organizar la lectura. Joseba, por su parte, sigue de buen humor. Los criadores mexicanos se lo han pasado en grande viendo los esfuerzos que hacía para subirse a un caballo. «¡Odio estos animales gigantes!», repetía. «Leandro, trae para acá un póney», le ha pedido Efraín a uno de sus compañeros. Joseba se ha puesto a gritar: «¡Un póney no, Leandro. Un perro! ¡O mejor un gato, que son más bajitos!». Todos nos hemos reído. Luego he visto a Joseba salir del cercado con un sombrero de ala ancha en la cabeza.

En una sucesión de recuerdos, me ha venido a la memoria un hecho de nuestra vida que había olvidado completamente. Triku, Joseba y yo fuimos una vez al consultorio de una adivina a que nos echara las cartas, y a Joseba le salió el as de oros. «Llevas el sol —le dijo la adivina, la señora Guller—. Hagas lo que hagas, siempre saldrás adelante». «O sea, que no irá a la cárcel», le dijo Triku con cara seria. Tenía una gran fe en la señora Guller desde que, siendo un niño, fue testigo de cómo adivinaba el historial clínico de sus compañeros de clase. Acudía a pedirle consejo con frecuencia, y lo seguía a pies juntillas. La señora Guller volvió a echar las cartas, y puso cara de preocupación. «Dicen que sí. Que los tres iréis a la cárcel.» Me pasó la baraja. «Mézclala, por favor.» Luego hizo la misma petición a Triku. Por último, se dirigió a Joseba: «Coge una carta, la que quieras, y ponla sobre la mesa». Joseba hizo lo que se le pedía. «¡Qué buena!», se alegró la señora Guller. El as de oros había vuelto a aparecer. «El tuyo es un sol muy poderoso. Te salvarás tú, y salvarás también a tus amigos. Incluso de la cárcel.»

Joseba nos señaló con el dedo índice: «De ahora en adelante, ya lo sabéis, mucho respeto por este que os da luz y calor». Él era escéptico, al igual que yo. Pero la señora Guller no debía de ser una adivina cualquiera. Nuestra consulta tuvo lugar a comienzos de 1976, siete u ocho meses antes de que nos apresara la policía y fuéramos a prisión. Poco después, en mayo de 1977, recobrábamos la libertad. Gracias en gran parte a Joseba.

El recuerdo se ha desvanecido enseguida, y me ha dejado un poco triste, pero tranquilo. De estar aquí la señora Guller, le pediría que le volviera a mostrar las cartas a Joseba. ¡Qué bien me vendría ahora otro as de oros!

4

Hoy hemos visitado Sequoia Park. Joseba continúa de un humor excelente, y Mary Ann y yo nos hemos reído de buena gana cuando se ha acercado al mostrador de información para preguntar, con toda seriedad, dónde se encontraban exactamente los árboles grandes. Los empleados de la oficina le miraban incrédulos, y le han señalado las secuoyas que nos rodeaban. Pero Joseba no ha cejado: «No, los normales no. Los otros, los grandes». Los empleados lo veían tan serio que no podían confirmar la sospecha de que les estaba tomando el pelo. «¿Le parecen normales esas secuoyas?», le ha preguntado uno de ellos. «En mi país la mayoría de los árboles son de ese tamaño», ha contestado él con cara inexpresiva. «Vaya usted si quiere a la ventanilla y que le devuelvan el dinero», le ha dicho al final el empleado. Se ha alejado de nosotros como quien presiente una jaqueca.

Hemos ido luego a ver al «ser vivo más viejo del mundo», la secuoya que según dicen tiene cerca de tres mil años, y Mary Ann nos ha explicado que no siempre se ha llamado como ahora, General Sherman; hace un siglo se llamaba Carlos Marx. El cambio de nombre daba pie a seguir con las bromas, pero la proximidad del árbol nos ha sobrecogido, y nos hemos quedado callados. Da miedo pensar que vio la luz hace unos tres mil años y que por aquel entonces una cabra hubiese podido tragárselo entero, con sus hojitas tiernas. Pero él pudo más que las cabras, las tormentas, las heladas, los humanos. Y ahí está. Sigue creciendo. Bendita sea la tenacidad de los árboles.

Antes de salir nos hemos sentado un rato en el *food stand* del parque y hemos pedido unos bocadillos. «¿Te acuerdas, David? Estuvimos aquí el día que supimos que estaba embarazada de Liz», me ha dicho Mary Ann. «Fue uno de los momentos más felices de mi vida», he respondido.

Imposible olvidar aquel día. Regresábamos a Stoneham después de acudir a la consulta del médico de Three Rivers, y los dos sentimos ganas de seguir adelante en la carretera. Queríamos saborear la noticia, sin compartirla con nadie, ni siquiera con Juan. Esa noche, cuando por fin se lo contamos, fue tal la emoción de mi tío que lloró de alegría, y nosotros nos sentimos culpables por no habérselo contado hasta entonces.

Mary Ann ha encendido un cigarrillo; ahora sólo fuma en los buenos momentos. «A propósito de Liz, ya sé por qué está tan enfadada con nosotros», me ha dicho. «Está enfadada conmigo, no con nosotros», le he corregido. «Con nosotros, David. Hace días que no me contesta como es debido.» «¿Y qué le pasa?» «Quería ir a Santa Bárbara de vacaciones, igual que sus amigos de la escuela.»

Al lado de lo que yo me había figurado, el motivo me ha parecido irrelevante, una tontería. Le he preguntado a Mary Ann si podemos arreglar lo de Santa Bárbara, si no podría alguna familia ocuparse de nuestras hijas durante una semana. Mary Ann ha apagado el cigarrillo y se ha puesto en pie: «Vamos al pueblo. Tal vez podamos solucionarlo todo: lo de Santa Bárbara y lo de la lectura de la biblioteca». Así pues, hemos salido para Three Rivers, y al cabo de dos horas estaba todo arreglado. Liz y Sara se quedarán en Santa Bárbara con las hermanas de la directora de la escuela, y Joseba leerá ante los miembros del Book Club dentro de ocho días, el próximo miércoles. Mary Ann se encargará de traducirle los textos al inglés.

5

Joseba y yo hemos estado hoy solos, porque Mary Ann se ha ido a Santa Bárbara a llevar a las niñas, y va a quedarse allí hasta mañana. Hemos cogido unas cervezas del frigorífico y nos hemos sentado en el porche, mirando hacia la sierra. «¿Sabes? Las Navidades pasadas fui a Marruecos a pasar unos días», ha dicho Joseba con el primer trago, y durante un rato ha hablado de las costumbres del país como lo haría un turista; luego, al hablarme del viaje de vuelta, y del mal tiempo que hizo —«Tuve que conducir con los faros del coche encendidos incluso durante el día»—, ha cambiado de tono. «¿De qué quieres hablarme, Joseba?», le he dicho. Suponía que se trataba de algún tema *nuestro*, privado. Y así ha sido. Quería contarme su encuentro con Ubanbe.

«Como te digo, a la vuelta hizo un tiempo malísimo. En Marruecos no paraba de llover, y las carreteras estaban anegadas. Y en España fue peor. Empezó a nevar, y todo se puso blanco, hasta los campos de olivos. Luego, según me iba acercando a Madrid, el tiempo empeoró aún más, y no tuve otro remedio que quedarme a pasar la noche en un hotel de carretera. El sitio era horrible. La cafetería tendría cerca de mil metros cuadrados y estaba llena de gente; en la pared del fondo, una pantalla gigante ofrecía sin parar imágenes de boxeo. Ya me marchaba a mi habitación cuando vi a Ubanbe en la pantalla, en el combate contra aquel alemán. ¿Te acuerdas? ¡Qué hermoso muchacho, nuestro Ubanbe! Me llevé una gran alegría, y me hizo pensar en nuestros tiempos de Obaba.

»De pronto, la pantalla se apagó y las luces del local enfocaron a un tablado que pretendía pasar por un ring. "Queridos amigos, hoy es un día muy especial", anunció un tipo disfrazado de entrenador de boxeo. Y allí estaba él, nuestro Ubanbe. Gordo como una vaca, David. Tenía toda la cara hinchada y casi no cabía en el traje, como si hubiese engordado veinte kilos desde que lo compró. No pude soportarlo, y subí a mi habitación.»

Joseba se ha quedado un momento en silencio, con la mirada en la sierra. Parecía que podía ver aquellas imágenes en la lejanía, entre los árboles y las rocas, y que entornaba los ojos para distinguirlas mejor. Le he pedido que continuara: «Es mejor no alargar esta clase de historias», le he dicho. «Espera a que acabe —me ha respondido él—. Luego sacas las conclusiones». Ha bebido la cerveza que le quedaba y ha seguido hablando.

«Me desperté sobre las tres de la madrugada, y no pude aguantarme. Me vestí, bajé a la cafetería, y allí estaba Ubanbe en una esquina del mostrador, solo, bebiendo un líquido amarillento. Parecía sobado, como si todos los asistentes a la velada le hubiesen pasado la mano por la espalda. Me puse detrás de él, a un metro de distancia, y le hablé como si estuviéramos en Obaba, en puro dialecto: *"Ze itte'ek emen, Ubanbe, etxetik ain urruti?"* —"¿Qué haces aquí, Ubanbe, tan lejos de casa?"—. Se volvió con una vivacidad que no esperaba. Un segundo más, y ya me había reconocido. "¿No sabes qué día es hoy, Manson?", me dijo. "Sí, Ubanbe, 28 de diciembre." "¡28 de diciembre! ¡Pareces tonto! ¡Es el día de los Inocentes, Manson! Yo lo he celebrado haciendo una inocentada a todos estos imbéciles."»

«¡Bendita sea la aspereza de los leñadores!», he exclamado. La reacción de Ubanbe me parecía digna de él. Una prueba de que no habían acabado de derrotarle. «Luego se puso todavía más intratable —ha proseguido Joseba—. Abriendo los brazos, me preguntó si estaba guapo. Yo le dije que sí, y a cambio recibí un puñetazo que por poco me disloca el hombro. "¡Qué falso eres! —dijo—. Estoy gordo y asqueroso. Pero tampoco tú estás muy guapo. Pareces un burro viejo con esos dientes grandes y ese pelo gris. Estabas mejor con aquellas melenas largas de antes"».

Joseba se ha echado a reír diciendo que Ubanbe tenía razón, y que desde aquel día se veía cara de burro en el espejo. A mí me han venido muchas cosas a la memoria, entre ellas la imagen de Sebastián y sus hermanos gemelos en la época en que el tío Juan se entretenía bromeando con ellos. «Los tres hijos de Adela son ahora personas importantes —me ha respondido Joseba al preguntarle por ellos—. Pusieron un taller para camiones en la zona industrial de Obaba, y ha resultado un negocio soberbio. Ahora son dueños de un gran pabellón. Creo que arreglan más de cien camiones al mes».

El teléfono ha interrumpido nuestra conversación. Era Mary Ann, que llamaba para decirnos que han llegado bien. Luego se ha puesto Liz: «*Daddy*, ¿qué tal estás?», me ha preguntado, como si hiciera mucho que no nos vemos. Le he dicho que me encontraba bien. «*Daddy*, yo te quiero mucho», ha añadido a continuación. Y Sara, desde detrás: «Yo también». Me he emocionado, he sentido ganas de llorar. Algo desmesurado, desde luego. Debo de estar más tocado de lo que creo —digo *tocado*, una palabra que proviene del mundo del boxeo: consecuencia de tener a Ubanbe en la mente. «Yo no he tenido nada que ver. Se les ha ocurrido a ellas», me ha asegurado Mary Ann al preguntarle sobre los motivos de aquella declaración de amor. «¿Qué estabais haciendo?», me ha preguntado luego. «Joseba me estaba explicando por qué se parece tanto a un burro.» Él ha emitido un rebuzno. «Parece auténtico», ha dicho Mary Ann desde el otro lado de la línea.

Iba a venir un camión desde Bakersfield para llevarse un caballo y yo tenía que entregarle unos documentos al chófer. De camino a las caballerizas, nos hemos encontrado con Efraín. «Quiero preguntarle algo muy seriamente», le ha dicho Joseba. Efraín se ha reído: «Seguro que no». «Míreme bien, Efraín. ¿Me parezco mucho a un burro? No quiero decir si me parezco un poco, eso ya lo sé. Lo que quiero saber es si me parezco mucho.» «¡Qué payaso es usted!», ha exclamado Efraín. Al final, hemos acabado en su casa, comiendo las tortillas de maíz que nos ha preparado Rosario.

6

Por la mañana nos hemos dado un baño en el pozo del Kaweah, y Joseba se ha llevado un buen susto cuando ha ido a agarrar una raíz que ha visto en el agua y se le ha escurrido de las manos. Las serpientes le aterran. Recuerdo que una vez, siendo alumnos de la escuela de párvulos, fuimos a una cuadra para ver a una serpiente que, según contaban, mamaba todas las noches de una vaca, y que, de repente, Joseba se puso a gritar fuera de sí porque había sentido el roce de algo viscoso en el tobillo. Y más adelante, cuando nos movíamos en la clandestinidad en compañía de Triku, su fobia fue a más. Odiaba tener que andar por el monte en días de bochorno, y Papi tenía que repetirle que no se preocupara tanto por los reptiles comedores de sapos, que se preocupara por los guardias. El río Kaweah le ha parecido de pronto un lugar desagradable. Ha salido del agua y se ha sentado a la sombra a fumarse un cigarrillo.

«Hombre, era normal que él dijera eso —me ha respondido Joseba cuando le he recordado el consejo de Papi—. A él le gustaban las mariposas. ¿Y quién es el mayor enemigo de las mariposas? El sapo. ¿Y quién es el exterminador número uno de los sapos? La serpiente. En política no tanto, pero como entomólogo era muy frentista». *Frentista*. Me ha parecido una palabra anticuada, carente de brillo. Igual que otras de aquella época: *desnacionalizar, imperialismo*. Para constatar el daño que provoca el tiempo no basta con fijarse en la rosa o en el perro que cojea; hay que fijarse también en el brillo de la palabras.

«¿Lo has visto últimamente?», le he preguntado. Tengo la sospecha de que sí. Se ha llevado el cigarrillo a los labios. «¿A Papi? Sí le he visto, sí. Ya hablaremos de él más adelante.» «¿Cuándo?» «¿Vas a venir a la lectura del miércoles?» «Igual que los otros cuarenta miembros del Book Club de Three Rivers.» «Pues, al terminar la lectura.» Se ha reído. «Ya sabes qué preguntas se suelen hacer en esta clase de reuniones —ha dicho. Luego ha parodiado a unos supuestos asistentes—: ¿Lo que cuenta es autobiográfico? ¿Los personajes existen en la realidad? Tú y yo podemos hacer lo mismo». «No te pongas en plan *chico malo*», le he dicho. «No quisiera, David. Lo que pasa es que no sé hablar con franqueza. Necesito hacer un poco de teatro.»

No sé hablar con franqueza. Joseba lleva veinte o veinticinco años repitiéndolo. Además, hace causa de ello, y considera que la imposibilidad afecta a todas las personas: lo confiesen, o no; lo disimulen, o no. Cuando estábamos en la cárcel, el preso común que se encargaba de la enfermería le preguntó un día por sus motivos para escribir historias. «De alguna forma hay que decir la verdad», le respondió Joseba. El preso no quedó muy convencido. «Yo creo que la mejor manera es la directa», dijo. Joseba se rió y le dio una palmada en la espalda: «En serio te digo, colega. Más fácil es que un preso pase por el ojo de una cerradura y se dé a la fuga que un mortal logre decir la verdad de esa forma que tú dices».

«¿En qué estás pensando, David?» «En tu manía de guardar secretos.» Ha soltado una carcajada. «Te esfuerzas en balde, David. Sólo hablaré en presencia de mi público. No dejes de asistir a la lectura.» Ha dudado sobre la manera de desembarazarse de la colilla del cigarrillo, y ha acabado metiéndola en una grieta de la roca. «No te pongas tan serio, David», me ha dicho. «Eres un retorcido, Joseba. Siempre lo has sido.» «Es una opinión típicamente yanqui, compañero. Te prohíbo que vuelvas a beber Coca-Cola.» Lo ha dicho imitando la voz de Papi. Luego ha cambiado de tema y se ha puesto a hablar de cosas actuales del País Vasco.

No podía seguirle. Los nombres no me sonaban. Ni siquiera los de los políticos. «De ahora en adelante estarás más enterado —me ha dicho—. Van a empezar a emitir los programas de nuestra televisión por vía satélite. Para que la diáspora no termine por perderse, ya me entiendes». Le he dicho que procuraría mantenerme informado. «Verás qué sorpresa cuando leas el rótulo que aparece en pantalla al final del programa más visto de la noche: *Vestuario: Paula Iztueta.*» «Así que nuestra Paulina se ha convertido en Paula.» He recordado lo que solía decir mi madre, que aquella chica sería una buena modista. «Lo más curioso, en su caso, es que Paulina viste a la gente con faldas largas —ha dicho Joseba, parodiando ahora la forma de hablar de Adrián—. Traiciona su época juvenil. Su falda era siempre la más corta del baile».

Joseba ha cortado una rama de un arbusto y se ha puesto a desbrozarla para hacer un bastón. «Hace poco estuve con Adrián», ha dicho. Yo le he comentado que he mantenido cierta relación con él. Que ya sabía lo de su matrimonio con la mujer rumana y lo de la adopción de la niña. «Hace unos años me envió dos muñecas para Liz y Sara», le he dicho.

Joseba ha golpeado el agua con el palo, «para espantar las serpientes», y luego ha saltado al río. «Su mujer se llama Rulika, y la niña Iliana —me ha informado desde el agua—. Adrián está loco por la pequeña. Es muy feliz». Ha nadado de un lado a otro del pozo, con brío, a buen ritmo. Goza de buena salud. «¿Sabes lo que dice Pancho? —me ha gritado—. Pues que Adrián se ha vuelto maricón. Que antes hacía unos penes magníficos, y ahora en cambio se dedica a las muñecas».

«Has estado con mucha gente, ¿no? Te veo muy enterado», le he dicho. Me ha explicado entonces su propósito. Quiere escribir un libro sobre nuestra vida. Sobre el destino de todos los que aparecemos en las fotos de la escuela de Obaba. «¿Por eso has venido a Stoneham? —le he dicho—. ¿Y por eso fuiste donde Ubanbe? ¿Para tomar apuntes?». Se ha defendido diciendo que lo de Ubanbe fue puro azar, y que de mí no necesita apuntes. «Todas las páginas que tratan de ti están ya escritas. Te voy a decir más: podrás escucharlas en la lectura del miércoles que viene.» Le he dicho, no completamente en broma, que Mary Ann estará entre los oyentes, que tenga cuidado. «Quedas bastante bien, David. Tu mujer no te abandonará; tus hijas no te odiarán. Estate tranquilo.»

He pensado mencionarle mi libro de memorias, pero no me ha parecido oportuno. Siempre he odiado a las personas que tan pronto oyen hablar de un proyecto reaccionan con un «yo también tengo en mente algo parecido». Además, estaba cansado, no tenía ganas de alargarme. Me he metido en el agua y he nadado un poco.

El doctor Rabinowitz no llama. Me gustaría que lo hiciera. Conocer la fecha exacta en que tendré que ir al hospital de Visalia sería un alivio. La incertidumbre no me deja descansar. Cuando estoy con Joseba o con Mary Ann siento un ruidito en la cabeza, algo así como el canto de un grillo. Y ahora por la noche ese canto se vuelve metálico.

7

Hoy me he despertado muy temprano, sobre las seis, y enseguida me ha llamado la atención el silencio. Me he levantado de la cama y he descubierto el motivo: estaba lloviendo. Al abrir la ventana, el ruido de la lluvia ha entrado hasta la habitación. O mejor dicho, *los ruidos*, así, en plural. Cuando eran pequeñas, Liz y Sara solían decir que la lluvia tenía dos ruidos distintos, el de todas las gotas juntas y el de las gotas una a una. No me parece que esté mal visto.

Me he quedado en la ventana. Bajo el cielo gris, los árboles daban la impresión de estar expectantes, en tensión. Se me ha ocurrido que el viejo General Sherman estaría más tranquilo que ellos, que después de tres mil años no habrá nada que le sobresalte. La lluvia, desde luego, no. Si pudiera hablar, les diría a las demás secuoyas: «Allá por mi juventud siempre me hablaban de unas lluvias tremendas, de un diluvio que lo iba a arrasar todo. Pero a estas alturas ya no creo en esas leyendas. No os preocupéis, no habrá inundación que nos arranque de raíz». Pero es difícil ponerse a su nivel. Es difícil vencer el miedo. Quizás haya que vivir tres mil años para alcanzar la calma.

He visto una mariposa en el suelo, al borde de un reguero formado por la lluvia. Era una *monarca*. Una de las que le regalaron a Liz el día de su cumpleaños, seguramente, igual que la que vimos el otro día en el pequeño cementerio. O tal vez la misma. Parecía muerta, como si la lluvia le hubiese rasgado las alas, derribándola sin remedio. Me ha venido a la cabeza una canción de Mancini que en otro tiempo tocaba con el acordeón, una canción muy triste: *Soldiers in the rain* —«Soldados bajo la lluvia»—. Mariposas bajo la lluvia. A primera vista, no parece que se puedan asociar las dos imágenes, pero a mí se me han quedado unidas en la cabeza; más que unidas, pegadas. Me ha costado horas librarme de la melodía.

En conjunto, el día ha seguido la pauta de sus primeras horas. Ha sido, todo él, particularmente silencioso. También Joseba lo ha notado. Estaba en la casa de Juan preparando la lectura y, cuando he ido a hacerle una visita en un descanso del trabajo, me ha dicho: «Henos aquí, hermano, copiando los incunables de nuestro monasterio». Es el silencio lo que le ha llevado a identificar Stoneham con un monasterio. «¿Es un trabajo pesado?», le he preguntado. «Digno de un burro de carga, hermano.» Me he inclinado hacia el ordenador para ver en qué texto estaba trabajando, pero ha puesto las manos delante de la pantalla y me lo ha impedido. «Esta forma de crear suspense no es aceptable, hermano. Resulta grosera», le he dicho. «Antes era más sutil, hermano.» «Ya, ahora eres más burro.» Él ha cabeceado imitando al animal.

He vuelto a casa y he visto que también Mary Ann estaba preparando la lectura. Le he preguntado sobre los textos que está traduciendo, si tratan de la traición. Detrás de las gafas, sus ojos han mostrado sorpresa. Siguen siendo tan azules como antes: *North Cape*. Me ha señalado unos folios: «Éste de aquí es sobre la nieve». «Es un tema que a Joseba le atrae desde los tiempos del parvulario», le he explicado. Ella se ha quitado las gafas para frotarse los ojos: *North Cape One, North Cape Two*. «El otro texto que he traducido es tragicómico —me ha dicho—. Sobre un japonés». «¿Toshiro?» «Él le llama Yukio.» «¿Sucede en Bilbao? ¿En una pequeña pensión?». «Así es.» «En realidad se llamaba Toshiro, no Yukio», le he dicho. Mary Ann me ha cogido la mano: «¿Por qué no me cuentas tu versión mientras damos un paseo por el rancho? Ya no llueve». Se ha levantado de la mesa y me ha dado un sonoro beso en la mejilla. «¡Sonido Thule!», he exclamado. «Siempre me ha gustado el nombre que diste a mis labios», ha dicho, y me ha vuelto a dar un beso. Mary Ann me rescata siempre. Antes me ayudó a liberarme del pasado; ahora me quita el miedo al futuro. Rompe el silencio. Me empuja hacia delante.

Hemos ido por el camino que lleva a Three Rivers. Después de la lluvia el aire estaba limpio, y daba gusto respirar. El paseo me ha resultado fácil. He contado la historia de Toshiro, y me he preguntado dónde estará ahora, si seguirá trabajando en los astilleros de Osaka, si se casaría por fin con su novia. Nunca lo sabré. Nos cruzamos en el aire, eso fue todo. Nuestras rutas eran muy diferentes.

«La versión de Joseba es bastante parecida», me ha dicho Mary Ann. En los labios Thule la sonrisa era maliciosa. «Eso sí, él se alarga más en la descripción de la fiesta del último día. Creo que no parasteis de bailar.» «Estábamos muy contentos.» «Y creo que una compañera de la escuela de Economía se acercó a ti con mucha simpatía.» «Fantasías de Joseba.» Estábamos ya junto al Kaweah, y hemos cogido el camino para casa, pendiente arriba. «Creo que también Joseba tiene ganas de escribir un memorial», le he dicho. Me ha preguntado entonces si le he comentado algo acerca de mi libro. Le he dicho que no. Mary Ann preferiría que fuera de otra manera. Tiene más fe que yo en mis escritos.

Cuando hemos vuelto a casa me ha propuesto llamar a Helen. «¿Qué te parece si la invitamos a venir? Será agradable pasar unos días juntos.» «Nos conocimos gracias a ella —le he dicho—. Siempre le estaré agradecido». Mary Ann ha vuelto a besarme. «Es verdad. De no ser por ella no habría ido a San Francisco, y no te habría pedido que nos hicieras una foto.»

Es extraño pensarlo, pero la muerte y el amor no se llevan mal. El amor adopta otras formas cuando sabemos que la muerte se esconde tras la puerta de nuestra habitación: formas dulces, casi ideales, ajenas a los conflictos y a los roces de la vida cotidiana.

He dejado a Mary Ann hablando por teléfono con Helen y me he ido hasta el reguero formado por la lluvia. Había hojitas, piedrecillas, hileras de pequeños pétalos blancos; pero ni rastro de la mariposa. Tampoco en los alrededores. Lo cual quiere decir que no estaba muerta cuando la he visto esta mañana desde la ventana. La lluvia la ha derribado, pero ella ha vuelto a batir las alas. El General Sherman no sería capaz de hacer otro tanto.

Addenda. He abierto en mi ordenador el documento donde está mi memorial, y he buscado a Toshiro. Pero no podía dar con él, parecía que lo había perdido. Al final he caído en la cuenta de que lo había guardado con el nombre de *Tosiro*, y he refrescado mi memoria leyendo lo que escribí sobre él. En contra de lo que había supuesto, me ha resultado grato volver a la época en que Joseba, Agustín y yo estábamos metidos de lleno en la lucha clandestina y nos hacíamos llamar Etxeberria, Triku y Ramuntxo. Será por lo que dicen los clásicos: pasa el tiempo, y lo que dio dolor produce placer. O por lo que dice Joseba: la verdad adquiere en la ficción una naturaleza más suave, es decir, más aceptable.

La sensación de que las líneas destinadas a Toshiro estaban un poco perdidas no ha desaparecido. Entre tantas páginas, parecían irrelevantes. He decidido que la historia de nuestro amigo del pasado merece un lugar más digno, y que la voy a colocar entre estas notas. Aquí estará mejor.

Toshiro

El movimiento por la liberación de Euskadi manifestaba en sus comunicados que los dos problemas fundamentales a los que pretendía dar solución eran, por una parte, el nacional y, por otra, el social, y citaba algunos escritos de Lenin para apuntalar la legitimidad de su doble objetivo; pero los numerosos partidos comunistas que, a comienzos de los setenta, trabajaban en la clandestinidad —los de la Tercera Internacional, los de la cuarta, los maoístas— no compartían el planteamiento, y nos reprochaban el actuar «a favor de la burguesía». «Los obreros —afirmaban— no se preocupan de las patrias. ¡Y menos aún de la patria vasca!». Cuando en algún panfleto insistíamos en la doctrina leninista sobre las nacionalidades oprimidas, ellos nos respondían con octavillas donde por todo mensaje figuraba el famoso lema: «¡Proletarios del mundo entero, uníos!». Para nosotros era como si nos arrojaran un balde de agua fría.

La crítica perjudicaba seriamente a nuestro movimiento. Muchos jóvenes no querían asumir el riesgo de acabar en la tumba o en la cárcel «en beneficio de la burguesía», y renunciaban a militar con nosotros. La cuestión afloraba en todas las publicaciones internas. Si no se reforzaba el frente obrero, la organización misma se vería en peligro. Aquella preocupación alcanzó su máximo a raíz de la huelga del principal astillero de Bilbao: nosotros no estábamos en aquella lucha, y ello nos dejaba en un segundo plano ante la sociedad. En el futuro no tendríamos otra consideración que la de un grupo marginal y militarista.

Los miles de trabajadores del astillero mayor estuvieron de huelga durante mucho tiempo, pero al final volvieron a sus puestos sin ver cumplidas sus reivindicaciones. Ocasionalmente interrumpían su trabajo o hacían manifestaciones, pero era evidente que la batalla estaba perdida. Los partidos comunistas no tenían fuerza suficiente para superar los problemas creados por la huelga. Después de muchos años de dictadura, las cajas de resistencia se encontraban vacías. Además, la policía actuaba con la violencia de siempre.

Papi vino a visitarnos. «No podemos desperdiciar esta oportunidad. Los españolistas han quemado a un montón de gente para nada», dijo. Luego empezó a explicarnos la situación del frente obrero y las consecuencias que se podían derivar de su debilidad. Joseba le interrumpió: «Ya hemos leído tu artículo, Papi. Vamos a cosas más concretas». «Estamos preparando una acción especial —dijo él, cambiando de tema sin el más mínimo gesto—. Si sale bien, ni a los propietarios de los barcos ni a los demás patrones les van a quedar ganas de perder el tiempo en discusiones. Pero es imprescindible que la acción sea atribuida a nuestro frente obrero». Nos quedamos callados, esperando a que continuara. Pero tampoco Papi habló. «¿Quieres que seamos nosotros los que llevemos a cabo esa acción especial?», preguntó Triku al fin. Papi negó con la cabeza. «No tenéis suficiente experiencia. Quizás tú sí, pero Etxeberria y Ramuntxo no.» Ramuntxo era mi apodo en aquella época, igual que Etxeberria el de Joseba y Triku el de Agustín. «Tenéis que meter propaganda en el astillero —continuó Papi—. Y no creáis que va a resultar fácil. Desde que empezaron los jaleos hay mucho control».

Abrió una carpeta adornada con un dibujo de Mickey Mouse, y nos mostró los planos del astillero: dónde tendríamos que dejar los diez mil panfletos para que nuestro contacto, un compañero que trabajaba allí, los pudiera recoger sin peligro. Nos dio asimismo la dirección del piso donde nos ocultaríamos durante nuestra estancia en Bilbao. La recuerdo perfectamente: calle del Pájaro número dos sexto izquierda. «¿Conocéis una discoteca que se llama Kaiola?», preguntó Papi. Joseba y yo la conocíamos de nuestro tiempo de estudiantes. Era famosa entre los universitarios de Bilbao. «Pues la pensión está muy cerca. La hemos escogido porque el dueño trabaja en el astillero. Igual os cuenta alguna cosa interesante.» Nos dijo que teníamos reservada una habitación, y que los panfletos se encontraban ya allí, en cajas de cartón, como si fueran apuntes. Nos haríamos pasar por estudiantes repetidores en el trance de pasar unos exámenes. Para llevar a cabo la acción tendríamos aproximadamente diez días.

La pensión no merecía tal nombre. No era más que un piso corriente, de tres habitaciones. En la primera dormían Antonio y Maribel, el matrimonio; en la segunda, en los cinco metros cuadrados que daban al patio, un japonés llamado Toshiro; en la tercera, nosotros tres. Maribel, que se encargaba de todo en la casa, nos presentó a Toshiro: «Es de Osaka. También él trabaja en el astillero. Ha venido a montar las hélices del barco». Toshiro nos saludó con una leve inclinación de cabeza y se retiró enseguida a su habitación. «Está triste. No tiene ganas de hablar —nos informó Maribel—. ¿Sabéis qué le pasa? Que se siente solo, y echa de menos a su novia». Maribel era una mujer muy agradable.

Por suerte, nuestra habitación tenía dos ventanas grandes que nos permitían ver un tramo de la ría, y pasábamos mucho tiempo mirando afuera, «fumando un cigarrillo», como solía decir Triku, aunque acabaran siendo cuatro o cinco. Nos hacía mucho bien contemplar el paisaje. Aliviaba la sensación de claustrofobia que nos producía el estar escondidos, y también el peso del riesgo; porque el riesgo, cuando se alarga en el tiempo, aumenta de peso y volumen. Cualquiera puede enfrentarse a un peligro que dura diez segundos; pero al que se prolonga durante días, casi nadie.

Los barcos subían y bajaban por la ría, rumbo al mar o a la ciudad. De vez en cuando, alguno de ellos hacía sonar la bocina, y nosotros, no sé por qué asociación, nos quedábamos mirando las cajas de cartón que contenían los diez mil panfletos. Pasaban los días, y no encontrábamos la manera de ejecutar nuestra acción.

No iba a resultar fácil. El marido de Maribel, Antonio, era tremendamente reaccionario, y a la hora de cenar, cuando todos nos juntábamos en la mesa, murmuraba constantemente contra «los grupúsculos» que provocaban los incidentes y «los tontos útiles» engañados por las consignas de los provocadores. Era impensable que pudiéramos sacarle alguna información. Ante la más mínima sospecha, llamaría a la policía. Se nos ocurrió, a falta de una idea mejor, recurrir a Toshiro, y Joseba hizo algún intento para acercarse a él; pero fue en vano. «El hombre de Osaka» —así es como le llamábamos— se escabullía nada más acabar el postre.

«Ya sé lo que le ocurre a Toshiro —comentó Joseba después de la cena del quinto o sexto día—. Lleva toda la vida trabajando en el vientre de los barcos y no se acostumbra a la luz». Maribel sonrió: «Está más triste que nunca, es verdad. Pero no es por eso». «Tiene depresión —zanjó Antonio—. Y es lógico. Está lejos de su patria». Con disimulo, Maribel nos hizo un gesto: no, tampoco era ése el motivo, ni mucho menos. Un poco más tarde, mientras la ayudábamos a fregar, Joseba volvió a sacar el tema. «¿Qué es lo que le pasa realmente,

Maribel? ¿Cuál es la verdad de Toshiro?», le preguntó en tono de broma. «Te lo diría, pero no puedo. Me pidió que no se lo contara a nadie.» Nos fuimos a la cama con aquel pequeño misterio.

Nuestras pesquisas en el astillero apenas nos permitieron ningún progreso. Había grupos de policías por todas partes, y también, según nos pareció, mucha policía secreta, muchos agentes de paisano. Era imposible pasar por delante de ellos con los diez mil panfletos. Pensamos que, tal como estaban las cosas, sólo cabían dos opciones: cruzar en barca la ría y llegar al astillero por el muelle, o echar mano de alguno de los camiones que entraban y salían continuamente. Cualquiera que fuera nuestra elección, debíamos darnos prisa. Los días iban pasando.

Empezamos a ponernos nerviosos cuando nuestro contacto dentro del astillero nos llamó por teléfono: «¿Estáis estudiando? Acordaos de que el examen va a ser enseguida». Hablaba con acento vizcaíno muy cerrado. «Estamos estudiando, pero todavía no nos vemos como para aprobar», le dije. «Pues, el catedrático se va a poner impaciente. Ya sabéis que luego tenemos otro examen más difícil.» Triku me cogió el teléfono: «¿Y por qué no hacemos el examen fuera?». El contacto no le debió de entender, y Triku no pudo contenerse más: «Que por qué no repartimos los papeles fuera. Nos metemos entre todo el montón de obreros y en un minuto ya está, antes de que nadie se dé cuenta». Triku estuvo unos veinte segundos escuchando la respuesta. «No quiere —dijo después de colgar—. Insiste en que hay que repartirlos dentro del astillero, que de lo contrario los obreros lo considerarán una injerencia».

Abrimos las ventanas de la habitación y estuvimos fumando y discutiendo hasta que se apagaron la mayoría de las luces de las casas. Decidimos, al fin, servirnos de un camión, y escogimos uno que recibía su carga en una zona industrial bastante solitaria. Al día siguiente nos dedicaríamos a los preparativos, y al otro, muy temprano, realizaríamos la acción: Joseba y yo nos quedaríamos con el conductor, y Triku se introduciría con el camión en el astillero.

Aquella noche, sobre las cuatro de la madrugada, un barco hizo sonar la bocina. «Algún marinero que no ha regresado», dije. El bocinazo se metía hasta el último pliegue del cerebro. No se podía dormir. Joseba encendió la luz, y empezó a hojear el periódico. «Claro, la marea alta es a las cuatro y media. Por eso llama con tanta insistencia.» Para navegar por la ría hasta el mar el nivel del agua debía estar en su punto más alto.

El barco daba dos bocinazos muy largos, y luego dejaba pasar unos minutos hasta la siguiente llamada. Al principio, el intervalo de silencio era un descanso; pero, muy pronto, después del noveno o décimo toque, empezó a resultar más angustioso que la propia bocina. «Si ese marinero no regresa enseguida, ¡voy yo mismo a buscarle!», exclamó Joseba. Eran las cuatro y media de la mañana, y estábamos levantados, con las ventanas abiertas. En el barrio se veían muchas luces encendidas. «¿Qué les pasa a los marineros cuando pierden el barco? ¿Se convierten en apátridas?», preguntó Triku. «Éste no va a tener elección. Va a acabar linchado. Mira, ha sacado de la cama a media ciudad.» Cada vez eran más las ventanas con luz. Mucha gente daba por terminado su descanso.

Me dirigí al cuarto de baño por el pasillo, pero, al pasar por delante de la habitación que daba al patio, vi por la rendija de la puerta algo que me detuvo. Toshiro estaba de rodillas sobre la baldosa, sin otra ropa que unos pantalones cortos, con los brazos en cruz. De pronto, los brazos y la cabeza se le vinieron abajo. Trató de levantarlos con un gemido de dolor, pero acabó desplomándose. «¿Qué te pasa, Toshiro?», le pregunté, acercándome. No le pasaba nada. Dormía profundamente, con respiración muy gruesa. Ni la bocinas de cien barcos habrían podido despertarle.

Me encontré con Maribel en el pasillo. «¡Dios mío! ¡Este pobre hombre!», exclamó. Aparecieron Joseba y Triku. «Mirad cómo tiene las rodillas», se lamentó Maribel. Las tenía despellejadas, con rastros de sangre, con costras. «¿Qué le pasa? Dinos la verdad, Maribel», le dijo Joseba. La mujer se llevó el dedo índice a los labios para que habláramos más bajo, y nos indicó que la siguiéramos a la cocina. El café estaba preparado.

«Os diré lo que le pasa.» Maribel nos sirvió el café en las tazas. Estaba contenta de haber guardado el secreto; contenta, asimismo, por tener la oportunidad de revelarlo sin remordimientos. «Está muy enamorado de su novia —dijo—. Es una mujer muy bonita, no hay más que ver las fotos. Se llama Masako. Al principio, todas las horas libres se las dedicaba a ella. Le escribía cartas o iba a la Telefónica para llamarla. Pero un día, al volver del astillero, tuvo la mala idea de entrar un rato en esa discoteca, en el Kaiola. Y pasó lo que tenía que pasar. Cayó en manos de una mala mujer. Y, claro, le sacó todo el dinero. Cuando lo vi entrar en casa no me lo podía creer. Estaba borracho, sucio. No parecía el Toshiro que yo conocía». Maribel se quedó callada. Al otro lado de la ventana no se oía nada. El barco había dejado de tocar la bocina. «Continúa, Maribel», le dijo Joseba.

La mujer no le hizo caso enseguida. Torcía la cabeza hacia su habitación. «Perdonad, me ha parecido oír un ruido —dijo, volviéndose hacia nosotros—. No quiero que mi marido sepa nada. Es un poco intransigente y, no sé, es capaz de dejar en la calle a Toshiro». Los tres intercambiamos miradas. Pensamos que Antonio no renunciaría al dinero de un huésped por una cuestión así. Maribel era demasiado buena.

«Pues Toshiro se arrepintió muchísimo de lo que había hecho —prosiguió—. Me confesó casi llorando que había traicionado a Masako. Que estaba sucio y tenía que limpiarse antes de volver a Osaka». «Mediante el sufrimiento», comenté yo. «Así es. Durante los primeros días se daba golpes con el cinturón. Pero yo se lo prohibí. Puse como excusa a Antonio, le dije que se iba a dar cuenta al oír los golpes, y que eso le traería problemas. Pero en realidad lo hice porque me daba pena. Y desde entonces, ya veis lo que hace. Se pone de rodillas en su habitación y está así hasta que se cae de cansancio. No es vida: durante el día entre las hélices del barco, y por la noche de rodillas y con los brazos en cruz.» «¿Hasta cuándo piensa seguir así?», le preguntó Triku. «Hasta el día que salga para Osaka. A él le parece que es poco castigo. Me dice siempre que debería pagar más, y que le dé permiso para retirarse sin cenar. Pero yo no se lo doy. Nunca se lo daré. ¡En mi casa nadie se va a la cama sin cenar!» Joseba le dio palmadas en la espalda: «¡Qué no daría yo, Maribel, por tener una madre que me cuidara como tú cuidas de Toshiro!».

Nos servimos más café, y estuvimos charlando hasta el amanecer. Triku le habló a Maribel del harakiri, y Maribel nos enseñó unas fotos de Masako. Era bonita, el kimono verde y amarillo le quedaba muy bien. Sujetaba en la mano un crisantemo, y sonreía a la cámara.

Estábamos vigilando los camiones que entraban y salían del astillero. El que habíamos escogido lo conducía un chico de nuestra edad («Me hacéis una faena, pero os entiendo», nos decían casi todos los conductores jóvenes que «tocábamos»; los mayores se ponían más nerviosos). Pero a mí el plan no me convencía. «Tú no lo ves, ¿verdad?», me dijo Joseba. Él adivinaba enseguida mis pensamientos.

Les expuse la idea que me rondaba la cabeza desde aquella mañana. Toshiro podía ser nuestro hombre e introducir la propaganda en nuestro lugar. ¿Acaso no pensaba —lo había dicho Maribel— que estaba pagando poco? ¿Por qué no le pedíamos un sacrificio mayor? «Hay que decirle que estamos luchando por los trabajadores, y que si nos ayuda quedará limpio.» Joseba sonrió sarcásticamente: «Sobre todo si cae en manos de la policía. Le darán tal paliza que además de pagar por su pecado se habrá ganado un crédito para el siguiente». «Yo prefiero lo del camión —dijo Triku—. Toshiro no va a querer asumir el riesgo, y nosotros quedaremos en evidencia». Pero Joseba estaba a favor; se iba poniendo a favor por momentos. «Es de un país en el que la gente se hace el harakiri, Triku. Tú mismo se lo has explicado a Maribel. No se asustará.» «Hacemos la prueba —dije—. Y si sale mal, lo intentamos con el camión». «¿Quién hablará con el hombre de Osaka?», preguntó Joseba. «¡Tú!», exclamamos a la vez Triku y yo. Joseba tenía facilidad de palabra. Papi solía decir que era una pena que la organización no tuviera un frente diplomático pudiendo disponer de una persona tan persuasiva.

Según nos contó luego Joseba, Toshiro terminó de leer el panfleto y le pidió diez minutos, permaneciendo durante ese tiempo sentado en el suelo, en la postura de yoga que recibe el nombre de «flor de loto». A continuación, poniéndose en pie y con una inclinación de cabeza, le dijo: «Creo que yo haré eso con muchísimo gusto, camarada». «¿Te ha llamado camarada?», nos sorprendimos Triku y yo. Joseba asintió con vehemencia. «Me ha dicho exactamente, palabra por palabra: "Creo que yo haré eso con muchísimo gusto, camarada. También yo siento odio contra revisionistas tercera internacional. Soy orgulloso trotskista".»

Nos hicieron falta muchos cigarrillos en la ventana de nuestra habitación para digerir la sorpresa. Yo comenté que lo ocurrido daba la razón a los planteamientos de nuestra organización, es decir, que no había un partidario de Lenin o de Trotski ajeno a su cultura nacional: era inimaginable que un trotskista de Ondarroa o Hernani se pasara las noches de rodillas. «Por Masako, ¡quién sabe!...», ironizó Joseba. «Es una hermosa noche», dijo Triku. A pesar de la luminosidad se podía ver el cielo estrellado.

Dedicamos la mañana del día siguiente a pasear por la ciudad, y luego comimos un plato combinado en una cafetería. Llamé a nuestro contacto hacia las tres. Estaba eufórico. *«Artistak sarie!»* —«¡Sois unos artistas!»—, exclamó con admiración. «No nos hemos presentado nosotros al examen —le dije—. Hemos mandado a otro». «Pues es un artista.» «Así que lo ha puesto todo en el sitio debido y a la hora debida.» «No sólo eso, se ha ocupado él mismo del reparto. Ha habido lluvia.» Le pedí que me lo explicara con más detalle. Me contó entonces, con rodeos y medias palabras, que el artista enviado por nosotros había utilizado las hélices de un barco para hacer que los panfletos revolotearan en el aire y cayeran sobre las cabezas de los obreros: *«Eurixa les, barriro esanda»* —«Como si lloviera, ya te digo»—. «¿Todo ha acabado bien?» «¡Estupendamente! —exclamó el contacto—. Sólo han detenido a un montador japonés». Empecé a sudar. «Bueno, lo nuestro ya está —le dije—. A ver cómo sale el siguiente examen, el difícil». Colgué el teléfono.

Triku tenía un amigo en un piso de estudiantes, y acudimos a él para que nos proporcionara un sitio donde dormir. Una vez seguros, llamé por teléfono a la pensión. «Hoy es un día bastante raro», me contestó Maribel cuando le expliqué que estábamos fuera de la ciudad y que tardaríamos unos días en volver. «¿Por qué?» «Ha venido la policía, y han registrado el piso. Pero no han encontrado nada.» «¿En serio?», exclamé. Ella bajó la voz hasta reducirla a un susurro: «Han detenido a Toshiro». «¿En serio?», repetí. Nunca he tenido la facilidad de palabra de Joseba. Él hubiese expresado su asombro de cinco maneras diferentes. Maribel continuó en voz baja: «Y no creas que ha sido por emborracharse o por un asunto de mujeres. Según me ha dicho un policía, ha sido por política». «Menos mal que no estábamos ahí. Si no, nos llevan a todos. Es lo que suelen hacer en estos casos», le dije. «Me han preguntado por vosotros. Pero ya les he dicho que estáis siempre estudiando. Que no salís de casa. Ni para ir al Kaiola como los otros estudiantes.»

Después de la llamada celebramos una reunión. Los tres estuvimos de acuerdo: nos quedaríamos en la ciudad hasta que Toshiro pasara a la cárcel y pudiéramos saber, a través del cómite de presos, qué información había obtenido la policía. No albergábamos muchas esperanzas: la policía disponía de nuestras fotografías, Toshiro no tendría más remedio que identificarnos. Él anhelaba volver a Osaka para reunirse con Masako.

Llamé el segundo día, al atardecer. En cuanto reconoció mi voz, a Maribel se le escapó un grito: «¡Está aquí!». «¿Toshiro?» «¡Pues claro! Lo han dejado libre sin ningún cargo. Cojea un poco.» Toshiro necesitó diez segundos para llegar hasta el teléfono. «¿Dónde estáis? ¿En el Kaiola?», preguntó. Al principio la pregunta me pareció absurda, pero caí en la cuenta de que él no concebía que pudiésemos estar escondidos por temor a sus declaraciones. «Vamos para allá. Queremos invitarte a una copa de champán», le dije. «Está bien, pero no nos quedaremos hasta muy tarde. Mañana hay que trabajar», dijo él. Miré a Triku y a Joseba. Comprendieron enseguida lo que había sucedido. «¡Toshiro kamikaze!», gritó Triku acercándose al auricular.

Cojeaba, tal como nos había advertido Maribel, y, bajo las intensas luces de la discoteca, su cara parecía la de alguien que había soportado un duro combate. Nos abrazamos. «¿Cómo estás, kamikaze? ¿Te han dado fuerte?», le dijo Triku. «Estoy muy contento —contestó Toshiro—. Joseba tenía razón. Ahora ya he pagado todo lo que tenía que pagar, y podré volver tranquilo a Osaka». No se podía saber, en aquella discoteca, en qué tono lo decía; pero seguramente hablaba en serio. «Te dije que pagarías por lo de antes y que además conseguirías un crédito para la siguiente. Y así ha sido.» Pedimos una botella de champán, y Toshiro nos contó que se había hecho el tonto con la policía. Les había repetido mil veces que él pensaba que las hojas eran «programas de fiestas», no propaganda política. Que lo había engañado una mujer que lo abordó a la entrada del astillero. «Les he dicho que a japoneses las mujeres gustan mucho y que ellas les equivocan mucho. Que no era primera vez de engaño. Antes engañado también.»

Pedimos una segunda botella de champán, y volvimos a la pensión bastante achispados. «¡Llama a Masako y dile que te quedas con nosotros, kamikaze!», le dijo Triku eufórico. «El pájaro de Osaka vuelve siempre a Osaka», replicó Toshiro. Repetía, a su modo, una sentencia vasca que Joseba le había enseñado: *Orhiko txoriak Orhira nahi* —«El pájaro de Orhi sueña con Orhi».

A la mañana siguiente, mientras desayunábamos, vimos en el periódico una vieja foto de Papi junto a la imagen de un edificio destruido. El titular anunciaba que trescientos kilos de dinamita habían reducido a escombros el Club Náutico de Bilbao, y que el atentado llevaba la marca de uno de los militantes más peligrosos de la organización.

8

Tal día como hoy, hace veintitrés años, supe que mi madre había muerto.

Joseba, Triku, otro compañero al que llamábamos Carlos y yo estábamos en la *reserva* en la aldea francesa de Mamousine, cerca de Pau. Trabajábamos en una inmensa vaquería junto con otros *émigrants espagnols*, dándole tiempo al tiempo hasta que llegara, en palabras de Carlos, «el momento de continuar la lucha». Papi nos había comunicado por carta que en otoño tendríamos que cruzar la frontera para una acción especial.

La vida que hacíamos en Mamousine desagradaba profundamente a Joseba, y siempre estaba protestando. Recuerdo que una mañana, mientras limpiábamos los establos, perdió la paciencia y se puso a maldecir con tal furia que nuestros compañeros andaluces interrumpieron su trabajo y se quedaron mirándole. Yo quise hacer ver que no pasaba nada, y le reproché que se quejaba injustamente; que el olor del estiércol podía ser tan agradable como el de las rosas. Él me amenazó entonces con un tridente: si volvía a repetir aquello, el frente *estercolista* de nuestro movimiento de liberación iba a tener su primer mártir. Bromeaba, pero expresaba lo que sentía. Estaba muy enfadado. No tanto por el trabajo, por mucho que le disgustase. Ni por Papi, que había enviado a nuestro grupo a aquella vaquería en vez de, por ejemplo, a París. El culpable de su malestar era Carlos, de ahí provenían todos los males. Como se decía en aquella época, había «mala química» entre ellos.

Carlos era muy serio, muy seco, y tremendamente meticuloso. El día que nos lo presentó, Papi dijo: «Con este responsable estaréis seguros. No le gustan las sorpresas. Es capaz de dedicar cinco horas a un pasito de cinco minutos». No exageraba. A Carlos le obsesionaba «la preparación», y una vez terminado su trabajo en la vaquería se encerraba en un cuarto para examinar planos (los de un edificio ministerial de Madrid, por ejemplo) o se ponía a estudiar teoría (recuerdo el título de uno de sus libros: *Consecuencias del colonialismo en el Tercer Mundo*). En el otro extremo, Joseba no dedicaba a las cuestiones políticas o de lucha ni un solo instante. Acababa de descubrir la novela negra norteamericana, y ocupaba todo el tiempo libre leyendo las obras de Ross McDonald, Raymond Chandler o Dashiell Hammet. Además, estaba a punto de publicar su primer libro, con el seudónimo de «Ramón Garmendia». En las reuniones, se ponía a mirar el reloj en cuanto pasaban los primeros veinte minutos, y a partir de ahí mostraba su aburrimiento de mil maneras. Para Carlos, aquel comportamiento era insufrible.

La ruptura sobrevino a finales de julio, cuando llevábamos cerca de un mes en Mamousine. Después de cenar, Carlos solía salir a correr porque, según él, prepararse para la lucha requería en primer lugar «estar físicamente a punto». Aquel día, volvió a la carga y nos exigió a nosotros hacer lo mismo. Le parecía que estábamos flojos. Debíamos hacer ejercicio, salir a correr con él. Joseba empezó a reírse: «¡Sólo nos faltaba eso, después de pasarnos todo el día sacando estiércol!». Se levantó de la silla y abandonó la reunión negando con la mano de forma ostensible. «Yo iría, pero a esa hora me toca trabajar», se excusó Triku. En Mamousine estaba de cocinero. «Perdona, Carlos, pero a mí me parece que Joseba tiene razón. Ya vale con el ejercicio que hacemos normalmente», dije yo, y la postura de Joseba se vio reforzada. «Sois gente de muy poca disciplina», nos reprochó Carlos con gesto brusco. A partir de entonces se volvió todavía más seco, y casi no se acercaba a nosotros. Prefería emplear el tiempo libre en charlar con los emigrantes andaluces, porque, como le gustaba repetir, era necesario conocer «otras realidades sociales».

Todo hacía pensar que los cuatro seguiríamos en aquel ambiente enrarecido hasta que llegara el día de abandonar Mamousine. Pero la primera semana de agosto me sucedió algo raro; algo que, al cabo, cambiaría nuestra situación. No encuentro mejor forma de expresarlo: percibí un cambio en mi personalidad. Me di cuenta de ello un día que, estando con Joseba limpiando marmitas, hice un comentario sin importancia. Me quedé sorprendido, pues las palabras me salieron de la boca tal como las hubiese pronunciado mi madre, como si se me hubiera pegado su deje en vez del bearnés de la gente de Mamousine o el andaluz de nuestros compañeros de la vaquería.

Al principio, no le di mayor importancia. En fin de cuentas, pensaba mucho en mi madre. Sufría por ella. Sabía que se sentía muy deprimida desde el día en que la policía fue a buscarme a Villa Lecuona, por lo que suponía aquella visita y por la brutalidad con que llevaron a cabo el registro. Supe que revolvieron el taller de costura, y que cuando se marcharon quedaron esparcidos por el suelo vestidos, retales, botones, dedales e incluso balas, porque a uno de los guardias se le vació el cargador al caérsele la metralleta. Algunas veces, entraba en una cabina y la llamaba; pero no conseguíamos hablar dos minutos seguidos, ella se echaba a llorar. Aquello era muy negativo para mí, y fui espaciando las llamadas.

Pasaban los días, y el espíritu de mi madre se fue apoderando de mí. Una mañana, al despertarme, quise decir una frase normal y corriente: «Vamos a ver qué tiempo hace hoy». Pero fueron otras las palabras que salieron de mis labios: «Vamos a ver qué tiempo nos ha traído el Señor». Tal como lo hubiese dicho mi madre. Para entonces había notado también otras similitudes. Mis gestos al fumar, por ejemplo: exhalaba el humo como ella.

«Nunca me había pasado nada tan raro», dije una noche a Joseba. Sólo se lo podía contar a él. Triku se lo hubiese tomado demasiado en serio, por su afición a los temas esotéricos. «¿De qué se trata?», me preguntó, dispuesto a prestar atención.

«No sé muy bien qué es eso de los viajes astrales —me dijo cuando acabé de contárselo—, pero, por lo que le he oído a Triku, yo diría que eres víctima de ese fenómeno». No sabía si hablaba en serio o en broma. Seguramente, mitad y mitad: en broma por el tema, en serio porque me veía preocupado.

Aquella noche tuve un sueño. Estaba en un acuario, en la zona de los peces abisales. Alguien dijo: «¿Ves ahí esa sombra? Es un pez que recibe el nombre de *Chiasmodon*. Habita entre las tinieblas del fondo marino». Dejé escapar un suspiro: «¡Tener que vivir así, sin dejar nunca estas piedras pegajosas, sin saber que existen lugares luminosos!». Se oyó la voz de Lubis: «¿Lo dices por la oscuridad? Pero si antes te gustaba, David. Recuerdo tu alegría cuando nos bañamos en el pozo de la cueva de Obaba». Miré, y vi a mi madre al lado de Lubis: «¡Si sólo fuera eso! —exclamó ella—. Pero este hijo mío ha cambiado mucho. Antes quería mucho a su madre. Sin embargo ahora ni siquiera ha venido a despedirse». «No hables así, madre.» «No te reprocho nada, David. Es sólo que me hubiese gustado decirte adiós.» «¿Decirme adiós?» «¿No te lo han dicho, David? He muerto. Pero estoy tranquila. No me voy a quedar siempre en la zona de los peces abisales. Pronto me llevará el Señor al cálido lugar donde habitan el pez payaso y los demás peces de colores. Por eso está Lubis aquí, conmigo. Él me guiará hasta allí.»

«¡Despierta, David!», susurró Joseba, sacudiéndome el brazo. Se bajó de su litera y se sentó a mi lado: «Estabas gimiendo —dijo—. En serio, envidio tu facilidad para soñar. Si acabamos en la cárcel tú te pasarás las noches fuera». «Ha sido angustioso —dije—. He soñado que mi madre estaba muerta».

Se quedó pensativo. «Sólo veo una manera de tranquilizarte —dijo al fin—. Llama a casa y habla con tu madre». «No la puedo llamar desde aquí. Sería peligroso.» Miró el reloj. «Son las seis y cuarto. Si salimos ahora mismo, para las siete y media estarás en una cabina telefónica de Pau.» «¿Sin decirle nada a Carlos?» «Tú verás.» «Vamos», decidí, y nos vestimos a toda prisa para ir a por el viejo Renault que utilizábamos en Mamousine.

Al salir de la habitación nos pareció que había alguien en el baño, y estuvimos vigilantes hasta que se abrió la puerta. Pero no era Carlos, sino un trabajador andaluz llamado Antonio. Joseba tenía bastante trato con él. Le pidió que si veía a *monsieur le patron* le dijera que habíamos tenido que marcharnos, pero que para las nueve estaríamos de vuelta en la vaquería. Antonio asintió, y nos ofreció dos cigarrillos. «Para desayunar», dijo, con la voz ronca de quien se acaba de despertar. Nos pusimos en marcha hacia Pau fumando los cigarrillos.

Cogió el teléfono Paulina, y supe la verdad en cuanto reconocí su voz. No era normal que a esa hora estuviera en mi casa. Las chicas que acudían al taller de mi madre se presentaban en Villa Lecuona hacia las nueve, nunca antes. «Murió ayer por la tarde, David —dijo—. Nos hemos pasado toda la noche llorando». Su voz indicaba que, efectivamente, el llanto había sido largo, agotador. Me hablaba con abandono, pronunciando mi nombre con naturalidad a pesar de los tres años que llevaba sin aparecer por Obaba. «El funeral será a las cinco en la iglesia de arriba.» Cayó de pronto en la cuenta y añadió: «¡Ah, pero si tú no podrás venir!». «¿Cómo ha sido? ¿Estaba enferma?», le pregunté. No conseguía acordarme de la última vez que había hablado con mi madre. «Salió a la terraza al atardecer, como siempre. Tu padre la encontró allí a la hora de cenar. Primero pensó que se había quedado dormida, un poco ladeada en el sillón de mimbre. Pero por desgracia estaba muerta. Le ha debido de fallar el corazón.» «Te lo agradezco mucho, Paulina.»

También aquellas palabras podían haber sido de mi madre. Era su forma de hablar: te lo agradezco, si me permites la indiscreción, si no es mucha molestia… Ella valoraba mucho la cortesía. Pensé que el funeral, a cargo sin duda de don Hipólito, sería hermoso, digno de ella. Se oficiaría —me informó Paulina— a las cinco. Faltaban diez horas.

Mientras volvíamos a Mamousine Joseba no paró de hablar. Por fin sabía a qué nos íbamos a dedicar una vez reincorporados a la vida civil. Abriríamos un despacho como el de la señora Guller —cobrando, naturalmente— y Triku y él se encargarían de buscar clientes mientras yo hacía de médium y adivinaba el futuro a la gente. El parloteo se prolongó hasta que llegamos a Mamousine. «¿Vas a ir?», me preguntó entonces. «Sí. Voy a ir.» Lo había decidido en el momento de la llamada, pero me sorprendí al verbalizarlo. El asunto era grave, contravenía las normas. «Estoy contigo, y así se lo haré saber a Carlos —dijo Joseba—. Vamos inmediatamente donde Monsieur Gabastou». Le di las gracias. Iba a necesitar de su apoyo en el futuro.

Monsieur Gabastou era el propietario de la vaquería, y tenía su vivienda en el centro de Mamousine. *«Bien sûr!»*, exclamó cuando le pedí permiso para ausentarme del trabajo para asistir al funeral de mi madre. Los andaluces, que lo conocían desde tiempo antes, contaban que había luchado en el maquis durante la ocupación nazi. Un hombre recto. Con nosotros siempre se portó bien: nuestro correcto francés delataba que no éramos auténticos emigrantes campesinos;

pero no hacía preguntas. Quizás por simpatía, o sencillamente para ahorrarse complicaciones. «*Allez! Partez tout de suite!*» —«¡Vaya usted! ¡Salga enseguida!»—, nos dijo.

Joseba se atrevió a pedirle otro favor. Le preguntó si no tendrían en casa algún traje oscuro que me pudiera servir, ya que en Obaba no se podía asistir a un funeral vestido de cualquier manera. «Tal vez el de mi hijo André», dijo Monsieur Gabastou, y nos envió a donde su mujer.

«Yo creo que sí —nos respondió Madame Gabastou—. Mi hijo es delgado y de huesos grandes, como usted. Ahora vive en París». Decía bien la mujer. En aquella época estaba delgado, con quince kilos menos que cuando estudiaba en la Universidad. «Su hijo en París, nosotros en Mamousine..., todos los jóvenes andamos fuera de casa», dijo Joseba. La mujer se marchó a por el traje suspirando.

«Está claro que André es tu doble», dijo Joseba cuando me puse el traje. Parecía hecho a medida. Madame Gabastou fue de la misma opinión. Desapareció de nuevo, y volvió con una corbata negra.

Ya en el exterior, Monsieur Gabastou tuvo un nuevo detalle. Me ofreció su Peugeot 505 azulado, un coche respetable. Joseba y yo le dimos las gracias. El vehículo podía serme de gran ayuda al cruzar la frontera. «¡Qué gente tan amable!», dije. «Nada que ver con otros que conocemos», contestó Joseba, pensando sin duda en Carlos.

Al pasar por delante de la vaquería, Joseba fue a buscar algún «complemento», y me colocó en la cara unas gafas de imitación de cristales muy gruesos. «Ponte también esto, a ver qué tal te sienta», me dijo a continuación, vistiéndome un *béret* —una boina— negra. «Perfecto. Nadie te reconocerá en Obaba.»

Joseba miró el reloj. «Son las once. ¿Qué hora ponemos para llamarnos?» «Para la una tendría que estar en el otro lado de la frontera.» Quedé en llamarle a la una y media para comunicarle que me encontraba a salvo. «No llegues demasiado pronto a Obaba», me aconsejó. Puse el coche en marcha, y nos tendimos la mano. Sus dedos rozaron los míos. Éramos algo más que compañeros de lucha, éramos amigos.

Mi madre estaba muy tranquila. Parecía que había cerrado los ojos para escuchar mejor la música del órgano. O para concentrarse en el aroma de las flores. «Aquí estoy», dije. Alguien me puso la mano en el hombro. «Disculpe, pero tenemos que ponernos en marcha hacia el cementerio.» Era don Hipólito. Se disponía a cerrar el féretro. «Por favor», dije, volviendo a levantar la tapa. Me agaché para besar a mi madre. Don Hipólito me observaba, tratando de identificarme. No sé si me reconoció. Quizás sí. Pero no dijo nada. Se dirigió en voz alta a todos los presentes: «Estoy seguro de que su alma se encuentra ya en el cielo, demos gracias al Señor». Todos aguardaban a que la procesión echara a andar. Allí estaban, en primera fila, Genèvieve, Berlino, el tío Juan y Ángel; detrás, en la segunda, Paulina y las otras chicas del taller.

Al salir de la iglesia fui al coche con el propósito de regresar lo antes posible a Mamousine; pero me llegó a los oídos el canto de los miembros del coro, que, como el resto de la gente, marchaban hacia el cementerio —*Agur, Jesusen ama, Birjina Maria*… Adiós, madre de Jesús, Virgen María…— y abrí la puerta del Peugeot del señor Gabastou para poder escuchar mejor. *Agur, Jesusen ama, Birjina Maria*… Era la canción que más le gustaba a mi madre. Soplaba una suave brisa, y traía la melodía; cada vez más débilmente, según se alejaba la procesión.

Corrí hacia el cementerio hasta que oí de nuevo, claramente, la canción: *Agur, Jesusen ama, Birjina Maria*… Luego seguí caminando al ritmo de la comitiva. El paisaje de Obaba me pareció más hermoso que nunca: colinas de un verde fresco, casas blancas. También el cementerio parecía una casa blanca, más ancha y larga que las demás.

Una decena de hombres fumaban cigarrillos junto a la puerta de entrada del cementerio, y me quedé detrás de ellos hasta que finalizó el entierro y los asistentes comenzaron a dirigirse a sus casas, despacio, cada cual con sus pensamientos, en parte tristes por haber sido testigos de una nueva victoria de la muerte, en parte alegres al sentir el calor de sus cuerpos («estamos todavía aquí, en el mundo»). Entre la gente conocida vi, en primer lugar, a Opin y a otros trabajadores de la serrería, seguidos del gerente, el padre de Joseba, que me pareció muy abatido («No se preocupe tanto —le hubiese dicho—, su hijo se encuentra en Francia, fuera de peligro»). Luego surgió, con los ojos llorosos, Adela la pastora, nuestra vecina en Iruain («Dame un abrazo, querida Adela», le hubiese dicho). Le siguió un grupo grande, como si Adela fuera de verdad la pastora y ellos los corderos que habían logrado salvarse. Distinguí entonces a Adrián y a su mujer rumana, y al padre de mi antiguo amigo, Isidro, y a Gregorio, el del hotel; después, casi cerrando el grupo, apareció Virginia, caminando del brazo de un hombre alto (mi madre me lo había contado por teléfono: «Virginia se va a casar con el nuevo médico de Obaba»). Llevaba un vestido morado, muy sobrio, hecho seguramente en Villa Lecuona, y estaba un poco pálida. Un rato después pasaron Victoria y Susana con dos hombres que no conocía, y luego los miembros del coro de la iglesia, que seguían cantando, pero muy bajo: *Agur, Jesusen ama, Birjina Maria*...

El grupo de hombres que fumaban en la puerta del cementerio se dispersó, y quedé expuesto a las miradas de los que salían. Iba a marcharme cuando apareció Paulina. Dos compañeras del taller la sujetaban de ambos brazos.

No lloraba, pero parecía a punto de desmayarse. Comprendí de pronto que, desde el día de mi desaparición, ella había sido una hija para mi madre. Gracias a ella, los últimos años de mi madre no habían sido del todo solitarios y tristes.

Observaba todavía a Paulina cuando salieron Berlino y Geneviève acompañados por la hija del coronel Degrela. Al verme allí solo, los tres me miraron, y tuve miedo de lo que pudiera estar pensando Berlino detrás de sus gafas verdes. Me quité la boina que me había dado Joseba y entré en el cementerio. Giré la cabeza: los tres seguían caminando con normalidad; Berlino con la espalda doblada, como un viejo.

No era difícil reconocer la tumba de mi madre. Rebosaba de flores y, al lado de las demás, parecía luminosa. Ángel y el tío Juan estaban allí, con la cabeza baja, inmóviles como figuras de piedra. No tuve valor para acercarme, y me desvié hacia donde se hallaba enterrado Lubis, mi buen amigo.

Su tumba también estaba adornada, alguien había colocado flores silvestres sobre la lápida. «¿Qué tal estás, Lubis?», susurré al acercarme. «¡Cómo quieres que esté!», gritó un hombre sentado en el suelo, y la sorpresa me hizo dar un paso atrás. «Era mi hermano, y esos cerdos lo mataron.» Pancho había engordado, y estaba casi calvo; pero su voz era la misma. Pensé que también mi voz sería la misma. No podía decirle nada. «¿Te parece mal que las ponga? —dijo Pancho señalando las flores silvestres—. Mi madre quiere que esto esté limpio y cuidado. Si no te gusta, te fastidias». Me marché sin decir palabra.

Ángel se encontraba ahora solo ante la tumba. Me dije que no me convenía cruzar la frontera en plena noche, que los controles eran más rigurosos a deshoras; pero seguí acercándome. Ángel estaba llorando. Me vino a la memoria la carta que encontré una vez en Villa Lecuona: «Mi querido

Angelcho: no podría aguantar en este restaurante si no fuera por todas las cosas bonitas que me escribes...».

Era extraño estar allí, entre los muros del cementerio, rodeado de los que ya habían vivido. Ellos estaban en paz. Y yo también quería estar en paz. «He venido», dije. Le llevó tiempo identificar a la persona que le hablaba. Me miró de arriba abajo, con los ojos muy abiertos. «Pero... ¡David! Tú aquí...» Gesticulaba, pero no le salía ninguna palabra de la garganta. Lo abracé. Él respondió a mi abrazo.

Llegué a Mamousine a la hora de la cena, y Madame Gabastou me regaló una bandeja de tartaletas de frambuesa después de preguntarme por el funeral. «Las puedes comer con esos amigos que han venido a visitarte», me dijo. No la entendí. «Ese chico tan amable que te acompañaba esta mañana nos ha dicho que han venido unos amigos a darte el pésame.» Me cambié rápidamente de ropa y salí hacia la vaquería. *«Les tartelettes!»*, me llamó Madame Gabastou desde la puerta de su casa. Se me habían olvidado. Volví a darle las gracias antes de marcharme.

Había una pareja en la entrada de la vaquería, y nada más verme me indicaron que me dirigiera a la casa donde nos alojábamos. Allí, en el amplio zaguán donde se guardaban los aperos, me esperaba Carlos. Dio tres pasos hacia mí y le dio un manotazo a la bandeja. Las tartaletas de frambuesa quedaron esparcidas por el suelo. «¡Nos has puesto a todos en peligro!», me gritó. Agarré un tridente que colgaba de un gancho. «¿Qué quieres? ¿Que te clave esto?», le dije. Tal como me venía sucediendo aquellos días, mi tono de voz me pareció el de otra persona. No el de mi madre, en esta ocasión, sino el de Ángel. Pensé que también Ángel estaba dentro de mí, que nunca había dejado de estarlo. Aquel pensamiento me distrajo, y Carlos aprovechó para coger otro tridente.

424

Apareció un tipo de pelo blanco, con aire de artista, y se puso en medio de los dos. «Me dan ganas de sacaros una foto para repartirla entre los militantes más jóvenes —dijo, echándose a reír—. Así podrán conocer en qué fase se encuentra la lucha armada». Nos quitó los tridentes. «Ya está bien, Carlos. ¿A quién se le ocurre tirar al suelo lo único que tenemos para cenar?» Cogió la bandeja y empezó a recoger las tartaletas. Carlos se puso a ayudarle. «Esta gente me saca de quicio, Sabino —dijo con humildad—. Si quieres, podemos preparar algo para cenar. Triku cocina muy bien». «No te preocupes, Carlos. Tenemos un poco de prisa —le contestó Sabino—. A ver si terminamos pronto con este asunto y nos podemos marchar». Me hizo una seña y los dos nos dirigimos al piso de arriba. «Espera en el pasillo», me dijo, y se metió en el dormitorio donde estaban nuestras literas.

Desde el fondo del pasillo me llegó el murmullo de una conversación, y al acercarme encontré a Joseba con Antonio. Estaban fumando, había mucho humo en la habitación. Antonio me estrechó la mano: «Le acompaño en el sentimiento. Esta mañana no lo sabía». Le di las gracias. «Fume usted», me dijo, ofreciéndome el paquete de tabaco. «Estábamos hablando de la muerte —me informó Joseba—. Dice Antonio que él no le tiene miedo». «¿A la muerte? ¿Miedo? ¡Ninguno!», exclamó Antonio.

Era un hombre delgado, de mirada inteligente. Empezó a contarnos anécdotas de su vida. Había sido pastor desde niño, desde los ocho años. Él y su hermano habían tenido que vérselas con lobos muchísimas veces. Pero a pesar de todo se ponían a cavilar sobre cómo vivían ellos y cómo vivía su padre, y se sentían felices. Porque su padre trabajaba en las minas de Riotinto. «¿Saben ustedes lo que es el azogue? Es el peor mineral que hay. Los hombres tienen que trabajar desnudos por el calor, y si se les cae una pizca encima les abrasa la piel.» Le confesamos nuestra ignorancia, y nos explicó la historia de aquellas minas. Sus propietarios eran ingleses. «Y los capitalistas ingleses son asquerosos. Gente sin corazón. Se lo digo yo —lanzó un suspiro—. Ese compañero suyo, Carlos, nos habló de lo mucho que han pasado ustedes los vascos. Pero los andaluces tampoco lo hemos pasado muy bien que digamos». Estuvimos de acuerdo, y Joseba le preguntó por la familia. Antonio sonrió, por primera vez durante toda la conversación. Nos dijo que había tenido suerte, le había tocado una buena mujer. No oí lo que dijo a continuación. Sus palabras me llevaron al cementerio de Obaba. El día estaba a punto de acabar, nunca más vería a mi madre.

«Venid aquí», nos indicó Sabino desde la puerta. Apagamos los cigarrillos. «A ver si seguimos charlando otro día», nos dijo Antonio, y Joseba le dio unas palmadas en la espalda. «¿Qué sabemos de Papi?», me preguntó al oído. «Ni rastro.» Su cara reflejaba preocupación. «Adelante», nos dijo Sabino. Entramos en nuestro dormitorio. Había una chica de mi edad mirando por la ventana. No la conocíamos, y me inquietó. Y a Joseba más que a mí. «¿Dónde está Papi?», preguntó. Sabino le respondió con rapidez: «Papi no ha venido. Dice que se pondría muy sentimental porque vosotros sois sus discípulos más queridos, y que prefiere dejar el castigo en nuestras manos». La chica de la ventana permaneció inmóvil, sin mirarnos. «Ya basta, Sabino», dijo Papi. Estaba oculto tras las literas de la habitación, inclinado ante una mesilla, escribiendo. Tenía el pelo peinado hacia delante, y llevaba lentillas en vez de gafas; pero sus ojos eran los mismos de antes, pequeños, dos meros resquicios. «Hablad vosotros con Carlos», dijo a Sabino y a la chica. Sentimos un gran alivio.

Papi nos estrechó la mano. «Preparad vuestras bolsas —nos ordenó—. Iréis mañana mismo a Biarritz. Estaréis allí hasta que os llamen para cruzar la frontera. Os vais a encargar de una acción». «Te estás ablandando, Papi —dijo Joseba—. No nos has dado las buenas tardes, pero te has levantado de la mesa antes de dirigirnos la palabra». Se estaba recuperando del susto, su cara tenía mejor color. «Que sea la última vez», dijo Papi con su voz suave. Llevaba un niki de la marca Lacoste de color verde claro y manga corta; los pantalones eran de color beige y planchados con raya; los zapatos, unas sandalias de cuero. No resultaba fácil atribuirle un oficio o un estatus determinado, pero, en cualquier caso, parecía alguien de por allí, una persona de confianza. «Si volvéis a actuar así no contéis con mi ayuda», nos advirtió. Le dimos las gracias. «Esa acción que tenemos que llevar a cabo, ¿es difícil?», preguntó Joseba. Papi nos entregó el papel que tenía en la mano: «Aquí tenéis las instrucciones». Entre otras notas, en el papel figuraba el nombre de un pueblo del Mediterráneo. «La campaña de verano», dijo Joseba. «Iréis los tres. Lo ideal sería que Triku consiguiera trabajo en la cocina de un hotel.»

Papi empezó a bajar las escaleras, nosotros le seguimos. «¿Puedo probarlas?», nos dijo en el zaguán. Las tartaletas de frambuesa estaban sobre una repisa, más revueltas que cuando las traje, pero sin que a primera vista faltara ninguna. Papi salió de la casa con una de ellas en la mano.

Fui a buscar a Triku. «Nos marchamos», le dije. Él me dio un abrazo: «Siento mucho lo de tu madre. No has cumplido las normas, pero ya me gustaría a mí verle a Carlos en tu lugar. ¿Qué haría él si le dijeran que su madre ha muerto?». Le respondí sin pensarlo: «Saldría a hacer *footing*, seguro». Triku se echó a reír. «Vamos a recoger nuestras cosas. Joseba nos estará esperando», dije.

Al volver a la casa, encontramos a Joseba en la habitación al fondo del pasillo con Antonio. Habían colocado la bandeja con las tartaletas y otras provisiones —queso, pan, una lata de foie— sobre una maleta vieja. «No nos podemos marchar sin una cena de despedida —dijo Joseba—. ¿Por qué no traes algo de la cocina, Triku? Y que no falte un poco de vino». Se frotaba las manos, disfrutando ya del banquete. Triku me dio un codazo: «Mira qué contento está desde que se ha enterado de que va a perder de vista a Carlos». Joseba le arrojó una frambuesa. «Calla y vete a la cocina.»

La cena puso fin a aquel día, tan largo, tan decisivo. Una semana después la policía nos detuvo en el expreso que nos llevaba a Barcelona, y nos metieron en la cárcel. Pero no por mucho tiempo: recuperamos la libertad catorce meses después, gracias a una amnistía.

He escrito las líneas de hoy sin fatiga alguna. Me ha impulsado el recuerdo de mi madre; me ha impulsado lo que me confesó Joseba: que los textos que leerá pasado mañana en la biblioteca se basan en recuerdos de nuestros tiempos de militancia. He pasado todo el día delante de mi ordenador blanco.

Mary Ann y Joseba también han trabajado duro. Han estado preparando los textos para la lectura en el club hasta pasadas las tres de la tarde. Luego han ido al aeropuerto de Visalia a buscar a Helen.

9

El día ha comenzado con una llamada de Liz y Sara. «Te quiero mucho, *daddy*», ha dicho Liz. «Yo también te quiero», le he contestado. «¿Sabes? Mamá nos ha dado permiso, y queremos saber si tú también nos lo das.» «¿Permiso para qué?», he preguntado, aunque era fácil adivinarlo. «Nuestros amigos nos han invitado a quedarnos una semana más en Santa Bárbara, y a nosotras nos parece que no es mala idea.» «¡Ajá! Ahora entiendo tu declaración de amor», he dicho, poniendo voz de personaje astuto. «Si no nos das permiso te querré igual, *daddy*.» Claro, sabía que la respuesta iba a ser afirmativa. «¿Está por ahí nuestra pequeña Sara?» «¿Y el permiso?» «Si a mamá le parece bien, a mí también.» Han sonado gritos de júbilo al otro lado del teléfono. «*Egun on, aita*» —«Buenos días, papá»—, ha dicho Sara poniéndose al teléfono. A ella le gusta la lengua de su padre. «¿Tú también me quieres mucho?», le he preguntado. «Ayer estuvimos con las cometas en la playa», ha dicho pasando por alto mi pregunta. He visto su imagen a orillas del mar, con el bañador verde, sujetando los hilos de su cometa. Ha prolongado su explicación durante dos minutos, y luego ha cortado la comunicación abruptamente, con un apresurado adiós.

Hablar con Liz y Sara me ha dado aliento, y me he reunido con Joseba, Helen y Mary Ann en el porche para un desayuno *old style*. Estábamos acabando cuando el teléfono ha sonado por segunda vez. Algo me ha dicho que la llamada era del hospital, y así ha sido. «¿Qué tal se encuentra últimamente?», me ha preguntado el doctor Rabinowitz. Le he explicado que me siento bien, mejor que durante los meses pasados. «Ayer y anteayer, por ejemplo, estuve casi todo el día trabajando en el ordenador, y apenas sentí cansancio.» «Magnífico», ha dicho el doctor. Me he quedado esperando. «¿Qué le parece el día 23 para la intervención?», ha preguntado. «¿En qué cae?» Evidentemente, me daba igual, pero el grillo que habita dentro de mi cabeza se ha puesto a chillar en cuanto ha oído la palabra *intervención*, y no se me ha ocurrido una pregunta mejor. «Es lunes», me ha respondido. Le he dicho que me parecía bien, y que no se preocupara, que acudiría a la cita con ánimo. «Claro que sí. Entonces, el 23. Ya sabe, le ingresaremos la víspera.» «¿Tengo que ir en ayunas?» «No es necesario, Mr. Imaz.»

He dejado pasar un tiempo antes de volver al porche, pero no he podido engañar a Mary Ann. Enseguida se ha dado cuenta de todo. «No os preocupéis —ha dicho luego Helen—. Estas operaciones se hacen a diario en todo el mundo». «No estoy especialmente preocupada», ha dicho Mary Ann. Pero en North Cape apenas había luz.

Me he retirado a mi despacho para poner al día la contabilidad del rancho, y para estar solo. Apenas he trabajado, y he tenido una sensación que casi no recordaba: mi mirada se detenía en una piedra, en una rama, en una nube, y tenía que obligarla a levantarse —como se obliga a un perro perezoso— para que fuera en busca de otras cosas. Por un momento, con espíritu más propio de Triku, me he puesto a buscar señales, y he pensado que sería un buen augurio ver aparecer en el aire la mariposa del otro día. Pero no ha ocurrido. He pensado entonces que soy distinto a Triku, y que las señales, sean buenas o sean malas, me resultan indiferentes.

Al mediodía, Joseba se ha acercado al despacho. Me ha anunciado que Mary Ann y Helen han decidido preparar una barbacoa «en la orilla del río infestado de serpientes», y que él era el encargado de transmitirme la buena nueva. Le he dicho que el fusil de Juan se encuentra en una caja del sótano, y que podía hacer uso de él para acabar con las serpientes. Se ha cruzado de brazos, como solía hacerlo Toshiro. «Creo que yo haré eso con muchísimo gusto, camarada. También yo siento odio contra revisionistas tercera internacional. Soy orgulloso trotskista.»

Me ha comentado que Mary Ann y él tienen ya casi preparada la lectura de pasado mañana. Mary Ann se encargará de leer los textos, porque a él le resulta muy difícil hacerse entender leyendo en voz alta en inglés. Se limitará a las introducciones. «Ya sé que has elegido la historia de Toshiro», le he dicho. «No puedo comentar. Lo siento, camarada.» Ha saludado a la manera japonesa y me ha pedido que le acompañara.

10

A veces somos como muñecas rusas. A la primera y más visible de nuestras efigies le sigue una segunda, y a la segunda una tercera, y así sucesivamente hasta llegar a la última, la más secreta. Me percaté de ello por primera vez con Geneviève, después de la enfermedad de Teresa. No parecía la persona que yo había conocido, sino otra más pequeña, más encogida. Y me volvió a pasar con César, el profesor de ciencias, cuando me confesó que su padre había sido fusilado.

Me pregunto cuántos *josebas* hay, si será también él una especie de muñeca rusa. Le conozco, por lo menos, dos personalidades. Dependiendo de con quién esté, pone una voz u otra, muestra un ánimo distinto. No habla igual conmigo que con Mary Ann o Helen. Y el cambio no se debe solamente al idioma.

Esta tarde estaba en el despacho, terminando las cuentas que empecé ayer, y por la ventana me llegaban sus palabras. Daba explicaciones a Mary Ann, Helen, Donald, Carol y a otros tres o cuatro miembros del Book Club sobre «la cuestión vasca» y «el fin del terrorismo».

He cerrado los ojos para analizar mejor su tono de voz, intentando determinar, como si de un líquido se tratara, la composición que tenía en ese momento. Me ha parecido distinguir cuatro componentes: convicción —en un treinta o treinta y cinco por ciento—; desesperanza —veinte por ciento—; intimidad —diez por ciento— y sinceridad. Lo que decía resultaba extremadamente convincente. Era, sin duda, un tercer *joseba*. No el de Obaba, ni el que formó parte de la organización, sino otro que ha salido a la superficie durante estos últimos años: «El de la palabra ligera», el que no quiere hablar con franqueza y se vale de tramas y metáforas.

«¿Habéis visto alguna vez esas enormes bolas de acero que cuelgan de una grúa y se usan para derribar edificios?», ha dicho en su inglés vacilante. «La grúa alza la bola, y luego la deja caer sobre el edificio. Es exactamente lo que ha pasado en el País Vasco. Sólo que allí la bola ha quedado fuera de control.»

Ha surgido un murmullo, pero nadie quería interrumpir la explicación. La voz de Joseba ha cambiado ligeramente, y su componente de intimidad ha alcanzado al menos un veinte por ciento, se ha duplicado. Ha mencionado entonces a Franco y a Hitler, diciendo que anduvieron del brazo, y que el bombardeo de Gernika —«primero de la historia contra civiles»— fue una de sus hazañas. «Entre los muertos de aquel día estaban, por poner un ejemplo, los abuelos y dos tías de un amigo mío llamado Agustín, y ya me diréis qué cabía esperar de Agustín con ese precedente, y en un ambiente político en el que hasta las lápidas en lengua vasca estaban prohibidas.»

Joseba ha seguido explicando que los peones de la dictadura militar, llevados por su odio a la gente del País Vasco, habían colocado la bola de acero muy alta, y que así había empezado todo. Con los años —«Es imposible conducir la bola de acero por donde uno quiere»— los que habían sido víctimas se convirtieron en verdugos, y por ejemplo otro amigo, que además había sido profesor suyo —«su nombre es César»—, estaba amenazado de muerte por ser del partido socialista, nada más que por eso, a pesar de que se trataba, sin duda, de una persona buena, progresista y demócrata.

Mi cuerpo ha reaccionado con más rapidez que mi cabeza. Antes de darme cuenta ya estaba fuera del despacho, en una esquina del porche. «¿No os ha hablado David del País Vasco?», ha preguntado Joseba al verme. Donald ha sonreído con malicia: «Circula por ahí un libro del que se imprimieron tres ejemplares, pero está en vasco, y yo no soy capaz de entenderlo». Igual que Mary Ann, Donald querría que yo fuera escritor. Al ver mi memorial se enfadó un poco conmigo por utilizar «una lengua que nadie entiende». Mary Ann le ha dado con el codo. Él ha entendido el aviso y no ha continuado.

El tono de Joseba ha cambiado al dirigirse a mí. Su firmeza ha aumentado, su desesperanza también. «No te conté lo de César por no deprimirte», me ha dicho. «¿César, amenazado? ¿Cómo es posible?», he exclamado. «Así están las cosas, David.» Me he sentado con ellos, aunque no quería. Lo he hecho de forma automática.

Carol ha pensado que seguíamos con el asunto de mi libro. «David, ¿cuándo vas a leer algo para los socios de nuestro club? No conocemos ningún trabajo tuyo», ha dicho. «Eso no es exacto —le ha contestado Mary Ann tratando de evitar el tema del memorial—. Todos leísteis el cuento que publicó en la recopilación de Visalia». «¿La historia del primer americano de Obaba? —ha recordado Carol—. ¡Pero yo me refiero a trabajos nuevos!». «A mí me gustó mucho aquella historia», ha añadido Donald. Tanto él como Carol son muy tenaces. La situación era bastante absurda.

Cuando nos hemos quedado solos, Joseba me ha pasado el brazo por el hombro. «¡No seamos niños, David! ¡Era evidente que las cosas acabarían así!» «Puedo entender que Berlino estuviera amenazado, pero… ¿César? Es muy mala señal.» «No empieces con las señales, como Triku.» He notado algo más de resignación en su tono de voz: «Yo soy el mensajero, David. No es culpa mía. Además, nosotros ya pagamos lo nuestro».

Ha vuelto a cambiar de tono, y por un momento ha vuelto a ser el *joseba* histriónico que hace reír a Mary Ann o a Efraín: «Aunque, la verdad, pagamos poco. Un año en la cárcel y llegó la amnistía. Qué suerte, ¿verdad, David?». «¿De qué estás hablando, exactamente?», le he preguntado. «Pienso en el tema principal de la lectura: la traición —ha dicho—. Pero dejemos este asunto. Te lo ruego, camarada». Luego me ha repetido que se siente incapaz de hablar francamente, y que no hay nada que le ponga más nervioso que el tono confidencial. «Sólo me puedo confesar ante un público amplio —ha seguido, sin darme oportunidad de contradecirle—. Por eso no he ido nunca al psiquiatra. Necesitaría veinte psiquiatras delante para decidirme a hablar, veinte como mínimo. Los derechos de autor no dan para tanto». Ha continuado así hasta que nos hemos vuelto a juntar con Mary Ann y Helen.

11

Hoy ha tenido lugar la lectura. Nos hemos reunido unas cuarenta personas, más o menos como de costumbre, y a Joseba lo he visto muy serio cuando ha entrado en la sala. Llevaba una chaqueta de color marrón rojizo y una camisa blanca. Mary Ann se ha puesto el vestido gris perla. La presentación, a cargo de Donald, ha sido muy breve, y Joseba ha entrado inmediatamente en materia después de agradecer al público su asistencia con un *thank you for coming*. Ha hablado del País Vasco, y ha aludido al *Guernica* de Picasso por tratarse de una referencia conocida para todos. «David y yo somos de allí, de Gernika. Nacimos muy cerca de esa ciudad.» A nueve mil kilómetros de distancia, la afirmación podía considerarse exacta.

A pesar de su acento, su exposición ha sido clara y el público le ha aplaudido. Mary Ann se ha acercado entonces al atril para presentar los primeros textos. «Se trata de tres relatos breves, o, mejor dicho, de tres confesiones.» Joseba ha debido de tomar conciencia de los nueve mil kilómetros largos que lo separaban del público, porque ha vuelto a acercarse al micrófono para añadir algunos datos: «Quizás haya que recordar aquí, en Estados Unidos, que la guerra en el País Vasco no acabó con el bombardeo de Gernika; de una manera u otra, el conflicto se prolongó. Tanto es así, que muchos de los jóvenes que a finales de los sesenta decidieron tomar las armas se consideraban en guerra contra el estado español. Los relatos que van a escuchar a continuación tienen como protagonistas a tres de aquellos jóvenes. Tratan de algo que les ocurrió a finales de la dictadura. Algo bastante especial». Joseba me ha dirigido una sonrisa, y ha añadido en su irregular inglés: *I'm sorry for this tricky way to create suspense* —«Perdón por esta tramposa forma de crear suspense»—. Los socios del Book Club han sonreído.

He esperado la lectura de los textos con nerviosismo. Imaginaba a qué se refería Joseba con aquello de *bastante especial*. Gladys, que con ochenta años es el miembro de más edad del club, ha reparado en el continuo movimiento de mi pie. «Como siga así su zapato va a salir volando, David», me ha dicho con una pizca de burla. Cuando le he pedido excusas, ha añadido: «Por mí no se preocupe. Hace tiempo que los zapatos voladores no me dan miedo». Se parece un poco al General Sherman. Su vida ha sido larga, y ahora está en calma.

El público ha aplaudido calurosamente los relatos de Joseba. Tanto las confesiones como el dedicado a la nieve o el texto de Toshiro. Después, durante el coloquio, Joseba ha recuperado su humor habitual. «¿Cree usted que para ser escritor hace falta un don especial?», ha preguntado un miembro del club. «En mi caso, no. A mí me ocurre lo que al burro del cuento: hago sonar la flauta por casualidad. En realidad, soy un burro. Un burro que escribe.» La gente se ha reído.

Hacia las siete hemos tomado una cena ligera en el porche de la Biblioteca. Para las nueve estábamos en el rancho.

Antes de acostarme he encendido mi ordenador blanco y he encontrado un mensaje de Joseba en el buzón del correo electrónico. Me enviaba los relatos que hemos escuchado en la Biblioteca. «Para que puedas analizar más detenidamente mi verdad», decía. «No creas que me ha sorprendido conocerla —le he contestado—. En todo caso, leeré los relatos y te daré mi opinión».

«¿Qué tal lo has pasado, David?», me ha preguntado Mary al acostarnos. Está preocupada. Teme que actividades como la de hoy, que ella y sus amigos han promovido sin otro afán que el de entretenerme, resulten contraproducentes para mi salud. «Por una parte ha sido duro —le he dicho—. Parece que no hay manera de librarse del pasado. Sacamos la mosca de la sopa, y en cuanto nos descuidamos ahí la tenemos otra vez. Pero también me ha producido alegría. Tú ya sabes por qué». «No, no lo sé», me ha dicho con un beso. «Porque he podido comparar mi vida de entonces con la que he disfrutado después de encontrarte a ti.» Le he devuelto el beso.

Tres confesiones

I

CONFESIÓN DE TRIKU

Todo iba bien, pero inesperadamente algo se torció, y nos pasó entonces lo que a las naves espaciales cuando pierden alguna pequeña pieza, que al principio apenas notamos nada, y que de pronto un día, antes de darnos cuenta, ya estábamos fuera de órbita. Es triste ver desintegrarse a los astronautas en esas naves tan blancas y bonitas; más triste aún ver cómo aterriza lentamente una nave sabiendo que los pilotos están muertos, asfixiados en sus cabinas antes de tomar tierra. Esa segunda opción, la más triste, fue la nuestra. Ramuntxo, Etxeberria y yo, compañeros de un grupo revolucionario, terminamos asfixiados entre las mentiras y los rumores inventados por la policía, en lugar de caer destrozados por una bomba o fulminados por una bala.

Nos habíamos ocultado en una pequeña aldea francesa llamada Mamousine, pero no nos sentíamos muy cómodos por culpa del nuevo responsable que Papi había elegido para nuestro grupo, Carlos. A nosotros no nos gustaba. Carlos era, desde luego, un militante ejemplar, un auténtico militar, un camarada al que cualquier organización hubiese dado la bienvenida. Se contaba que, siendo todavía legal, había colocado cinco bombas en una sola noche, y sin ayuda de nadie. Pero tenía un carácter muy estricto, de una seriedad excesiva; nunca bromeaba ni se reía. No se concedía un momento de descanso.

Aquella actitud le resultaba especialmente insoportable a Etxeberria, porque su temperamento era justamente el opuesto, muy anárquico. En las reuniones comenzó a meterse con Carlos y a llamarle «Super», de «supermilitante»: «Como nos ha contado Super», «aunque Super no comparta mi opinión» y así todo el rato. Como era de esperar, el apodo no le hizo ninguna gracia a Carlos, lo que motivó la primera discusión. Y a la primera le siguieron muchas otras; cada vez era más evidente que no se soportaban.

Un día de aquellos, Carlos nos advirtió que era nuestro deber hacer gimnasia y *footing*, y que Ramuntxo y Etxeberria tenían que dejar de fumar, porque de un militante que no estaba en forma sólo cabía esperar problemas. Etxeberria se negó en redondo, y se marchó de la reunión. Eso irritó a Carlos y, a falta de Etxeberria, empezó a meterse conmigo: tenía que dejarme de supersticiones y desechar de una vez el trozo de tela que solía coser en la parte interior de la camisa. También yo le planté cara: «Por si no lo sabes, esa tela es un recuerdo sagrado del bombardeo de Gernika». «¿Un recuerdo sagrado, dices?», me reprochó Carlos airado. «¡Mira a este revolucionario! ¡*Sagrado*, dice!», exclamó a continuación, buscando la complicidad de Ramuntxo. Pero, claro, Ramuntxo se puso de mi lado. Además de compañeros de organización, éramos amigos. Le dijo, con toda seriedad: «Deberías mostrar más respeto hacia un compañero que perdió a la mitad de su familia en Gernika». «¡Con vosotros es imposible!», gritó Carlos.

Desgraciadamente, las estrellas no estaban a nuestro favor. No había transcurrido una semana desde aquella agria reunión cuando murió la madre de Ramuntxo. Fue a Pau con Etxeberria; se le ocurrió llamar a casa, y le dieron la noticia. Pudo ser por azar, tal vez por telepatía: los músicos son muy buenos telépatas, en especial los acordeonistas. Al mediodía,

Carlos se presentó en la cocina y, sin decirme una palabra, se fue hasta el cajón donde yo guardaba las pistolas. Al ver que las metía en una bolsa le pregunté qué pasaba. «Algo muy grave», me contestó sin mirarme a la cara. O mirándome, pero sin verme. Sus pensamientos estaban en otra parte. Se dirigió a la puerta de la cocina llevándose las pistolas consigo, pero me planté ante él y le impedí la salida. «La mía la necesito yo», le dije. Por mucho que fuera el jefe del grupo, no tenía derecho a quitarme el arma. Dudó por un instante, pero al final la sacó de la bolsa y la dejó encima de la mesa. «Es ésta, ¿no?», dijo con aspereza. «Quiero saber lo que ha pasado», le respondí. Entonces me contó que Ramuntxo se encontraba al otro lado de la frontera, que se había marchado al funeral de su madre sin pedir permiso, y que pagaría cara su traición. Oír la palabra «traición» me asustó: era algo que la organización no perdonaba. «No es traición —dije—. En todo caso, irresponsabilidad. ¿Qué opina Etxeberria?». Me miró con ojos escrutadores: «¿Con quién estás tú?». «Por ahora no estoy con nadie», contesté. Se marchó dando un portazo. Nuestra nave espacial se encontraba ya fuera de órbita.

Fue Papi el que salvó a Ramuntxo y Etxeberria. Cuando lo vi llegar a Mamousine sentí un gran alivio. Él siempre ha asegurado que somos sus compañeros más queridos y que tiene una gran deuda con Ramuntxo por habernos escondido en Iruain cuando estábamos rodeados por los guardias. Ya podía Carlos gritar y vocear hasta ponerse ronco, que no conseguiría castigar a mis dos amigos: donde hay patrón no manda marinero.

Papi vino a la cocina después de hablar con Carlos, y se puso a mirar los libros de recetas que tenía en una balda de la cocina. «¿Qué hacemos, Triku?», me preguntó transcurridos cinco minutos largos. «Dime tú lo que has pensado y así acabamos antes», le contesté. Me habló entonces de volver a la acción. Era la única salida. De lo contrario, Ramuntxo y Etxeberria tendrían que recibir su castigo. «Iré con ellos —decidí rápidamente—. Llevamos tiempo juntos, y me gustaría seguir igual». «Es lo que quería saber», dijo Papi, devolviendo a la estantería el libro que tenía en la mano.

Noté que nuestra nave espacial empezaba a cambiar de rumbo. En adelante, tendríamos que pasar por lugares peligrosos, pero seríamos la tripulación de siempre. No habría pilotos extraños entre nosotros. Aquella noche, cuando Etxeberria me pidió que eligiera el mejor vino de la cocina y cenamos por última vez en Mamousine, sentí una alegría muy intensa. Luego, antes de acostarme, cosí el recuerdo de Gernika en la parte interior de mi camisa preferida. La opinión de Carlos me traía sin cuidado. El contacto con el trozo de tela era importante para mí. Me recordaba los motivos de la lucha. Además, me daba buena suerte.

Pero no hubo tal suerte, no hubo cambio de rumbo. Las cosas siguieron torciéndose. Ramuntxo estaba muy afectado por lo de su madre, y cuando le pedimos que cogiera el acordeón él se negó con tanta vehemencia que se nos hizo difícil insistir. De todas formas, volvimos a pedírselo. Le dijo Etxeberria: «El acordeón nos vendría mejor que nunca. Ten en cuenta que tenemos seiscientos kilómetros hasta Barcelona, y que debemos ir en tren. Si vamos cantando y con música nos tomarán por tres chicos alegres que van de fiesta». Ramuntxo contestó malhumorado. Llevaría el acordeón si lo considerábamos necesario, pero quería que le dejáramos en paz. No tenía ánimos para hablar.

En el tren volvió a enfadarse. En el compartimento nos acompañaban dos borrachos que se acercaron atraídos por la música. No hacían más que pedirle canciones de moda, y Ramuntxo se inquietaba porque no sabía qué canciones estaban de moda en España. «¿Y aquella que cantaba Antonio? *Eva*

María se fue buscando el sol en la playa…», dijo Etxeberria, canturreando. «*Con su maleta de piel y su bikini de rayas*», continuó uno de los borrachos. «¡Toca ésa, sí!», le apoyó el otro, poniéndose a bailar. «¡Ya vale!», cortó Ramuntxo, y devolvió el acordeón a su estuche.

La hora siguiente la pasamos callados, hasta los borrachos parecían haberse calmado. En un momento dado, el tren redujo su velocidad, y uno de los borrachos se asomó a la ventanilla. «Estamos llegando a Zaragoza», dijo. Y el otro: «También aquí hay mucho rojo». Me extrañé al oír aquellas palabras. O tal vez me extrañé poco después, al ver que los dos supuestos borrachos nos apuntaban con sus pistolas. Yo llevaba la mía en la bolsa. Me puse nervioso, no sabía qué hacer. De pronto, Ramuntxo dio un golpe en la mano al policía que tenía delante —porque, claro, eran policías—, y su pistola cayó al suelo. Me agaché por puro reflejo e intenté coger el arma. Pero no pude. Para entonces había tres hombres más en el compartimento. Eran jóvenes y atléticos, seguramente guardias especiales. Uno de ellos me dio un golpe de karate en el cuello que me dejó el brazo tonto, sin fuerzas. Era 19 de agosto, sábado. Después de casi cinco años en activo, nuestro grupo acababa de caer.

No sé adónde nos llevaron, porque nos pusieron un saco en la cabeza para que no pudiéramos ver nada. Lo seguro es que no nos quedamos en Zaragoza, porque viajamos en coche durante tres o cuatro horas. Puede que nos llevaran a Madrid. O a San Sebastián. En el trayecto me trataron a patadas. Intentaba por ejemplo pedir agua, y antes de terminar la frase recibía una patada en el costado o en la cabeza. Una de las patadas me dejó atontado. «Cállate, Triku», me pidió Ramuntxo, y recibió una patada por ello.

Cuando me quitaron el saco, me encontraba en una habitación vacía. No tenía ventanas, tan sólo un fluorescente en el techo. Había tres policías conmigo, no muy jóvenes. Me llevé con disimulo el brazo izquierdo al costado, como para rascarme, y sentí una gran alegría al notar que el trozo de tela de Gernika seguía en el interior de mi camisa. Traje a mi mente las casi dos mil personas que mataron en el bombardeo, en especial a mis dos tías, que entonces eran niñas, y me armé de valor para la paliza. Lo que más me asustaba eran los zapatos con punta de acero; que algún policía tuviera zapatos con punta de acero, como los del criminal Melitón; pero pronto supe que no. Las patadas no me producían heridas.

Tras la sesión de patadas y golpes, me colocaron contra la pared, firme, sin flexionar las rodillas, y comenzaron a golpearme sobre una guía de teléfonos colocada en la parte superior de la cabeza. Los golpes eran fuertes y secos, como un calambre que recorría toda la columna hasta la planta de los pies. Sentía que mi cerebro iba a explotar en cualquier momento. A intervalos, cuando debían sostenerme para no caer sin sentido, me hacían preguntas, querían nombres, quién estaba a cargo del «comité» de cárceles, quién coordinaba las huelgas de hambre, quién era el encargado de los comandos liberados. De nada servía abandonarse, dejarse caer, pues cada vez que lo hacía dos de los policías me mantenían en pie, firme, mientras el tercero me repetía a gritos sus preguntas, «quién está ahora a cargo del "comité" de cárceles, quién coordina las huelgas de hambre, quién es el encargado de los comandos liberados». La tercera o cuarta vez que me lo preguntaron, dije sin pestañear: «¿Por qué no miráis en las páginas amarillas?». Me dieron tal sarta de puñetazos que perdí el conocimiento.

Me llevaron a una habitación pequeña, y dormí durante un rato. En sueños, como la cosa más normal del mundo, tuve la impresión de encontrarme en el interior de una nave espacial, flotando en un cielo azul resplandeciente. De pronto, vi a mi lado a Vladimir Mikhailovich Komarov, el astronauta que yo más he querido: «Nos hemos salido de la órbita, la situación es muy peligrosa», me dijo con gran serenidad. En ese momento fui consciente de mi situación, y me dije que quizás las palabras de Vladimir Mikhailovich Komarov no eran parte de un sueño, sino la señal de que estaba entrando en coma.

Sentí entonces, cerca de mí, una voz distinta a la del astronauta, que parecía de una persona mayor: «Tu resistencia es encomiable, Triku, pero es una pena verte sufrir en vano. Tus compañeros nos lo han contado todo. Te diré más: esos compañeros tuyos te han vendido». Al abrir los ojos vi a un hombre de pelo blanquísimo sentado en una esquina del catre. Se peinaba con raya, y vestía de forma impecable. Su aspecto era el de un cura del Opus Dei. Pero, claro, se trataba de un policía; el policía al que llaman «el bueno» porque le toca interpretar ese papel en el interrogatorio. «¿Qué ha dicho de mis amigos?», le pregunté al fin. Ahora, al redactar está confesión, lo veo todo con claridad, pero entonces me costaba seguir el hilo de los pensamientos. «Te he dicho lo que es evidente, Triku. Tus amigos te han vendido.» Sonrió falsamente. «Mis colegas te están dando una verdadera paliza. A decir verdad, yo soy contrario al uso de métodos tan drásticos, porque además, en la mayoría de los casos, no suele ser necesario. En tu caso, por ejemplo. Sólo tienes que darme unos nombres para que todo se arregle. Y créeme que necesitamos los nombres únicamente para cerciorarnos. Ya te lo he dicho, ellos lo han contado todo. Y lo han hecho antes de llegar aquí. Tú ya me entiendes.» Lo que estaba oyendo era muy grave. «No le creo», dije.

Lanzó un suspiro, y se puso de pie: «¿No fue un poco rara vuestra caída? ¿No fue la vuestra una detención muy fácil? Y otra cosa más: ¿has oído gritar a tus compañeros en la celda de al lado? No, ¿verdad? Tú en cambio chillabas como un cerdo». «Todo se pega menos la belleza», le dije. Cerró la puerta lentamente, y la volvió a abrir. «Creo que esta vez te van a hacer la bolsa. A ver si tienes cuidado, y no te ahogas», dijo. Esta vez cerró más rápido. No quería oír mi respuesta. «¡Estáis derrotados, y se os nota mucho!», grité.

Cuando me encontré de nuevo entre los tres policías vi una bolsa de plástico sobre la mesa, y las manos me empezaron a sudar. Prefiero mil golpes a tener dificultades para respirar. «Vamos a ver el álbum», dijo el policía que llevaba el interrogatorio. Dejó una serie de fotos sobre la mesa. Los otros dos policías se colocaron detrás de mí, y me metieron la bolsa y la sacaron enseguida. «Es bastante cabezón, pero ya cabe», dijo uno de ellos. «¿Quiénes son éstos?», me preguntó el jefe, señalando un grupo de jóvenes que se paseaban en un *bateau mouche* en París. Le dije que no me resultaban conocidos, y que además la foto estaba sacada desde muy lejos. «A ver si ahora tenemos más suerte.» Me mostró un detalle de la misma foto. Vi a Carlos junto a otra compañera a la que llamaban Lucía. «¿Quiénes son?», volvió a preguntar. «Si éstos dejan la bolsa, lo digo.» «¡Los nombres!», dijo, haciendo un gesto a los otros para que se alejaran. «Éste es Busca Isusi», dije. Me miró sorprendido. Le parecía demasiado fácil. No obstante, me hizo repetir el nombre, y lo apuntó en una libreta. «¿Y la chica?» «Es Nikolasa.» Me enseñó más fotos. «¡Perucho!», decía yo, o «Luján», o «Castillo», o «Montalbán»: los nombres que aparecían en mis libros de cocina. Pero una de las veces yo dije «Cándido», y él preguntó «¿qué Cándido?». Y yo, por puro reflejo, y porque estaba medio atontado: «Pues Cándido, el del cochinillo al horno». Entonces uno de los policías de atrás gritó muy alterado: «Pero, Jesús, ¿no te das cuenta? Todo el rato nos está dando nombres de cocineros». El tal Jesús empezó a maldecir —«Será posible este malnacido»—, y me dio tres o cuatro puñetazos seguidos. El otro le dijo: «Espera, Jesús, mejor con esto», y me colocaron la bolsa en la cabeza, y parecía que el corazón se me iba a romper.

Vladimir Mikhailovich Komarov estaba sentado a mi lado. Me señaló una luz roja encendida en el panel de mandos de la nave espacial. «Parece ser que ha fallado alguna válvula. La cabina se está quedando sin oxígeno.» «Eso es malo, ¿verdad?», dije. «Calculo que nos queda oxígeno para unos veinte minutos. Y todavía tenemos que dar siete vueltas al planeta antes de aterrizar en Siberia.» Miré por la ventanilla de la nave: la Tierra parecía desde allí un lugar muy tranquilo. Vi la silueta de Norteamérica, y poco después Groenlandia; otro poco más, y pude divisar la coleta formada por Noruega, Suecia y Finlandia. «Vamos muy rápido, ¿no?» Justo en ese momento la luz roja se apagó, y dirigí a Vladimir una mirada de esperanza. «No, amigo. No se ha arreglado nada —dijo él, viendo mi gesto—. La luz la he apagado yo. No nos hace falta. Sabemos en qué situación nos encontramos». «O sea, que cada vez queda menos oxígeno.» «Así es.» «¿Qué opinas, Vladimir? ¿Vamos a morir?» «Yo creo que sí.»
La nave tenía en la parte delantera de la cabina un rectángulo que parecía de cristal, y desde allí, elevando un poco la vista, se podían ver las estrellas; muchísimas de ellas, miles y miles, unidas entre sí formando manchas de polvo dorado. La vista era una maravilla, pero a pesar de ello me atraía más lo que iba apareciendo en la ventanilla, la sucesión de los diferentes lugares de la Tierra: primero la costa de China con una especie de gancho que debía de ser Corea; luego Japón, que desde aquella altura parecía una bufanda. «No sé si sabes, Vladimir, que el santo que evangelizó Japón era vasco. Se llamaba Francisco Javier.» Él amagó una sonrisa. «No me

preguntes acerca de los santos. No me gusta la religión. Es el opio del pueblo.»

Estábamos sobrevolando el océano Pacífico, una enorme extensión negra bajo nosotros. «Hay algo que me apena, Vladimir. Me gustaría mucho ver el País Vasco antes de morir, pero no va a ser posible.» «¿Por qué no? ¿En qué paralelo se encuentra?» «No, no es por eso —le dije—. Tendría que verse desde esta órbita, más o menos. El problema es el tamaño. El País Vasco es tan pequeño que no se puede ver desde el espacio». Vladimir me miró con tristeza: «Eso sí que no podemos solucionarlo, amigo. Pero si miras con los ojos de dentro, lo verás todo. No hay límites para los ojos de dentro». «Un amigo mío llamado Ramuntxo solía decir que tenemos otros ojos detrás de los primeros», le comenté. Vladimir sonrió: «Veo ahora mismo la Plaza Roja de Moscú. Veo a mi mujer caminando entre la gente. Seguramente va a comprar pasas de Corinto. Luego asará el cordero con las pasas, al estilo armenio. Es exquisito». En otras circunstancias me hubiese interesado por la receta, pero no era el momento, y preferí hacer lo mismo que él, abrir los ojos de dentro: vi una colina verde, y la blanca casa de mis abuelos al pie de la colina, y un poco más allá la ría de Gernika y el mar de Bizkaia. Los ojos se me llenaron de lágrimas, tanto los de dentro como los de fuera. «Desde el punto de vista espiritual eres más fuerte que yo, Vladimir —dije—. Has visto a tu mujer en la Plaza Roja y no has llorado. En cambio yo lloro por una casa». «Tranquilo, amigo», me dijo. Me di cuenta entonces de que él también estaba conmovido. Nos quedamos en silencio, cada cual con sus pensamientos.

Distinguí bajo nosotros las tierras de California, donde vivía el tío de Ramuntxo. «Perdona la pregunta, pero ¿por qué te llamas Vladimir? ¿Es por Lenin?» «Creo que sí —me contestó—. Mi padre es del partido. Pero un abuelo mío

446

también se llamaba así». Dudé si preguntarle acerca de la cuestión nacional, a ver qué opinaba sobre el derecho de autodeterminación de Georgia y Ucrania; pero me callé. La escasez de oxígeno se notaba ya mucho, para llenar los pulmones hacían falta dos aspiraciones. Y cuanto más habláramos menos oxígeno nos quedaría. Además, se iba muy bien sin hablar: el silencio es la música del cielo. Vi el sur de Canadá con lagos que parecían pequeñas motas negras, y luego Terranova. Era como si todos aquellos lugares estuvieran dormidos. También a mí me hubiese gustado quedarme dormido, pero la falta de oxígeno me lo impedía.

Cuando volvimos a pasar por encima de Europa, respirar resultaba realmente penoso. «La verdad, Vladimir, morir no me importa nada», dije. Vladimir volvió sus profundos ojos hacia mí. «¿Por algún motivo en especial?» «Por algo que me dijeron cuando estuve detenido. No sé cómo serán los interrogatorios en Rusia, pero la policía española adopta dos papeles: unos son "los malos", y te golpean, y otros son "los buenos", y te meten ideas insidiosas en la cabeza. A mí "el bueno" me metió la idea de la traición. Que Ramuntxo y Etxeberria me habían vendido, que por eso nos cogieron tan fácilmente. Al principio no quería pensar en ello, pero hay palabras que son como los gusanos del queso, que una vez dentro de tu cabeza no hacen sino engordar. Y he llegado a la conclusión de que puede ser cierto, porque la verdad es que Etxeberria se portó de forma bastante rara desde que salimos de Mamousine. Ramuntxo no, pero Etxeberria sí. En serio, Vladimir, puede que él nos haya traicionado. Y si eso es verdad, prefiero morir. Sólo de pensarlo me siento mal.»

Marchábamos sobre el océano. En el panel de mandos se encendieron unas luces verdes, y la nave descendió bruscamente. «Estamos llegando a casa», dijo Vladimir. Le costaba hablar. Teníamos la cara empapada de sudor. «¿En qué piensas, Vladimir?», le pregunté. «Si nada lo remedia, voy a ser el primer astronauta muerto en misión.»

Me paré a pensar. No había forma de saber qué número hacía yo. No con exactitud. Estaban primero mis abuelos y mis dos tías. Y las dos mil personas que murieron en Gernika. Y todos los que habían muerto en la guerra, sobre todo los fusilados sin culpa alguna, como aquellos maestros de Obaba, de los que hablaba siempre Ramuntxo. Y Lubis, el primer mártir de nuestro grupo de amigos, asfixiado también con una bolsa de plástico. Y muchos otros más. Pero el cálculo era imposible, y puse toda mi atención en el cristal.

Otra vez pasábamos por encima de California, y dije adiós al tío de Ramuntxo. «Él trabajó durante mucho tiempo por la liberación de Euskadi —dije a Vladimir—, pero ahora está enfadado con nosotros. Dice que no aprueba nuestros métodos. Es algo pactista, como todos los de su partido, pero se merece mi respeto».

«Es hermoso morir bajo estas estrellas», dijo de pronto Vladimir con un suspiro. El leve aleteo de su nariz desapareció; sus profundos ojos quedaron fijos para siempre en una de aquellas estrellas. La nave espacial se lanzó hacia abajo, pero esta vez en caída libre, como si la muerte del piloto le hubiese quitado las ganas de seguir volando.

Chocamos contra el suelo, y la nave estalló en mil pedazos. Dos enfermeras se presentaron inmediatamente y me condujeron al hospital. Abrí los ojos. Tenía ante mí un hombre muy serio vestido de médico. «Lo peor ya ha pasado», me dijo. «¿Estoy en Siberia?», pregunté. «Está usted en el hospital de San Sebastián —dijo él—. Lo peor ya ha pasado».

Cerré los ojos, y volvió a aparecer ante mí Vladimir Mikhailovich Komarov. Se encontraba en la Plaza Roja de Moscú, en un catafalco, y cientos de personas aguardaban en fila para rendirle honores. ¿Dónde estaría su mujer? ¿Qué pensaría cuando regresara de la fastuosa ceremonia y encontrara las pasas de Corinto encima de la mesa de la cocina? Muchos hombres y mujeres alzaban el puño al llegar a la altura del catafalco. Y lo mismo hice yo. Alcé el puño con energía en honor de Vladimir Mikhailovich Komarov.

«Muy bien, ha recuperado el movimiento del brazo», dijo el médico. «¿Qué tal están mis amigos?», pregunté, recobrando la conciencia. «No muy bien, pero mejor que usted. A un tal Joseba le dimos el alta antes de ayer», dijo el médico. Mi alegría fue enorme. Joseba es el verdadero nombre de Etxeberria. Si le habían dado duro, eso quería decir que no nos había vendido.

Los ojos se me volvieron a llenar de lágrimas. Pero esta vez eran de alegría. «Tranquilo, lo peor ya ha pasado», repitió el médico. «¿Dónde está mi camisa?», pregunté, intentando incorporarme. Tenía tubos por todas partes. «¿Para qué la quiere? En cuidados intensivos no se permiten las ropas de fuera», dijo la enfermera. «Es por ver una cosa. ¡Por favor!», reclamé con firmeza. Finalmente me la trajeron, y le dije a la enfermera que me mostrara la parte interior. La tela de Gernika estaba allí, en su sitio. Les pedí que me la cuidaran bien, y me puse a dormir. El médico tenía razón, lo peor ya había pasado.

II

CONFESIÓN DE RAMUNTXO

Teníamos que viajar en tren hasta la costa mediterránea para llevar a cabo una serie de acciones. Según los jefes de la organización, el turismo era en aquella época la base de la economía del estado español, por lo que atacar al sector era atacar a la dictadura, golpearla en uno de sus pilares. El objetivo no parecía inalcanzable, todo lo contrario: diez bombas junto a diez playas, y los hoteles quedarían vacíos. La única dificultad radicaba en que tendríamos que salir a la carretera diez veces en un margen de tiempo muy corto. Pero, como proclamaba Joseba, el acordeón podía ser nuestro mejor aliado. La música nos ayudaría en nuestros desplazamientos. Además, podríamos transportar el material explosivo en el estuche del acordeón.

La víspera de nuestra partida se iba a celebrar un *xaribari* en la localidad de Altzürükü, a menos de sesenta kilómetros de Biarritz, y Joseba nos propuso asistir a la fiesta para aliviar nuestro nerviosismo y ver de cerca aquella «representación singular, residuo teatral de la Edad Media». Yo no era partidario. No me apetecía. Además, a las fiestas vascas del otro lado de la frontera, *du Pays Basque*, se solía acercar mucha gente de San Sebastián y Bilbao y no parecía muy prudente dejarse ver en ese ambiente. Era seguro que nos encontraríamos con algún conocido. Y era más que seguro que ese conocido haría correr la voz en su círculo de amigos: «El otro día vi a Etxeberria con otros dos tipos. Andan por Altzürükü». Y eso no era bueno. Sabino, el instructor de la organización, no se cansaba de repetirlo: «Antes o después, todo llega a oídos de la policía. Si se trata de la policía española, malo; si de la francesa, peor». Pero Etxeberria sabe ser persuasivo, y al final consiguió que Triku y yo cediéramos. Triku lo hizo porque le gustan las fiestas vascas; yo, porque no tenía ganas de discutir.

El *xaribari* comenzó con un desfile. Los danzantes, los músicos, los actores disfrazados de jueces, guardias o abogados, todos los que tenían un papel en la farsa, recorrieron las calles en dirección a la plaza. El tiempo era hermoso, el cielo estaba azul; el sonido de los flautines —*xirulak*— y las risas de la gente alegraban el ambiente. Sin embargo, permanecí un cuarto de hora en la esquina de una calle, mirando el desfile, y tuve que marcharme. Me resultaba insufrible ver a Joseba hablando con un antiguo compañero de Bilbao, o ver a Triku tonteando con unas chicas de San Sebastián; pero me resultaban aún más insoportables, no sé por qué, los flautines de los músicos. Las notas se me metían en la cabeza como chillidos de ratones. Avisé a mis dos compañeros que regresaría al terminar el *xaribari*, y tomé el camino que subía a una colina próxima al pueblo.

El camino terminaba en una casa de labranza. Era una construcción humilde, de paredes blancas y con ventanas y puertas pintadas de azul. Delante, al borde de un terreno llano, había dos almiares de heno y un pequeño tractor rojo que parecía de juguete; más allá, un maizal extenso que llegaba hasta el pie de la colina siguiente. El maíz estaba crecido, en flor.

Al lado del pequeño tractor rojo estaba una anciana; de espaldas al pueblo, sentada en una silla de fleje. Fui donde ella y la saludé jovialmente: «¿Qué pasa, abuela? ¿No va a bajar usted al pueblo, a ver el *xaribari*?». Era una anciana, una *amañi*, muy bonita. Pequeña y delgada. No pesaría más de cuarenta kilos. Llevaba el pelo recogido en un moño. «A mí las fiestas me dan igual», dijo. Me di cuenta de que tenía un rosario en las manos. «Así que prefiere usted rezar», le dije. «Si quieres acompañarme…» «¿A rezar?» La invitación me dio ganas de reír. Quedaban lejos los tiempos en que tocaba el armonio en la iglesia de Obaba o en la capilla de La Salle. Pero, de todos modos, era agradable estar allí, con aquella *amañi* tan bonita. «Usted siga rezando el rosario, que yo la escucharé con mucho gusto.» Me senté en el suelo, con la espalda apoyada en el pequeño tractor.

Las plegarias eran como ruedecillas. Primero oía las palabras *Agur Maria*, «Yo te saludo, María»; luego un murmullo;

poco después, *amen:* una vuelta. Y enseguida, otra vez, *Agur Maria*, el murmullo, y *amen:* otra vuelta. Y así una y otra vez, sin meta alguna, girando por el mero hecho de girar. Mi pensamiento voló a Iruain, y vi a Lubis en el pabellón de los caballos, y a los campesinos felices que se acercaban a mí diciendo «caballo, caballo», y a Ubanbe, Opin, Pancho, Sebastián, Adela. A toda la gente amiga que había dejado atrás.

Me vino a la memoria el *zulo* de Iruain —el escondrijo—, y una voz que se mezcló con el murmullo de la plegaria me reprochó el mal uso que habíamos hecho de él: «Durante más de un siglo no tuvo otra función que la de dar cobijo a los perseguidos, pero tú y tus amigos lo habéis desvirtuado al usarlo para lo contrario, para esconder a personas secuestradas». Reconocí la voz. El que me hablaba era el tío Juan. «Porque Papi no cumplió su palabra, tío —pensé—. Me prometió que sólo lo utilizarían para ocultar a compañeros en apuros, y al poco tiempo encerró allí a un industrial que no pagó el impuesto revolucionario. Pero yo no tuve nada que ver. Siempre he sentido respeto por la historia de Iruain. Todavía hay veces que me pongo el sombrero Hotson». «Tus intenciones eran buenas, David, pero has sido demasiado débil. No has sabido dominar tus sentimientos, y el sentimiento, así, a secas, no es buena compañía. En eso, has salido a tu padre.»

Los recuerdos me angustiaban, e intenté no dejarme llevar por ellos. Pero las ruedecillas seguían girando —*Agur Maria*, murmullo, *amen*— y me encontré de nuevo en el pasado. Vi a Adela saliendo del cementerio de Obaba, seguida de todos los que habían acudido a darle el último adiós a mi madre: Adrián y su mujer rumana, Paulina acompañada de las chicas del taller, Virginia con su vestido morado, los miembros del coro de Obaba... Comprendí que había sido yo el que se alejó de ellos, abandonándolos, y no al revés, como pensé en un principio. Y que cuando pasé a la clandestinidad, Virginia hizo lo único que podía hacer, y que la razón que me dio cuando la llamé desde París era incontestable: «No quiero volver a verte. Ya tuve bastante con la desgracia de mi marido». La voz de Virginia acalló por un momento los rezos de la anciana. Luego, desapareció.

Las ruedecillas iniciaron otro giro. Vi a Triku en la taberna de Obaba el día que Armstrong y otros dos astronautas pisaron la luna. «Tendría que nacer de nuevo para creerme ese cuento», decía un campesino que miraba las imágenes del alunizaje en el televisor. Triku y yo queríamos convencerle de que la noticia era cierta. Pero el campesino se aferraba a lo suyo. «Hazles caso, hombre. Estos jóvenes saben mucho», le dijo la dueña de la taberna. A lo que él replicó: «Saben mucho y no saben nada. Ésa es la ley del joven».

Las palabras del campesino tal vez fueran vulgares, pero allí, en Altzürükü, con los ojos puestos en el campo de maíz y acompañado del murmullo de las plegarias de la anciana, me parecieron cargadas de sentido. Pensé que en los primeros años de mi juventud había cometido muchos errores por pura ignorancia, por desconocer la verdad más simple, a saber: que la vida es lo más grande y que hay que tomársela muy en serio, «igual que lo hace una ardilla», según escribió Nazim Hikmet. Pero todavía estaba a tiempo; podía enderezar mi vida, podía redimirme visitando el reino de la Muerte. Tendría que visitar Getsemaní y conocer la cruz, pero llegaría el feliz día de la resurrección y quedaría libre de todas las deudas del pasado.

Metáforas aparte, mi plan implicaba que me pondría en manos de la policía. Una vez cruzada la frontera, aprovecharía la primera oportunidad para separarme de mis amigos y dirigirme a una comisaría. «Vengo a entregarme», diría.

«¿Por qué?» «Porque no tengo ganas de seguir.» La anciana puso punto final a sus rezos. Las ruedecillas se pararon. La decisión estaba tomada.

No tuve ocasión de llevar a la práctica mi plan. Tres días más tarde, en el compartimento de un tren, un policía nos apuntó con una pistola a Triku y a mí, y yo, por puro reflejo, le di un golpe en la muñeca y le quité el arma; pero, afortunadamente, no llegué a frustrar la detención. No me faltaron más tarde las dudas, sobre todo al oír los gritos de Triku en las celdas de tortura, pues hacían que la decisión adoptada en la colina de Altzürükü pareciera ridícula y repugnante. Pero seguí adelante. Me declaré responsable de todas las acciones que nombraron en el interrogatorio, y además, para no dejar nada pendiente, informé a la policía de la existencia del escondrijo de Iruain. Mis compañeros no podrían valerse de él en el futuro. Las dudas me persiguieron incluso después de entrar en la cárcel, cuando el colectivo de presos políticos, acusándome de traidor y echándome la culpa de la caída, me expulsó de la comuna y me condenó al ostracismo.

Triku y Etxeberria decidieron un día romper las normas del colectivo de presos, y se presentaron en la enfermería de la cárcel donde yo cumplía la condena. Querían mi consentimiento para mandarle un mensaje a Papi, en mi defensa, para decirle que el asunto de la traición era pura calumnia. Pero yo me negué. Les dije que el castigo era necesario si quería que mi alma se curara. «No hagáis nada —les pedí—. Dejemos que la mariposa vuelva a casa». «¿Me regalas la frase para un poema?», me preguntó Etxeberria. Le dije que no era mía, que la había tomado de un libro. El ostracismo tenía al menos esa ventaja: podía leer sin descanso; los poemas, los cuentos, las novelas eran para mí agua pura.

III

CONFESIÓN DE ETXEBERRIA

Lo que se produjo en mí fue una inversión. Como cuando el amor se vuelve odio, por expresarlo al modo de los consultorios sentimentales. De la noche a la mañana empecé a aborrecerlo todo, mi militancia, las canciones sentimentales y, muy en especial, algunas palabras de nuestro léxico habitual: «pueblo», «nacional», «social», «proletariado», «revolución» y otras por el estilo. A partir de ese momento los comunicados de la organización me parecieron absurdos; más absurdos aún los atentados; mis compañeros, ajenos y antipáticos.

La inversión se afianzó durante el tiempo que pasamos en la localidad francesa de Mamousine, cuando la organización nos sometió a juicio tras la denuncia de un compañero al que llamábamos Carlos. Me llené de odio, y me prometí a mí mismo que acabaría con aquello cuanto antes. Tenía que abandonar la militancia. De lo contrario, me volvería loco. Porque para volverse loco era, literalmente, la vida que llevaba. Exponerse a grandes peligros a favor de la ideología que uno lleva en la cabeza y en el corazón puede resultar admirable, aunque los escépticos, o los realistas, no vean en ello mérito alguno por aquello de que a las grandes palabras les siguen siempre las grandes catástrofes; pero arriesgarse de la misma manera en contra de tu cabeza y de tu corazón, eso es delirante: el patético destino de un personaje de carnaval.

Por aquellas fechas —era el año 1976— no existía una forma para desvincularse de la organización. Corrían rumores de escisión, y las agrias discusiones entre los partidarios de la vía «puramente política» y los militaristas eran continuas. Los militaristas decían que todos cuantos defendían las actitudes moderadas eran traidores, contrarrevolucionarios, y que ellos no estaban dispuestos a admitir esa salida. Así las cosas, me dediqué a reflexionar por mi cuenta, sin retóricas, sin infantilismos, y acabé tomando una decisión: me entregaría a la policía. O, dicho más crudamente —sin retóricas, infantilismos, etcétera—, traicionaría a la organización. La decisión de Papi de enviar a nuestro grupo al Mediterráneo favorecía mi plan. Había seiscientos kilómetros del País Vasco a Barcelona, y los íbamos a recorrer en tren. El viaje era largo, sólo tenía que esperar el momento oportuno.

Una vez tomada la decisión, empezaron las dudas. Había algo que lastraba mi plan. No sabía cómo actuar con Triku y Ramuntxo. Por una parte, no quería ponerlos en peligro y arrastrarlos hasta la policía. Pero, por otra, me compadecía de ellos. Se quedarían dentro de la organización, atrapados por su pasado, hundiéndose cada vez más. Y tampoco eso me parecía bien. Quería ser un buen náufrago y compartir con ellos la lancha de salvamento.

Al final, se impuso el sentimiento del buen náufrago. Era probable que Ramuntxo y Triku no estuvieran tan *invertidos* como yo, pero los veía cansados, cada vez más ensimismados. Triku se pasaba la mitad del día probando recetas de cocina, y la otra mitad escuchando los programas esotéricos de la radio o leyendo revistas de astronautas. Se volvió, además, muy maniático. Guardaba un trozo de tela, que según decía era del vestido que llevaba una tía suya el día que bombardearon Gernika, y siempre que teníamos una salida lo cosía en la parte interior de la camisa; si le faltaba, se alteraba mucho, como un bárbaro que hubiese perdido su amuleto. En cuanto a Ramuntxo, concentraba toda su atención en el aprendizaje del inglés. Siempre que podía, cogía los libros y las cintas, y se retiraba a estudiar. En una ocasión, Papi le dijo que debía implicarse más dentro de la organización, a lo que Ramuntxo se negó en redondo. No quería saber nada. Se limitaba a llevar a cabo las acciones que le ordenaban, y punto. Tal vez estuviera deprimido. Ramuntxo siempre ha sido algo propenso a la depresión. Y la muerte de su madre lo dejó muy abatido.

Cuando salimos de Mamousine, me dije: «Tengo que sacarlos del agujero. La dictadura española no puede durar mucho. El cambio de situación política traerá sin duda una amnistía, y los presos podrán salir a la calle. Por el contrario, la situación de los militantes que en ese momento se encuentren en activo será muy complicada». Estaba convencido de que militaristas como Carlos se iban a imponer en la organización, con lo que la lucha armada se prolongaría. Y los militantes volverían a la cárcel. A las mismas cárceles que acababan de quedar vacías. Y ¿cuándo se concedería otra amnistía? Imposible saberlo. Pero pasarían muchos años. Tal vez diez, tal vez veinte. Era preciso, por lo tanto, ir a la cárcel cuanto antes.

No voy a alargarme con los detalles de nuestra detención. Tan pronto como salimos de San Sebastián comuniqué a mis dos compañeros que iba al servicio, y pedí al revisor que llamara al policía del tren. Cuando se presentó ante mí, le dije que quería hablar con algún cargo, que se trataba de un asunto de vida o muerte, y que si todo iba bien él se ganaría un mes de permiso, y también quizás una medalla. Hice la llamada desde la estación de la localidad de Alsasua, y acordé las condiciones con el gobernador de Navarra: no habría violencia en el momento de la detención, no habría torturas en la comisaría. De hecho, no harían falta. Yo mismo les proporcionaría toda la información que poseían mis compañeros. El gobernador me dio su palabra, y yo le di el único dato que precisaba en ese momento: uno de mis compañeros iba tocando el acordeón. Localizar nuestro vagón era fácil. «¿Le parece bien que les detengamos en Zaragoza? Es para prepararlo mejor. No quiero precipitarme», dijo el gobernador. Le contesté que me parecía bien, y que hiciera el favor de enviar policías inteligentes. «Ya sabe, con los inteligentes siempre se trabaja mejor.» «Es usted un cínico», dijo él con una risita. Estaba nervioso. No todos los días recibía llamadas como la mía.

Catorce meses, dos semanas y cinco días más tarde, Triku, Ramuntxo y yo estábamos en la calle gracias a la amnistía, fuera por fin de la organización, y en condiciones de emprender una nueva vida. A mí me pareció entonces que el precio pagado fue bajo. Que muchos de nuestros compañeros habían vuelto a la calle después de diez años o más de cárcel, y que, comparativamente, nosotros salimos muy bien parados. Pero ha pasado el tiempo, he recibido una tras otra las lecciones de la vida, y ya no me engaño. El precio fue alto para todos. Sobre todo para mí.

Oigo las voces de Triku y de Ramuntxo. No están de acuerdo conmigo, y protestan por mi última afirmación. «¿Que tú has pagado más que nadie, Etxe? —dice Triku—. ¿Cómo puedes decir eso? ¿No te acuerdas de que me torturaron sin piedad y estuve a punto de morir?». Y dice Ramuntxo, igualmente enfadado: «Siempre has sido unególatra, Etxeberria. Siempre te sitúas en el centro del mundo. Esos catorce meses, dos semanas y cinco días que siguieron a nuestra estancia en la comisaría yo los pasé en peligro de muerte, acusado de traidor y de chivato. Además, el comité de la cárcel sacó a relucir todo lo malo de mi pasado. Me convertí de nuevo en el hijo de un fascista, en el último representante de un linaje odioso. Si alguien pronunciaba mi nombre en el patio de la cárcel, todos escupían. Y cuando salí en libertad, las cosas siguieron igual. Entraba en un bar, y la gente miraba hacia otro lado. Veía mi nombre en las paredes: era un traidor, y como tal merecía la muerte. Aquellos años, Etxeberria, no se los deseo ni a mi peor enemigo. Pero lo sucedido tuvo su lado bueno, en eso te doy la razón. Sin aquel sufrimiento, yo no habría venido a Stoneham y no habría tocado el paraíso con las yemas de los dedos. Pero no es mérito tuyo, sino de la gente que encontré en esta parte del mundo. De no ser por el tío, y de no ser, sobre todo, por Mary Ann, hubiera acabado como aquel astronauta Komarov del que tanto hablaba Triku, dando vueltas y más vueltas y asfixiándome poco a poco».

A Triku y a Ramuntxo no les faltaría razón, y si esas palabras que he puesto en sus bocas me las dijeran realmente, en un primer momento me callaría avergonzado. Pero luego les instaría a mirar la cicatriz que me atraviesa el lado izquierdo de la frente.

Estaba en el calabozo, y oía gritos, sobre todo los de Triku, pero también los de Ramuntxo, y esperaba mi castigo, unos golpes, algún que otro puñetazo. No era tan ingenuo como para creerme la promesa del gobernador. Pero, en vez de eso, los policías se dedicaban a contar chistes y a reírse, y me ofrecían cigarrillos, me traían sándwiches y cerveza a la hora de la comida y de la cena. Iba camino de ser verdad lo que decía uno de aquellos policías: «Saldrás de la comisaría más gordo y con mejor aspecto que cuando entraste».

Mi primera reacción fue de gratitud, pero la noche que llevaron a Triku al hospital —la única noche que hubo silencio en los sótanos donde la policía torturaba a los detenidos—, comprendí la razón de aquel comportamiento. La policía estaba elaborando un mensaje: «Etxeberria es el traidor». Era evidente que la organización recelaría de nuestra rápida caída, y empezaría a hacer preguntas. Cuando el comité de la cárcel pasara su informe —«Etxeberria ha salido del interrogatorio con un aspecto estupendo»— las sospechas tomarían fuerza. Sería sometido a un nuevo interrogatorio, esta vez en la cárcel, y mis compañeros no se darían fácilmente por satisfechos. Me puse a sudar. Me vi en un habitáculo de la cárcel, tirado en el suelo.

En aquel mismo instante —«Menos mal», pensé— un policía abrió la puerta de mi calabozo y me indicó que era la hora del desayuno, que por qué no tomábamos el café juntos. Empecé a beber el café, y me fijé en la gruesa puerta de hierro, semejante a la de una caja fuerte, que daba entrada al sótano. Di un salto y me lancé de cabeza contra ella.

Me desperté veinte horas más tarde en el hospital. «Están protestando mucho en la calle por cómo os han tratado a ti y a tu amigo», me dijo el enfermero. Comprendí que estaba a salvo, y me sentí feliz. No sabía aún el daño que me había infligido: un corte profundo en la frente, que dejaría una cicatriz perenne de color violeta.

Desde que abandoné el hospital he sufrido de muchas maneras. Primero por Triku, que durante muchos días permaneció en estado de coma, con riesgo de no volver a despertar. En segundo lugar, durante un año largo, por Ramuntxo, que tuvo que cargar con el peso que me correspondía a mí. En tercer lugar, porque durante ese largo año tuve que soportar a los compañeros de la organización. Y cuarto porque, prácticamente hasta el día de hoy, mi cicatriz, mi estigma, me ha condenado a la soledad.

Condenado a la soledad. Otra vez el lenguaje de los consultorios sentimentales. Pero da igual, todos somos más vulgares de lo que pensamos. Yo desde luego sí. Y, hablando de los condenados a la soledad, hace poco vi en la tele a una chica de unos ciento veinte kilos a la que una presentadora muy mona —cincuenta y cinco kilos, ojos verdes— le decía asombrada: «¡No te quieren! Pero ¿por qué?». Lo mismo hubiese hecho conmigo. Hubiese aparentado el mismo asombro. Como si no viese mi cicatriz color violeta. Y yo me habría sentido como la chica de ciento veinte kilos. Claro que yo no me habría echado a llorar, habría hecho algo más fuerte. Al fin y al cabo, sobra decirlo, soy una persona violenta.

En la primera visita que me hizo a la cárcel, mi novia de entonces —se llamaba Niko y era fotógrafa en un periódico— no pudo quitar ojo a la cicatriz de mi frente. «Se le cambiará el color, ¿verdad?», preguntó al final. «Claro que sí», contesté. Pero no se le cambió. Se mantuvo igual durante cinco o seis años. Al cabo de ese tiempo, perdió intensidad y se quedó en un tono lila más apagado. Pero, mientras, ahuyentó a Niko. Y ahuyentó también a todas las demás mujeres. Me da la risa: leí en uno de esos suplementos dominicales que publican los periódicos que para los hombres es muy importante el físico de la mujer, pero que las mujeres no dan importancia al físico del hombre. No paro de reírme: ponte una buena cicatriz en la cara, y luego hablamos.

Pero la soledad sólo ha supuesto una pequeña parte del precio a pagar, no más de un veinte o veinticinco por ciento del precio total. Efectivamente, además de la cicatriz de la frente tengo otra, no sé dónde, quizás en el alma, o en el espíritu, o tal vez en la mente: la del traidor.

Los traidores somos bestias inmundas. El que todo lo perdonaba no perdonó la traición de su discípulo. Y el discípulo se ahorcó. Yo, en cambio, lejos de eso, quería redimirme, pretendía lograr el perdón por medio de una acción ejemplar. En la cárcel, me decía a mí mismo: «Confesaré la verdad, y cargaré con esa cruz que lleva ahora Ramuntxo»; pero temía que me mataran. Luego pensé que lo arreglaría cuando saliera a la calle. Escribiría a Papi una carta con la confesión y me marcharía al extranjero. Pero, antes que yo, fueron mis amigos los que se marcharon: Triku a Montevideo; Ramuntxo, a los Estados Unidos. Mi confesión no les traería ningún beneficio. Decidí callar.

Pasaron los años, y la historia de la traición del tren se perdió entre otras mil historias. Triku y yo la recordaremos, Ramuntxo. Papi y algún otro más, también. Pero eso es todo. Triku volvió a nacer en Montevideo, y ahora ha pasado a ser un ciudadano rico, dueño de uno de los mejores restaurantes de la ciudad. Y a Ramuntxo le va igual de bien, o mejor. En su caso, fue el amor lo que le rescató del infierno. Yo, en cambio, me veo regular. Pero, bueno, mi segunda cicatriz va cambiando de color, apagándose igual que la de la frente, y no pierdo la esperanza.

12

Con la luz de esta mañana el ordenador parecía verdaderamente blanco, y he tenido la impresión de que le estorbaban los papeles, fotos y demás objetos que se amontonaban alrededor. Me he puesto enseguida a limpiar la mesa, y todo ha ido a parar a una caja grande de cartón. He pensado por un momento llevar todas las cosas al vertedero de Three Rivers, al igual que hice con el cuaderno del gorila. Pero me ha dado un poco de pena, y lo he dejado todo donde estaba. O casi todo, porque dos de las fotografías las he separado del montón para meterlas en un caja más bonita: la que nos sacó el padre de Joseba el día de nuestra primera clase con César y con Redin, y la de la inauguración del taller de Adrián en la Bañera de Sansón. Lo he hecho, más que nada, por César y por Lubis. Ambos acuden a menudo a mi memoria. Lubis hubiese sentido asco por esa gente que amenaza a César.

En la mesa sólo ha quedado el ordenador blanco. Me he preguntado si admitiría algo a su lado, y de la baraja que me regaló Papi he extraído la mariposa de Mary Ann, la que lleva por nombre *Gonepteryx rhamni*, de color amarillo con manchas naranjas. La he colocado sobre la mesa, y he esperado. El aire no se ha movido, no se ha roto el silencio, todo ha seguido en paz. El único efecto ha sido favorable: el estudio me ha parecido más alegre. Al poco rato, como si algo la hubiera llamado, ha aparecido ella en la puerta, y nos hemos ido los dos a dar un paseo.

La tarde la hemos pasado en la orilla del lago Kaweah. Veleros y pequeñas barcas surcaban el agua. Sentados en la terraza de un café, hemos pedido pastas de limón, *lemon cakes*, para todos. Luego, Helen se ha referido a la lectura de ayer. «Todos acabaron mirándote la frente. Les extrañaba no ver en ella una cicatriz», le ha dicho a Joseba. «Tengo tendencia a lo autobiográfico, pero no hasta ese extremo», ha contestado Joseba.

Pero su tendencia sí llega hasta ese extremo. La cicatriz existe, pero no en su frente, sino en su nuca. Al lanzarse contra la esquina de la puerta de hierro no lo hizo hacia delante, como dice su texto, sino hacia atrás. Los médicos afirmaron que de haber sido el golpe un poco más fuerte no habría vivido para contarlo.

«Yo creo que a la gente le gustó la lectura —ha añadido Helen—. Con la historia de Toshiro incluso llegaron a reírse. Lo cual es realmente insólito: los trotskistas no tienen buena prensa en California». Helen está convencida de que éste es el estado más reaccionario. Más aún que el de Texas o el de Alabama. «Las que más se rieron fueron Carol y Helen —he dicho—. Tenían unas ganas tremendas de pasárselo bien. Estaban predispuestas».

Como decían los latinos, Mary Ann ha intentado trabajar *pro domo sua*, barrer para casa: «Efectivamente, Carol y

Helen tienen ganas de pasárselo bien. Por eso les gustaría asistir a una lectura tuya. Sería en el rancho mismo y con poca gente». «Quieren que el enfermo del grupo se anime», le he comentado a Joseba. «Donald aprecia sinceramente tus escritos, David —ha protestado Mary Ann—. Ha regalado muchas copias del relato que te publicaron en Visalia». «*El primer americano de Obaba* —ha dicho Joseba, con buena memoria—. A mí también me gustaría escucharlo. O leerlo, por lo menos». «Ya veremos», he dicho, por no seguir con el tema.

El agua del lago tenía un color azulado, y los veleros parecían pañuelos blancos a punto de ser agitados para decir *hello* o *goodbye*. Pero seguían su curso, indiferentes, recogiendo suavemente las corrientes de aire. «No veo ya las alegres barcas del Kaweah —ha recitado Joseba—. De entre todas las cosas, sólo distingo la gigantesca red del pescador». Ha añadido: «Esta vez se trata de una cita verdadera». «Pues yo, en lugar de redes gigantescas, sólo veo la caseta donde alquilan las barcas», ha dicho Mary Ann. Cinco minutos después Helen y ella estaban remando.

Al quedarnos solos, Joseba y yo hemos vuelto a hablar de su lectura. Le he confesado que, en mi opinión, sus textos se ciñen bastante a la verdad, y que por mí puede estar tranquilo. La estancia en la cárcel me había dado la oportunidad de pagar por mis errores. Y también, indirectamente, la de emprender una nueva vida en América. El caso de Agustín, sin embargo, era más difícil. Él siempre sería más joven que nosotros. De alguna manera, siempre tendría veinte años. Y con veinte años no era fácil entender lo sucedido. «A mí también me cuesta entenderlo —me ha dicho él—. Y no hablo de lo que hice después de salir de Mamousine, sino del día aquel que fui a buscarte con la Guzzi. No entiendo por qué te saqué de la cama de Virginia para meterte en un lío tan grave. Es por eso que tengo que escribir el libro». Ha sido un buen momento para mencionar mi memorial, pero no me he animado. «La única alternativa es analizar exhaustivamente las circunstancias», le he dicho. Él ha asentido, pero por cortesía. A estas alturas, no necesita esa clase de consejos.

Me he acordado de la rosa que me dio Teresa y yo puse en un vaso de cristal, y de la decisión que tomé entonces: aguardaría a la carta de Virginia hasta que la rosa perdiera todos sus pétalos, y si no la recibía para entonces me olvidaría de ella. Me he reído sin querer por la burla que me hizo la vida. La rosa estaba intacta cuando llegó aquella carta; seguía igual de intacta el día en que Joseba vino a buscarme y salí de su casa para siempre.

Ha pasado una barca con motor por delante de nosotros. En ella, además de un hombre y una mujer de unos sesenta años, iba un chihuahua con un chaleco salvavidas. «*This is America!*», ha exclamado Joseba.

«¿Puedo decir más cosas sobre la lectura?», le he dicho. Me ha indicado con un gesto que sí, que adelante. «A mí me parece que el relato de Etxeberria tiene una parte floja. Eso del policía del tren, lo de la llamada al gobernador... La gente de Three Rivers quizás se lo crea, pero yo no. Tú llevabas tiempo preparando la operación.» «Si quieres la verdad, empecé a pensar en ello el día de la muerte de tu madre, en el trayecto de Pau a Mamousine.» «Y ultimaste los detalles con aquel *amigo de Bilbao* con el que te *encontraste* en Altzürükü.» «*Bistan da!*» —«¡Es evidente!»—, ha exclamado Joseba imitando el acento de Altzürükü. «En cualquier caso, siempre es necesaria una transfiguración —ha añadido—. La cicatriz de la nuca pasa a la frente, por ejemplo. En la frente destaca más, y resulta más fácil de recordar». Me ha puesto algunos ejemplos. Que no nos habríamos fijado en la barca sin el chihuahua provisto de chaleco salvavidas. A Joseba siempre le ha gustado la teoría literaria.

Por suerte, han vuelto enseguida Mary Ann y Helen. Tenía ganas de volver a casa. Y de sentarme ante este ordenador blanco. Su ductilidad me maravilla. Paso los dedos por el teclado, y en la pantalla aparecen letras, palabras. Aparece *rosa*, aparece *vaso de cristal*.

13

Pánico. Al levantarme esta mañana he tenido la sensación de que mis pies eran de piedra, tan pesados que me era imposible arrastrarlos hasta el teléfono. Mary Ann ha llamado al doctor Rabinowitz, y siguiendo sus indicaciones me he tomado un dosis doble de Dablen. «Te pondrás bien», me ha dicho Mary Ann. Con su ayuda, he conseguido serenarme. Luego han venido Joseba y Helen, y también ellos me han ayudado. Además, ya no sentía los pies como si fueran de piedra, sino más bien de yeso. Al mediodía he podido levantarme, y he salido al porche.

Sobre las dos ha llamado el doctor Rabinowitz para interesarse por mi estado, y me ha preguntado si quiero adelantar la fecha de la intervención. «Podría ser el 18. Es miércoles.» «Sería lo mejor, ¿verdad?», he dicho. «Si residiera aquí en Visalia no le propondría ningún cambio. Pero me preocupa ese tiempo que necesita para llegar desde Three Rivers. Mejor ser prudentes.» Le he dicho que de acuerdo. «Ya sabe. Tiene que venir la víspera. El 17», me ha recordado antes de colgar.

Por la tarde, en el estudio, he recuperado más fotos de la caja de cartón. Concretamente tres: la que me hice con Virginia el día de la carrera de cintas; un retrato que me envió Teresa desde Pau, y la foto del día de la inauguración del monumento de Obaba —Uzcudun, Degrela, Berlino, Ángel, Martín...—.

En aquel acto no toqué el acordeón, y por primera vez en mi vida mostré cierta dignidad. Por eso me gusta la foto.

Cuando he salido al porche, Helen, Joseba y Mary Ann también estaban viendo fotos. «¡Qué elegante estás aquí, David!», me ha dicho Joseba. Se refería a la que nos hicimos Mary Ann y yo en Sausalito. «La primera en la que aparecéis juntos», ha comentado Helen. Me ha parecido que Mary Ann estaba preciosa. «Mary Ann, ¿qué hicimos con aquella postal del restaurante Guernica? —he preguntado—. Te acuerdas, ¿verdad? La que partimos por la mitad». «Me acuerdo muy bien. Te diré más: yo conservo mi parte.» «¿Y tú, David?», ha preguntado Helen. «Yo también», he contestado. «¡Menos mal!», han exclamado los tres a la vez.

Hemos estado a gusto en el porche. Y ahora también lo estoy. Los pies los tengo como siempre, siento los dedos dentro de las zapatillas. Pero el grillo de dentro está atento. A la primera señal de alarma, se pondrá a batir las alas sin control, como un insecto loco.

14

Me he dado cuenta esta tarde de que en la mesa había unas diez conchas y de que la carta de la mariposa amarilla y naranja estaba cambiada de sitio. No he tardado en comprenderlo: he oído las risas de Liz y de Sara en el jardín. «Estáis muy guapas», les he dicho cuando he salido a abrazarlas. Tienen el color de Santa Bárbara. «La playa estaba bien —me ha dicho Sara—, pero tenía ganas de volver a casa». Hemos ido los tres a ver a los caballos, y de allí a casa de Efraín y Rosario. Me he sentido un poco débil.

Hace un rato —son las siete, pronto me reuniré con todos para ver la película que ponen en la televisión— he hecho una cosa rara. He escrito el epitafio que me gustaría que grabaran en mi tumba, y a continuación, la oración fúnebre. Las palabras han acudido a mi mente sin esfuerzo, como por sí solas, como si fueran para otra persona. Tengo que avisarle a Mary Ann que la oración se encuentra aquí, debajo de la entrada correspondiente al 14 de agosto. Si muero, que la lean en tres lenguas: ella en inglés, Efraín en español y Joseba en nuestra lengua de Obaba.

Epitafio: «Nunca estuvo más cerca del paraíso que cuando vivió en este rancho».

Oración fúnebre: «Nunca estuvo más cerca del paraíso que cuando vivió en este rancho, hasta el extremo de que al difunto le costaba creer que en el cielo pudiera estarse mejor. Fue difícil para él separarse de su mujer, Mary Ann, y de sus dos hijas, Liz y Sara, pero no le faltó, al partir, la pizca de esperanza necesaria para rogar a Dios que lo subiera al cielo y lo pusiera junto a su tío Juan y a su madre Carmen, y junto a los amigos que en otro tiempo tuvo en Obaba».

15

Domingo. Me he pasado toda la mañana haciendo puzzles con Liz y Sara. A la tarde, ellas se han marchado a casa de Efraín y Rosario, y yo me he reunido en la sala con Mary Ann, Joseba, Helen, Carol, Donald y otros amigos del Book Club. El calor era demasiado agobiante para estar en el porche. Al llegar yo, estaban hablando de la lectura del miércoles pasado, pero al momento Donald ha comenzado a elogiar *El primer americano de Obaba* y me ha propuesto su lectura. Le he dicho que yo no podía, que lo leyera él, si ése era su deseo.

Donald se esperaba mi respuesta, y estaba preparado. Tenía consigo la recopilación publicada en Visalia, con un *post-it* en la primera página de mi texto. En realidad, todos estaban preparados. Saltaba a la vista que se habían puesto de acuerdo. Donald ha empezado a leer: «En la época en que regresó de Alaska e hizo construir el hotel, don Pedro era un hombre muy gordo que tenía fama de pesarse todos los días en una báscula moderna que había traído de Francia...».

Le he indicado que continuara, y he buscado en el estudio la carta que don Pedro Galarreta escribió a mi tío Juan explicándole lo sucedido antes de que él lo escondiera en Iruain. La he leído un par de veces y he regresado a la sala de estar. La lectura de Donald ha concluido un cuarto de hora más tarde.

«Si me aplaudís mucho, me va a parecer siniestro», he dicho, y se han callado. Luego les he explicado que el cuento que acababa de leer Donald estaba basado en la carta que tenía en la mano. «La escribió el propio don Pedro Galarreta, el primer americano de Obaba. Improvisaré una traducción para que podáis comparar su testimonio con la ficción que yo inventé.» «Muy interesante», ha dicho Donald.

Me he sentado en una butaca y he empezado a traducir el relato —sencillo, sin tramas ni metáforas— de don Pedro.

TESTIMONIO DE DON PEDRO SOBRE LA PERSECUCIÓN DE QUE FUE OBJETO

(...) El coche marchaba a gran velocidad y pronto estuvimos en la entrada de Obaba. Aquí paramos y enseguida llegó el otro coche. Salieron todos a excepción del jefe, y entraron otros hombres. El chófer entrante preguntó al saliente: «¿Adónde llevamos a éstos?». Y dijo un nombre que no es de ningún pueblo, yo no lo había oído nunca.

Salimos los segundos. Dejamos la carretera enseguida y empezamos a subir por una pista de monte. Ahí se terminaron todas las dudas. Era seguro, nos iban a matar. No conocía la sierra por aquella parte, pero pensé que habría despeñaderos para poder tirarme del coche y matarme. Me horrorizaba pensar en la muerte que nos iban a dar, en lo que nos harían sufrir, desconfiaba de que no nos atormentaran, y estaba contento con la solución. Pero el coche hacia arriba iba muy despacio y no veía un sitio apropiado para tirarme.

Subimos el puerto y anduvimos unos ochocientos metros. De pronto, el coche que iba delante se cruzó en la carretera. El nuestro paró a unos metros. «¡Ya estamos! ¡Fuera todos! ¡Usted el primero!», me dijeron. (Tengo que dejar de escribir por unas horas, me emociono al recordar y pierdo el conocimiento, me repongo y me echo en la cama unos minutos, empiezo de nuevo a escribir.)

Me repitieron: «¡Usted el primero, fuera!». Yo no quería salir y, como estaba en la puerta, los demás no podían moverse, y forcejeamos dentro. Los del otro coche ya habían salido, los maestros estaban de pie. Vino un hombre del otro coche y, por la ventana opuesta, antes de que yo le viera, me pegó un golpe muy fuerte con el morro de un pesado fusil, suficiente para haber matado a un hombre débil. Levantó el arma y se dispuso a dispararme. Uno de sus compañeros le dijo: «No le tires hasta que salga, que va a llenar el coche de sangre. Acuérdate de lo que pasó ayer».

Vinieron dos más del otro coche y me agarraron para sacarme. Yo sacudí los brazos y los tiré al suelo. Al final no me quedó otro remedio que salir. A unos metros estaban los dos maestros de pie. Nos pusieron en fila, primero don Mauricio, luego don Miguel, tercero don Bernardino y cuarto yo. El jefe se puso a mi lado con una pistola grande, y sus diez o doce hombres detrás, a unos dos metros, con los fusiles en alto. El jefe se dirigió a mí: «Galarreta, usted va a ser el primero en morir». Yo le pedí que me escuchara unas palabras. «Hable usted rápido, que tengo prisa», respondió él. Le dije que no había tomado parte en ninguna cosa, y que así seguiría en el futuro, que disponía de una pequeña fortuna y la dejaba en sus manos para que él dispusiera. Él en voz alta ordenó: «¡Fuego!». Le agarré de golpe y le suspendí en el aire. «¡Sálvese el que pueda!», grité. Le di un empujón y lo tiré por los suelos, al tiempo que me echaba a correr bosque abajo, y todos rompieron fuego contra mí. Don Mauricio gritó: «¡Corran ustedes, yo no puedo, que me maten aquí!». Yo iba como loco. Se me trabaron las piernas y caí al suelo. Me hicieron cinco disparos más.

Me dieron por muerto. El jefe dijo: «Ahora a estos otros listos». Me incorporé deprisa para correr, y vi entonces a don Bernardino desplomarse con un fuerte berrido de muerte. Y luego dos berridos más, de don Miguel y don Mauricio. A estos dos no les vi caer. Les dispararon al corazón.

Les dieron el tiro de gracia casi a todos a un tiempo y el que iba a dármelo a mí al no encontrarme exclamó: «¡Si no está aquí!». El jefe le reprendió: «Ahora le debía dar con esta pistola en la cabeza y no sé si no lo haré por haberle dejado escapar». Empecé de nuevo a correr, pero se me salieron las alpargatas y se me quedaron atadas con sus cintas impidiéndome correr.

Rompí las cintas de dos tirones y eché a correr descalzo. Tenía miedo de que con el ruido me siguieran y me alcanzaran, pues eran todos jóvenes, algunos con menos de veinte años…

He interrumpido la lectura en este punto. «La carta sigue, pero creo que con lo que habéis escuchado es suficiente. La comparación entre los dos textos es fácil —les he dicho—. En la realidad, los hechos se desarrollaron de forma mucho más triste. En la ficción veíamos a don Pedro luchando, disparando para defenderse, arrepentido por haber dado muerte al prójimo y, por último, a salvo. Y uno de los maestros, don Miguel, también se salvaba por haberse marchado a tiempo a Bilbao. Nada de eso ocurrió de verdad. Don Pedro estuvo a merced de los asesinos. Oímos su relato y nos parece un cordero que mira con espanto al matarife». «¿Qué quieres decir exactamente, David?», ha preguntado Donald con gesto de preocupación. «Que la realidad es triste, y que los libros, hasta los más duros, la embellecen.»

Se ha producido un silencio, quizás por mi vehemencia y porque todos tienen en mente la proximidad de mi marcha al hospital. Joseba ha echado mano de sus dotes histriónicas. «¿Qué pretendes hacernos creer? —ha dicho con voz fuerte, torciendo el gesto—. ¿Que la realidad es siempre triste? ¿Y qué me dices de aquel día que te encontraste con Raquel Welch y su caballo sin nada encima? ¿Fue aquello triste?». He intentado negarlo, aclarar a Donald y a los demás que aquello no me sucedió a mí. Pero el embuste revoloteaba ya por la sala de estar, y era inútil dar explicaciones. «¿Raquel Welch, desnuda? ¿Dónde?», ha preguntado Carol sorprendida. «Era el caballo el que iba sin nada encima —ha contestado Joseba—. Raquel Welch llevaba un bikini». Donald también estaba sorprendido: «¿Es verdad que conociste a Raquel Welch?», ha preguntado. Al final Mary Ann ha tenido que contarles la versión real de la historia. Pero eso no ha arreglado el embrollo. A Carol le ha costado volver a la realidad. «O sea que Raquel Welch estaba en el lago Tahoe», me ha dicho, media hora después de la ocurrencia de Joseba.

He estado pensando qué me ha empujado a leerles ese fragmento tan dramático de la historia del americano, que en la época en que escribí el cuento decidí desechar. Y por qué he hecho luego un comentario tan pesimista. Tengo la respuesta: yo soy ahora Pedro Galarreta. Es de noche, voy dentro de un vehículo, no sé adónde me llevan. Sólo sé que algunos de los que viajaban conmigo están ya muertos. Los veía en la consulta del doctor Rabinowitz, dando explicaciones, y el doctor les decía: «Magnífico. Me alegra oírle decir eso». Es imposible huir, eso es lo más duro. Aunque huyamos siempre nos alcanzan, siempre regresamos al coche. Y un día, de pronto, oímos las inexorables palabras: «¡Ya estamos! ¡Fuera todos! ¡Usted el primero!». No quiero pensar más. Oigo cantar al grillo dentro de mí. No es un canto alegre: está asustado. Si pudiera salir, correría a esconderse entre las teclas blancas del ordenador.

16

Mary Ann me ha ayudado a preparar las cosas para el hospital, y luego hemos ido al parque de Three Rivers para que Liz y Sara pudieran saludar a sus amigas. Joseba y Helen han venido con nosotros. En el parque, un cometista —no sé si esa palabra existe— estaba explicando a un grupo de niños cómo hacer volar las cometas. Liz y Sara se han sumado al grupo, al igual que Mary Ann y Helen. Yo creo que Mary Ann lo hace a propósito. Piensa que Joseba y yo queremos seguir hablando de «nuestras cosas», y procura dejarnos solos.

Le he dicho a Joseba que antes de ingresar en el hospital quería acabar nuestro repaso, que me contara lo que supiera de Papi, Triku y el resto de la gente. «¿Sabes de dónde le venía el apodo a Papi?», me ha preguntado él, «Siempre he pensado que le llamaban Papi por ser un poco paternalista», le he dicho. «Eso creía yo también. Pero por lo visto le viene de la película *Papillon*. El otro día no te lo confesé, pero estuve con él en La Habana.» Ya lo suponía.

Hemos seguido hablando de Papi un buen rato. Luego le ha tocado el turno a Triku. Joseba lo vio en Montevideo. «Su restaurante tiene mucho éxito —me ha dicho—. ¿Sabes cómo se llama? *La nave especial*. Como imaginarás, él había pensado *La nave espacial*, pero el que le hizo el rótulo no leyó bien, y al final se ha quedado así».

Estoy convencido de que Joseba escribirá un buen libro, bien documentado, y así se lo he confesado. Él ha hecho un gesto de duda. «No estoy tan seguro. Mi deseo era hablar con Papi y Triku de la traición. Igual que contigo. Pero el problema es que ellos no leen cuentos. Con Papi acabé hablando de Steve McQueen, y con Triku me dediqué simplemente a charlar y a pasear por la ciudad.» «¿Qué tal están? De ánimo y demás, quiero decir.» «Triku, completamente perdido. Como dijiste tú el otro día, se ha quedado en los veinte años. ¿Sabes qué hace todos los días? Pasa por delante de La Casa Vasca, para oír el ruido de la pelota en el frontón, que llega hasta la calle. Dice que cierra los ojos y se siente en el País Vasco. En cuanto a Papi, no sé qué decirte. Él asegura que su único objetivo es escribir un libro sobre las mariposas de Cuba. Pero quién sabe.»

Había concluido la «clase» del parque, y un montón de cometas, unas veinte, se movían en el aire. Dos de ellas, de color verde, eran de Liz y Sara. Mary Ann nos ha llamado para que nos acercáramos. «Seguiremos con nuestro repaso cuando salgas del hospital», me ha dicho Joseba.

Hemos cenado pronto. Pensaba acostarme enseguida, pero me he sentado delante del ordenador, como vengo haciendo a diario durante todo este mes de agosto, y me he animado a escribir. Ahora veré un vídeo con Mary Ann y las niñas. Y mañana a Visalia.

Agradecimientos

A Asun Garikano.
A Txema Aranaz.
A la familia de don Pedro Salinas, especialmente a sus hijas Carmen, Beatriz, Laura y Sara.

Índice

(el cordón)